LA Fibromyalgie

Bien la connaître
pour mieux surmonter
la douleur, la fatigue
chronique et les troubles
du sommeil

LA Fibromyalgie

Bien la connaître
pour mieux surmonter
la douleur, la fatigue
chronique et les troubles
du sommeil

MARCEL GUITÉ
AGATHE DROUIN BÉGIN

ÉDITIONS
MULTIMONDES

Données de catalogage avant publication (Canada)

Guité, Marcel

La fibromyalgie: bien la connaître pour mieux surmonter la douleur, la fatigue chronique et les troubles du sommeil

Comprend des réf. bibliogr. et un index.

ISBN 2-921146-93-2

1. Fibromyalgie. 2. Fibromyalgie – Traitement. 3. Douleur – Traitement. 4. Fatigue chronique – Traitement. I. Drouin, Bégin, Agathe. II. Titre.

RC927.3.G84 2000   616.7'4   C00-940107-5

Révision linguistique: Ginette Trudel
Design de la couverture: Gérard Beaudry

ISBN 2-921146-93-2
Dépôt légal – Bibliothèque nationale du Québec, 2000
Dépôt légal – Bibliothèque nationale du Canada, 2000
© Éditions MultiMondes

ÉDITIONS MULTIMONDES
930, rue Pouliot
Sainte-Foy (Québec)
G1V 3N9 Canada
Téléphone: (418) 651-3885
Téléphone sans frais: 1 800 840-3029
Télécopie: (418) 651-6822
Télécopie sans frais: 1 888 303-5931
Courriel: multimondes@multim.com
Internet: http://www.multim.com

DISTRIBUTION EN LIBRAIRIE AU CANADA
Diffusion Dimedia
539, boulevard Lebeau
Saint-Laurent (Québec) H4N 1S2
Téléphone: (514) 336-3941
Télécopie: (514) 331-3916
Courriel: general@dimedia.qc.ca

DISTRIBUTION EN FRANCE
D.E.Q.

Les Éditions MultiMondes reconnaissent l'aide financière du gouvernement du Canada par l'entremise du Programme d'aide au développement de l'industrie de l'édition (PADIÉ) pour leurs activités d'édition. Elles remercient également la Société de développement des entreprises culturelles du Québec (SODEC) pour son aide à l'édition et à la promotion.

Remerciements

Mme GHISLAINE BAILLY, de Trois-Rivières, présidente de l'Association provinciale de la fibromyalgie du Québec, a gracieusement accepté de préfacer cet ouvrage. Nous lui sommes très reconnaissants pour son inspiration et son soutien.

M. RICHARD BLAIS, B. Pharm, propriétaire de la Pharmacie Richard Blais, de Sainte-Foy, son adjointe CHANTAL HIGGINS, B. Pharm., et Isabelle Plamondon, Bsc. Nutrition, étudiante en pharmacie, pour leur généreuse contribution et leurs conseils professionnels relatifs aux médicaments et à l'hygiène alimentaire.

Les PATIENTS FIBROMYALGIQUES qui ont généreusement accepté de partager avec nous leurs souffrances et leurs expériences personnelles, familiales et sociales.

LES ÉDITEURS des Éditions MultiMondes, à Sainte-Foy, pour leurs conseils pertinents.

NOS PROCHES ET NOS AMIS envers qui nous tenons à témoigner notre reconnaissance pour leurs observations perspicaces, leurs conseils et leur encouragement.

Avant-propos

Des centaines de milliers de Canadiens de tout âge et de toute culture sont victimes des troubles multisymptomatiques de la fibromyalgie sans avoir recours à des thérapies médicales efficaces et, bien souvent, sans la compréhension de leur entourage. Outre la douleur, la fatigue et les troubles du sommeil, une grande variété de symptômes secondaires accompagnent régulièrement ce syndrome chronique.

Bien que reconnue par l'Organisation mondiale de la santé depuis 1992 comme entité pathologique, la fibromyalgie n'a pas reçu chez-nous l'attention médicale qu'elle mérite. Une minorité de médecins seulement estiment qu'il s'agit d'une maladie organique invalidante, tandis que les autres n'y voient qu'un groupe de symptômes qu'on retrouve dans diverses maladies, y compris celles à caractère psychologique.

La plupart des patients endurent des douleurs musculaires extrêmes et de la fatigue constante durant une moyenne de sept ans avant d'obtenir un diagnostic décisif. Quand la douleur musculaire devient intense, aucune philosophie, aucune thérapie, aucun traitement n'aide vraiment. Le double aspect neurophysiologique et neuromusculaire de cette forme de souffrance persistante est une véritable agression qui perturbe le fonctionnement de tout l'organisme. Physiquement handicapé, la majorité des patients sont contraints d'abandonner leur travail et de négliger leurs tâches quotidiennes.

Soulignons à ce sujet que les autorités médicales, la Régie des rentes du Québec et les assureurs ne s'entendent pas sur l'invalidité de ce syndrome. Dans son bulletin émis en juin 1996 définissant les critères diagnostiques, le Collège des médecins du Québec a proclamé que : « La fibromyalgie est complexe et pose un défi sur le plan thérapeutique. Elle ne devrait pas être une condition invalidante en soi. » En conséquence, et fort à l'appui de cette déclaration, la plupart des patients handicapés en permanence par la fibromyalgie voient leurs demandes de prestations d'invalidité systématiquement refusées par la plupart des employeurs et des compagnies d'assurance.

La fibromyalgie demeure une énigme, non seulement pour ceux qui en souffrent mais aussi pour de nombreux chercheurs en étiologie. Une hypothèse qui fait son chemin indique que l'origine de la fibromyalgie se présente comme une dysfonction du système neuroendocrinien impliquant des déficiences dans le sang des patients en substances organiques essentielles, notamment le tryptophane, la sérotonine, la mélatonine et le magnésium.

Par ailleurs, des recherches sur les mécanismes de la douleur musculaire et sur ses traitements thérapeutiques s'organisent à travers le monde. L'expérience de la consultation multidisciplinaire dans les cliniques de la douleur, qui s'implantent dans certains grands centres hospitaliers, fait en sorte que les spécialistes sont mieux équipés pour aider les patients à contrôler davantage les symptômes douloureux. Soulignons toutefois que la liste d'attente de certains centres de la douleur peut s'étirer sur un an.

Pendant que la science médicale poursuit ses recherches expérimentales, les victimes de la fibromyalgie recherchent des médecins qui ne se contenteront pas de s'appuyer sur ce qu'il ont appris dans les facultés de médecine, mais qui feront un effort sincère pour comprendre les manifestations combinatoires de leurs symptômes chroniques, notamment les douleurs musculaires qui varient de l'inconfort à la souffrance intense, la fatigue persistante qui se manifeste sans raison apparente, et les troubles du sommeil qui grugent l'énergie des patients.

Nous avons appris beaucoup sur l'aspect global de cette maladie. À la lecture de cet ouvrage, les patients affligés par la fibromyalgie bénéficieront à leur tour des recherches et des résultats les plus récents relatifs à ce syndrome et à ses soins thérapeutiques.

Marcel Guité et Agathe Drouin Bégin

Préface

Je suis particulièrement heureuse de préfacer ce livre qui traite en profondeur la fibromyalgie. À titre de présidente de l'Association provinciale de la fibromyalgie du Québec, j'avais constaté avec déception que nous manquions nettement d'information sur l'approche globale de la fibromyalgie.

En conséquence, des milliers de Québécois et de Canadiens de langue française souffrant de cette maladie mal connue des médecins, se trouvaient dépourvus de renseignements indispensables qui leur auraient permis de vraiment connaître les divers symptômes qui caractérisent la fibromyalgie et de comprendre pourquoi ils éprouvent un si grand nombre de souffrances interminables.

Il est vrai que des articles sur ce syndrome apparaissent de temps à autre dans les revues populaires et les journaux. Mais à ma connaissance, il s'agit invariablement de brefs exposés décrivant sommairement les symptômes de douleur et de fatigue, ou des théories dont l'arrière-plan est trop souvent orienté sur l'aspect psychosomatique de la maladie. Cependant, bon nombre de ces articles révèlent à juste titre de pénibles témoignages d'expériences vécues par des patients fibromyalgiques qui se plaignent de ne recevoir de leur médecin que très peu d'information sur la fibromyalgie.

Comme moi-même qui suis atteinte de cette maladie courante, tous les patients fibromyalgiques cherchent à savoir pourquoi ils ont sombré dans cette maladie? Pourquoi ont-ils tant de difficulté à dormir? À quelles causes peuvent bien être attribués les fréquents maux de tête et les douleurs chroniques de la tête aux pieds?

Comment expliquer à son médecin la perte d'appétit et les troubles digestifs qui se manifestent en même temps? Quel phénomène nous fait oublier soudainement le nom d'un ami ou d'un lieu bien connu? De nature active et pleine d'entrain, pourquoi suis-je maintenant si abattue à ne rien faire? Devrais-je prendre des relaxant musculaires, des antidépresseurs et des hypnosédatifs toute ma vie?

Quels en seront les effets indésirables à long terme? Existe-il des thérapies complémentaires réellement efficaces pour soulager la douleur musculaire chronique?

Les auteurs de cet ouvrage exceptionnel ont conjugué leurs efforts pour nous apporter des réponses claires et précises sur ces questions et sur l'ensemble des particularités qui distinguent cette maladie – des renseignements essentiels dont l'importance a longtemps été ignorée ou niée par l'approche médicale traditionnelle.

J'ai eu l'occasion d'assister à une conférence donnée par les auteurs sur les conséquences dommageables du stress chez les patients souffrant de la fibromyalgie. J'ai été séduite par leurs conseils facilement applicables pour se libérer des facteurs stressants et pour adopter une attitude positive face à la maladie afin de mieux contrôler ses effets envahissants.

Ce qui fait l'originalité de cet ouvrage, c'est que les auteurs se sont appuyés sur leurs expériences individuelles comme victimes de la fibromyalgie et du syndrome de la douleur myofasciale. Fort plus, ils ont entrepris d'intensives recherches parmi une quantité impressionnante de publications spécialisées pour arriver à trouver des explications claires aux nombreux phénomènes et particularités que comporte cette maladie infiniment complexe.

Alors que la fréquence des cas de fibromyalgie se manifeste de plus en plus au Québec, ce livre apporte une contribution on ne peut plus importante. La somme des informations soigneusement élaborées dans les 20 chapitres se révélera une source précieuse pour ceux qui souffrent de fibromyalgie ou qui soupçonnent d'en être atteints.

Je suis persuadée que cet ouvrage apportera au corps médical, aux thérapeutes et aux patients des renseignements essentiels – non seulement pour mieux connaître et soigner la fibromyalgie – mais pour permettre aux victimes de rétablir leur santé afin de survivre à leurs souffrances et de retrouver leur joie de vivre.

Aux auteurs, Marcel Guité et Agathe Drouin Bégin, et à tous les patients fibromyalgiques, je souhaite tout le succès que ce livre mérite.

Ghislaine Breton Bailly, présidente
Association provinciale de la fibromyalgie du Québec

Table des matières

Introduction

Nous, les auteurs de cet ouvrage, sommes atteints de la fibromyalgie et du syndrome de la douleur myofasciale depuis plusieurs décennies. Pour connaître plus clairement la nature de ces deux syndromes, nous avons au fil des ans exploré une abondance de textes scientifiques, de revues médicales et autres publications spécialisées traitant des diverses caractéristiques de ces deux maladies peu connues.

Durant cette période de recherches, nous avons constaté qu'aucun ouvrage regroupant l'ensemble des éléments multisymptomatiques de la fibromyalgie n'avait été publié. Le temps était donc propice pour diriger le fruit de nos efforts vers un projet de livre incorporant dans un ensemble cohérent l'aspect global de la maladie.

Parmi le labyrinthe des données à notre disposition, nous avons tenté d'y voir clair en les soumettant à nos expériences individuelles. La rédaction prit naissance au début de 1997. Il s'agissait de regrouper, traduire et vulgariser les éléments les plus pertinents. Entretemps, les témoignages recueillis chez divers patients fibromyalgiques nous permettaient de mieux connaître les conséquences pernicieuses de la maladie, le caractère envahissant de la souffrance ainsi que certaines approches thérapeutiques nébuleuses qui rendent les patients arbitrairement prisonniers de leur maladie.

Nous nous sommes attardés sur les particularités de chacun des trois symptômes primaires de la fibromyalgie (douleur musculaire, fatigue chronique et troubles du sommeil). Un chapitre est consacré au syndrome de la douleur myofasciale dont souffrent un grand nombre de patients fibromyalgiques. La description écrite et illustrée de certains symptômes permettra au lecteur de reconnaître cette forme de douleur musculaire très éprouvante qui peut irradier dans toutes les parties du corps. Seize des plus importants symptômes secondaires étroitement associés à la fibromyalgie font l'objet d'un autre chapitre.

Puisque la nature chronique de la maladie entraîne des dissensions profondes au sein du couple et de la famille, et que la personne souffrante a besoin plus que jamais de soutien et de réconfort, les aspects physiologiques, psychologiques et d'entraide sont examinés. Par ailleurs, nous insistons sur les conséquence dommageables résultant du stress. Des méthodes sont proposées pour résister aux facteurs stressants ou, mieux encore, pour s'en libérer.

L'aspect médical exprime des renseignements et recommandations par des spécialistes en fibromyalgie de renommée internationale. Outre les médicaments fréquemment prescrits, les dangers de leur interaction et de leurs effets indésirables sont signalés. Certaines thérapies complémentaires éprouvées sont expliquées en profondeur pour réduire la tension musculaire chronique, la fatigue et les troubles du sommeil. Des exercices d'étirement musculaire « à faire et à ne pas faire » sont également suggérés.

Conscients que les troubles chroniques de l'intestin irritable sont étroitement liés à la fibromyalgie, l'hygiène alimentaire est élaborée judicieusement, tandis que nous faisons ressortir les dangers des mégadoses et des carences, des allergies et des intolérances à certains aliments.

Dans cet ouvrage, nous visons à faire prendre conscience au lecteur qu'il ne peut surmonter la fibromyalgie s'il n'a pas le véritable désir de survivre à ses effets contraignants. Nous insistons sur le principe que chaque victime de cette maladie se doit de prendre une part active dans son cheminement afin de mieux contrôler les divers symptômes sans dépendre uniquement des médicaments.

Pour informer les patients éligibles aux prestations d'invalidité, les primes d'assurance maladie et les formalités légales et juridiques sont examinées dans un chapitre. Dans la défense de leurs droits, des recommandations saillantes sont suggérées pour les aider à mieux se défendre contre les assureurs qui exercent une résistance féroce aux réclamations pour incapacité physique au travail.

Nous n'avons aucune prétention littéraire, philosophique ou médicale en présentant cet ouvrage. Toutefois, les textes sont écrits dans un langage populaire, à la portée de tous, pour assurer une compréhensibilité maximale. Quoique certains termes soient peu familiers au lecteur, d'autres prennent un sens particulier, notamment dans le contexte anatomique et physiologique de la fibromyalgie. À cet égard, la définition des principaux termes techniques que l'on rencontre sont expliqués au glossaire. Lorsque nécessaire à la clarté de la lecture, certains termes sont brièvement définis par une note en bas de page.

Enfin, l'index, qui suit le glossaire à la fin du livre, permet au lecteur de retrouver rapidement dans les textes tous les symptômes et autres caractéristiques associés à la fibromyalgie, y compris les traitements thérapeutiques et médicaux.

Avertissement

Le présent ouvrage n'est pas un guide d'automédication et ne saurait en aucun cas dispenser le lecteur d'avoir recours à une consultation médicale. Il est donc conseillé de consulter un médecin si votre état de santé vous inquiète.

Par ailleurs, certaines pratiques thérapeutiques formulées au chapitre des médecines alternatives ne sauraient remplacer un traitement en médecine traditionnelle.

Les conseils médicaux ont été formulés à partir de données les plus récentes de la science médicale. Des études ou des recherches ultérieures pourraient modifier l'approche médicale ou celle des médicaments.

1

Historique

La sélection historique est dirigée par les questions
que le présent pose au passé.

Raymond Aron

L E SYNDROME DE LA FIBROMYALGIE n'est pas une maladie de l'époque moderne. En 1816, Wm. Balfour, chirurgien à l'Université d'Édimbourg, en Écosse, a décrit ce syndrome comme une maladie se caractérisant par des points sensibles à la nuque et au dos s'associant à une grande fatigue.

Depuis, de nombreuses théories ont été avancées sur l'étiologie de la fibromyalgie (FM[1]), du syndrome de la douleur myofasciale (associé à la FM) et du syndrome de la fatigue chronique, lequel s'apparente de près à la fibromyalgie. Mais à ce jour, aucun chercheur n'a réussi à établir scientifiquement l'origine de la FM dont souffrent des centaines de milliers de personnes au pays.

En parcourant le contexte historique de la fibromyalgie décrit dans ces pages, nous constaterons que cette maladie défie la science médicale du monde entier depuis très longtemps. Toutefois, l'évolution des nombreuses recherches explorées depuis un siècle et demi ne laisse pas les chercheurs indifférents – même si leurs hypothèses ont abouti à des résultats souvent contradictoires et rarement concordants.

---

1. Pour alléger le texte, l'abréviation FM (fibromyalgie) est souvent utilisée dans cet ouvrage.

1800 – À cette époque, le concept de rhumatisme musculaire est employé par des médecins scandinaves et allemands pour désigner des symptômes qui, sans cause apparente, se manifestent par une grande fatigue accompagnée d'une sensation douloureuse dans diverses régions musculaires du corps.

1850 – Alors que des personnes de cette période victorienne se plaignent de douleurs et de fatigue difficiles à définir, les médecins britanniques ont tendance à associer ces symptômes à la neurasthénie, une forme de névrose caractérisée par une grande fatigabilité, de la douleur aux muscles, des troubles vasculaires, de l'insomnie, des malaises digestifs, de l'angoisse ou de la dépression.

Appelée *the American disease,* la neurasthénie semble avoir comme origine une contrainte de la société moderne qui suivit la Guerre civile américaine. Cette maladie évoquait alors ce qu'on appelle couramment aujourd'hui le « stress ».

1904 – En remplacement de neurasthénie, le terme « fibrosite » est utilisé pour la première fois par le physicien britannique sir Wm. R. Gowers pour désigner un processus inflammatoire des parties molles. Il croit que l'origine de cette maladie dérive d'une modification des tissus musculaires situés dans la partie lombaire de la colonne.

La fibrosite donnera lieu à beaucoup de confusion puisque aucune recherche n'a démontré de l'inflammation en fibromyalgie, contrairement aux effets inflammatoires associés aux maladies rhumatismales affectant les articulations. Bien que diverses recherches appuient cette hypothèse ambiguë, le terme « fibrosite » restera en usage durant trois-quarts de siècle, une désignation erronée qui compliquera davantage la maladie.

Durant le demi-siècle qui suivra, la fibrosite embrassera un large éventail de symptômes douloureux pour tous les troubles mal définis de la douleur musculo-squelettique. La méconnaissance pathologique de la fibrosite aura pour effet d'en faire un objet de dérision et, en conséquence, de discréditer cette maladie auprès des sommités de la médecine.

1946 – Les docteurs Janet G. Travell et S.H. Rinzler publient un ouvrage donnant un nom à la douleur myofasciale : *Relief of Cardiac*

Pain by Local Block of Somatic Trigger Areas. Trigger area est utilisé pour décrire les points déclencheurs qui, bien après, désigneront la douleur musculaire du syndrome de la douleur myofasciale.

1947 – Puisqu'il n'y a pas d'évidence d'inflammation dans la fibromyalgie, le concept de rhumatisme psychogène est présenté comme l'origine de la fibromyalgie (encore appelée «fibrosite»). Il est alors démontré que la dépression et le stress (Boland, 1947) sont étroitement associés à la maladie. Cette hypothèse s'appuie sur des études liées au syndrome du choc post-traumatique qui a frappé de nombreux militaires atteints de fatigue chronique et de dépression à la suite de rigoureux combats au cours de la Seconde Guerre mondiale.

Grâce à une nouvelle révolution industrielle, durant le quart de siècle suivant naîtra l'établissement de multiples entreprises dans les secteurs de la biotechnologie, du génie médical, de l'industrie diagnostique et pharmaceutique. Axé sur la recherche et le développement, l'objectif vise surtout la production de meilleurs vaccins et médicaments pour combattre la majorité des cas de maladies douloureuses incurables, incluant les syndromes de fibromyalgie et de la douleur myofasciale.

Cependant, les physiciens en médecine négligent ces deux syndromes complexes pour mieux approfondir leurs connaissances sur des maladies plus imminentes. Bien que la fibromyalgie soit prise au sérieux par quelques rhumatologues, elle demeure en contrepartie compliquée à diagnostiquer. Elle est reléguée, voire confinée, à l'arrière-plan par les chercheurs et les spécialistes de la santé, y compris les praticiens.

1950 – Appuyée par une forte croissance durant cette décennie de manifestations psychologiques, telles l'anxiété et la dépression, la fibrosite continue d'être diagnostiquée opportunément comme une forme de rhumatisme psychosomatique.

1952 – Les docteurs Janet G. Travell et S.H. Rinzler entreprennent de vulgariser le concept du syndrome de la douleur myofasciale (SDM) en publiant leur second ouvrage sur le sujet: *The Myofascial Genesis of Pain.*

1970 – Le terme «fibromyalgie», introduit pour la première fois dans les anales médicales par le rhumatologue P.K. Hench, est utilisé plus couramment par les spécialistes de la santé. Il remplace en définitive la désignation fibrosite qui signifiait incorrectement «inflammation des tissus connecteurs», alors que des études scientifiques avaient confirmé que l'inflammation était absente dans les tissus des patients fibromyalgiques.

Cette constatation amène les chercheurs et les physiciens à penser que la douleur associée à la FM est le résultat d'un état chronique d'anxiété et de dépression. C'est ainsi qu'on en vient à considérer cette maladie comme une affection d'origine psychologique.

1972 – Des chercheurs canadiens franchissent une étape importante dans le traitement de la fibromyalgie. À l'appui de longues expériences cliniques, le Dr H.A. Smythe, de l'Université de Toronto, et son collègue, le Dr H. Moldofsky, constatent durant ces années qu'ils peuvent provoquer des symptômes et des signes de la FM en perturbant la partie profonde du sommeil chez de nombreux patients atteints de la maladie.

Smythe et Moldofsky sont les premiers à établir l'intrusion de la fréquence alpha dans la phase du sommeil profond chez les patients fibromyalgiques au cours d'examens par les procédés de l'électro-encéphalographie. Cette perturbation suscite un endormissement léger plutôt que profond dans le cycle IV du sommeil. La découverte de cette importante anomalie deviendra 20 ans plus tard un facteur déterminant dans la symptomatologie de la fibromyalgie.

1973 – Les chercheurs T.N. Chase et D.L. Murphy découvrent que la sérotonine joue un rôle important dans la phase profonde du sommeil ainsi que dans le mécanisme central et périphérique de la douleur.

1976 – Smythe et Moldofsky réussissent à cerner deux nouvelles caractéristiques de la fibromyalgie qui s'avéreront toutes aussi cruciales. La première présente des sensations aiguës à la palpation digitale de multiples points sensibles sur des sites bilatéraux du corps des patients. La seconde identifie des douleurs diffuses un peu partout dans le corps qui, longtemps après, seront qualifiées de douleurs myofasciales.

1977 – Forts du succès de leur découverte, Smythe et Moldofsky publient une importante expertise sur les points sensibles, les douleurs musculo-squelettiques diffuses et les anomalies du sommeil, qui fait revivre l'intérêt du syndrome de la fibromyalgie.

En proposant des critères diagnostiques, les auteurs déclenchent une vague d'intérêt qui mènera à la publication de plus de 60 études sur le syndrome. Permettant enfin une description plus précise de la fibromyalgie, la découverte fondamentale de ces manifestations devait conduire 13 ans plus tard à des critères diagnostiques précis.

1980 – À la suite des études de Smythe et Moldofsky, des pathologistes se demandent si les symptômes manifestés par les patients fibromyalgiques ne révèlent pas la présence d'un état physiologique appartenant à une maladie particulière.

Le résultat probant des critères diagnostiques permet enfin d'adopter une classification partielle des symptômes. L'accent mis par le docteur M.B. Yunus et son équipe sur le syndrome de l'intestin irritable et ses effets ajoute une nouvelle dimension à la fibromyalgie.

1983 – Une étude physiologique sur le syndrome de la douleur myofasciale (SDM), maladie liée de près à la fibromyalgie, est publiée par Janet G. Travell et Davis G. Simons: *Myofascial Pain and Dysfunction: The Trigger Point Manual*, vol. 1, *The Upper Body* (William and Wilkins, 1983). S'appuyant sur un grand nombre d'illustrations, les auteurs élaborent les points déclencheurs du SDM dans les muscles de la partie supérieure du corps.

1984 – Le Dr Xavier Caro, chercheur de Northbridge, en Californie, publie un rapport sur le rôle du système immunitaire en fibromyalgie. Son étude décrit la présence dominante de protéines (76%) réagissant dans la peau des patients fibromyalgiques. Il souligne à ce sujet que les protéines sont rarement présentes dans la peau de personnes en santé.

1986 – L'aspect psychologique de la fibromyalgie est remis en question à la suite d'études où l'on a observé que la dépression et l'anxiété se manifestaient seulement chez un tiers des patients fibromyalgiques.

Un consortium regroupant 16 centres médicaux du Canada et des États-Unis, formé de membres s'intéressant à la fibromyalgie, est organisé dans le but de définir des critères de classification pour faciliter le diagnostic de cette maladie.

Le terme «fibromyalgie» est le premier consensus que le comité adopte. Il remplace à toutes fins utiles l'appellation «fibrosite» qui avait semé l'incertitude et la confusion depuis le début du siècle. Dorénavant, le terme «fibromyalgie» sera adopté de façon générale par les cliniciens et praticiens.

1987 – L'Association médicale américaine (American Medical Association) reconnaît le syndrome de la fibromyalgie comme une entité pathologique pouvant causer une invalidité substantielle.

1989 – La présence de divers symptômes concomitants à la fibromyalgie fait l'objet d'études approfondies par le chercheur J.L. Hudson et ses associés, incluant les symptômes suivants: douleur, fatigue, intestin irritable, maux de tête et dépression. Il utilise le terme «spectre du désordre affectif» (*affective spectrum disorder*) en suggérant que la dépression jouait un rôle prépondérant dans le spectre des symptômes concomitants qui se chevauchent.

Entre-temps, le rhumatologue Glenn A. McCain, professeur au Service des maladies rhumatismales, à l'Hôpital universitaire de London, en Ontario, étudiait depuis 1980 la fibromyalgie et soignait des patients souffrant de cette maladie. Face au dépistage tardif, à l'accroissement de la clientèle et à la méconnaissance courante de la FM, il organise le troisième Symposium Edward Dunlop[2]. Il fait appel à des conférenciers de divers pays susceptibles de présenter du matériel à l'épreuve d'examens scientifiques rigoureux relatifs à la fibromyalgie.

En réunissant les meilleurs experts du Canada, des États-Unis, de la Norvège, de la Suède et de l'Australie ayant mené des études cliniques sur la fibromyalgie, un consensus sur ce syndrome comme entité pathologique est le principal objectif visé.

---

2. Edward Dunlop, premier directeur général, Société d'Arthrite du Canada, 1948-1981.

Pour la première fois, un groupe aussi important de spécialistes, qui s'intéressent davantage à l'aspect physique qu'à l'aspect psychologique de la fibromyalgie, est réuni.

L'objectif secondaire du symposium est le regroupement des représentants de différentes disciplines médicales qui soignent des patients fibromyalgiques. Le colloque vise également à convaincre les médecins incrédules de l'existence de la fibromyalgie comme une entité pathologique pouvant être diagnostiquée dans leur bureau.

Réalisation

Les connaissances acquises au cours de ce symposium permettent de faire un grand bond vers l'avant sur la façon d'envisager les problèmes liés à une maladie aussi complexe que la FM. À ce stade, l'anxiété et la dépression ne sont plus considérées comme la cause de la fibromyalgie, mais plutôt comme une conséquence de la maladie.

Fondation de l'Association provinciale de la fibromyalgie

L'Association provinciale de la fibromyalgie du Québec est fondée à Repentigny, banlieue de l'est de Montréal. Conséquemment, des bureaux régionaux seront par la suite établis dans diverses parties de la province.

1990 – Jusqu'au début des années 1990, de nombreux rhumatologues insistaient pour diagnostiquer la fibromyalgie comme une maladie inflammatoire des muscles. Toutefois, la plupart des médecins ne parvenaient pas à trouver une justification valable et salutaire pour les patients fibromyalgiques. Souffrant de douleurs musculaires persistantes, ces malades devaient faire la ronde de plusieurs médecins et cliniques médicales afin de trouver une réponse à leurs souffrances.

Pour les patients fibromyalgiques, une lueur d'espoir apparaît à l'horizon au début de 1990 lorsqu'un rapport détaillé sur la fibromyalgie est publié par The American College of Rheumatology. Définissant les critères de classification, ce document met fin à la confusion qui entoure depuis longtemps la pathologie diagnostique de la FM. Ce compte rendu définit également la synthèse de longues études cliniques provenant de 24 éminents spécialistes en fibromyalgie du Canada et des États-Unis réunis à London (Ontario) en 1989.

1992 – Un document important est publié à la suite de la Conférence internationale sur la fibromyalgie et la douleur myofasciale, à Copenhague. La nouvelle qui suit paraît dans la revue médicale britannique *The Lancet*, dans son numéro de septembre 1992 :

> Un document publié à l'occasion de la Conférence internationale sur la douleur myofasciale et la fibromyalgie, qui s'est tenue à Copenhague en août 1992, a donné lieu à l'inscription de la fibromyalgie comme diagnostic dans la Dixième classification internationale des maladies (CIM). Cette classification est sous la responsabilité de l'Organisation mondiale de la santé et est l'ouvrage de référence connu des médecins à travers le monde.

> La déclaration de Copenhague a entériné les deux principaux critères de diagnostic fibromyalgique établis en 1990 par l'American College of Rheumatology, à savoir douleur musculo-squelettique diffuse et sensibilité dans 11 des 18 points reconnus.

> De plus, la déclaration de Copenhague fait mention de divers autres symptômes concomitants à la fibromyalgie : fatigue chronique, raideurs matinales, sommeil non réparateur et plusieurs points sensibles. D'autres malaises sont également présents : maux de tête, vessie irritée, dysménorrhée, sensibilité au froid, phénomène de Raynaud, agitation des jambes, engourdissements et picotements, intolérance à l'exercice, sensation de faiblesse.

Avantageusement pour les patients, la reconnaissance de la fibromyalgie par l'Organisation mondiale de la santé (OMS) met fin à l'hypothèse fort préjudiciable et lourde de conséquences voulant que la fibromyalgie soit un syndrome de nature psychosomatique, hypothèse malheureusement soutenue par la majorité des médecins et des spécialistes depuis plus d'un siècle.

Et contrairement à l'attitude de nombreux praticiens qui présument que les fibromyalgiques sont avant tout des personnes tendues, anxieuses, perturbées et déprimées, des études cliniques démontrent unanimement que ces patients n'ont rien d'anormal sur le plan psychosomatique.

Le volume II, des auteurs Janet G. Travell et Davis G. Simons, portant sur l'étude physiologique du syndrome de la douleur myofasciale, élabore les points déclencheurs de la partie inférieure du corps. *Myofascial Pain and Dysfunction: The Trigger Point Manual*, vol. II, *The Lower Body* est publié en 1992.

1993 – Selon le renommé chercheur américain F. Wolfe, la définition du terme fibromyalgie n'est probablement pas la meilleure. Des arguments sur le sujet avancent que trop d'importance a été accordée à l'égard des points sensibles, probablement parce que les rhumatologues, plus que les autres spécialistes, participent depuis longtemps au diagnostic et au traitement de la fibromyalgie.

1994 – Le Dr David Nye, de la Midlefort Clinic, à Eau Claire, au Wisconsin, affirme selon ses observations que les plaintes de nature psychosomatique en fibromyalgie sont en fait causées par les douleurs chroniques, la fatigue chronique et, spécialement, par les troubles du sommeil. Cette particularité est plus évidente quand la dépression et l'anxiété sont présentes. Il invoque aussi que des symptômes semblables à ceux de la FM peuvent être reproduits chez des volontaires normaux en les privant de sommeil profond durant plusieurs jours.

En outre, le Dr David Nye fait ressortir qu'un niveau trop bas d'hormones de croissance (les somatotropes) a été observé chez un grand nombre de patients souffrant de FM. Ces hormones jouent un rôle important dans le maintien en santé des muscles et autres tissus mous.

1996 – À la suite de scanographies SPECT, le Dr Byron M. Hyde révèle que 25 % des patients atteints du syndrome de fatigue chronique, maladie étroitement liée à la fibromyalgie, souffrent d'une angéite cérébrale, une inflammation chronique des vaisseaux sanguins du cerveau, semblable à celle causée par le lupus.

Peu après, le Collège des médecins du Québec publie en juin 1996 un document intitulé *La Fibromyalgie*, dans lequel il établit ses premiers critères diagnostiques et définit certaines normes de base d'évaluation, de traitement et de suivi des patients fibromyalgiques. En substance, les critères de classification du Collège sont les mêmes que l'American College of Rheumatology a définis et adoptés en 1990.

1998 – Un document de l'Association de fibromyalgie du Québec résume les résultats d'un important sondage auprès de 596 membres atteints du syndrome. Les thèmes portent sur l'occupation avant le diagnostic, les maladies antécédentes, les événements précurseurs, les spécialistes vers lesquels le médecin traitant les a dirigés et les médicaments prescrits, les appareils orthopédiques, divers programmes d'exercices, et la moyenne du revenu familial.

2

Le syndrome
de la fibromyalgie

*Il est étonnant de constater à quelle fréquence les patients
déclarent spécifiquement éprouver de la douleur,
de la fatigue, de la difficulté à dormir et des problèmes de
digestion, et ce à un degré important. Ce cortège
inhabituel de symptômes est typique chez les patients
souffrant de fibromyalgie.*

Dᵣ James G. MacFarlane

DES CENTAINES DE MILLIERS DE QUÉBÉCOIS souffrent de fibromyalgie, un syndrome multisymptomatique dont la cause est inconnue. Elle se distingue avant tout par des douleurs musculaires chroniques pouvant entraîner de graves conséquences. En fait, un nombre important de personnes atteintes de ce syndrome sont réduites à l'invalidité.

Les symptômes primaires : douleur musculaire, fatigue chronique et troubles du sommeil sont en règle générale aggravés par une variété de facteurs : le surmenage, le stress, l'anxiété, les changements météorologiques, le froid, l'humidité, le bruit – ou sans raison apparente. Son évolution étant imprévisible, des cycles de crises aiguës peuvent durer des jours ou des semaines. Bien que la fibromyalgie fut classifiée maladie distincte par l'Organisation mondiale de la santé en 1992, un grand nombre de spécialistes du corps médical ignorent encore sa physiopathologie.

Qu'est-ce que la fibromyalgie?

Trouver la définition juste pour préciser la chaîne multisymptomatique de la fibromyalgie demeure un problème de taille pour les spécialistes qui dirigent depuis un demi-siècle des études étiologiques sur son origine.

Le réputé chercheur américain Frederick Wolfe[1] s'est penché sur cette interrogation énigmatique: «Qu'est-ce que la fibromyalgie?» Pour connaître une définition éclairée sur ce syndrome, des groupes de scientifiques s'intéressant à sa physiopathologie ont exprimé trois opinions distinctes:

1. La fibromyalgie est un désordre fonctionnel des muscles. Des études sur l'énergie et les biopsies du tissu des muscles squelettiques, ainsi que la faiblesse et les douleurs musculaires, supportent cette hypothèse.

2. Ce syndrome est constitué d'un désordre organique. Leur théorie s'appuie sur le fait que les douleurs musculaires peuvent être très intenses dans une région puis subitement disparaître pour réapparaître dans une autre région.

3. Selon une perception «intégrée», la fibromyalgie est un désordre biochimique dans lequel les douleurs musculaires interagissent avec une myriade d'agents biologiques et organiques, le tout lié au stress et à des dysfonctions des systèmes neuroendocrinien et immunitaire.

Le Dr Wolfe souligne:

On a récemment ajouté à cette dernière opinion une succession de composantes relatives à d'autres anomalies en fibromyalgie qui sont liées au système nerveux central et au mécanisme biochimique. Ces composantes comprennent des niveaux abaissés de tryptophane, de sérotonine, de mélatonine, de somatomédine, d'hormones TRH et de prolactine et, inversement, un excédent considérable de la substance P.

Depuis, aucun élément nouveau sur la définition de la fibromyalgie est venu corroborer ou démentir ces opinions. Les origines

---

1. Frederick Wolfe, M.D., est professeur de médecine interne à l'Université du Kansas et est affilié au Centre de recherches St. Francis, à Wichita, au Kansas. Il est l'auteur de plusieurs ouvrages concernant la fibromyalgie et ses traitements.

théoriques du syndrome de la fibromyalgie sont examinées au chapitre 12 «Les causes probables».

Terminologie

Depuis des siècles et selon les pays, la fibromyalgie a semé beaucoup de confusion chez les spécialistes de la santé en étant désignée par une variété d'appellations parfois obscures, parfois confondantes:

• rhumatisme musculaire	• polyentésopathie	• myofibrite
• rhumatisme psychogène	• polyinsertionnite	• fibromyosite
• tension rhumatismale	• tendinomyopathie	• fibrosite, et enfin
• polyalgique idiopathique diffuse	• tension myalgique	• fibromyalgie

Apparaissant dans les textes médicaux depuis 1976, le terme «fibromyalgie» est composé d'une combinaison de trois préfixes latins: *fibro* = fibre (du tissu conjonctif: fascia, faisceau, etc.), *myo* = muscle, *algie* = douleur.

Le terme «fibromyalgie» peut porter à confusion puisqu'il ne désigne que des troubles musculaires alors que de multiples autres composantes symptomatiques sont étroitement liées à la fibromyalgie. Longtemps employé à tort, le terme «fibrosite» désignait une inflammation du tissu fibreux – alors que l'inflammation est inexistante dans les tissus musculaires de la fibromyalgie. Ce qui laisse présumer que la FM n'est pas à proprement parler une maladie de nature rhumatismale.

Le terme «syndrome» signifie la réunion d'un groupe de symptômes se présentant en même temps dans certaines maladies dont on ne connaît pas l'origine. Le mot «fibromyalgie» ne figure pas à ce jour dans les encyclopédies et dictionnaires populaires.

Étiologie

Des chercheurs de divers pays s'appuient sur des études et pratiques expérimentales pour avancer des hypothèses sur l'origine de la fibromyalgie. Mais, à ce jour, ils n'ont pas réussi à s'entendre sur une singulière théorie concernant la ou les causes de la fibromyalgie.

Néanmoins, la fibromyalgie s'est fait mieux connaître depuis la dernière décennie grâce aux études menées par des chercheurs canadiens et américains s'intéressant à son étiologie. Les résultats de leurs recherches ont permis d'établir des critères de classification pour définir et simplifier son diagnostic.

D'autres études montrent que les variétés de douleurs chroniques caractérisant la fibromyalgie sont absentes chez les personnes en santé ou chez celles souffrant de diverses maladies comme le rhumatisme et autres états présentant des douleurs inflammatoires aux articulations ou aux os.

Depuis les deux dernières décennies, des évidences concrètes ont contribué à faire ressortir la nature physiologique des composantes primaires et secondaires de la fibromyalgie. Soulignons que ce syndrome avait longtemps été mal diagnostiqué à cause de la confusion qui régnait sur son aspect pathopsychologique. Dirigé par l'American College of Rheumatology (ACR), un comité de 20 chercheurs canadiens et américains spécialisés en FM sont parvenus entre 1986 et 1990 à réunir le fruit de leurs recherches qui permettra à l'Organisation mondiale de la santé, en 1992, de sanctionner la fibromyalgie comme une maladie distincte.

La fibromyalgie est maintenant considérée comme l'une des maladies les plus courantes de la société nord-américaine. La combinaison des symptômes physiopathologiques l'accompagnant se manifeste à la fois de façon préoccupante ou handicapante. En périodes de crise, les patients fibromyalgiques doivent suspendre toute forme d'activité.

LES TROIS SYMPTÔMES PRIMAIRES

Les personnes atteintes de fibromyalgie manifestent en premier lieu trois types de symptômes primaires chroniques : la douleur, la fatigue et les troubles du sommeil.

La douleur chronique

Caractérisant la fibromyalgie, ce symptôme primaire est constitué de deux types de douleurs musculaires non inflammatoires : la douleur des points sensibles et la douleur des points déclencheurs.

Douleur musculaire propre à la fibromyalgie

Touchant la totalité des patients fibromyalgiques, cette douleur se distingue par des points sensibles (PS) à la palpation en neuf sites bilatéraux bien définis du corps. Cette douleur s'étend principalement dans la région musculaire du cou, des épaules, des bras, du bassin et des genoux. Elle siège dans les tissus mous des muscles entourant les articulations (contrairement à l'arthrite qui affecte directement les articulations). Ce symptôme primaire est élaboré au chapitre 7 « La douleur chronique ».

Douleur musculaire du syndrome myofascial

En plus de la douleur caractérisée par les points sensibles, environ 35 % des patients fibromyalgiques souffrent du syndrome de la douleur myofasciale (PDM). Se manifestant dans des zones musculaires excessivement sensibles, les PDM peuvent irradier dans toutes les parties du corps.

La douleur myofasciale est liée à une dysfonction du fascia, un tissu qui enveloppe et maintient ensemble les muscles et ses unités fonctionnelles. Alors que le reste du muscle est physiologiquement normal, la douleur myofasciale se situe à l'intérieur du muscle, plus précisément dans les bandes tendues des fascias.

À l'aide d'illustrations, les caractéristiques de la douleur myofasciale sont examinées au chapitre 3 « Le syndrome de la douleur myofasciale ».

La fatigue chronique

Suivant en importance la douleur chronique, la fatigue chronique (FC) se caractérise par une fatigue languissante à la suite d'efforts physiques, de travaux intellectuels prolongés, ou par une faiblesse soudaine sans cause apparente. Elle s'intensifie par un manque de sommeil et par des situations stressantes, prolongées ou consécutives.

Présent chez tous les patients fibromyalgiques, ce symptôme primaire peut se poursuivre durant plusieurs jours et semaines, voire des mois. Habituellement grave et débilitante, la fatigue chronique peut progresser rapidement. Somme toute, elle réduit considérablement les activités quotidiennes et la qualité de vie des patients. (Elle est élaborée au chapitre 8 « La fatigue chronique ».)

Puisque la fatigue chronique associée à la fibromyalgie et le syndrome de la fatigue chronique (SFC) sont deux symptômes qui s'apparentent de très près, il est quasi impossible de différencier ces deux maladies. Alors qu'un médecin portera un diagnostic de fibromyalgie chez une personne, celle-ci pourra fort bien être diagnostiquée du SFC par un autre médecin.

Les particularités de la fatigue chronique et du syndrome de la fatigue chronique sont comparées dans les pages suivantes (tableau 2.1).

Les troubles du sommeil

Ce symptôme primaire, qui perturbe régulièrement le sommeil de l'ensemble des patients fibromyalgiques, se distingue par une difficulté de s'endormir, de fréquents réveils et une perte du sommeil profond. Ce type d'insomnie chronique se traduit par des raideurs et une fatigue languissante dès le réveil matinal.

Chez les bons dormeurs, la phase profonde du sommeil rétablit les forces indispensables à l'équilibre de l'organisme. En fibromyalgie, cependant, la fréquence des ondes alpha (du stade de somnolence) déborde anormalement sur la fréquence des ondes delta durant le cycle profond du sommeil. Cette anomalie occasionne un état de sommeil léger qui prive l'organisme d'un repos essentiel. La complexité de ces anomalies est analysée au chapitre 10 « Les troubles du sommeil ».

LES SYMPTÔMES CONCOMITANTS

Bien que les critères diagnostiques de la fibromyalgie ne s'appuient que sur la présence des points sensibles, les patients subissent régulièrement une multitude d'autres malaises secondaires appelés « symptômes concomitants ». Les plus importants (nommés ci-après) sont expliqués au chapitre 11 « Les symptômes concomitants à la fibromyalgie ».

• Allergies	• Maladie de Raynaud
• Canal carpien (syndrome du)	• Maux de tête
• Constipation	• Perte de cognition
• Cystite	• Reflux gastro-œsophagien
• Dépression	• Syndrome prémenstruel
• Engourdissement	• Syndrome de Sjögren
• Intestin irritable	• Thyroïdite
• Mal de gorge	• Vessie irritable

Symptômes dérivant des divers systèmes

Le tableau 2.1 indique une grande variété de symptômes secondaires qui accompagnent fréquemment la fibromyalgie. Ils dérivent de divers systèmes de l'organisme liés entre eux qui agissent pour accomplir une fonction commune. Le système endocrinien, par exemple, est composé de glandes sécrétant des hormones qui règlent le métabolisme, la croissance, le développement et la fonction sexuelle.

LA FIBROMYALGIE JUVÉNILE

Les docteurs Dan Buskila et Abraham Gedalia, de Beer-Sheva, ont mené en Israël durant trois ans une étude sur 338 enfants d'âge scolaire, entre 9 et 15 ans. Les résultats confirment que 8% des enfants d'âge scolaire se plaignant de douleurs et de fatigue chroniques ont consulté des rhumatologues spécialisés en FM. Une autre étude dirigée en Israël souligne qu'un pourcentage important de ces enfants sont diagnostiqués fibromyalgiques (*Journal of Rheumatology* 20(2): 368-370, 1993).

Diagnostic

Les symptômes les plus communs impliquant la fibromyalgie juvénile sont semblables à ceux de la fibromyalgie adulte: douleurs musculaires, raideurs, fatigue soutenue, troubles du sommeil, engourdissement, maux de tête, anxiété. Les adolescents sont généralement plus faciles à diagnostiquer que les plus jeunes parce qu'ils savent mieux exprimer leurs symptômes.

Tableau 2.1

Symptômes concomitants à la fibromyalgie

Système endocrinien

Thyroïdite (inflammation de la glande thyroïde)

Fatigue généralisée

Frilosité

Perte ou diminution de l'appétit

Hypoglycémie (insuffisance du taux de glucose dans le sang)

Peau sèche, démangeaisons

Syndrome de Sjögren (diminution de la sécrétion des glandes lacrymales, salivaires, trachéales, digestives et vaginales)

Système cardiovasculaire

Palpitations

Maladie de Raynaud

Tachycardie (rythme cardiaque accéléré)

Chute de pression

Système respiratoire

Troubles respiratoires

Ronflement

Allergies

Toux

Système digestif

Bouche sèche

Dysphagie (mal de gorge, boule dans la gorge, difficulté à avaler)

Dyspepsie (troubles digestifs)

Intestin irritable (constipation, diarrhée, crampes)

Reflux gastro-œsophagien (brûlures à l'estomac, hyperacidité)

Système nerveux

Douleur sciatique

Perte de cognition (perte de mémoire à court terme, trouble de concentration)

Maux de tête (céphalées, migraines)

Paresthésie (engourdissement, fourmillement, picotement, sensation de brûlure ou de gonflement subjectif)

Anxiété, dépression

Hypersensibilité aux bruits, à la lumière, au froid, aux odeurs, aux produits toxiques, à la fumée

Troubles du sommeil

Troubles de la vision

Troubles de l'équilibre, étourdissements, nausées

Système musculo-squelettique

Douleurs musculaires

Faiblesse musculaire

Raideurs matinales

Dysfonction temporo-mandibulaire (difficulté à ouvrir ou à fermer la bouche)

Crampes, spasmes musculaires

Syndrome du canal carpien (tendance à échapper les objets)

Système génito-urinaire

Troubles menstruels

Vessie irritable

Cystite (inflammation de la vessie)

Bien que les critères diagnostiques des adultes se définissent par la palpation de 11 des 18 points sensibles situés dans des zones bilatérales du corps, le diagnostic pour les enfants ne requiert que 8 ou 9 points sensibles, surtout s'ils souffrent d'autres symptômes concomitants à la FM. Les symptômes de douleurs musculaires et articulaires, les raideurs matinales et la fatigue sont souvent diagnostiqués à tort comme une affection de rhumatisme arthritique juvénile ou de la maladie de Lyme.

On sait que chez les adultes, le complexe fibromyalgie-fatigue chronique engendre à divers degrés des douleurs corporelles, de l'épuisement et une multitude d'autres symptômes. Mais chez les enfants, seules la douleur et la fatigue peuvent suffire pour les empêcher d'être actifs.

Le Dr Ron Laxer, pédorhumatologue au Sick Childrens' Hospital de Toronto, déclare :

> Jusqu'à récemment, les médecins n'étaient pas conscients que le diagnostic de fibromyalgie pouvait identifier une grande variété de plaintes similaires chez les enfants. Après l'arthrite rhumatoïde juvénile, la FM est maintenant le deuxième diagnostic le plus courant que nous observons chez les nouveaux patients dirigés à notre clinique.
>
> Si l'ignorance concernant la FM a longtemps été une question épineuse chez les patients adultes, la situation est encore pire pour les enfants qui expriment difficilement leur inconfort, leurs douleurs généralisées et leur difficulté à dormir. Ces symptômes peuvent aisément être associés à des maux de croissance ou, tout simplement, rejetés comme une maladie feinte à la recherche d'attention.

Les études de Buskila et Gedalia indiquent que 75% des jeunes patients fibromyalgiques présentent une rémission des symptômes. Les enfants ont plus de chance que les adultes de récupérer parce qu'ils réagissent mieux aux traitements médicamenteux et jouissent d'un meilleur soutien moral et émotionnel de la famille et des amis.

LA PRÉVALENCE

La fibromyalgie touche sans exception toutes les nationalités et couches culturelles. L'émergence de la fibromyalgie comme entité clinique décrivant les études descriptives n'a commencé aux États-Unis qu'au début des années 1980. Une grande partie de l'information sur la fréquence de cette maladie émane des cliniques médicales. Sa prévalence est à peu près équivalente dans les divers groupes socio-économiques des pays industrialisés.

Le résultat de diverses études de cas fibromyalgiques dans la population en général oscille entre 2% et 5%, dont 85% sont des femmes. La prévalence varie légèrement d'un pays à l'autre. La fréquence de cas de fibromyalgie dans la population américaine varie entre 2% et 4%. En Europe, elle est estimée à environ 3% de la population. Dans les pays scandinaves, cependant, la fréquence est trois fois plus élevée chez les natifs du pays, la prévalence variant entre 3% à 5,5%. Cette croissance serait attribuable au climat nordique rigoureux, particulièrement les territoires de la Norvège, de la Suède et de la Finlande situés au-delà du 60e parallèle. Les personnes asiatiques et de race noire sont moins prédisposées à la fibromyalgie.

De récentes données évaluent à environ huit millions les Nord-Américains qui seraient atteints de fibromyalgie. En se basant sur ces statistiques, il y aurait au Canada un million de personnes souffrant de FM, dont environ 140 000 Québécois.

Selon le Dr Frederick Wolfe, le résultat d'une étude prolongée auprès de 3 006 patients à Wichita, au Kansas, révèle que la FM est plus commune que l'arthrite rhumatismale. Des praticiens ont observé sur 392 sujets fibromyalgiques examinés que le nombre de personnes souffrant de douleurs musculaires chroniques augmente linéairement avec l'âge. Plus fréquente chez les 50 ans et plus, la prévalence du groupe 60-69 ans est de 23%, tandis que celle des 80 ans atteint 30%.

LE DIAGNOSTIC

Les critères diagnostiques de la fibromyalgie définissent que le patient doit présenter à la palpation au moins 11 des 18 points sensibles qui durent depuis au moins six mois (figure 2.1). Les points douloureux, variant légèrement d'un patient à l'autre, siègent dans les régions musculaires du cou et des épaules, des omoplates, du bassin et des genoux.

Au cours de l'examen des régions douloureuses, le médecin trouve chez un patient fibromyalgique une tension pénible à la pression

Figure 2.1
Points sensibles de la fibromyalgie

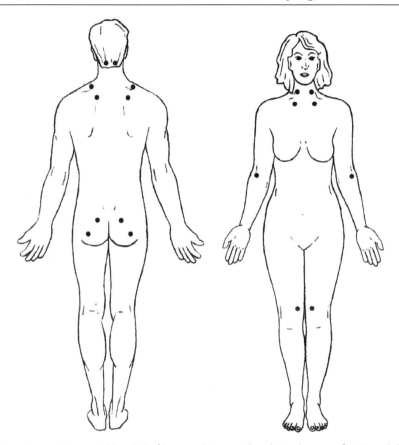

Note : Les points sensibles de la fibromyalgie sont localisés dans neuf régions bilatérales du corps.

Source : *Copigraf*, Mélanie Giroux, Loretteville, 1999.

digitale des muscles et une sensibilité des tendons. L'examen clinique
effectué en laboratoire et en radiologie chez les fibromyalgiques ne
révèle ni douleur ni symptôme particulier.

Conséquemment, et même si le patient semble en bonne santé,
précisons que ce type de douleur musculaire est le symptôme
subjectif déterminant sur lequel un médecin s'appuie pour établir
un diagnostic de fibromyalgie. Pour plus d'information, voir au chapitre 5 « Le diagnostic ».

CARACTÉRISTIQUES DES SYMPTÔMES

La fibromyalgie implique d'innombrables composantes pathophysiologiques et une multitude d'effets inconnus. Ce n'est que récemment que les études cliniques de chercheurs canadiens et américains ont mené à une certaine compréhensibilité de l'aspect multi-symptomatique qui caractérise la FM.

Les premiers signes de la fibromyalgie apparaissent généralement à la suite d'un accouchement, d'un changement hormonal (comme à la ménopause), après une hystérectomie ou une infection virale. En outre, des études montrent qu'une prédisposition génétique peut entraîner des sujets dans cette maladie à la suite d'un événement incitateur, soit dans l'enfance ou plus tard. Elle aura tendance ensuite à se développer rapidement si l'historique du patient révèle des événements déclencheurs, tels qu'un *burnout* (surmenage, épuisement professionnel), un deuil, des traumatismes successifs, des stress de forte intensité.

N'étant pas une maladie qui apparaît brutalement, la FM s'installe insidieusement sans surprendre, en se dissimulant dans des tissus musculaires pour surgir à la suite d'un effort prolongé. Commençant par des sensations douloureuses diffuses, son évolution alterne ensuite entre des crises de douleurs musculaires aiguës et de courtes périodes de rémission.

La fibromyalgie peut se manifester sous une forme isolée ou en association avec d'autres maladies comme l'arthrite rhumatoïde précoce, la polymyalgie rhumatismale, le lupus érythémateux, le syndrome de Sjögren, la polymyosite, la sclérodermie. Elle peut aussi survenir sous une forme infectieuse : des infections parasitiques ou une endocardite bactérienne, une infection par un virus humain immunodéficient, une hépatite virale (voir à ce sujet « Les causes probables » au chapitre 12).

Dans la plupart des cas, les intervalles libres de tout symptôme, notamment les douleurs et la fatigue, se comptent au début en semaine et en mois. Mais ces intervalles d'accalmie auront tendance à se raccourcir de plus en plus avec l'évolution de la maladie avant qu'elle ne devienne persistante et rebelle. La période des rémissions est habituellement inférieure à trois semaines. Mais dans une grande proportion des cas, l'évolution est généralement ininterrompue et progressive.

Certains facteurs physiques aggravent manifestement les symptômes de la fibromyalgie. Les activités simultanées, les bras tendus au-dessus d'une surface de travail, les mouvements répétés, durant de longues périodes en position assise ou debout, provoqueront des douleurs musculaires. L'anxiété, une privation de sommeil, un excès d'activités physiques, des réactions aux médicaments ou aux drogues, l'immobilité, les températures froides et humides aggravent souvent les symptômes.

Les chercheurs analysent plus que jamais les conséquences dommageables du stress causées par les douleurs musculaires et la fatigue chronique chez les patients fibromyalgiques (voir à ce sujet « Stress et fibromyalgie » au chapitre 15).

CONSÉQUENCES NUISIBLES

Qualité de vie pitoyable

Tout d'abord, on peut ranger parmi les manifestions de la fibromyalgie la perte de bien-être. Retirant à la vie tout son pétillement, la FM entraîne un effet dépressif sur la qualité de vie en général. La permanence de ses symptômes préoccupants et invalidants coupent du reste du monde bien portant les patients qui en sont victimes.

Quand le Dr Carol S. Burckhardt et ses collègues ont examiné 280 femmes atteintes de fibromyalgie, d'arthrite rhumatoïde, d'ostéo-arthrite, d'ostéome (tumeur osseuse bénigne), de maladie pulmonaire obstructive chronique, de diabète sucré et un groupe témoin bien portant, les femmes fibromyalgiques figuraient parmi celles qui éprouvaient une qualité de vie la plus pitoyable. Selon le Dr Burckhardt :

> Ces patientes étaient manifestement mécontentes de leur incapacité de participer aux activités nécessitant de l'endurance physique, incluant le travail et les loisirs. Elles étaient également insatisfaites d'elles-mêmes et du peu de confort matériel que leur apportait la vie.

Le Dr Burckhardt conclut que ce genre d'attitude négative et d'insatisfaction s'infiltre dans presque tous les aspects de la vie des patients fibromyalgiques (*Journal of Rheumatology*, vol. 20, n° 3, 1993).

Effets pernicieux

En raison de sa chronicité, l'incertitude de l'état de santé des fibro-myalgiques leur interdit de songer à l'avenir avec enthousiasme. Par exemple, rares sont ces patients qui peuvent entreprendre un voyage sans être incommodés par des douleurs musculaires ou de la fatigue qui, indubitablement, s'intensifieront en cours de route. À la longue, ce genre de privation personnelle a des conséquences dramatiques sur leur vie familiale et sociale. La liste suivante en témoigne.

- Incapacité de terminer leurs études ou de suivre des cours de perfectionnement.

- Perte d'emploi ou d'avancement dans leur profession ou carrière.

- Éloignement graduel de leurs proches.

- Sensation d'impuissance face à la perte d'autonomie et d'énergie.

- Détérioration marquée du bien-être physique et psychique imputable à la permanence des douleurs musculaires et de la fatigue.

- Interruption brutale de la pratique des sports, d'un instrument de musique, de la danse, des loisirs en plein air avec la famille.

- Incapacité de prendre part à des activités familiales, communautaires et sociales.

- Perte de contact ou de maîtrise sur les événements communautaires et sociaux.

- Perte instinctive de l'épanouissement, du plaisir, de l'enchantement.

- Doute ou scepticisme manifesté par leur entourage quant aux symptômes «invisibles» de la fibromyalgie.

Difficultés au travail

La forte augmentation du nombre d'employés atteints de la FM devant s'absenter en raison de surmenage physique et de fatigue intellectuelle est attribuable en grande partie aux changements technologiques et organisationnels des dernières années. D'après la firme d'actuaires Normandin-Beaudry, de Québec, les coûts de l'assurance salaire ont augmenté entre 1987 et 1994 de 23% pour les hommes et de 33% pour les femmes. Les principales raisons de ces hausses sont l'apparition de nouvelles maladies comme la fibromyalgie et le syndrome de la fatigue chronique.

De récentes études menées en Europe et aux États-Unis révèlent que les travailleurs souffrant de fibromyalgie possèdent considérablement moins d'énergie et d'endurance que leurs collègues en santé. Tout surplus d'activité au travail a tendance à intensifier les douleurs musculaires et la fatigue. Les travailleurs professionnels sont davantage sujets à succomber au burnout ou à la dépression si leur stress environnemental est causé par le surmenage, le bruit, la lumière forte, la fumée de cigarette, les courants d'air, l'air climatisé, le surchauffage et, notamment, par un manque d'oxygène.

Pour la majorité des patients fibromyalgiques, l'invalidité est une dure réalité. Une étude révèle que plus de 70% de ces personnes ont perdu leur emploi à cause de la maladie. Celles qui souffrent conjointement du syndrome de la douleur myofasciale sont en grande majorité presque ou totalement handicapées physiquement.

Selon un récent rapport du géant de l'assurance maladie Sun Life, les principales causes d'invalidité comprennent les cas de fibromyalgie qui ont augmenté de 520%, ceux du syndrome de la fatigue chronique, de 450%, et ceux du syndrome du canal carpien et des lésions attribuables au travail répétitif, de 380%.

Au chapitre 14 «Aspect juridique», nous examinons les problèmes juridiques des Canadiens invalidés par la fibromyalgie.

Danger de l'exercice physique

Des scanographies montrent que l'exercice physique provoque chez les personnes fibromyalgiques une baisse importante de circulation sanguine et d'activité du système nerveux central qui aggrave leurs capacités déjà réduites. De plus, l'exercice occasionne la respiration superficielle ou l'hyperventilation (Mena, Lapp, Goldstein, *L.A. Conference*, 1993).

Rappelons que la Déclaration de Copenhague de 1992, issue du deuxième congrès mondial sur la fibromyalgie, a inclus « l'intolérance à l'exercice » parmi la liste de ses symptômes concomitants. Le Dr Devin Starlanyl, spécialiste dans le traitement de la FM, recommande à ses patients d'éviter les exercices à répétition, de nager le crawl ou la brasse, de lever des poids et haltères, et suggère de monter lentement les escaliers ou les pentes (voir au chapitre 18 « Exercices d'assouplissement et thérapies de détente »).

Aspects physiologiques et psychologiques

En s'appuyant principalement sur des signes subjectifs de dépression, on a longtemps diagnostiqué à tort la fibromyalgie comme un état psychosomatique. Faute d'évidence pathophysiologique, la plupart des praticiens concluaient que les symptômes de la douleur, de la fatigue et les autres signes concomitants étaient avant tout causés par la dépression.

Dans un document intitulé « La fibromyalgie » (juin 1996), le Collège des médecins favorise l'aspect psychologique au détriment de l'aspect physique. Cette position a soulevé une vague d'insatisfaction chez les milliers de patients regroupés dans des associations régionales. Ils n'acceptent pas qu'un organisme public puisse imposer une disposition préjudiciable à l'égard d'une couche importante de la société confrontée à une maladie chroniquement invalidante.

Pourtant, des chercheurs de divers pays se spécialisant en fibromyalgie confirment depuis bien des années que les patients souffrant de cette maladie ont un profil psychologique semblable à celui trouvé chez les patients souffrant de douleurs chroniques (T.A. Ahles, 1984). Ces spécialistes s'accordent pour affirmer que la dépression, présente chez le tiers des patients fibromyalgiques, est de toute évidence causée par les conséquences dramatiques de la fibromyalgie. Avant la maladie, la majorité de ces malades n'avaient pas connu la dépression.

Le Dr Byron Hyde signale qu'il est dangereux de balayer ce type de maladie en dessous du tapis psychologique. Par exemple, en faisant des scanographies MRI du cerveau sur quelques patients, il a trouvé deux cas de sclérose en plaques, une tumeur maligne, une commotion cérébrale et une lésion attribuable à la fatigue chronique.

LA FIBROMYALGIE : UNE MALADIE MÉCONNUE

Un grand nombre de médecins se méfient généralement des plaintes subjectives exprimées par leurs patients. Or, cette attitude cause un préjudice considérable aux fibromyalgiques qui désirent connaître la raison de leurs symptômes handicapants.

Dans son édition du 29 janvier 1998, *Le Soleil*, de Québec, exposait cette situation préoccupante :

> Par formation, le médecin s'intéresse presque exclusivement aux manifestations organiques, même s'il est conscient que la cause d'une maladie se trouve dans l'environnement de son client. Un récent rapport d'un groupe de travail, adopté unanimement par le Collège des médecins du Québec, indique que les omnipraticiens hésitent à traiter certaines classes de patients, car ils exigent plus de temps et ils sont pénalisés par le paiement à l'acte.

> Devant une situation aussi alarmante, les personnes atteintes de fibromyalgie se sentent victimes d'un système de santé qui leur apporte que des traitements par surprescription médicamenteuse. Les médecins démissionnent devant leurs nombreux problèmes de santé. Ils tendent à les régler à la pièce, sans perspectives, ce qui tend « à alourdir les diagnostics dans le sens de la démence ».

Le Dr John J. Calabro, professeur en science médicale à l'Université du Massachusetts, indiquait récemment que :

> la fibromyalgie affecte plus de 10 millions d'Américains. Mais elle est mal estimée 95 % du temps. Cette maladie figure parmi les troubles musculo-squelettiques les plus communs chez les gens relativement jeunes. En dessous de 50 ans, cette maladie est beaucoup plus commune que le rhumatisme chronique polyarticulaire. La recherche nous permettra dans le futur d'avoir de meilleurs traitements à offrir que des antidépresseurs ou des relaxants musculaires.

De récents sondages, effectués auprès de 202 patients fibro-myalgiques, à Washington, D.C., révèlent qu'une moyenne de 13 différents médecins et spécialistes avaient été consultés durant cinq ans avant d'obtenir un diagnostic précis et de recevoir des traitements convenables : 50 % ont été diagnostiqués par des rhumatologues, 19 % par des généralistes, 8 % par un psychiatre, 8 % par des thérapeutes, 3 % par le patient lui-même.

Au Québec, l'Association de fibromyalgie du Québec a effectué un sondage au début de 1996 auprès de 596 membres tous atteints de fibromyalgie. La tableau 2.2 nous présente ces données.

TRAITEMENT MÉDICAL

Les efforts pour développer une thérapie médicale pertinente au syndrome de la fibromyalgie ont longtemps été freinés par un manque d'informations sur son étiologie et sa pathogénie. Maintenant ce n'est plus le cas depuis que le Collège des médecins du Québec a publié en 1996 des critères de classification relativement simples et faciles pour permettre d'établir un diagnostic de fibromyalgie.

Cependant, obtenir un diagnostic précisant la fibromyalgie demeure une tâche de longue durée, ardue et souvent désespérante pour un grand nombre de personnes souffrant de ses symptômes préoccupants. Pourtant, tous les médecins reconnaissent que le premier pas à franchir pour bien gérer le traitement de tout trouble physiologique repose sur le diagnostic.

Le Dr Robert Bennett, spécialiste en fibromyalgie, de l'Oregon Health Sciences University souligne :

Une amélioration substantielle peut être obtenue par des traitements appropriés pour soulager la douleur musculaire chronique et la fatigue persistante dont souffrent les patients atteints de FM.

Durant les premiers stages de traitement, le patient est souvent inquiet d'être atteint d'une autre maladie encore plus grave que la fibromyalgie, le lupus ou la sclérose en plaques, par exemple. Des suivis à long terme chez ces patients démontrent qu'il est très rare qu'ils puissent être frappés par une maladie rhumatismale ou neurologique.

Ces personnes ont avant tout besoin d'être rassurées. Elles ont le droit de savoir que la fibromyalgie dont elles souffrent est chronique, mais qu'elle ne cause pas de déformation ni de perte fonctionnelle comme

Tableau 2.2

Statistiques sur les fibromyalgiques

Répondants

Diagnostics avant 1990:

104 répondants — 19 %

Diagnostics après 1990:

439 répondants — 81 %

Femmes: 543 répondants — 91 %

Hommes: 53 répondants — 9 %

Âge moyen: 48,5 ans

Âge moyen au moment du
diagnostic: 44,09 ans

Durée moyenne entre
les premiers symptômes
et le diagnostic: 9,5 ans

Cas d'invalidité certifiés: 198 — 33 %

Événements précurseurs

Maladies	16 %
Stress, burnout, dépression	13 %
Accident de voiture	9 %
Accident de travail	7 %
Grossesse	6 %
Chirurgie	6 %
Décès de proche	5 %
Problèmes financiers	6 %
Problèmes familiaux ou au travail	5 %
Séparation, divorce	5 %
Traumatisme	4 %
Violence, vol, agression	4 %
Autres	14 %

Appareils orthopédiques

(171 cas)

Canne	39 %
Fauteuil roulant	20 %
Orthèse: bras	8 %
Orthèse: jambe	7 %
TENS	6 %
Collet cervical	3 %
Béquilles	3 %
Autres	14 %

Occupation avant le diagnostic

(585 répondants)

Travail sédentaire	39 %
Travail manuel	23 %
Travail en milieu hospitalier	18 %
Travail en milieu scolaire	12 %
Autres	8 %

**Spécialistes recommandés
par le médecin traitant**

(217 répondants)

Rhumatologues	51 %
Physiatres	10 %
Neurologues	8 %
Internes	6 %
Orthopédistes	4 %
Nutritionnistes	3 %
Psychiatres	2 %
Microbiologistes	2 %
Psychologues	1 %
Autres	13 %

**Catégories de médicaments
prescrits**

(596 répondants)

Antidépresseurs	34 %
Relaxants musculaires	29 %
Anti-inflammatoires	22 %
Analgésiques	8 %
Anxiolytiques	5 %
Autres	1 %

Antécédents de diverses maladies

(506 cas)

Varicelle	58 %
Rubéole	30 %
Implant mammaire	4 %
Polio	4 %
Tuberculose	4 %

Source: Données provenant d'un sondage effectué en 1996 par l'Association de la fibromyalgie du Québec.

l'arthrite inflammatoire. Et même si les douleurs ne disparaîtront probablement jamais, on doit également les rassurer en leur expliquant que des traitements appropriés peuvent atténuer la douleur et améliorer les autres symptômes incommodants.

Les soins médicaux relatifs à la fibromyalgie sont présentés au chapitre 6 « Traitement médical ».

CONCLUSION

La reconnaissance officielle de Copenhague en 1992 devait entraîner une prise de conscience notable de la part des praticiens à l'égard de la FM. Cependant, et même si la fibromyalgie est officiellement reconnue comme une entité pathologique par la science médicale universelle, la maladie n'a pas été prise au sérieux par un grand nombre de praticiens.

Pour obtenir un traitement médical plus efficace, les personnes atteintes de fibromyalgie comptent sur les recherches pour trouver l'origine de la maladie. Cependant, Michèle Sheaff, journaliste, est moins optimiste :

> Les chercheurs n'ont pas encore réussi à assembler tous les morceaux pour révéler un motif cohérent à la fibromyalgie, tel un casse-tête très complexe où manquent encore des pièces clés. Et ces morceaux ne se rajoutent pas vite puisque les chercheurs n'ont pas les moyens pour les trouver. Malheureusement, le doute et l'incrédulité face à ce syndrome rendent la recherche de preuves encore plus difficile. Trop peu de fonds sont alloués aux chercheurs pour élucider les causes. Seuls des pionniers téméraires ont osé s'aventurer dans ce terrain inconnu, risquant leur bien-être économique et leur carrière.

Entre-temps, la fibromyalgie continue de détruire des vies et de faire des ravages à l'économie. On estime entre 10 et 50 milliards de dollars le coût économique total de la FM aux États-Unis. En Angleterre, plus de 300 millions de livres sterling sont dépensées annuellement en rémunération.

Rayon d'espoir

Des décisions importantes ont été approuvées en 1998, à la sixième conférence de presse du Collège des médecins du Québec sous la présidence du Dr Roch Bernier :

Le comité administratif a autorisé la création d'un groupe de travail sur la fibromyalgie et la fatigue chronique, deux syndromes actuellement mal définis qui posent de sérieux problèmes de diagnostic, en grande partie à cause de l'invalidité importante qui leur est associée [...] Si le Collège espère outiller les médecins par des lignes directrices, c'est autant à la demande des médecins eux-mêmes que des compagnies d'assurance et du ministère de la Santé.

En attendant, il appartient au patient souffrant de FM de trouver les thérapies et autres méthodes qui lui conviennent le mieux pour améliorer sa santé. Il doit s'adapter aux effets handicapants de sa maladie en s'imposant une discipline qui respecte ses limites physiques. Il lui appartient également d'adopter une hygiène de vie réaliste en visant comme objectif des mesures adaptées à ses capacités pour surmonter sa maladie douloureuse et persistante.

Au terme de la lecture de ce chapitre, nous recommandons à toute personne aux prises avec les symptômes énumérés ci-après de consulter un intervenant professionnel du CLSC de sa région pour connaître un médecin expérimenté dans les traitements de la fibromyalgie:

- *Douleurs musculaires* vives persistant depuis plusieurs mois dans des régions précises du corps, particulièrement celles qui siègent dans l'épaule et le cou;

- *Fatigue physique* persistante sans raison apparente;

- *Troubles du sommeil* (difficulté persistante à bien dormir);

- *Troubles de la digestion* (douleurs abdominales, diarrhées, constipation);

- *Maux de tête* fréquents;

- *État dépressif ou morosité* (humeur chagrine, manque d'entrain).

Un médecin ainsi recommandé sera plus en mesure d'offrir des traitements appropriés – que ce soit pour soigner la fibromyalgie ou tout autre symptôme pouvant masquer une autre maladie importante.

3

Le syndrome de la douleur chronique myofasciale

*Un muscle squelettique contient des fibres. Celles-ci
contiennent des myofibrilles, des nerfs et des vaisseaux
sanguins. Chacune de ces matières est recouverte de fascia.
Puis le muscle entier est enveloppé d'un fascia.*

Sharon Butler

INTÉGRÉE À LA FIBROMYALGIE, la douleur chronique myofasciale se distingue par des points déclencheurs (aussi appelés « points gâchettes » : de l'anglais *trigger points*) siégeant dans les muscles squelettiques du corps. Contrairement aux 18 points sensibles de la fibromyalgie, les points déclencheurs de la douleur myofasciale (PDM[1]) sont répartis inégalement dans l'ensemble du corps. Comparable à un mal de dents intense, ce phénomène douloureux est souvent ressenti par des patients comme une brûlure répétitive qui irradie vers les périphéries en périodes de crise.

Il ne fait aucun doute que les personnes qui souffrent régulièrement des PDM vivent une existence hypertendue, souligne la Société d'arthrite canadienne. On sait que la douleur et l'angoisse contribuent à l'hyperactivité nerveuse. Or, ces patients reçoivent dans les nerfs et les muscles des décharges d'influx nerveux anormalement fréquentes qui propagent des contractions musculaires douloureuses. Ce phénomène se produit le plus communément quand il y a douleur persistante.

---

1. L'abréviation PDM (point déclencheur myofascial) est couramment utilisée dans cet ouvrage pour alléger le texte.

Différence entre les points sensibles et les points déclencheurs

Bien que les mécanismes des symptômes douloureux des muscles squelettiques présentent certaines caractéristiques communes, les points déclencheurs de la douleur myofasciale et les points sensibles de la fibromyalgie sont classés comme deux syndromes pathologiques différents.

- La fibromyalgie se présente comme un désordre biochimique, alors que le syndrome de la douleur myofasciale se manifeste comme une dysfonction neuromusculaire.

- La douleur des points déclencheurs fluctue en intensité, mais elle ne disparaît jamais totalement. Elle est plus intense lors des changements climatiques et pendant les périodes de stress ou d'anxiété.

- Environ 85% des femmes sont atteintes des points sensibles de la FM alors que les PDM du syndrome myofascial touchent les hommes et les femmes à part égale.

- Les 18 points sensibles de la FM siègent dans des zones précises, tandis que les points déclencheurs sont répartis dans toutes les régions musculaires du corps.

- En plus des points sensibles, des points déclencheurs pouvant irradier dans l'ensemble des muscles squelettiques sont ressentis par environ 35% des patients fibromyalgiques.

Un sous-groupe de patients souffrant de points déclencheurs sont susceptibles de contracter la fibromyalgie à la suite de facteurs prédisposants, comme la tendance héréditaire, les troubles de sommeil alpha-delta, un niveau détérioré de la forme physique, une réaction excessive au stress.

Principaux symptômes

Les principaux symptômes du syndrome de la douleur chronique myofasciale sont:

- Douleurs musculaires instables, variant en intensité selon les activités ou les postures, se propageant par irradiation à partir de points déclencheurs d'extrême irritabilité dans une région distincte ;

- Engourdissement douloureux dans les membres, principalement dans les jambes, les chevilles, les pieds et orteils, particulièrement en position immobile ;
- Faiblesse musculaire généralisée au moment d'une surcharge musculaire ;
- Fatigabilité soudaine au cours d'activités quotidiennes ou intellectuelles prolongées ;
- Sensation de brûlure sur la peau dans des régions spécifiques.

Facteurs prédisposants

Certains facteurs perpétuels prédisposent généralement le patient souffrant du syndrome de la douleur myofasciale :

- Maladie pulmonaire obstructive chronique, incluant l'asthme et la bronchite ;
- Dysfonction de la glande thyroïde ;
- Hypoglycémie réactionnelle (insuffisance du taux de glucose dans le sang) ;
- Tendance aux spasmes musculaires (spasmophilie chronique) ;
- Fatigue chronique ;
- Troubles du sommeil ;
- Infections répétitives ;
- Diminution modérée à grave de l'amplitude de certains mouvements ;
- Carences en vitamines B, C ou E, en sels minéraux, en magnésium, etc.

Cause immédiate

Divers groupes de chercheurs estiment que la cause immédiate des PDM est une déficience neuromusculaire des fascias, une large bande de tissu conjonctif qui enveloppe les nerfs, les vaisseaux sanguins, les myofibrilles et les fibres des muscles, ainsi que le muscle lui-même.

LES MUSCLES SQUELETTIQUES

Considérant que la douleur musculaire constitue le symptôme prédominant de la fibromyalgie et du syndrome de la douleur myofasciale, il convient d'examiner sommairement la structure et la fonction des muscles du squelette qui gèrent les mouvements du corps. Cela nous permettra de posséder quelques notions d'histologie pour aider à comprendre pourquoi les troubles musculaires provoquent autant de douleurs chez les personnes atteintes du complexe FM/SDM.

On dénombre plus de 600 muscles squelettiques (muscles volontaires) dans le corps humain, lesquels représentent environ 40% à 50% de la masse totale (voir figures 3.2 et 3.3 aux pages 44 et 45).

Les aliments absorbés par les muscles produisent l'énergie, laquelle se transforme à la fois en mouvement et en chaleur pouvant faire monter la température du corps jusqu'à 40°C. Environ 85% de la chaleur du corps est produite par la contraction musculaire. Cela explique pourquoi, lorsque exposé au froid, on se réchauffe les muscles en faisant des mouvements des bras et des pieds.

Tissu musculaire

Le mouvement corporel se produit par la contraction et le relâchement des muscles. Tous les mouvements dépendent du bon fonctionnement des os, des articulations et des muscles attachés au squelette. Selon son mode d'emploi, le tissu musculaire possède quatre propriétés essentielles :

- *L'excitabilité* – fonction de recevoir des stimuli nerveux et d'y réagir.

- *L'extensibilité* – fonction de s'allonger.

- *La contractilité* – propriété de pouvoir se raccourcir, s'épaissir ou se contracter sous l'effet d'un stimulus. La contraction musculaire permet les mouvements du corps, maintient la posture.

- *L'élasticité* – propriété du tissu musculaire de reprendre sa forme initiale après une contraction ou une extension.

Selon le volume et le nombre de fibres musculaires, le travail des muscles dépend de la force qu'ils peuvent développer. En se contractant, ils consomment beaucoup d'oxygène et requièrent une bonne circulation sanguine. Pour s'alimenter, les muscles utilisent en plus des protéines, des sucres et des graisses provenant de l'organisme et de l'alimentation.

Le fascia et autres composants

Diverses couches de tissu conjonctif protègent et renforcent les muscles du squelette et les attachent à d'autres organes. Le tissu conjonctif du muscle est composé de faisceaux contenant des fibres. Attaché à l'os par les tendons, le muscle est soutenu par le fascia (tissu conjonctif dense) et l'épimysium, le prolongement du fascia qui tapisse la paroi interne du corps et des membres. Le fascia a pour double rôle de maintenir les muscles ensemble, et de les séparer en unités fonctionnelles pour permettre leur libre mouvement, le passage des nerfs et des vaisseaux sanguins (figure 3.1).

Lorsqu'on observe les fibres d'un muscle squelettique dans un microscope, on peut voir qu'elles renferment de très fines structures cylindriques, appelées «myofibrilles», dont le nombre peut varier de quelques centaines à quelques milliers. Constituées de myofilaments contractiles minces (actine) et épais (myosine), les myofibrilles forment une zone ou une bande claire. Le glissement des myofilaments d'actine et de myosine les uns par rapport aux autres provoque la contraction du muscle.

Troubles musculaires

En se contractant, les muscles produisent des déchets toxiques : l'acide carbonique et l'acide lactique. Quand les acides se calcifient dans les muscles, on peut fort bien ressentir une douleur et une fatigue musculaires. Ces déchets disparaissent généralement durant le repos, surtout durant le sommeil, alors que les muscles reçoivent suffisamment d'oxygène. Sans réchauffement préalable, les muscles et leurs tendons risquent de subir des myalgies ou des tendinites s'ils sont trop utilisés au début d'une activité physique.

Figure 3.1

Disposition du tissu conjonctif
dans le muscle squelettique

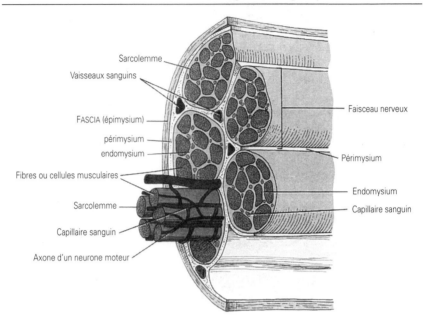

Sarcolemme

Vaisseaux sanguins

FASCIA (épimysium)

périmysium

endomysium

Fibres ou cellules musculaires

Sarcolemme

Capillaire sanguin

Axone d'un neurone moteur

Faisceau nerveux

Périmysium

Endomysium

Capillaire sanguin

Note : Coupes transversales et longitudinales montrant la position relative des fascias et autres composants constituant le muscle.

Source : *Principe d'anatomie et de physiologie*, Centre Éducatif et Culturel inc., Montréal, 1988.

Calcification musculaire

Le Dr Hans Selye avait remarqué en 1975 chez des sujets une forme de calcification musculaire apparaissant sur des tissus de leurs muscles qu'il nomma « calciphylaxie ». Cette anomalie dans les tissus musculaires se présente peu importe si l'agent stresseur est une maladie chronique, un grave traumatisme d'ordre émotionnel, des blessures multiples ou des expériences répétées selon le principe de « lutte ou fuite ».

Le Dr Devin Starlanyl explique ainsi la calcification :

Ce phénomène de calcification ou de resserrement du fascia est très commun chez les patients atteints de la douleur myofasciale. Quand une telle anomalie musculaire se présente, les tissus s'épaississent et perdent leur élasticité. Or, la capacité des neurotransmetteurs d'envoyer et de recevoir des messages entre le cerveau et le corps est anormalement interrompue.

Intensité douloureuse des points déclencheurs

Les points déclencheurs se caractérisent par des bosses ou des nodules de membranes fibreuses résistantes situées sur la face profonde de la peau. Au moment de la palpation, les zones sensibles transmettent une douleur assez intense pour faire sursauter subitement le patient – ce qui explique l'appellation «point déclencheur». Soulignons qu'un muscle peut contenir plus d'un PDM en même temps.

Ces sensations douloureuses ressemblent à la douleur inflammatoire de la tendinite, la bursite ou l'épicondylite. Elles peuvent apparaître soudainement par un faux mouvement ou graduellement par des travaux plus ou moins ardus, des mouvements répétés ou par d'autres éléments déclencheurs, tels qu'un changement climatique, le froid, le stress et, souvent, sans raison apparente. Les points déclencheurs diminuent la force musculaire de leur région d'origine. Ainsi, si le patient éprouve une douleur myofasciale dans le bras, les muscles du poignet et de la main peuvent en être affaiblis.

Sensibles à la douleur au niveau des muscles, les fibres nerveuses irradient de façon espacée et discontinue, laissant cependant un certain nombre de zones sans aucune sensibilité douloureuse. L'immobilité aggrave généralement la douleur en contractant davantage les muscles. Bien que le schéma habituel de la douleur myofasciale soit similaire entre patients, l'intensité de la souffrance peut grandement varier d'un sujet à l'autre. En conséquence, il est souvent difficile de localiser l'origine exacte des points déclencheurs.

Figure 3.2

Vue antérieure des principaux muscles
squelettiques superficiels

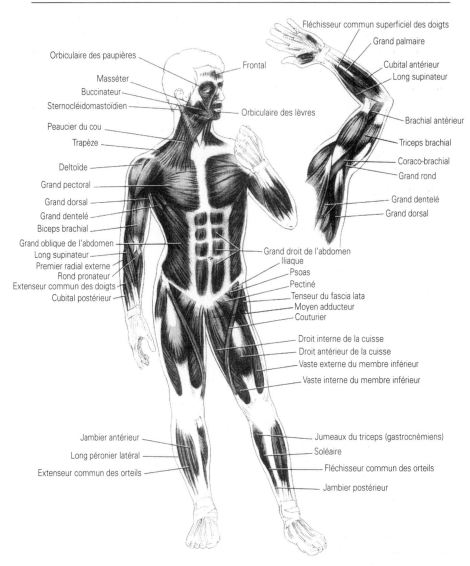

Source : *Principe d'anatomie et de physiologie*, Centre Éducatif et Culturel inc., Montréal, 1988.

Figure 3.3

Vue postérieure des principaux muscles squelettiques superficiels

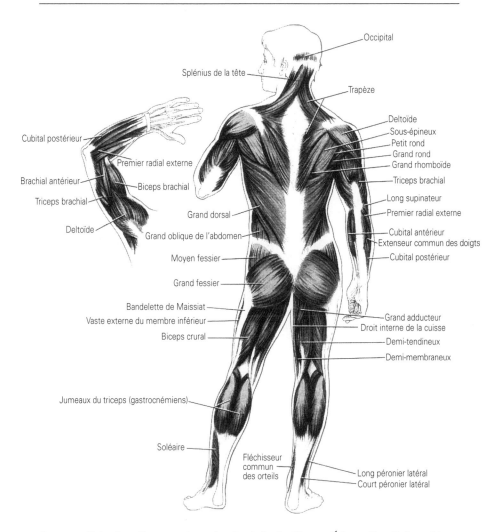

Source : *Principe d'anatomie et de physiologie*, Centre Éducatif et Culturel inc., Montréal, 1988.

SYMPTÔMES DOULOUREUX DES PDM

Douleur irradiante

Rarement isolée, l'irradiation douloureuse des points déclencheurs peut provoquer la dysfonction simple d'un muscle en une multiplicité de PDM qui entraîneront le déséquilibre musculaire de plusieurs régions du corps.

Certains points déclencheurs ne présentent une douleur que dans la zone immédiate d'un muscle. D'autres PDM, tels que ceux du muscle scalène antérieur (figure 3.4), localisés profondément dans la région de l'épaule, peuvent irradier une douleur musculaire dans un grand rayon qui se ressent dans le cou et l'avant-bras jusque dans la main. Pareillement pour les muscles longeant la partie supérieure et inférieure de la colonne : les PDM de la région cervicale peuvent provoquer une douleur musculaire aux épaules, au cou et à la tête.

Figure 3.4

Point déclencheur myofascial du muscle scalène antérieur et postérieur (situé à la base du cou (X))

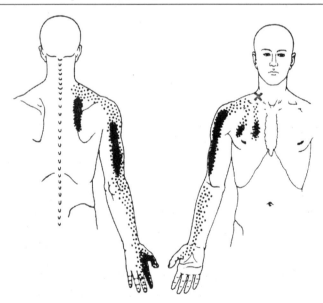

Source : *Myofascial Pain and Disfunction : The Trigger Point Manual*, vol. 1 et II, Janet G. Travell et David G. Simons, vol. I, 1983 ; vol. II, 1992, Williams and Wilkins, Baltimore (MD).

L'irritation provoquée par l'effet combiné des PDM et d'un nerf entraîne souvent une douleur brûlante et des engourdissements dans la région affectée lorsque le nerf traverse un muscle entre les bandes hypertendues des fascias. C'est le cas du nerf sciatique qui, en traversant plusieurs PDM des muscles du bassin, peut irradier de la douleur, des picotements et des engourdissements dans les fesses, les cuisses, les jambes et les pieds jusqu'aux orteils.

Points déclencheurs du muscle sternocléidomastoïdien

Le muscle sternocléidomastoïdien (figure 3.5) est relié à la tête et se divise en deux branches : l'une se rattache à la clavicule et l'autre au sternum (os plat et allongé situé au milieu de la face antérieure du thorax. Ce muscle de la région antéro-latérale du cou participe à la flexion de la tête. Les récepteurs de ce groupe de muscles transmettent les pulsations nerveuses informant le cerveau de la position de la tête par rapport à celle du corps. Mais quand ce muscle est irrité par les PDM, les neurorécepteurs se dérèglent de sorte que les signaux qu'ils transmettent au cerveau ne sont pas les mêmes que ceux transmis par les yeux.

Figure 3.5

Localisation des points douloureux du muscle sternocléidomastoïdien

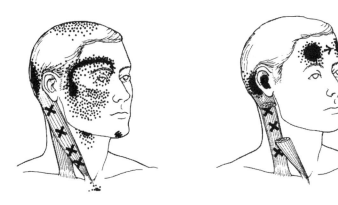

Source : *Myofascial Pain and Disfunction : The Trigger Point Manual*, vol. 1 et II, Janet G. Travell et David G. Simons, vol. I, 1983 ; vol. II, 1992, Williams and Wilkins, Baltimore (MD).

L'effet combiné des nerfs et des points déclencheurs du muscle sternocléidomastoïdien (SCM) peut être fort incapacitant. Les PDM de la partie sternale du muscle SCM peuvent irradier la douleur à l'arrière et au-dessus de la tête et des yeux. Les PDM du muscle montant le long du cou diffusent parfois la douleur dans la joue et la mâchoire, au-dessus des sourcils, et profondément à l'intérieur de l'œil et de l'oreille.

Ces PDM peuvent également affecter les yeux en causant une rougeur, une perturbation de la vision et un écoulement continuel de larmes, une congestion des sinus, des écoulements nasaux, des étourdissements ou un tintement dans l'oreille. Pour leur part, les PDM de la partie du muscle SCM relié à la clavicule peuvent déclencher un mal de tête frontal et une douleur à l'oreille.

Combinés aux points déclencheurs des muscles sternocléido-mastoïdiens et autres muscles du cou, de la tête, du visage, de l'épaule et de la poitrine, les PDM peuvent irradier les douleurs musculaires vers le tronc, l'abdomen, le bassin, les bras et les mains, ainsi que vers les membres inférieurs. Ce phénomène peut en effet provoquer des douleurs de la tête aux pieds.

Maux de tête

Les points déclencheurs des muscles SCM sont souvent responsables des maux de tête, et, indirectement, ils provoquent des maux de gorge qui, à leur tour, irradient la douleur vers la tête. Les PDM du muscle occipital, situé en arrière du cerveau et adjacent aux muscles SCM, peuvent également déclencher un mal de tête intense.

Localisés dans la région du coin de la paupière au lobe de l'oreille, les PDM du muscle temporal irradiant vers le haut causent parfois des maux de tête. Ceux qui se diffusent vers le bas peuvent propager une douleur à la mâchoire supérieure.

Des maux de tête occasionnés par des lunettes dont les verres correcteurs sont mal ajustés peuvent provoquer un douleur vive quand la vision d'un patient fibromyalgique change occasionnelle-ment par les PDM des muscles intrinsèques situés à l'extérieur du globe oculaire. Voir ci-après : « Troubles de la vision ».

Douleurs craniofaciales

Se distinguant de la névralgie faciale, qui se présente sur un seul côté de la figure, la douleur craniofaciale touche les deux côtés du visage. Ces douleurs s'accompagnent d'élancements le long du nerf sensoriel trijumeau qui, comme son nom l'indique, se divise en trois branches : ophtalmique, maxillaire et mandibulaire.

Les douleurs craniofaciales sont souvent causées par la combinaison des PDM du peaucier du cou, du temporal et du masséter (qui activent la mandibule pour ouvrir et fermer la bouche), et des muscles sternocléidomastoïdiens (figure 3.5). Ces sensations douloureuses sont transmises au cerveau par le nerf trijumeau adjacent. Les douleurs craniofaciales peuvent entraîner la sinusite, le larmoiement excessif, les douleurs dentaires, le coryza (rhume).

Troubles de la vision

Régis par le cerveau, les yeux travaillent normalement de façon conjuguée en prenant la même direction pour fixer un objet afin qu'une image nette se forme sur chaque rétine. Les mouvements de chaque globe oculaire sont le résultat de la contraction d'une dizaine de muscles qui, coordonnés avec les muscles de l'œil opposé, ont chacun une action précise.

Quand l'une de ces fonctions fait défaut, des troubles de la vision apparaissent. Diverses affections du globe oculaire peuvent entraîner des complications : altération de la circulation sanguine (congénitale ou dégénérative) d'origine auto-immune, tumeur, glaucome, ou presbytie qui signifie la perte progressive de la vision avec l'âge. Cette douleur s'apparente à une sensation de grains de sable dans l'œil. La contraction et la fatigue de ces muscles peuvent également en être responsables.

En fibromyalgie, cependant, la vision double et embrouillée, les points noirs, la rougeur et la douleur aux yeux sont des symptômes qui sont parfois causés par les PDM des muscles intrinsèques situés à l'extérieur du globe oculaire : grand oblique, supérieur, externe, inférieur et petit oblique (figure 3.6).

Figure 3.6

PDM dans les muscles intrinsèques de l'œil

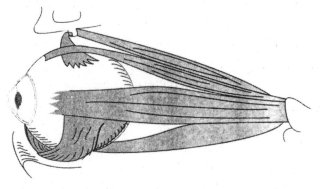

Note : Des PDM se produisent parfois dans les muscles de l'œil.

Source : *Myofascial Pain and Disfunction : The Trigger Point Manual*, vol. 1 et II, Janet G. Travell et David G. Simons, vol. I, 1983 ; vol. II, 1992, Williams and Wilkins, Baltimore (MD).

Troubles de l'oreille

Tout comme le muscle du marteau, le muscle de l'étrier protège l'oreille interne en amortissant les fortes vibrations produites par de grands bruits. La combinaison des PDM de ces deux muscles peuvent innerver la branche cochléaire du nerf auditif et entraîner de vives douleurs, une diminution de l'ouïe, le vertige, une perte d'équilibre, la nausée ou l'acouphène (tintements et bourdonnements d'oreille). En irritant le nerf auditif, les PDM du muscle masséter (masticateur) occasionnent fréquemment des démangeaisons à l'oreille.

Troubles temporo-mandibulaire

La mastication et la déglutition sont une source de souffrance pour un bon nombre de personnes atteintes du complexe FM/PDM. La dysfonction de l'articulation temporo-mandibulaire peut en plus entraîner une douleur à l'intérieur de la gorge et au sinus sphénoïdal, une sécrétion excessive de salive et un claquement des mâchoires.

Similaire à une pharyngite, les troubles de l'articulation temporo-mandibulaire se présentent par une douleur à la gorge qui s'aggrave au moment de la déglutition. Ce trouble peut être consécutif à un point déclencheur du muscle digastrique servant à ouvrir et fermer la bouche, ou à des PDM du muscle ptérygoïdien irritant la branche mandibulaire du nerf trijumeau. Dans la région des hautes vertèbres cervicales se trouvent plusieurs nerfs et artères. S'il y a compression, cela peut provoquer des douleurs craniofaciales intenses et un moindre apport sanguin.

La mandibule (mâchoire inférieure) est le seul os mobile de la figure, et le temporal est un muscle qui élève et rétracte la mandibule. À noter que si l'on ouvre la bouche trop grande, comme dans le cas d'un bâillement démesuré, on peut déloger le condyle (saillie de l'os mandibulaire servant à articuler de haut en bas la mâchoire), provoquant ainsi une luxation de la mâchoire. Si ce déplacement se produit bilatéralement, la bouche ne peut se refermer. Dans ce cas, il faut consulter un spécialiste en orthodontie pour repositionner l'articulation temporo-mandibulaire.

Mal de dents intermittent

Divers points déclencheurs peuvent causer un mal de dents intermittent sans raison apparente. Les PDM des muscles digastrique, masséter et temporal en sont parfois responsables. Ces trois muscles participent à activer la mandibule pour mastiquer, fermer ou ouvrir la bouche. Le muscle digastrique inférieur peut diffuser la douleur vers les racines des incisives du bas.

Tension artérielle instable

Plusieurs mécanismes complexes sont impliqués dans une tension artérielle qui s'élève ou s'abaisse. L'hypotension (chute de pression) peut survenir si les points déclencheurs des muscles du cou irritent le système nerveux central autonome contrôlant la pression sanguine.

Selon le Dr Starlanyl, la pression sanguine des artères carotides, des veines jugulaires du cou et des sinus longitudinaux supérieur et inférieur augmente ou diminue pour des raisons encore inconnues chez les patients fibromyalgiques atteints du syndrome myofascial. Les parois de ces vaisseaux sanguins sont munies de neurorécepteurs pour réguler la pression sanguine en les contractant ou en les dilatant. Ainsi, il est fort possible que les points déclencheurs des muscles du cou et de la tête affectent ces neurorécepteurs.

Douleur au cou et à l'épaule

La majorité des patients fibromyalgiques souffrent du syndrome du trapèze. Souvent abusé, ce large muscle triangulaire peut engendrer une fatigue musculaire très douloureuse à la nuque et aux muscles voisins de l'épaule. Combinés aux PDM des muscles sus-épineux de l'épaule, du puissant deltoïde (coiffant en surface le sommet de l'épaule et du bras) et du sternocléidomastoïdien du cou, il arrive que les douleurs de ce complexe musculaire irradient le long du cou et à l'arrière de la tête.

Ce type de raideur douloureuse est souvent consécutive à une mauvaise posture chez des personnes travaillant ou lisant la tête penchée vers l'avant. Une telle inclinaison agit comme un poids exerçant une pression de 60 kg sur le trapèze, par rapport à seulement 20 kg quand cette partie cervico-dorsale est en droite ligne avec l'épine dorsale.

Conseils pour réduire la tension du cou

- Éviter de lire ou de regarder la télévision avec un gros oreiller sous le cou.

- Utiliser pour dormir un oreiller thérapeutique pour mieux aligner la tête avec la colonne vertébrale.

- Éviter la tension musculaire du trapèze en s'appliquant à garder une bonne posture.

- Baisser la chaise ou surélever la surface du bureau ou de la table pour permettre un meilleur alignement de la tête et de la colonne. Rapprocher la matière à lire vers les yeux en utilisant un support à livre.

- Faire périodiquement des exercices pour étirer le cou.

- Utiliser un coussin chauffant pour soulager les douleurs au cou et aux épaules.

- En voyageant en voiture, poser la tête de temps en temps sur l'appui-tête du siège.

- Arrêter ses activités régulièrement, ne serait-ce que pour cinq minutes, pour étirer les membres et les muscles des épaules.

- Bien protéger la tête et le cou quand on s'expose aux températures froides et par temps venteux.

- Éviter si possible les situations stressantes aggravant la tension musculaire.

Douleur à la poitrine

Ce symptôme est souvent consécutif aux PDM des muscles du grand pectoral émanant de la clavicule, du sternum, des cartilages des 2ᵉ, 3ᵉ, 4ᵉ, 5ᵉ et 6ᵉ côtes. Les PDM de ces muscles irritent parfois ceux des muscles sternocléidomastoïdiens adjacents expliqués dans les pages précédentes.

Douleur au poignet et aux doigts

Certaines douleurs myofasciales peuvent gêner l'écriture, faire échapper involontairement des objets ou renverser un verre en buvant. Consécutif à une baisse de circulation sanguine dans les muscles, ce phénomène incommodant est parfois causé par une variété de PDM des muscles de l'épaule, du bras et de la main. La compression du nerf radial, distribuant l'influx nerveux dans chaque doigt et poignet, énerve les PDM qui, à leur tour, entraînent une faiblesse musculaire dans la main et les doigts, généralement accompagnée de picotements et d'engourdissements (figure 3.7).

Figure 3.7

PDM des muscles abducteurs de la paume et du poignet

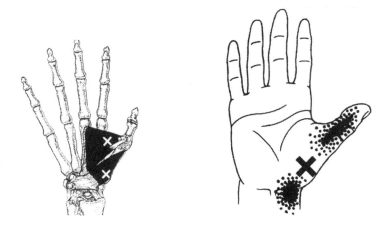

Source : *Myofascial Pain and Disfunction : The Trigger Point Manual*, vol. 1 et II, Janet G. Travell et David G. Simons, vol. I, 1983 ; vol. II, 1992, Williams and Wilkins, Baltimore (MD).

Lorsque la pression à l'intérieur du canal carpien (expliqué au chapitre 11 «Symptômes concomitants à la fibromyalgie») est augmentée, elle provoque, comme la compression du nerf radial, une dysfonction du nerf médian qui irradie la douleur au pouce. En gênant les mouvements du pouce, la compression du nerf médian cause en plus des picotements et engourdissements recouvrant la paume, le pouce, l'index et le majeur.

Perte d'équilibre, étourdissements

Une sensation soudaine d'étourdissement ou de vertige, et la perte de l'équilibre se produisent lorsque les messages des muscles sterno-cléidomastoïdiens sont modifiés en tournant ou en levant la tête brusquement. Les PDM de ces muscles peuvent également occasionner un bourdonnement et une douleur profonde dans les oreilles, ainsi qu'une tendance à tomber vers l'avant quand le sujet regarde en bas.

Congestion nasale et bronchiole

Une affection virale qui déclenche une congestion nasale risque d'activer les PDM des muscles sternocléidomastoïdiens quand ils se contractent. Se refoulant ainsi dans les sinus, les sécrétions se traduisent par un écoulement nasal constant, particulièrement quand la personne est exposée aux températures froides. Lorsque cette condition persiste, une congestion bronchiale s'ensuit parfois à cause des écoulements nocturnes qui descendent dans la gorge.

Toux et gorge sèche

Une toux sèche soutenue est souvent engendrée par les PDM des deux branches du muscle SCM. Ce malaise, qui s'apparente à l'hypothyroïdie (insuffisance de la production d'hormones thyroïdiennes), peut également être consécutif au reflux gastro-œsophagien, symptôme concomitant étroitement lié à la fibromyalgie. L'hypothyroïdie est expliquée au chapitre 11 « Symptômes concomitants à la fibromyalgie ».

La sciatique

Ce symptôme, qui s'aggrave souvent en position assise, se présente par une douleur musculaire intense à la fesse qui irradie le long du nerf sciatique en longeant le membre inférieur. Une sciatique peut être causée ou aggravée par une combinaison de points déclencheurs des multiples muscles du bassin (figure 3.8) qui s'irritent par l'interférence des influx nerveux du nerf sciatique adjacent.

Figure 3.8

Muscles du bassin assurant la mobilité de la cuisse

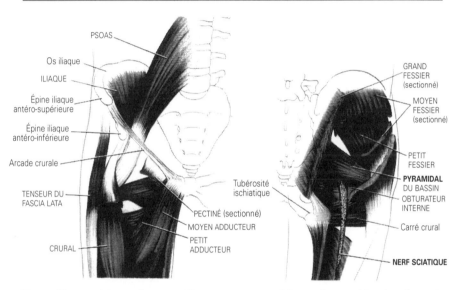

Note: Vue antérieure du psoas-iliaque et vue postérieure du grand fessier, du petit fessier et du nerf sciatique.

Source : *Principe d'anatomie et de physiologie*, Centre Éducatif et Culturel inc., Montréal, 1988.

Le nerf sciatique provient de la réunion des deux racines émergeant de la moelle épinière, entre la 5e vertèbre lombaire et la 1re vertèbre sacrée (S1), puis descend à l'arrière de la cuisse et se divise pour passer à l'arrière et au devant de la jambe. Si les deux racines sont touchées, la douleur sciatique s'étend de la fesse au pied. Si seule la 5e racine lombaire est touchée, la douleur atteint la face postérieure de la cuisse, la face externe de la jambe, le dos du pied et le gros orteil.

La pression constante sur le nerf sciatique provoque une contraction irritante aux fascias enveloppant les muscles et leurs faisceaux
nerveux. À la longue, cette tension musculaire anormale perpétue
des points déclencheurs qui, à leur tour, produisent des réflexes
neuromusculaires irréguliers dans le système nerveux central (Kopell
et Thompson, 1976) (figure 3.9).

Figure 3.9

Réflexes neuromusculaires d'une sciatique irritant des points déclencheurs

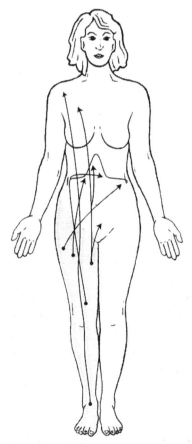

Note : Figure illustrant les réflexes neuromusculaires d'une sciatique irritant des
points déclencheurs, lesquels irradient la douleur dans diverses parties du
corps.

Source : *Copigraf*, Mélanie Giroux, Loretteville, 1999.

S'apparentant à une brulûre prolongée, la douleur intense d'une sciatique peut irradier dans les membres inférieurs jusqu'aux orteils et vers l'abdomen et le thorax. Affectant principalement les muscles du fessier, une sciatique chronique permet rarement au sujet de s'asseoir confortablement.

Les PDM des muscles du bassin pouvant causer une sciatique chronique sont: l'iliaque et le psoas (flexion et rotation latérales de la colonne vertébrale et de la cuisse), le pyramidal (articulation de la hanche), le grand fessier (extension et rotation latérale de la cuisse), le moyen fessier et le petit fessier (abduction et rotation de la cuisse). Ces points déclencheurs sont illustrés aux figures 3.10a, b, c, d.

Ce symptôme s'accompagne ordinairement d'un affaiblissement musculaire des membres inférieurs, par des picotements au niveau de la jambe, du pied et des orteils, des spasmes musculaires dans la région fessière, la jambe et le pied, ainsi que des engourdissements aigus et prolongés. Ce symptôme peut occasionner des troubles de la vascularisation sanguine (athérosclérose) et une perte marquée de sensibilité et de réflexes nerveux aux membres inférieurs.

Une sciatique peut aussi survenir à la suite d'un accouchement, par un mauvais alignement de l'articulation sacro-iliaque comprimant les racines du nerf, un effort violent, une déchirure musculaire, une faiblesse structurale du dos, une tumeur comprimant le nerf sciatique.

Risquant d'affaiblir durablement les muscles par la compression du nerf, la sciatique doit être traitée par un neurologue. La scanographie et l'imagerie par résonance magnétique permettent d'évaluer son retentissement sur les racines nerveuses.

Hernie hiatale

Pouvant être secondaire au reflux gastro-œsophagien (voir chapitre 11 «Symptômes concomitants à la fibromyalgie»), l'origine de ce symptôme est inconnue. Cependant, les PDM des muscles grand oblique et petit oblique de l'abdomen sont reconnus pour dérégler le dispositif musculaire assurant une valve antireflux entre le bas de l'œsophage et l'estomac.

Figure 3.10a

Points déclencheurs des muscles iliaque et psoas

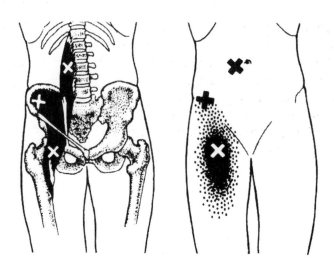

Figure 3.10b

Points déclencheurs du muscle pyramidal

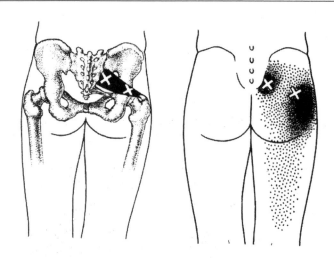

Source : *Myofascial Pain and Disfunction : The Trigger Point Manual*, vol. 1 et II, Janet G. Travell et David G. Simons, vol. I, 1983 ; vol. II, 1992, Williams and Wilkins, Baltimore (MD).

Figure 3.10c

Points déclencheurs du muscle grand fessier

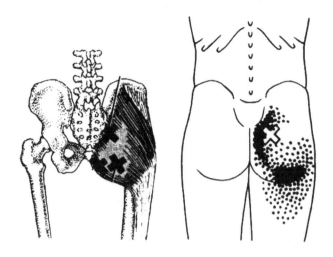

Figure 3.10d

Points déclencheurs du muscle petit fessier

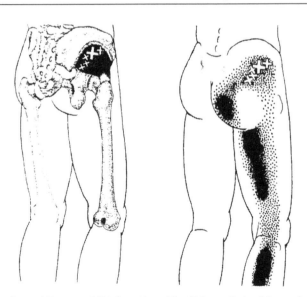

Source : *Myofascial Pain and Dysfunction : The Trigger Point Manual*, vol. 1 et II, Janet G. Travell et David G. Simons, vol. I, 1983 ; vol. II, 1992, Williams and Wilkins, Baltimore (MD).

Des mesures d'hygiène diététique simples sont toujours néces-saires pour contrer les effets de l'hernie hiatale. Il importe d'éviter les repas abondants ou trop riches en graisses, de diminuer l'alcool, d'arrêter de fumer et, notamment, d'éviter la position allongée après un repas.

Intestin irritable

L'intestin est sujet à des anomalies de structure bien variées. Il peut être le siège de tumeurs, d'une insuffisance d'apport sanguin et de nombreux autres troubles causés par les points déclencheurs dans les muscles de l'abdomen (grand oblique, petit oblique, et trans-verse), ainsi que par les points déclencheurs du muscle pyramidal (figure 3.10b). Les troubles de l'intestin sont courants chez les sujets fibromyalgiques (voir Intestin irritable au chapitre 11 « Symptômes concomitants à la fibromyalgie »).

Vessie irritable

Ce symptôme incommodant se présente par des contractions inter-mittentes et non maîtrisables des muscles de la paroi vésicale. Des PDM dans les muscles de l'abdomen (grand oblique, petit oblique et transverse), ainsi que ceux du muscle pyramidal (figure 3.10b) sont souvent responsables des troubles de la vessie irritable. Le caractère irritable de la vessie peut également résulter d'une infection urinaire (voir Cystite au chapitre 11 « Symptômes concomitants à la fibro-myalgie »).

Impuissance

L'incapacité pour l'homme d'accomplir normalement l'acte sexuel à cause d'une impuissance érectile peut être imputable à une dys-fonction neuromusculaire. Le Dr Starlanyl estime que les PDM du muscle pyramidal (figure 3.10b) peuvent en être la cause. En irritant les racines rachidiennes du nerf sciatique adjacent, l'irradiation ner-veuse peut provoquer une tension musculaire dans le muscle pyramidal et les autres muscles entourant la région pelvienne. Voir « Sciatique » aux pages précédentes.

La flaccidité du pénis en érection témoigne d'une mauvaise vascularisation pénienne. Les facteurs qui suivent peuvent également contribuer à l'impuissance :

- hypertension artérielle,
- athérosclérose (insuffisance vasculaire),
- obstruction vasculaire totale ou partielle,
- artérite (obstruction) des vaisseaux sanguins du pénis,
- vieillissement,
- dépression (voir au chapitre 11, « Dépression »),
- dérèglement hormonal d'origine hypophysaire.

Douleurs aux jambes et aux pieds

Une vingtaine de muscles distinctifs assurent la mobilité de la cuisse, de la jambe et du pied. La position assise prolongée perpétue de façons diverses les PDM de cette masse musculaire – surtout quand les jambes ne touchent pas le sol. Dans ce cas, si les tendons des muscles situés à l'arrière des genoux se compressent, ils risquent d'irriter les PDM des muscles de la jambe et des pieds en provoquant des engourdissements incommodants.

Cette situation peut créer de sérieux problèmes pour les patients qui se croisent souvent les jambes afin d'obtenir un meilleur support en position assise. En l'occurrence, un tabouret confectionné en forme triangulaire, pour permettent aux orteils d'être plus élevés que les talons, diminue habituellement les engourdissements. En plus, ce type de tabouret procure au patient un repose-pieds confortable et efficace en position assise devant un bureau ou une table de travail.

Gênant la circulation sanguine, les bas mi-jambes trop serrés peuvent provoquer l'engourdissement et une douleur myofasciale dans les pieds. On recommande de repasser au fer chaud le haut des bas trop serré pour affaiblir l'élasticité du tissu ou de porter régulièrement des bas amples à la jambe et au pied.

En position debout, tout le poids du corps repose sur trois points d'appui des pieds. L'équilibre du corps est rompu si l'un de ces points est plus sollicité qu'un autre. Agissant en force sur les pieds des patients, les PDM ne sont pas les seuls coupables (figure 3.11). À la suite d'observations faites sur les types de souliers portés par un grand nombre de patients atteints du syndrome de la douleur myofasciale, Janet Travell souligne des éléments importants pour les chaussures de marche ou de travail:

- Éviter les souliers pointus avec talons fins.

- Choisir une semelle plate avec un minimum de talon.

- Prévoir suffisamment d'espace pour les orteils.

- S'assurer que le talon du pied est bien ajusté pour l'empêcher de glisser, faute de quoi le tendon d'Achille ainsi irrité entraînera des callosités au talon.

- Les souliers trop usés au talon et à la semelle peuvent perpétuer les PDM.

- Choisir une chaussure munie d'une semelle intérieure souple.

- La chaussure doit être flexible au niveau de l'arche du pied.

Figure 3.11

Points déclencheurs intrinsèques des muscles du pied

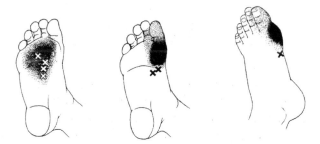

Source : *Myofascial Pain and Disfunction : The Trigger Point Manual*, vol. 1 et II, Janet G. Travell et David G. Simons, vol. I, 1983 ; vol. II, 1992, Williams and Wilkins, Baltimore (MD).

Raideurs matinales

La majorité des personnes fibromyalgiques ressentent au réveil matinal des raideurs généralisées qui se manifestent par la limitation importante des mouvements musculaires et articulaires des membres inférieurs ou de la colonne vertébrale. Contrairement à la raideur de l'arthrite rhumatoïde, les raideurs articulaires ne diminuent pas avec l'activité.

Ces sensations de raideur se présentent généralement le matin au réveil, puis tendent à disparaître dans la matinée après une période de dégourdissement. Elles sont souvent présentes tôt en soirée. La cause des raideurs matinales associées à la FM demeure inconnue. Des exercices légers d'étirement musculaire peuvent soulager ce symptôme.

Les crampes

Affectant principalement les jambes, les pieds, les orteils, et plus rarement les bras et les mains, les crampes sont des contractions musculaires brutales et involontaires causées par une variété de raisons. Le Dr J.P. Caldwel explique ainsi le phénomène :

> Dans le cas d'une crampe sévère, le muscle peut s'endommager par la déchirure partielle des fibres musculaires. Les muscles fonctionnent normalement par paire opposée. Pour qu'un muscle d'un côté de l'articulation puisse se contracter, le muscle situé de l'autre côté de la même articulation doit se relâcher. Par exemple, les muscles vous permettant de lever les orteils sont opposés à ceux qui les replient dans l'autre direction. Cette action inverse est cruciale dans l'explication des causes des crampes nocturnes.

L'accumulation de toxines produites par le muscle, surtout l'acide lactique, est une cause principale chez les fibromyalgiques. Selon le Dr Hans Selye, une forme de calcification musculaire apparaissait dans les tissus des muscles de certains sujets qu'il a nommée « calciphylaxie ».

En fibromyalgie, la théorie de Selye semble s'appliquer. Les crampes peuvent également résulter d'une carence d'oxygène dans le sang (hypoxémie), de troubles circulatoires dans les jambes (athérosclérose) causés par le rétrécissement des artères, ou simplement d'une mauvaise position assise ou couchée.

Pour demeurer fonctionnel, le muscle squelettique conserve une contraction soutenue et partielle (tonus musculaire) de certains tissus conjonctifs en réaction à l'activation des récepteurs de tension. Cependant, dans une position couchée de longue durée, le manque d'oxygène (hypoxémie) et de substances nutritives dans les muscles peut également occasionner des crampes.

Les membres inférieurs comportent un grand nombre de fibres et de fascias musculaires qui assurent la mobilité du pied et des orteils. De multiples points déclencheurs des muscles jumeaux du triceps et du muscle soléaire (agissant sur la flexion plantaire) contribuent parfois à provoquer des crampes nocturnes ou quand les muscles sont au repos. D'intensité douloureuse parfois très forte, une crampe peut ne durer que quelques minutes ou peut survenir par des crises soutenues et récurrentes.

Survenant en l'absence de toute lésion anatomique, les crampes peuvent également se manifester par la sollicitation trop fréquente d'un membre. Jouer du piano ou taper sur un clavier d'ordinateur durant de longues périodes (crampes de l'écrivain ou du pianiste) sont des exemples classiques.

Ordinairement, une crampe diminue ou disparaît en massant le muscle, en pointant le pied vers le haut ou en l'étirant en fléchissant le pied sur la jambe. Poser le pied sur une surface froide, tel un plancher en céramique, ou marcher en mettant tout le poids sur le talon, peut aider à soulager une crampe rebelle.

Dans des cas graves, un relaxant musculaire, des sels minéraux (incluant le calcium) sont généralement utilisés pour soulager les crampes persistantes. Soulignons qu'elles surviennent souvent pendant le sommeil. Si cela se produit régulièrement au cours de la journée, on recommande de consulter un médecin.

Les spasmes

Se manifestant couramment en fibromyalgie, les spasmes (tétanie) se présentent par une contracture involontaire d'un muscle ou d'un faisceau isolé. Lorsqu'un spasme survient isolément ou en série, la douleur est souvent vive et irritante. Ce symptôme affecte surtout les muscles des épaules, du dos, des fesses, des jambes et du système digestif. Un muscle peut se bloquer sous la forme de spasmes quand il manque de calcium, de magnésium et de phosphore. En l'occurrence, les spasmes sont souvent consécutifs à une alimentation pauvre en ces sels minéraux.

Fonctionnant en groupes, il est difficile de cerner les PDM qui provoquent souvent des spasmes musculaires. Par ailleurs, des chercheurs croient que le spasme peut être de nature neurologique, agissant de manière imputable à la réaction réflexe des fascias du muscle.

Des études montrent que la nature de la douleur musculaire caractérisant la fibromyalgie et le syndrome de la douleur myofasciale est prédisposée aux micro-traumatismes des muscles (déchirement de myofibrilles). Elles indiquent également que les spasmes seraient attribuables à un déséquilibre chimique dans les muscles. Une autre théorie avance qu'un muscle insuffisamment oxygéné, à cause d'une circulation sanguine réduite, risque de provoquer des spasmes.

CONCLUSION

En plus de la fibromyalgie dont nous sommes atteints, nous les auteurs de cet ouvrage sommes éprouvés par le syndrome de la douleur myofasciale. Nos expériences personnelles nous ont permis de connaître les effets combinés de ces deux syndromes. Au terme de ce chapitre, cependant, nous réalisons que la composition et la rédaction des textes nous ont rendu encore plus conscients des conséquences préoccupantes, voire invalidantes, du complexe FM/PDM.

Les textes décrits dans ce chapitre sont en partie inspirés des travaux des docteurs Janet Travell, David Simons et Devin Starlanyl, des auteurs connus pour leurs recherches exhaustives sur le syndrome de la douleur myofasciale[2].

---

2. Voir la bibliographie à la fin de ce livre.

4

Anomalies biochimiques et physiologiques

La fibromyalgie se présente comme une succession de composantes liées au système nerveux central, tels les niveaux abaissés de sérotonine, de mélatonine, d'hormones TRH, de tryptophane et, inversement, un fort excédent de substance P.

Dr Frederick Wolfe

RAPPELONS QUE, jusqu'à maintenant, les échantillons de sang et les biopsies de tissus des patients fibromyalgiques n'ont montré aucune anomalie apparente. Durant les deux dernières décennies, les recherches pour connaître la nature des anomalies biochimiques et physiologiques en fibromyalgie ont progressé substantiellement. En regroupant leurs observations, des chercheurs de divers pays ont réussi à discerner une variété de ces désordres qui, maintenant, sont reconnus comme un prototype unique des troubles physio-pathologiques se manifestant chez l'être humain.

Lésions du système nerveux central

Selon certains spécialistes en étiologie, l'appellation «fibromyalgie», signifiant «douleur des fibres musculaires», porte à confusion puisque les patients porteurs de cette maladie souffrent également de divers autres problèmes de santé causés probablement par une dysfonction du système nerveux central (SNC).

Soulignons brièvement que le rôle du SNC consiste à recevoir les informations sensorielles sur l'environnement extérieur du corps et sur son fonctionnement interne, par les yeux, par exemple. Il analyse les messages sensoriels et provoque une réponse motrice adaptée comme, entre autres, l'activation d'un muscle.

Quand un désordre affecte le système nerveux central, celui-ci ne peut plus accomplir correctement ses fonctions. Il en résulte alors un dysfonctionnement de divers autres mécanismes de l'organisme, notamment dans les systèmes suivants : immunitaire, digestif, endocrinien, cardiovasculaire et limbique.

Les lésions du SNC relèvent de différentes causes :

- la compression du cerveau ou de la moelle épinière par un hématome (imputable à un traumatisme crânien), une tumeur bénigne, un abcès, un œdème cérébral ;

- la destruction de la moelle épinière par un traumatisme, une infection (méningite, encéphalite), une insuffisance de vascularisation (artérite cérébrale) ;

- l'excitation anormale de certaines zones du cortex (épilepsie) ;

- la dégénérescence des neurones : sclérose en plaques, maladie de Parkinson, maladie d'Alzheimer, chorée de Huntingdon.

Les symptômes associés à la fibromyalgie qui résultent d'une dysfonction du SNC comprennent la perte de cognition (perte de mémoire à court terme), la thyroïdite (fatigue prolongée découlant d'un déséquilibre hormonal), le côlon irritable (troubles digestifs variant entre la constipation, les coliques et la diarrhée, le syndrome de Sjögren (sécheresse excessive de la bouche, des yeux et du vagin), la malabsorption des aliments (voir au chapitre 20 « Hygiène alimentaire »). À l'exception de ce dernier, les autres symptômes cités sont examinés au chapitre 11 « Symptômes concomitants à la fibromyalgie ».

Diverses études pathologiques démontrent que le seuil de tolérance de la douleur chez les patients fibromyalgiques est considérablement plus bas que chez les personnes bien portantes. À l'appui de ces observations, des chercheurs croient que le cerveau humain interprète incorrectement les informations sur l'origine de la douleur musculaire située en profondeur dans le corps des patients.

D'autre part, des études dirigées par le Dr I. John Russell, du Département de médecine de San Antonio (University of Texas Health Science Center), ont identifié plusieurs anormalités importantes dans le liquide cérébrospinal et dans les échantillons sanguins des patients fibromyalgiques. Ces troubles biochimiques incluent un fort excédent en substance P, et des déficiences marquées en tryptophane, sérotonine, mélatonine, magnésium, adrénaline et en certaines vitamines.

Excédent en substance P

Présente dans les tissus de l'organisme, la substance P (de l'anglais *P substance*) est une enzyme polypeptide contribuant à abaisser la pression artérielle, à stimuler la vasodilatation périphérique et à augmenter le péristaltisme intestinal (contraction qui se fait de haut en bas dans l'intestin et le côlon). Elle jouerait un rôle de médiateur chimique au niveau du système nerveux central.

Plusieurs études menées en Norvège et aux États-Unis confirment une présence de substance P trois fois plus élevée que la normale dans la moelle épinière des patients fibromyalgiques par rapport aux groupes témoins sans douleurs musculo-squelettiques (Russell, 1994). Ces études indiquent en outre que le surcroît de substance P serait lié à la carence en sérotonine dans le sang des patients fibromyalgiques, une autre anormalité biochimique (voir plus loin « Insuffisance en sérotonine »).

Le Dr Laurence Bradley, de l'Université de l'Alabama, qui a mené une recherche sur l'origine de la fibromyalgie, expliquait ainsi la substance P dans un bulletin paru récemment sur Internet :

> La substance P est une matière neurologique qui permet aux cellules de communiquer entre elles. Puisque les niveaux de cette substance sont triplés chez les patients fibromyalgiques, ce stimuli potentiellement nocif pourrait entraîner plus d'épisodes de transmission de la douleur partout dans le corps. Si les centres de la douleur ne fonctionnent pas efficacement, ils peuvent ne pas inhiber correctement la transmission de la douleur. On voit régulièrement chez ces patients un seuil de douleur deux à trois fois plus bas que chez les personnes en santé.

Bradley a présenté récemment ces résultats à Orlando, en Floride, à la réunion nationale du College of Rheumatology.

Déficience en tryptophane

Le tryptophane est l'un des acides aminés essentiels intégré dans le groupe des substances chimiques indispensables au métabolisme et à la vie humaine et dont dérivent la sérotonine et la tryptamine. Sans le tryptophane, le corps humain est inapte à produire suffisamment de ces protéines essentielles provenant de la nutrition.

Des études indiquent que la concentration moyenne du tryptophane est significativement plus bas dans le sérum sanguin des fibromyalgiques que dans celui des sujets en santé. Une déficience de cet acide aminé peut accentuer la douleur musculaire et perturber les cycles du sommeil. À partir de ces observations, d'autres recherches montrent également une défaillance dans le transport du tryptophane dans les cellules vers le cerveau.

Une quantité suffisante de vitamine B_6 (pyridoxine) est indispensable pour produire le tryptophane qui, à son tour, est nécessaire pour la production de la sérotonine, composé biologique important. Le tryptophane est vital pour la production de la vitamine B_3 (niacine) et pour la production d'hormones de croissance. Il contribue à soulager les maux de tête, à combattre la morosité et la dépression, à favoriser le sommeil et à diminuer les effets négatifs du stress.

On trouve le tryptophane dans les aliments suivants : le lait, le riz brun, le fromage cottage, la viande, les produits du soya, les arachides. Au Canada, le tryptophane n'est pas offert en vente libre. Fabriqué synthétiquement, il est cependant prescrit sous le nom commercial Tryptan pour traiter des troubles du sommeil.

Insuffisance en sérotonine

Dérivée du tryptophane, la sérotonine agit de façon importante sur le sommeil profond, dans la perception de la douleur et de l'appétit. Diverses études effectuées en Europe et aux États-Unis révèlent que la concentration de sérotonine dans le sérum et les cellules sanguines des patients fibromyalgiques est nettement déficiente par rapport à celle des personnes bien portantes. En fait, les niveaux de sérotonine en FM sont si bas qu'aucun laboratoire n'est encore parvenu à concevoir une méthode pour la mesurer avec précision. Cette anomalie serait responsable de la perturbation du sommeil causée par l'irrégularité des ondes alpha qui interviennent anormalement dans la phase profonde du sommeil.

Cette substance aminée est présente dans de nombreux tissus de l'organisme, particulièrement dans le cerveau, les plaquettes sanguines et les muqueuses du tube digestif. Elle régularise la production de la substance P dans le cerveau, laquelle est décrite ci-dessus. Elle est désagrégée dans l'intestin, puis dans le foie et le rein. La sérotonine est libérée à partir des plaquettes sanguines sur le lieu d'une hémorragie où elle resserre les vaisseaux pour réduire la perte de sang.

La sérotonine intervient comme médiateur chimique, notamment dans les manifestations d'hypersensibilité immédiate. En plus des muscles qu'elle stimule, elle inhibe dans le tube digestif la sécrétion du suc gastrique de la paroi intestinale. La sérotonine intervient dans la maladie de Raynaud (voir ce titre au chapitre 11 « Symptômes concomitants à la FM »), les allergies et l'inflammation. Ses effets sont analogues à ceux de l'histamine, médiateur chimique de l'organisme.

Compte tenu que la déficience en sérotonine a démontré une corrélation directe avec les douleurs musculaires associées à la fibromyalgie et au syndrome myofascial, les recherches sur cet important acide aminé se poursuivent dans divers pays pour savoir pourquoi cette substance aminée essentielle est déficiente en fibromyalgie.

Déficience en mélatonine

Bien que la sérotonine rende plus vigilant durant la journée, la mélatonine permet à l'organisme de mieux se reposer la nuit en abaissant la tension artérielle durant les cycles profond et paradoxal du sommeil. Hormone dérivée de la sérotonine, la mélatonine est sécrétée par la glande pinéale, puis acheminée vers les cellules. Ce neurotransmetteur est rapidement acheminé vers les cellules par la voie du système sanguin. Jouant un rôle important dans les rythmes biologiques, elle aurait une action inhibitrice sur les divers facteurs déclenchant la sécrétion des hormones de la glande pituitaire.

Le principal stimulus pour la sécrétion de la mélatonine provient des yeux par l'effet de la lumière vive comme celle du soleil sur la rétine de l'œil. Elle permet à chaque partie du corps de savoir si le soleil brille ou si les jours raccourcissent. Le taux de mélatonine chez un adulte est dix fois supérieur la nuit que durant le jour. Cette hormone essentielle, dont le niveau est anormalement faible chez les patients fibromyalgiques, sert à régulariser les cycles de sommeil. Agissant comme stimulant sur le système immunitaire, elle jouerait un très grand rôle dans la production d'œstrogènes et de testostérones.

Des comprimés de mélatonine sont parfois prescrits dans des cas de troubles liés au décalage horaire. Des recherches révèlent que la mélatonine est un meilleur antioxydant que la vitamine C, la vitamine E ou le bêta-carotène.

Insuffisance en adrénaline

Sécrétée par la substance médullaire des glandes surrénales, l'adrénaline est le médiateur chimique des nerfs adrénergiques. L'équipe de chercheurs du Dr Eduard N. Griep ont observé un niveau insuffisant d'adrénaline chez les patients fibromyalgiques. Cette irrégularité physiologique peut justifier une diminution dans leur capacité motrice ainsi que des troubles de fonctionnement dans leur masse musculaire (*Journal of Rheumatalogy*, vol. 20, n° 3, 1993).

L'adrénaline accélère la fréquence et la force des battements du cœur, contracte les artères des muscles squelettiques et les artères coronaires. Pour répondre aux exigences d'un effort physique, cette hormone dilate les voies aériennes pour améliorer la respiration et resserrer les vaisseaux capillaires de la peau et des intestins afin d'augmenter le débit sanguin dans les muscles.

Une insuffisance en adrénaline risque d'occasionner les manifestations suivantes : faiblesse, léthargie, maux de tête, étourdissements, perte de mémoire, besoin insatiable de nourriture, allergies, frilosité.

Elle est fabriquée synthétiquement (Adrenalin, Epipen, etc.) comme médicament pour stimuler le cœur et dilater les voies respiratoires. On l'administre en cas d'arrêts cardiaques et de réactions allergiques graves aux médicaments (anaphylaxie) ou aux piqûres d'insectes.

Déficience en magnésium

L'un des plus importants minéraux dans le corps humain, le magnésium est un catalyseur capital dans l'activation des enzymes impliquées dans la production d'énergie du corps. Indispensable à l'organisme, cet élément chimique est essentiel à la contraction musculaire, à la transmission de l'influx nerveux, à la formation des os, ainsi qu'à la régulation du rythme cardiaque.

En fibromyalgie, cependant, diverses études démontrent une déficience majeure de magnésium dans le sang et les tissus musculaires. Selon le Dr Burton Altura, professeur au State University Medical Center, à New York :

> Le magnésium joue un rôle crucial dans de nombreuses fonctions physiologiques, incluant la régulation d'une multitude de processus cellulaires. Quand il est déficient, comme c'est le cas chez les fibromyalgiques, les muscles en se contractant restent dans un état anormal de contraction, un symptôme des plus évidents chez ces patients. Le magnésium est indispensable pour effectuer toutes les réactions transférentielles du potassium impliquant les acides ATP (*adenosin triphosphoric acid*).

> Un grand nombre de médecins ne réalisent pas que le magnésium est impliqué dans toute la production d'énergie du corps humain. Comme il active 325 systèmes enzymatiques, un seul échec peut causer des désordres métaboliques. Lorsque le niveau de magnésium est déficient, les carences en potassium, calcium et sodium ne peuvent être rétablies. Mais puisque seulement 0,3 % de magnésium se trouve dans le sang, les tests sanguins ne peuvent diagnostiquer une déficience que lorsque le niveau en est considérablement réduit.

Conséquemment, la déficience en magnésium occasionnerait ou aggraverait un grand nombre de troubles de santé accompagnant la fibromyalgie. Parmi les plus importants figure la douleur musculaire chronique caractérisant les points sensibles de la FM et les points déclencheurs du syndrome de la douleur myofasciale.

Le magnésium se trouve dans la plupart des aliments, incluant les produits laitiers, le poisson, la viande, les fruits de mer, les abricots, les bananes, les avocats, la laitue, la mélasse, le riz brun, le cantaloup, les pommes, les noix, les haricots, le blé. Le magnésium synthétisé est offert en vente libre au Canada dans certaines pharmacies et chez les commerçants de produits naturels.

Troubles du métabolisme

Le métabolisme signifie l'ensemble des processus chimiques de l'organisme. Il participe aux besoins en énergie, à la réparation des tissus et à l'élaboration de certaines substances essentielles telles que les enzymes, les hormones, les anticorps. Le métabolisme basal représente l'énergie nécessaire au maintien et au fonctionnement de l'organisme lorsque celui-ci est au repos (température corporelle, respiration, pulsations cardiaques et autres fonctions de base).

La plupart des dérèglements du système métabolique résulte des troubles endocriniens dans lesquels on a constaté une sous-production ou une surproduction d'hormones régulant l'activité métabolique. L'hypothyroïdie et l'hyperthyroïdie en sont des exemples.

En fibromyalgie, les troubles du métabolisme provoquent les symptômes suivants :

- *Fatigue* parfois soudaine qui se manifeste sans raison apparente par un état de léthargie.

- *Chute de température* accompagnée d'un refroidissement corporel, des frissons et d'une sensation de « froideur » interne dans tout le corps.

- *Hypothyroïdie* ou *hyperthyroïdie*. Une dysfonction de la glande thyroïde peut résulter d'un métabolisme affaibli (voir Thyroïdite au chapitre 11).

« Le test sanguin obtenu régulièrement pour évaluer le niveau des hormones thyroïdiennes ne donne pas un résultat précis pour les patients fibromyalgiques souffrant de douleurs musculaires chroniques », informe le Dr Devin Starlanyl. Elle suggère aux fibromyalgiques une série de tests sanguins appelée « Tableau B12 », et ces tests sont constitués de T4 Total, T3 Total, et TSH (London, 1994).

Carence en vitamines

Des études dirigées par le Dr I. John Russel, du University of Texas Health Science Center, ont dévoilé une carence en vitamines et plusieurs autres anomalies biochimiques importantes dans le liquide cérébrospinal et dans les échantillons sanguins des patients fibro-myalgiques. Ses recherches montrent que ces désordres peuvent impliquer une variété d'anomalies dans le système immunitaire et dans le processus du système nerveux central.

De nombreux symptômes peuvent résulter d'une dysfonction du système nerveux central. Le syndrome du côlon irritable, pouvant se traduire par la malabsorption des aliments à travers la muqueuse intestinale, en est un exemple (voir à ce sujet le chapitre 20 « Hygiène alimentaire »).

Malabsorption vitaminique

Les troubles de l'intestin, incluant le syndrome du côlon irritable (expliqué au chapitre 11 « Symptômes concomitants à la FM »), sont couramment associés à des altérations dans le processus d'absorption des nutriments. Ceux-ci incluent les vitamines, les glucides, les lipides, les protéines, les acides aminés, l'eau et les sels minéraux. Leur absorption est extrêmement fragile et complexe – et leurs désordres sont souvent d'un diagnostic difficile (tableau 4.1).

Les causes de malabsorption vitaminique sont multiples : anémie, maladie de Crohn, amylose (dégénérescence), maladie de Whipple (maladie intestinale), etc.

Spectre du syndrome dysfonctionnel

S'appuyant sur des études scientifiques concernant les symptômes primaires de la FM et des points déclencheurs du syndrome myofascial, le Dr M.B. Yunus (1993) et son équipe de chercheurs concluent que la fibromyalgie et ses symptômes concomitants sont intégrés dans un groupe de syndromes qu'ils ont désignés sous le nom de « spectre du syndrome dysfonctionnel » (SSD).

Yunus explique que les recherches faites sur des biopsies des muscles des sujets atteints de fibromyalgie et du syndrome de la douleur myofasciale révèlent la présence de plusieurs dysfonctions biochimiques et métaboliques. Les études montrent aussi que ces personnes ont une perception très accentuée de la douleur.

Tableau 4.1

Carence en vitamines

Vitamines	Fonctions principales	Signes de carence
Thiamine (B_1)	Libération de l'énergie des hydrates de carbone ; synthèse des substances régulatrices de l'influx nerveux.	Faiblesse musculaire ; crampes dans les jambes ; confusion mentale ; œdème cardiaque.
Riboflavine (B_2)	Libération de l'énergie des hydrates de carbone, protéines, gras ; entretien des muqueuses.	Sensibilité à la lumière ; dermatites, surtout près du nez et des lèvres.
Niacine (B_3)	Agit avec la thiamine et la riboflavine dans les réactions énergétiques des cellules.	Pellagre (maladie : dermatites, surtout au soleil ; diarrhée ; confusion ; irritabilité…).
Pyridoxine (B_6)	Absorption et métabolisme des protéines ; utilisation des gras ; formation des globules rouges.	Dermatites ; fissures aux lèvres ; convulsions ; vertiges ; anémie ; calculs du rein.
Cobalamine (B_{12})	Formation des globules rouges ; fonctionnement du système nerveux.	Anémie ; dégénérescence des nerfs périphériques.
Folacine (acide folique)	Aide à la formation des protéines ; formation des globules rouges.	Anémie avec diminution du nombre de globules rouges et augmentation de leur volume.
Acide pantothénique	Métabolisme des hydrates de carbone, des protéines et des gras ; formation des hormones et des substances régulatrices du système nerveux.	Inconnus chez l'homme, sauf expérimentalement : fatigue, douleurs abdominales ; insomnie ; vomissements.

Tableau 4.1 (suite)

Carence en vitamines

Vitamines	Fonctions principales	Signes de carence
Biotine	Formation des acides gras ; libération de l'énergie des hydrates de carbone.	Connus expérimentalement chez l'homme ; fatigue ; dépression ; douleurs.
C (acide ascorbique)	Ossification et dentition ; conservation des vaisseaux sanguins ; antioxydant.	Scorbut ; saignement des gencives ; dégénérescence des muscles, peau sèche.
A (rétinol)	Formation et entretien des muqueuses de la peau, des os, des dents, des organes reproducteurs.	Peau et muqueuses rugueuses ; assèchement des yeux ; dents cariées ; arrêt de croissance des os.
D (calciférol)	Essentielle pour une ossature saine et solide.	Ramollissement des os ; spasmes musculaires.
E (tocophérol)	Empêche l'oxydation des acides gras polyinsaturés.	Détérioration légère des globules rouges.
K	Essentielle à la coagulation du sang.	Hémorragie (spécialement chez les nouveau-nés).

Adapté de Mangez mieux, vivre mieux, *Sélection du Reader's Digest, 1983.*

Les plus importants mécanismes pathophysiologiques impliqués dans le spectre du syndrome dysfonctionnel montrent une certaine aberration des fonctions neurohormonales. Les symptômes liés à cette famille incluent entre autres le syndrome de l'intestin irritable, le syndrome de la fatigue chronique, le syndrome de la douleur myofasciale, les céphalées de tension, la dysménorrhée primaire (figure 4.1).

Le Dr Yunus mentionne un syndrome distinctif :

Faisant partie de la famille du SSD, la fibromyalgie se présente de plus en plus comme un syndrome distinctif qui afflige les êtres humains en causant beaucoup de douleurs et d'invalidité. En fait, le facteur commun qui relie ces conditions signifie une dysfonction anormale de l'état neurohormonal.

Figure 4.1

Interrelation des caractéristiques de la fibromyalgie

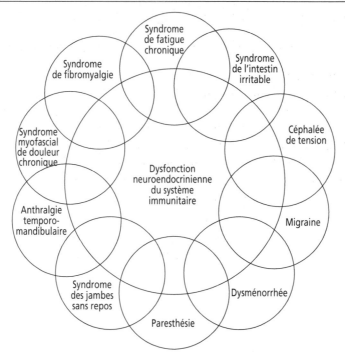

Note : Ce schéma affiche les membres de la famille du spectre du syndrome dysfonctionnel décrivant l'interrelation des caractéristiques qui se chevauchent parmi les divers symptômes de la fibromyalgie. Cette dysfonction neuroendocrinienne-immune est le mécanisme biophysiologique commun représentant ces divers troubles (Yunus, 1993).

Source : Illustration adaptée de : *The Fibromyalgia Syndrome, Current Research & Future Directions in Epidemiology, Pathogenesis and Treatment*, The Haworth Medical Press Inc., New York, 1994.

Selon Yunus, le concept du SSD se base sur les faits suivants :

- Les symptômes se forment en grappes chez les mêmes groupes de patients fibromyalgiques dans une plus grande fréquence que d'autres groupes de sujets.

- Les patients fibromyalgiques partagent plusieurs particularités cliniques : une prépondérance du sexe féminin, une fatigue généralisée, une mauvaise qualité de sommeil et une absence de dommage microscopique et macroscopique aux tissus.

- Les patients répondent positivement aux groupes similaires de médicaments, tels que les drogues sérotoninergiques ou noradrénergiques (agissant par l'intermédiaire de la sérotonine ou de la noradrénaline).

- Les syndromes concomitants à la fibromyalgie détiennent en toute probabilité les mêmes mécanismes pathophysiologiques.

Le concept du spectre du syndrome dysfonctionnel n'est pas nouveau. En 1989, le chercheur J.I. Hudson et ses associés utilisaient le terme « spectre des troubles affectifs » (STA) pour inclure divers syndromes tels que la fibromyalgie, l'intestin irritable et les autres symptômes de nature neurohormonale.

Bien que le spectre du syndrome dysfonctionnel et le spectre des troubles affectifs partagent des notions chevauchantes, ces deux concepts sont différents. Le SSD est principalement du type biomédical, tandis que le STA est plutôt de nature pharmacopsychologique, même si les deux concepts impliquent des aspects physiologiques et psychologiques.

Autres désordres physiologiques

Déficience en divers acides aminés

Plusieurs études en laboratoire indiquent que le niveau de six acides aminés (alanine, histamine, lésine, proline, sérine et thréonine) mesuré dans les sérums sanguins à partir d'une prise de sang dans le bras des sujets fibromyalgiques est considérablement plus bas que dans les sérums des témoins.

Baisse de circulation sanguine au cerveau

Des scanographies SPECT révèlent un manque significatif de circulation sanguine dans les lobes temporaux du cerveau des patients fibromyalgiques, principalement à l'hémisphère droit, qui empire avec l'exercice (Mena, 1991, 1993). Si la pression sanguine est trop basse dans le cerveau, il peut en résulter une sensation d'étourdissement, de tension intracrânienne ou de flou dans la tête appelé « fibrobrouillard » (*fibrofog*).

Ces scanographies démontrent également que l'exercice provoque chez ces patients une baisse marquée de circulation sanguine et d'activité du système nerveux central qui aggrave leurs capacités déjà réduites. Même 24 heures après l'exercice, la circulation sanguine au cerveau demeure grandement réduite (Mena, Goldstein, 1990). On a observé en plus que l'exercice entraînait une respiration superficielle ou une hyperventilation pulmonaire.

Irrégularités dans la phase profonde du sommeil

Des analyses électroencéphalogrammes (EEG) du sommeil ont décelé chez les sujets fibromyalgiques des irrégularités dans les ondes alpha-delta, de sorte que des invasions des ondes alpha de l'état de veille perturbaient les ondes delta de la phase du sommeil profond. La simulation des ondes alpha-delta chez les témoins en santé a provoqué au cours de cette étude les mêmes symptômes que l'on retrouve en fibromyalgie (Moldofsky, 1976).

Dysfonction des réactions fibromusculaires

D'autres analyses EEG tracent une perte de synergie (action non coordonnée de plusieurs muscles) attribuable à une dysfonction des réactions fibromusculaires aux influx nerveux à l'intérieur de la même unité motrice.

Des biopsies faites sur des muscles ont révélé : une nécrose (correspondant à la destruction de fibres ou des fascias musculaires), l'atrophie (diminution du volume d'un muscle par manque d'usage), de l'acidité intracellulaire précoce, ainsi qu'un excès de formation d'acide lactique (Frostick, 1986 ; Behan, 1991 ; Gross *et al.*, 1988).

Intoxication par des composantes chimiques

Des examens du cerveau pratiqués par scanographie sur des sujets fibromyalgiques ont révélé une grande sensibilité à diverses substances chimiques (Hauser, 1993). Toutes ces personnes présentaient des désordres cérébraux et des allergies identiques. Cette hypersensibilité serait liée à une intoxication chronique de l'organisme par des substances chimiques industrielles et autres composés chimiques qui abondent dans l'environnement, incluant la dioxine (défoliants), l'oxyde de carbone, les colorants.

Depuis la guerre du Golfe, (janvier-février 1991), des milliers de vétérans, qui ont été exposés à de multiples produits nocifs, manifestent des symptômes semblables à la fibromyalgie. Sans raison apparente, ils se plaignent, entre autres problèmes, de douleurs musculaires, de fatigue persistante, de troubles du sommeil, de douleurs thoraciques, de troubles respiratoires et gastro-intestinaux, d'intolérance et d'allergies alimentaires, de maux de tête, d'intolérance au bruit et aux odeurs, de pertes de mémoire et de concentration.

CONCLUSION

Le grand nombre d'anomalies cliniques observées chez les patients fibromyalgiques font en sorte que les chercheurs manquent de points de repère pour poursuivre leurs études. Par exemple, et pour ne mentionner qu'une seule anomalie, ils estiment que le manque de sérotonine au cerveau des patients fibromyalgiques peut entraîner des dysfonctions dans les divers systèmes de l'organisme qui dépend de cette substance aminée essentielle pour bien fonctionner.

Aucune des irrégularités biochimiques et physiologiques expliquées ci-dessus ne mènent les recherches à un point d'origine pour démystifier la complexité du syndrome fibromyalgique. Toutefois, les recherches continuent parce que bon nombre d'hypothèses intéressantes semblent conduire à des résultats prometteurs.

Jenny Fransen, R.N., et Jon Russell, M.D. écrivent dans *The Fibromyalgia Help Book* (Smith House Press, 1996) :

La fibromyalgie deviendra une maladie « à la mode » lorsqu'un personnage public influent en sera atteint, une vedette de cinéma ou une figure politique mondialement notoire, par exemple. Ainsi médiatisé dans le monde entier, un tel événement incitera le public à réclamer une approche médicale et des traitements appropriés.

5

Le diagnostic

Je veux guérir. Je suis prêt à combattre, mais...
«Mais quoi?» demande le Dr Diamond. Je dois savoir
le nom de cette maladie qui me fait souffrir.

Henriette Aladjem

JUSQUE DANS LES ANNÉES 1980, le syndrome de la fibromyalgie était méconnu et mal diagnostiqué. Cette lacune fut en grande partie attribuable à la confusion qui régnait à l'égard de la classification des symptômes qui lui étaient alors associés. Un changement important eut lieu en 1990 quand l'American College of Rheumatology (ACR) publia les premiers critères de classification relatifs au diagnostic de la fibromyalgie.

Le Collège des médecins du Québec a adopté, en 1996, les mêmes critères de classification que l'ACR. Ces nouvelles lignes directrices ont nettement simplifié l'examen médical et le diagnostic des praticiens. Ces critères diagnostiques permettent d'identifier les sujets en ne se basant que sur un modèle standard d'anomalies pathologiques sans avoir recours à des tests sanguins ou à des examens radiologiques.

Officiellement, et sans y reconnaître un caractère limitatif, les sujets atteints de fibromyalgie comptent au moins 18 régions typiques d'hypersensibilité douloureuse appelées «points sensibles».

Avis : Tous les renseignements contenus dans le présent chapitre sont proposés à des fins de référence seulement. L'information fournie ne saurait en aucun cas dispenser le lecteur du recours à un professionnel de la santé, seule autorité compétente pour poser un diagnostic fiable et pour prescrire un traitement adapté.

Ces derniers sont identiques pour tous les patients, mais varient selon les individus à l'intérieur d'une zone particulière.

Deux autres symptômes importants sont concomitants à la fibromyalgie :

- la fatigue chronique (décrite au chapitre 9) ;

- les troubles du sommeil (examinés au chapitre 10).

D'autres affections secondaires, appelées « symptômes concomitants » (élaborés au chapitre 11), accompagnent couramment la fibromyalgie.

CRITÈRES DU DIAGNOSTIC

En vertu des critères établis par le Collège des médecins du Québec en 1996, tout patient peut se prévaloir d'un diagnostic de fibromyalgie lorsque les symptômes sont concordants avec les lignes directrices qui suivent :

Premier critère

Le patient doit éprouver des douleurs diffuses depuis au moins six mois. Ces douleurs doivent se situer bilatéralement, aussi bien du côté droit que du côté gauche du corps, ainsi qu'au-dessus et au-dessous de la taille. Elles doivent également être présentes dans la région axiale, c'est-à-dire les régions bilatérales de la colonne cervicale, dorsale et lombaire.

Deuxième critère

En plus des douleurs diffuses citées ci-dessus, le patient doit présenter une sensibilité marquée à la palpation digitale dans au moins 11 des 18 points sensibles (voir figure 5.1).

Une pression équivalente à 4 kg (suffisante pour faire blanchir l'ongle du doigt), appliquée par le pouce sur chacun des 18 points sensibles déclenche généralement une douleur intense qui entraîne le retrait du patient.

Figure 5.1

Les 18 points sensibles utilisés pour diagnostiquer la fibromyalgie

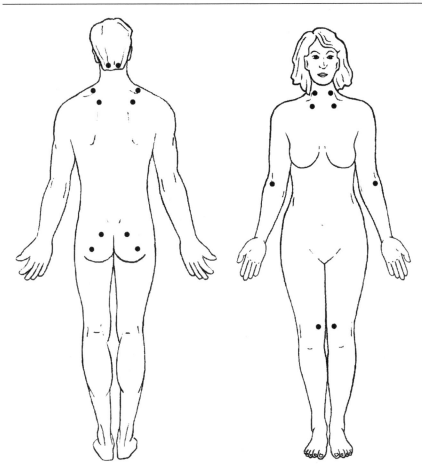

Note: Les 18 points sensibles utilisés pour diagnostiquer la fibromyalgie sont localisés dans des régions distinctes du corps. Pour établir le diagnostic, la palpation digitale doit provoquer une douleur intense dans au moins 11 des 18 points sensibles indiqués.

Source: *Copigraf*, Mélanie Giroux, Loretteville, 1999.

Même si la fibromyalgie est constituée d'une pathophysiologie fort complexe, elle est néanmoins relativement simple à diagnostiquer en se basant sur les critères de classification définis par le Collège des médecins du Québec (tableau 5.1).

Tableau 5.1

Critères de classification des douleurs de la fibromyalgie

Douleurs diffuses

- Région axiale, segment supérieur et inférieur, ainsi que côtés droit et gauche du corps.
- Persistant depuis au moins trois mois.

Douleurs à la palpation

Sensibilité à la palpation digitale dans au moins 11 points douloureux sur 18, dont aux 9 sites bilatéraux suivants:

1. Région sous-occipitale.
2. Région antérieure du cou en regard des apophyses transverses des vertèbres C5 à C7.
3. Trapèze.
4. Origine des sous-épineux.
5. Région chondrocostale des deuxièmes côtes.
6. Région située à deux centimètres de distance des épicondyles externes.
7. Quadrants supéro-externes des fesses.
8. Grand trochanter.
9. Coussinets adipeux à la face interne des genoux.

Source : Collège des médecins du Québec, juin 1996.
Selon les critères adoptés par l'American College of Rheumatology en 1990.

Les points sensibles

À l'examen des zones douloureuses ressenties par les patients, le médecin trouve généralement une tension pénible à la palpation digitale des muscles et une sensibilité des tendons à la pression qui entraîne habituellement le retrait brusque du patient. L'origine principale de la douleur musculaire se situe dans la région du cou, laquelle peut irradier dans les épaules et dans les bras. Pareillement, une douleur se situant au bas du dos peut se ressentir dans les muscles du bassin et des jambes.

Les points sensibles apparaissent dans des zones précises où les muscles sont reliés aux ligaments ou aux os (figure 5.1). À ces endroits, il y a généralement une contrainte ou une contraction musculaire, principalement sur le muscle situé entre le cou et l'épaule, sur les muscles de l'omoplate et sur ceux situés à la partie extérieure du coude et à la face intérieure des genoux. Les positions postérieure et antérieure des neuf points sensibles sont expliquées au tableau 5.2.

Tableau 5.2

Position des neuf points sensibles

Partie postérieure du corps

1. *Région sous-occipitale :* muscle situé à la partie arrière et inférieure du cerveau.

2. *Région antérieure du cou :* muscle angulaire ascendant de l'omoplate à la partie arrière et inférieure du crâne, émanant des 4e ou 5e premières vertèbres cervicales.

3. *Trapèze :* muscle plat et triangulaire du dos, en forme de losange, partant de la colonne vertébrale sur laquelle il s'étend de la partie inférieure du crâne à la partie inférieure du thorax. Il contribue au soutien du cou et de la colonne dorsale, au mouvement du cou, de l'épaule et du bras.

4. *Quadrants des fesses :* muscle grand fessier et, situé juste au-dessous, le muscle pyramidal (extension et rotation latérale de la cuisse).

5. *Grand trochanter.* Chacune des deux apophyses (partie protubérante osseuse) situées à l'extrémité supérieure du fémur où s'insèrent les muscles petit fessier et moyen fessier.

Partie antérieure du corps

6. *Origine des sus-épineux :* muscle situé juste au-dessous de la clavicule (rotation externe du bras). La résistance et la stabilité de l'articulation de l'épaule sont assurées par les muscles sus-épineux et sous-scapulaire.

7. *Région chondrocostale :* muscle petit pectoral. Émanant des 2e, 3e et 4e côtes, ces muscles contribuent à abaisser l'omoplate, à tourner l'articulation scapulaire vers l'avant et élève les 3e et 4e côtes durant l'inspiration forcée lorsque l'omoplate est fixe.

8. *Région inférieure de l'humérus (os du bras).* Le point sensible de cette région se situe sur le muscle brachial antérieur du bras, localisé à deux centimètres de distance des épicondyles externes du coude. Ce muscle participe à la motilité du poignet et des doigts.

9. *Coussinet adipeux* (formé par une mince membrane protoplasmique remplie d'une matière grasse) situé à la face interne des genoux.

Puisque ce type de douleurs a tendance à fluctuer, les points sensibles sont parfois un peu difficiles à localiser avec précision. Même si le patient se plaint d'une inflammation dans les régions douloureuses, comme une bague serrant le doigt, il n'y a aucune évidence d'inflammation en fibromyalgie.

Au moment du diagnostic, le médecin doit tout d'abord éliminer les autres maladies dont certains symptômes peuvent ressembler à la fibromyalgie :

• Syndrome de la douleur myofasciale	• Polyarthrite rhumatoïde
• Lupus	• Myasthénie
• Hypothyroïdie	• Polyneuromyosite
• Hyperthyroïdie	• Polymyosite
• Rhumatisme palindromique	

Lorsque le médecin rassemble les points sensibles et autres symptômes cliniques, il obtient une liste regroupant facilement les critères diagnostiques les plus importants. Règle générale, le tableau clinique peut varier légèrement d'une région à une autre. Soulignons cependant que les points déclencheurs de la douleur myofasciale, expliquée ci-après, peuvent brouiller en quelque sorte le diagnostic.

La fibromyalgie est la seule maladie présentant de multiples points sensibles bilatéraux au-dessus et au-dessous de la ceinture. La douleur est sans doute le seul signe objectif sur lequel les médecins peuvent établir un diagnostic. La localisation de la douleur, l'intensité des symptômes et la tolérance du patient à l'égard des points sensibles sont manifestement d'importantes considérations.

Dans son ouvrage intitulé *The Illness Narratives, Suffering, Healing & the Human Condition*, Arthur Kleinman, M.D., commente la problématique qui suit relativement au diagnostic clinique des maladies chroniques :

Les plaintes du patient doivent être traduites par le praticien comme des signes d'une maladie. Ce qui importe n'est pas ce que le patient pense, mais ce qu'il dit. Compte tenu que 80 % des diagnostics des cas primaires sont constitués exclusivement de l'historique subjectif de la maladie, le compte rendu tel que résumé par le médecin est donc crucial.

Il est essentiel de réaliser au moment du diagnostic que la fibromyalgie demeure avant tout une question plutôt quantitative que qualitative à l'égard des zones douloureuses car, à l'examen, chaque point douloureux palpé individuellement pourrait faire penser à une tendinite, à une ténosynovite (inflammation simultanée d'un tendon) ou à une bursite.

Rappelons cependant que l'examen clinique d'un patient fibromyalgique ne révèle objectivement rien d'anormal. Et puisque les analyses en laboratoire et en radiologie n'indiquent aucune anomalie particulière, le symptôme de la douleur demeure le seul agent objectif sur lequel le médecin peut reconnaître des signes pathophysiologiques.

Certains médecins ont recours à des tests préliminaires de dépistage en laboratoire. Ces tests comprennent généralement:

- une analyse complète de sang avec différentiel;
- un tableau chimique de la thyroïde, comprenant T3 Total, T4 Total et TSH (London, 1994);
- un taux de sédimentation érythrocyte (globules rouges).

La douleur myofasciale

Frappant environ 35 % des patients atteints de fibromyalgie, le syndrome de la douleur myofasciale ne figure pas aux critères de classification du diagnostic de la fibromyalgie.

Si une pression digitale exercée sur les zones des 18 points sensibles provoque une douleur fortement sensible, le patient peut en plus être atteint du syndrome de la douleur myofasciale. Suscitant un retrait brusque du patient quand il y a la pression digitale, cette sensibilité intense constitue le point déclencheur (*trigger point*) qui, effectivement, peut se situer dans toutes les parties musculaires du corps.

Les symptômes chroniques associés au syndrome myofascial s'apparentent de très près à ceux de la fibromyalgie. Les patients se plaignent particulièrement d'une baisse marquée de leur capacité physique, d'une faiblesse générale et d'une fatigabilité soudaine sans raison apparente. Le syndrome de la douleur myofasciale est traité en profondeur au chapitre 3.

Autres symptômes

En plus de la douleur musculaire, les deux autres symptômes primaires, la fatigue chronique et les troubles du sommeil, ainsi que les symptômes concomitants peuvent être considérés dans le diagnostic lorsque le patient présente des signes suggérant la fibromyalgie. Toutefois, une attention est de mise avant d'attribuer certains symptômes du patient à un autre problème coexistant. Par exemple, s'il y a évidence d'un problème inflammatoire, d'autres maladies peuvent en être la cause, comme le lupus érythémateux, l'arthrite rhumatoïde, la maladie de Lyme.

Reconnaître l'ampleur de la fibromyalgie n'est pas facile puisqu'elle peut se classer de légère à modérée ou de grave à invalidante. Un patient qui présente un état de fibromyalgie léger répondra probablement bien à de faibles doses d'analgésique ou d'antidépresseur, par exemple, tout en continuant de bien fonctionner à son travail et dans la plupart de ses activités.

Le patient souffrant d'une FM modérée aura sans doute des problèmes dans certains secteurs de sa vie quotidienne, généralement par l'absentéisme au travail. Il aura tendance à réagir négativement à certains médicaments, à certains exercices thérapeutiques. Dans ce cas, des tests sanguins et des radiographies sont généralement prescrits pour s'assurer que le patient présentant des douleurs musculaires n'est pas atteint d'arthrite rhumatoïde, de lupus, d'ostéoarthrite ou d'hypothyroïdie, entre autres maladies.

Puis, à l'extrême, le médecin aura à diagnostiquer le patient présentant une attitude qui s'adapte péniblement aux symptômes de la FM, particulièrement à celui de la douleur. Ce type de patient, souvent de nature énergique et entreprenant, mais que la maladie a rendu improductif et démotivé, peut présenter un tempérament anxieux, voire irritable, qui pourrait être agaçant pour le médecin. Dans ce cas, il aurait avantage à lui suggérer une consultation avec d'autres professionnels de la santé qui affichent un intérêt dans la douleur chronique ou, encore mieux, de le diriger vers une clinique de la douleur offrant un programme de traitements multidisciplinaire.

Le Dr James G. MacFarlane écrit dans *Le Journal de la Société canadienne de rhumatologie* (déc. 1994):

Il est étonnant de constater à quelle fréquence les patients déclarent spécifiquement éprouver de la douleur, de la fatigue, de la difficulté à dormir et des problèmes de digestion, et ce à un degré important. Ce cortège inhabituel de symptômes est typique chez les patients atteints de fibromyalgie. En clinique, nos patients sont appelés à répondre à des questionnaires, y compris « The Whaler Physical Symptoms Inventory » (inventaire Whaler des symptômes physiques), permettant d'établir la fréquence d'apparition de 42 symptômes somatiques différents, lesquels ne sont pas nécessairement indépendants.

COMPLEXITÉ DU DIAGNOSTIC

Quoique la fibromyalgie soit répandue dans la population et que ses critères diagnostiques aient été reconnus et établis par le Collège des médecins, elle est généralement négligée ou reléguée au second plan par un grand nombre de praticiens. La pluralité des symptômes posent un problème dans l'ensemble du corps médical qui ignore que les signes dont se plaignent les patients sont étroitement liés à la fibromyalgie.

La compréhension des praticiens face à la fibromyalgie est restée au stade embryonnaire en ce qui concerne son approche diagnostique. L'ignorance du milieu médical à l'égard de la fibromyalgie demeure un problème de taille occasionnant des conséquences dommageables envers les patients. Ils subissent de nombreuses années de scepticisme et d'incrédulité par des praticiens avant d'obtenir un diagnostic précisant leur maladie.

Témoignage reflétant une dure réalité

Pour bien saisir la complexité du problème, analysons le témoignage déconcertant de Lyne, 43 ans, enseignante dans une école secondaire en banlieue de Montréal, et mère de deux adolescents. Inapte au travail parce qu'elle souffre de divers symptômes persistants, elle s'est promenée de généralistes à spécialistes pour faire face chaque fois à une opinion divergente.

Je suis atteinte d'une maladie handicapante qui s'aggrave depuis six ans. Maintenant, j'éprouve de plus en plus de difficulté à supporter les douleurs éparpillées que je ressens dans mon corps, la fatigue et les maux de tête sont de plus en plus fréquents. Mes problèmes de santé m'empêchent de remplir adéquatement mon rôle d'enseignante et d'accomplir mes tâches familiales.

J'ai consulté divers médecins et spécialistes, y compris plusieurs physiatres, rhumatologues et neurologues. On m'a fait subir toutes sortes d'examens sans jamais obtenir une opinion précise sur les problèmes de santé qui m'affligent. Entre-temps, les divers traitements que j'ai suivis en physiothérapie ont aggravé les douleurs. De tous les médicaments qu'on m'a prescrits, aucun ne m'a apporté un quelconque soulagement. À une deuxième visite chez ces médecins, ils me conseillaient habituellement de consulter un psychologue ou de faire des exercices pour me renforcer les muscles et rétablir ma santé.

J'ai le sentiment que mon milieu de travail et mes proches sont devenus froids et même sceptiques envers mes «mystérieux» malaises. Ayant épuisé mes jours de congé, j'ai depuis demandé un congé d'invalidité. Mais faute d'un diagnostic définissant la nature de mon handicap, la direction ne peut m'accorder un tel congé.

Pour trouver un soulagement à ses souffrances, Lyne s'est dirigée vers la médecine douce où elle a expérimenté différentes thérapies : l'acupuncture, la chiropractie, l'ostéopathie et la massothérapie sans obtenir de satisfaction. Entre-temps, le stress et l'anxiété accompagnaient les douleurs, la fatigue et les autres malaises qui perturbaient de plus en plus sa vie et celle de ses enfants. Impuissante devant ses graves problèmes de santé, elle décide de consulter à nouveau un autre médecin.

Suivant les conseils de mon directeur pédagogique, j'ai décidé de consulter un généraliste réputé possédant une longue expérience clinique. Connaissant l'impatience de certains médecins, je me suis demandé dans la salle d'attente de son cabinet, comment pourrais-je lui expliquer brièvement que mes douleurs s'aggravent par le stress, le froid, l'air climatisé, le bruit, la lumière forte. En plus des maux de tête, devrais-je lui confier que je subis parfois des pertes de mémoire et un manque de concentration.

Après le traditionnel «Que puis-je faire pour vous, madame ?», je choisis de ne lui résumer que l'essentiel de mes symptômes, soit la douleur chronique aux muscles, la fatigue persistante et le manque de sommeil. Je lui ai aussi expliqué que j'étais très malade et sollicitais de lui un examen médical pouvant établir clairement la nature de mes souffrances afin de me prévaloir d'un diagnostic justifiant une invalidité.

Quelle surprise de constater que ce médecin se montrait plus coopératif que les autres déjà consultés. Or, je me suis permis d'ajouter en plus que les douleurs me faisaient souffrir de la tête aux pieds, que j'éprouvais des menstruations difficiles, des troubles digestifs, des raideurs matinales et des engourdissements.

Heureusement pour Lyne, le médecin proposé par son directeur est un généraliste bien au courant des critères de classification du Collège des médecins du Québec pour diagnostiquer la fibromyalgie. Il soigne depuis plusieurs années des patients atteints de cette maladie et connaît les effets invalidants de la douleur musculaire et de ses autres symptômes primaires. Les points douloureux ressentis sur le corps de Lyne par une sensibilité aiguë à la palpation correspondent aux régions axiales et bilatérales définies par le Collège. La fatigue persistante et les troubles de sommeil que manifeste cette patiente concordent également à des symptômes accompagnant couramment la FM.

Une sensation de soulagement m'envahit lorsque le médecin m'annonça que je souffrais d'une maladie de plus en plus courante appelée la fibromyalgie, une maladie dont j'ignorais l'existence. Après m'avoir expliqué que des médicaments appropriés soulageraient les symptômes, il m'autorisa à prendre un congé d'invalidité pour reprendre mes forces et restaurer ma santé.

Le cri du cœur de Lyne reflète celui de nombreux autres fibromyalgiques invalides qui n'arrivent pas à obtenir un diagnostic. Son témoignage s'apparente à de nombreuses autres manifestations du genre évoquées par des fibromyalgiques. La perte de leur capacité physique les ont rendus incapables de conserver leur occupation et, dans bien des cas, de remplir leurs tâches quotidiennes.

L'inaccessible diagnostic

Ne pouvant obtenir en juste cause un diagnostic médical sur la fibromyalgie, selon des normes de classification relativement simples, de nombreuses personnes atteintes de cette maladie sont victimes d'un préjugé inadmissible. Il est viscéral pour ces patients, qui cherchent désespérément un nom à leur maladie, d'obtenir des traitements appropriés comme tous les patients souffrant des autres maladies chroniques.

En l'absence d'un diagnostic, on n'arrive pas à se faire soigner convenablement. Une minorité de médecins seulement vont faire face à cette maladie ; les autres qui la connaissent mal ne veulent pas l'aborder. Les fibromyalgiques n'arrivent plus à trouver des médecins qui acceptent de les rencontrer parce qu'ils vont avoir à remplir des certificats médicaux. Je pense que le problème est politico-socio-économique. (F. D., fibromyalgique, Québec.)

Le rhumatologue Paul-André Pelletier, de Montréal, souligne que le Collège des médecins du Québec admet qu'il y a de la confusion.

Les malades doivent se soumettre à une véritable parade de médecins avant d'obtenir un diagnostic. De plus, le stress et l'anxiété peuvent s'installer, surtout lorsque le diagnostic tarde à se préciser. Mais le fait d'être mis au courant de la maladie dont ils souffrent et le fait qu'on reconnaisse que leurs douleurs sont bien réelles soulagent d'un grand poids les personnes atteintes.

Le Dr Simon Carette, rhumatologue de Québec et auteur de nombreux articles sur le syndrome de la fibromyalgie, écrivait à ce sujet :

Quelle que soit notre opinion sur l'impact des facteurs psychologiques, il est important de reconnaître que les douleurs dont se plaignent les patients souffrant de fibromyalgie sont réelles et tout aussi importantes que celles associées à des maladies à étiologie organique bien démontrée, comme la polyarthrite rhumatoïde.

Comme dans les autres sciences multifactorielles, nous savons que celle de la médecine n'est pas un univers où règne l'harmonie. Les avis et les hypothèses à l'égard de l'étiologie d'un syndrome complexe comme la fibromyalgie sont souvent aux antipodes. Il n'est donc pas étonnant d'apprendre qu'un grand nombre de praticiens se méfient des simplifications et des généralisations « subjectives » des patients fibromyalgiques.

Une enquête menée par le Dr Dedra Buchwald, de l'Université de Washington, révèle que les patients fibromyalgiques consultent en moyenne 27 praticiens et autres thérapeutes par année dans leur démarche pour soulager leurs symptômes. Ceux-ci comprennent, entre autres : les médecins spécialistes (98 %), les chiropraticiens (35 %), les naturopathes (34 %), les acupuncteurs (18 %), les ostéopathes (13 %), les médecins de famille (11 %). Elle soulignait, en conséquence, la nécessité d'une approche médicale multidisciplinaire dès le début de la prise en charge du patient.

Conséquences

Le docteur C. Orian Truss écrit dans son livre *The Missing Diagnosis* :

> Il n'est pas surprenant que la vie du patient non diagnostiqué soit tourmentée par l'angoisse. Sans une explication objective de la maladie, ce patient souffrant demeure terriblement vulnérable à l'idée qu'il est atteint d'une maladie psychosomatique, ou qu'il est déprimé, névrosé ou hystérique.

> L'étiquette « hypocondriaque[1] » souvent collée aux non-diagnostiqués a suscité l'application disproportionnée de méthodes de traitements psychiatriques à l'égard des patients fibromyalgiques. Leur seul problème psychologique est celui qui a été occasionné par le fait que la profession médicale n'a pas réussi à corriger une situation qui laisse ces patients souffrir longuement de leur maladie frustrante.

CONCLUSION

Les fibromyalgiques qui ont eu la chance d'obtenir un diagnostic en peu de temps ont acquis la satisfaction de savoir pourquoi ils souffrent sans cesse de douleurs musculaires et de fatigue. Par conséquent, ils ont appris à mieux comprendre leurs symptômes et à mieux les gérer avant que la maladie s'installe dans l'organisme et prenne le dessus.

Les autres patients fibromyalgiques, cependant, doivent accepter avec asservissement le joug des douleurs et de la fatigue chroniques sans connaître les causes. Désespérant n'est pas le qualificatif assez ardent pour évoquer un tel mépris à l'égard de ces personnes qui, à bout de forces, sont impuissantes devant une telle lacune.

Un diagnostic clair, que ce soit pour le lupus, la sclérose en plaques ou la fibromyalgie, peut être effrayant. Mais, au moins, la crainte d'être aliéné ou atteint d'une tumeur cancéreuse est chassée de leur esprit – et la parade des cliniques médicales, qui paraissait stérile et sans fin, est finalement terminée. Le patient fibromyalgique peut à ce moment-là identifier ses souffrances à une maladie réelle dont les symptômes n'étaient pas dans « sa tête » comme l'avaient

---

1. De : « hypocondrie ». État permanent d'inquiétude pour sa santé (autrefois supposée d'avoir son origine dans les organes appelés « hypocondres » : foie, estomac). D'humeur triste et capricieuse.

prétendu des médecins, des patrons, des collègues – et, pire encore, des proches.

Enfin, si le corps médical parvient à améliorer les possibilités thérapeutiques et à retarder la progression de la fibromyalgie, il pourrait épargner aux patients de souffrir indûment – à leurs médecins des années de frustration – et des frais considérables pour la communauté et le budget de la santé.

6

Traitement médical

*Lorsque la douleur devient à la fois permanente
et trop intense, elle n'est plus un symptôme
mais une maladie à part entière.
C'est le cas en fibromyalgie de la douleur musculaire
chronique qui exige une approche médicale spécifique.*

Dʳ Marc Schwob

AUCUN MÉDICAMENT PARTICULIER n'existe à ce jour pour traiter spécialement la fibromyalgie. Bien que des recherches soient poursuivies dans plusieurs pays, l'étiologie de cette maladie demeure inconnue. Sa méconnaissance par les spécialistes de la santé a incontestablement restreint l'information pertinente relative à ses traitements médicaux. Par ailleurs, les médecins sont habituellement hésitants à prescrire un médicament pour soulager un état multi-symptomatique dont ils ignorent l'origine.

Officiellement, la douleur n'est pas une spécialité, c'est-à-dire qu'elle ne fait pas l'objet d'une spécialisation au doctorat en médecine. La formation des spécialistes de la douleur concerne surtout les anesthésistes ou les chercheurs sur la douleur qui auront à travailler en équipe multidisciplinaire, comme dans les cliniques de la douleur dont il sera question dans les pages qui suivent.

Avis : Tous les renseignements contenus dans le présent chapitre sont proposés à des fins de référence seulement. L'information qui y est décrite n'est pas un guide d'automédication et ne saurait en aucun cas dispenser le lecteur du recours à un professionnel de la santé, seule autorité compétente pour poser un diagnostic fiable et pour prescrire un traitement adapté.

En ce qui concerne la fibromyalgie, le traitement médical s'applique principalement à la cause de ses symptômes au lieu de ses effets pathologiques. À cet égard, les patients doivent expérimenter un assortiment d'antidépresseurs, d'analgésiques, de relaxants musculaires ou d'hypnosédatifs avant de trouver une combinaison efficace pouvant, dans un même temps, soulager les symptômes de la douleur musculaire et de la fatigue, et réduire les troubles du sommeil.

Il est donc important de consulter un médecin expérimenté en fibromyalgie qui reconnaît que les douleurs musculaires, la fatigue et les troubles du sommeil sont bien réels. Ces symptômes exigent qu'ils soient traités rigoureusement, et ce, avec une médication appropriée selon les besoins de chaque patient.

ACTION DES MÉDICAMENTS

À peu près tous les médicaments utilisés de nos jours sont fabriqués au moyen de divers procédés chimiques. Quoique le mécanisme d'action de la plupart des médicaments ne soit pas totalement compris, la médecine peut expliquer raisonnablement les effets des substances médicinales d'un grand nombre d'entre eux dès qu'ils pénètrent dans l'organisme.

Ellen Shearer écrit dans « Les médicaments : ce qu'il faut savoir », *Le Bel Âge*, 1996 :

> Une fois le médicament introduit dans l'organisme, les sucs gastriques s'emploient à le décomposer. Il est ensuite acheminé vers l'intestin grêle, absorbé par les parois intestinales, dirigé dans le sang, puis distribué vers les parties vitales de l'organisme. Au bout de sa course, le médicament atteint les tissus vitaux et les organes avant que l'organisme ne commence à l'éliminer.

> Certains médicaments solubles dans l'eau sont éliminés par les reins. Cependant, la plupart doivent d'abord être traités ou métabolisés par le foie. Cet organe constitue le moteur principal de l'action chimique qui consiste à décomposer toute substance étrangère, incluant les médicaments. Les puissantes enzymes produites par le foie doivent modifier chimiquement les molécules des substances médicinales avant que les reins ne les éliminent de l'organisme.

Effets indésirables

Tous les médicaments obtenus sur ordonnance ou en vente libre atteignent non seulement le symptôme pour lequel ils sont destinés mais d'autres parties de l'organisme. Par exemple, il peut s'ensuivre une augmentation soudaine de la tension artérielle lorsqu'un décongestionnant pour les voies nasales et les sinus est combiné avec un antidépresseur IMAO dont l'unique rôle est de bloquer une enzyme particulière sécrétée par le cerveau.

Les médecins doivent prendre en considération qu'un médicament administré à un patient atteint de fibromyalgie puisse fort bien ne pas produire les mêmes effets chez un autre sujet atteint de cette maladie. Par exemple, un hypnosédatif qui améliore la qualité du sommeil d'une personne fibromyalgique peut tenir éveillé un autre patient souffrant du même symptôme.

Le patient fibromyalgique doit toujours tenir compte que n'importe quel médicament possède des effets indésirables qui, souvent, en limitent l'usage. En général, les personnes répondent d'une façon individuelle aux médicaments. Des ennuis surviennent quand ceux-ci ralentissent ou empêchent l'action des enzymes nécessaires à la décomposition d'un deuxième médicament. Il en résulte alors une accumulation de substances non décomposées retournant à nouveau dans le système sanguin, ce qui risque de provoquer une toxicité des substances ou d'autres effets nuisibles.

De plus, l'action des enzymes sécrétées par le foie, exacerbée par un premier médicament, pourrait occasionner l'élimination trop rapide d'un deuxième médicament, réduisant ainsi son efficacité. Un autre type d'interaction indésirable peut être provoqué par les antiacides quand ils se lient à certains antibiotiques au niveau de l'estomac ou de l'intestin, réduisant ainsi leur absorption et, de ce fait, leur efficacité.

Les symptômes de nature mineure, comme la sécheresse de la bouche, les étourdissements légers, la constipation ou la diarrhée n'empêchent pas, en général, de poursuivre une médication spécifique. En contrepartie, un antidépresseur préconisé pour soulager une dépression peut causer des effets graves, tels que des convulsions, des étourdissements ou des vomissements.

Habituellement, les effets secondaires d'un médicament sont des réactions connues par le fabricant. Par exemple, et tel qu'indiqué, les anticholinergiques prescrits pour soulager les spasmes de la paroi intestinale peuvent brouiller la vision, assécher la bouche, affecter la vessie. Toutefois, ce type d'effets indésirables a tendance à disparaître graduellement à mesure que l'organisme s'adapte au médicament.

Réactions imprévisibles

Les éruptions cutanées, l'enflure du visage et même la jaunisse figurent parmi les conséquences imprévisibles des médicaments populaires. Ces effets peuvent résulter d'interactions médicamenteuses, être attribuables à une allergie ou à un trouble génétique du patient. Règle générale, il importe de considérer tous les médicaments, même les moins puissants, comme des substances chimiques ayant la possibilité de provoquer des réactions toxiques, particulièrement si on en abuse ou si on ne respecte pas la posologie indiquée ou prescrite.

Lorsqu'il s'agit d'une réaction imprévisible, il est préférable d'interrompre le traitement. En l'occurrence, on doit prévenir son médecin ou pharmacien des effets nuisibles de tout médicament. Les conséquences ci-dessous peuvent être dommageables :

• Vision embrouillée	• Engourdissement ou enflure des mains et des pieds
• Pouls cardiaque rapide ou irrégulier	• Nausée, vomissement
• Irruption cutanée, urticaire	• Trouble d'élocution (anarthrie)
• Fièvre	• Douleurs abdominales
• Mal de gorge	• Contractions nerveuses des mains et des pieds
• Somnolence persistante	• Tintement dans les oreilles
• Agitation, nervosité	• Diminution ou augmentation importante de l'urine
• Manque de coordination	• Infection
• Confusion	• Changement du cycle menstruel
• Vertige, étourdissement	• Impuissance sexuelle
• Évanouissement, malaise	
• Hallucinations	

Interaction des médicaments

Tous les médicaments peuvent causer des interactions importunantes. Le Dr Pierre Biron, spécialiste en pharmacologie explique ainsi les interactions:

> Un médicament efficace est une molécule étrangère à l'organisme, laquelle peut réagir de façon imprévue et parfois violente. Avec 320 ingrédients actifs différents, on fait plus de 3000 groupes de médicaments, lesquels contiennent environ 5000 substances diverses.

Aucun spécialiste ne peut calculer avec précision les effets nocifs d'une combinaison d'innombrables substances chimiques dans un traitement nécessitant plusieurs variétés de médicaments. En considérant la complexité des nombreux symptômes chroniques coexistants avec la fibromyalgie, il est alors normal que les patients appréhendent des effets imprévisibles ou dommageables pouvant résulter de l'interaction de leurs médicaments.

L'interaction des médicaments signifie ce qui peut se passer entre deux ou plusieurs substances médicamenteuses, mais aussi toute l'influence qu'ont les aliments, l'alcool et la cigarette sur l'absorption, la distribution et l'activité de celles-ci. De plus, les médicaments à action prolongée risquent d'augmenter rapidement une dose médicamenteuse qui, normalement, devrait prendre entre 8 à 12 heures pour se dégager.

La médication affectant le système nerveux central agit généralement bien dans le complexe des douleurs associées à la fibromyalgie et au syndrome de la douleur myofasciale. Cependant, les personnes atteintes de ces deux symptômes ont tendance à réagir de façon étrange aux médicaments. Cela se présente parfois par des réactions désagréables: cauchemars, hallucinations, sécheresse de la bouche, urticaire, ainsi que par des malaises liés au syndrome du côlon irritable, dont les brûlures d'estomac, les colites, la constipation, la diarrhée.

Des interactions imprévisibles sont nombreuses, préviennent les auteurs de l'*Encyclopédie médicale de la famille*, Association médicale canadienne (Sélection du Reader's Digest, 1993):

> Elles peuvent diminuer le bénéfice d'un médicament ou augmenter sa concentration dans le sang et entraîner des effets indésirables. Les

malades doivent toujours informer leur médecin et leur pharmacien des divers médicaments qu'ils utilisent afin d'éviter des interactions dommageables avec ceux qui pourraient leur être prescrits.

Les effets indésirables, provoqués par l'interaction des médicaments, peuvent être attribuables à des erreurs thérapeutiques (doses excessives, éventuellement trop prolongées), aux effets nocifs des médicaments ou d'une association de plusieurs médicaments. Certains effets indésirables prévisibles sont parfois attribuables à la difficulté rencontrée par le fabricant du médicament à cibler son action sur un tissu ou un organe isolé. D'autres symptômes, comme la sécheresse de la bouche, peuvent disparaître par l'adaptation de l'organisme au médicament. Ils sont souvent soulagés en diminuant la dose ou en augmentant l'intervalle entre les prises.

Intolérance aux médicaments

Des effets secondaires graves, comme une réaction allergique, peuvent nécessiter des soins d'urgence, l'hospitalisation, et peuvent même être fatals. Les allergies et autres intolérances provoquées par les médicaments sont chaque année responsables de la mort de 106 000 personnes dans les hôpitaux américains, rapporte récemment le *Journal of the American Medical Association*. Ces chiffres représentaient la quatrième cause de décès aux États-Unis en 1994.

Les allergies se manifestent habituellement par des réactions cutanées, de l'asthme, de l'urticaire et, parfois, par un choc anaphylactique pouvant être mortel. La pénicilline, les composés d'aspirine et les sulfamides (antibactériens, antibiotiques) comptent pour 80 % à 90 % de l'ensemble des réactions d'allergies médicamenteuses.

Pour ces raisons, les personnes allergiques doivent s'informer auprès de leur pharmacien du contenu chimique de leurs médicaments avant de les avaler, qu'ils soient prescrits par un médecin ou obtenus en vente libre.

Personnes âgées

Différentes substances modifient l'absorption, la distribution, la transformation et l'élimination des substances médicamenteuses. Chez les personnes âgées, les médicaments présentent de plus grands risques à cause des changements physiologiques associés au vieillissement. En outre, un grand nombre d'entre elles doivent prendre plusieurs médicaments en même temps ou quotidiennement.

Tout le système de détoxication perd beaucoup de son efficacité après l'âge de 60 ans. Il s'ensuit souvent que le médicament actif sur une plus longue période s'élimine plus lentement et, par conséquent, peut s'accumuler et occasionner des problèmes de surdosage. Quoique les laboratoires connaissent mal la fonction des médicaments sur l'organisme vieillissant, ils savent que le risque d'accumulation de ceux-ci augmente parce que le foie des personnes âgées les dégrade moins bien, ou que leurs reins les éliminent plus difficilement.

Les personnes âgées sont parfois victimes des effets dommageables de leurs médicaments parce qu'elles ne respectent pas leur posologie. Cette situation est attribuable à des renseignements trop vagues ou à un manque d'information. Outre les instructions pertinentes, les ordonnances destinées à ces personnes doivent être clairement audibles et complètes sur le médicament et son usage.

Les personnes âgées doivent tenir compte des particularités suivantes concernant leur médication :

- L'absorption des substances chimiques est ralentie.

- L'absorption des substances chimiques peut être modifiée par différents facteurs s'exerçant plus souvent à cette période de la vie.

- La diarrhée écourte le séjour des médicaments dans le tube digestif en diminuant d'autant l'absorption.

- La constipation peut causer un effet cumulatif d'interactions médicamenteuses avec d'autres substances qui les rendent insolubles.

- L'amincissement de la peau fait que celle-ci absorbe plus facilement les substances chimiques des médicaments topiques.

SOMNIFÈRES

Il faut se souvenir que les somnifères ne sont qu'une solution à court terme pour obtenir un sommeil réparateur. Ils sont efficaces, par exemple, lorsque survient un stress important, comme la mort d'un proche, ou un traumatisme grave. Ils peuvent être également très utiles s'ils sont pris de façon sporadique. En effet, une personne souffrant de douleurs musculaires persistantes qui l'empêchent de dormir peut parfois avoir réellement besoin d'une bonne nuit de sommeil pour refaire son énergie. Mais le soir suivant, comme dans la plupart des cas, elle sera de plus en plus tentée par l'effet prodigieux d'une autre petite pilule relaxante – ce qui entraînera à court terme le piège de l'accoutumance. Prendre un somnifère est une chose facile; mais ne plus le prendre est beaucoup plus difficile.

Dépendance

À la demande des patients, les médecins leur prescrivent généralement des somnifères. Mais les spécialistes du sommeil signalent que leur usage prolongé peut entraîner une plus grande insomnie.

Les cliniques de la douleur essaient, dans la mesure du possible, de diminuer les somnifères en s'appuyant sur la notion que toute drogue administrée durant de longues périodes finit par être nuisible à l'organisme. De plus, et compte tenu que l'effet positif d'un médicament diminue avec le temps, le patient doit en utiliser de plus fortes doses pour obtenir le même résultat.

- L'effet des somnifères diminue nettement après une certaine période d'utilisation.

- Utilisés sur une période dépassant la limite prescrite, ils peuvent diminuer la phase du sommeil profond, lequel est essentiel pour régénérer l'organisme.

- L'usage prolongé des somnifères entraîne des problèmes de dépendance.

- Le sevrage des somnifères provoque un état de manque qui occasionne une plus grande insomnie.

Sevrage des somnifères

Les somnifères devraient toujours être administrés en faible dose le moins longtemps possible. En général, il faut éviter l'utilisation quotidienne pour plus de trois semaines. Mais prudence s'impose. L'interruption brusque de somnifères risque de provoquer un sommeil agité et de mauvaise qualité, interrompu par des hallucinations, des cauchemars. Il importe donc de ne pas se laisser tenter dès le lendemain par un autre somnifère pour reprendre le sommeil perdu.

Quand il s'agit d'accoutumance, il est essentiel de diminuer la dose lentement et progressivement, et ce durant plus d'un mois. Sur des périodes de deux semaines chacune, il est conseillé de prendre 80% de la dose quotidienne durant la première période, 60% durant la deuxième période, puis 40% et ainsi de suite jusqu'à 20% à la dernière période. À ce dernier stade, le patient devrait avoir atteint une désintoxication totale, et il est fort probable que le sommeil naturel et bénéfique sera revenu.

Dans le cadre d'un programme de sevrage de somnifères et en prévision d'heures sans sommeil, il est suggéré de se distraire en lisant ou en préparant un itinéraire de vacances, par exemple. On doit se rappeler qu'en position couchée on se repose même si on ne dort pas.

Prendre ses médicaments avec de l'eau

L'eau en grande quantité reste le véhicule de choix pour avaler la majorité des médicaments. Les jus et les liqueurs douces ne doivent pas être utilisés avec les médicaments qu'on doit prendre à jeun à cause de leur instabilité en milieu acide, particulièrement les antibiotiques qui s'avèrent souvent sensibles à ce facteur. Une interaction peut se produire avec certains liquides utilisés pour prendre un médicament.

TRAITEMENT MÉDICAL DE LA DOULEUR CHRONIQUE

Environ sept millions de Canadiens souffrent de douleurs persistantes. De ce nombre 1,6 million de Québécois seraient atteints de graves symptômes douloureux, dont quelque 150 000 fibromyalgiques éprouvant des douleurs musculaires chroniques. Malgré son importance, la douleur permanente demeure une des affections les plus mal connues par la médecine moderne.

Même si les signes douloureux ont toujours été la raison principale des visites chez le médecin, le corps médical, paradoxalement, ne s'est jamais vraiment préoccupé du phénomène de la douleur chronique et des répercussions physiologiques et psychologiques qu'elle entraîne. Subséquemment, un faible pourcentage de patients réussissent à obtenir des médicaments antidouleurs efficaces.

Distinction entre la douleur aiguë et la douleur chronique

Par tradition, la plupart des médecins considèrent encore la douleur chronique (DC) comme une douleur aiguë, une affection secondaire ou bénigne et non comme une maladie. Il est essentiel, tant pour les praticiens que pour les patients, de comprendre cette distinction car la douleur aiguë et la douleur chronique ont des significations, des conséquences et des traitements totalement différents.

Le Dr Marc Schwob, attaché au Centre antidouleur de l'Hôpital Cochin, à Paris (Éd. Hachette, 1983) écrit:

> Il est frappant de constater qu'en cette fin du XXe siècle, soit plus de 2 000 ans après qu'Hypocrate ait déjà défini ces deux aspects essentiels de la douleur, nous traitions encore les douloureux chroniques comme s'ils souffraient de douleurs aiguës, susceptibles de changer du jour au lendemain. Pourtant, la douleur chronique est une maladie en soi, aussi lourde que peut l'être le diabète, une affection beaucoup plus courante et surtout mieux acceptée sur le plan social.

Le Dr Pierre-A. Drolet, anesthésiste à l'Hôpital Maisonneuve-Rosemont, a présenté une étude menée chez des malades hospitalisés. Malgré les analgésiques, 70% de ces patients se sont plaints de «douleurs dont l'intensité était de 7 ou plus, sur l'échelle de 0 à 10» (voir figure 8.2, au chapitre 8 «La douleur chronique»).

Le Dr Drolet écrit dans *Le clinicien*, janvier 1998:

> Moins on souffre lors d'une intervention chirurgicale, meilleures sont les chances de récupération. On peut se lever plus rapidement et commencer à s'alimenter. Bref, c'est le retour à la vie normale. Ces résultats peuvent se traduire par des séjours de plus courte durée. Au bout de la ligne, on entrevoit des économies pour le système.

Puisque l'origine de la douleur musculaire est encore inconnue, il est fort probable qu'un médecin puisse être embarrassé quand vient le moment de prescrire plusieurs médicaments pour soulager les différents symptômes accompagnant la fibromyalgie. Comment prescrire raisonnablement divers médicaments à un patient qui, au moment d'une première consultation, se plaint à juste titre de souffrir de douleurs envahissantes partout dans le corps, d'une fatigue chronique accablante, d'un manque de sommeil, de troubles digestifs... ? Outre cette gamme de problèmes, on sait que la douleur musculaire chronique propre à la fibromyalgie et au syndrome de la douleur myofasciale résiste aux traitements conventionnels.

Le Dr Schwob, spécialiste de la douleur chronique, signale :

Être confronté à l'échec relatif ou total de la majorité des tentatives thérapeutiques, de la multiplicité des médecins, d'examens cliniques et d'hospitalisations finit par effriter la confiance du patient douloureux dans le corps médical et par augmenter son angoisse, sa détresse ou sa dépression. Comprendre la personne qui souffre, interpréter la cause de sa douleur, traduire le signe qu'elle exprime, évaluer avec justesse toutes les conséquences de l'affection est une tâche difficile qui prend du temps. Si aucune consultation spécialisée dans la douleur ne peut remplacer le médecin de famille, celui qui connaît le mieux son malade, son mode de vie, ses antécédents, il est certain que les centres anti-douleurs regroupant plusieurs spécialistes permettent d'établir plus rapidement et de façon plus précise des diagnostics et des programmes de traitement mieux adaptés et plus modernes.

CLINIQUES DE LA DOULEUR

Le bulletin médical (juillet 1992) du Johns Hopkins Medical Institution, Baltimore, mentionne :

La moitié des patients souffrant de douleurs chroniques consomment entre un à cinq médicaments antidouleurs prescrits souvent simultanément avec d'autres médicaments obtenus en vente libre. En effet, un quart de ces patients deviennent intoxiqués aux médicaments antidouleurs – sans jamais avoir été soulagés. Pourtant, des études démontrent que la plupart de ces patients peuvent être soulagés d'une DC dans une des nombreuses cliniques de la douleur établies à travers le pays.

Comprendre la douleur chronique pour mieux la traiter est l'approche moderne des médecins exerçant leur profession dans des cliniques antidouleurs spécialisées. Des centres médicaux offrant des traitements antidouleurs s'implantent depuis quelque temps au

Québec. Attachées à de grands centres hospitaliers, ces cliniques offrent des soins dont les frais sont remboursés par la Régie de l'assurance maladie du Québec.

Mais à quel genre de traitements les patients fibromyalgiques peuvent-ils s'attendre lorsqu'ils consultent dans une clinique de la douleur ? Tout dépend du type de service disponible. Dans certaines cliniques on n'administre que des injections de corticostéroïdes dans les régions où siège la douleur. Dans d'autres, on fait une anesthésie épidurale permettant de régulariser le flux sanguin vers les parties douloureuses du corps.

À Montréal, l'Hôpital Saint-Luc, l'Hôpital Royal Victoria, l'Hôpital Notre-Dame et l'Hôpital général font appel à l'approche multidisciplinaire en utilisant un concept de traitement de la douleur ayant recours à plusieurs ressources professionnelles de la santé en même temps.

Centre de traitement de la douleur du CHUL

Au pavillon CHUL (Centre hospitalier de l'Université Laval), à Québec, des malades reçoivent des traitements spécialisés pour soulager la douleur. «On traite tous les genres de douleur, du cuir chevelu jusqu'aux pieds, comme les migraines, les dystrophies et l'arthrite», affirme le Dr René Truchon, anesthésiste et algologiste, et directeur du Centre du traitement de la douleur au CHUL. Ceux qui frappent à la porte du Centre, dont la liste d'attente s'étire sur un an, le font d'habitude en désespoir de cause, après de longues souffrances. Ils font partie des 7,4% dont la douleur est devenue chronique. Parmi eux, 60% souffriront d'une invalidité grave.

> À Québec, notre centre est mal organisé. Il n'y a pas d'équipe multi-disciplinaire. Aucun psychologue n'aide les malades, malgré que 50% d'entre eux vivent des épisodes dépressifs qui accentuent leurs douleurs. À moins d'une urgence, ça prend entre 4 à 6 mois pour obtenir un rendez-vous et la liste d'attente pour certains soins est d'un an. (Adapté du reportage réalisé par Anne-Marie Voisard, *Le Soleil*, 11 janvier 1999.)

Centre hospitalier Hôtel-Dieu de Lévis

Selon le Dr Pierre Dolbec, directeur de la Clinique de la douleur au Centre hospitalier Hôtel-Dieu de Lévis :

> La plupart des grand centres hospitaliers du Québec ont leur centre de traitement de la douleur. Mais ces centres sont souvent à l'état embryonnaire. Des anesthésistes, des psychologues et des physiatres forment une équipe de travail, en collaboration avec les médecins des autres services de l'hôpital ou avec des professionnels en pratique privée, sans avoir un endroit spécifique pour traiter les malades et tous les aspects de la douleur chronique.

> Chez de nombreuses personnes souffrant de douleur chronique, certains neurones dans la moelle épinière sont particulièrement sensibilisés, ce qui entretient la douleur. Un blocage, même temporaire, de ces neurones, peut suffire à diminuer leur extrême sensibilité et les ramener à un état normal. De plus, l'anesthésie épidurale permet souvent de régulariser le flux sanguin vers les parties douloureuses du corps, et de diminuer la tension musculaire causant la douleur.

> (Adapté de Hélène Reginster, « La douleur chronique, un combat de longue haleine », *Le Bel Âge*, avril 1996.)

Le Dr Dolbec estime qu'un tiers des cas traités sont un échec.

Hôpital Royal Victoria, Montréal

Au Centre de traitement de la douleur de l'Hôpital Royal Victoria, à Montréal, les patients sont d'abord invités à une séance d'information sur le traitement qu'il vont suivre. Ils répondent ensuite à un questionnaire sur les caractéristiques de la douleur qu'ils ressentent, leurs habitudes de vie et de travail. Puis un médecin s'entretient longuement avec les patients, en compagnie d'un de leurs proches. Ensuite, toutes les données de la douleur sont examinées avant d'établir un diagnostic et d'élaborer un traitement adapté à chaque cas.

« Venir ici quatre ou cinq fois par semaine, c'est important, car c'est un changement de comportement pour le patient ; cela fait partie de la thérapie psychologique, explique le Dr Roger Catchlove, responsable du service. Notre premier but est qu'il reprenne progressivement ses activités, qu'il bouge ! »

Utilisant plusieurs ressources en même temps, l'équipe multi-disciplinaire inclut un physiothérapeute, un ergothérapeute, ainsi que des consultants spécialistes: neurologue, orthopédiste, physiatre. Parfois le patient suit une psychothérapie individuelle comme des exercices de relaxation. Avec l'intervention d'un physiothérapeute, les exercices physiques de réadaptation se font de façon progressive pour ne pas forcer les muscles parfois inutilisés depuis longtemps.

Aux États-Unis

On estime à plus de 70 millions le nombre d'Américains souffrant de douleurs chroniques. Un quart de ces personnes deviennent intoxiquées par les antidouleurs sans jamais être soulagées de leur mal chronique, informe le bulletin médical du Johns Hopkins Medical Institute de juillet 1992. Pourtant, des études démontrent qu'un à deux tiers de ces personnes peuvent obtenir de l'aide professionnelle dans l'une des quelque 1 000 cliniques de la douleur établies dans tout le pays depuis les années 1980.

Dans le but de rompre le cycle douloureux de la tension musculaire associée au syndrome myofascial et fibromyalgique, des cliniques multidisciplinaires utilisent avec succès des injections faibles en stéroïdes dans des points déclencheurs ou des points sensibles formés en nodosités des tissus fibreux extrêmement sensibles.

La plupart du temps, les patients qui fréquentent ces cliniques souffrent de douleurs chroniques à la suite d'un traumatisme. Beaucoup d'entre eux ont essayé des médicaments antidouleurs sans obtenir des résultats satisfaisants. Certaines cliniques de la douleur soignent des troubles persistants comme les migraines, les douleurs musculaires, lombaires, cervicales, arthritiques graves et autres.

Selon l'American Chronic Pain Association, les hôpitaux et les centres de réadaptation sont mieux équipés pour offrir un plan de traitement plus complet que les cliniques privées de la douleur. Idéalement, le personnel de toute clinique devrait comprendre un praticien, un psychiatre ou psychologue, un physiothérapeute, un thérapeute en biofeedback, un thérapeute professionnel, un pharmacien et un conseiller familial.

MÉDICAMENTS COURAMMENT UTILISÉS EN FM[1]

Les renseignements sur la médication expliquée dans ces pages ne s'appliquent qu'aux trois symptômes primaires de la fibromyalgie, soit la douleur, la fatigue et les troubles du sommeil. La médication relative aux symptômes concomitants associée à la FM est expliquée à la fin de chaque symptôme au chapitre 11.

Selon le Dr R.M. Bennett :

> Aucun médicament particulier n'est fabriqué pour traiter le syndrome de la fibromyalgie. Cette situation est frustrante autant pour le médecin que pour le patient. En général, les drogues pour soulager la douleur musculaire, comme les AAS (Aspirine, Entrophen, etc.), les anti-inflammatoires non stéroïdiens (AINS) ou la cortisone ne sont pas vraiment efficaces en fibromyalgie.
>
> Les antidépresseurs tricycliques, comme l'amitriptyline à faibles doses de 25 mg, ont démontré une certaine efficacité pour favoriser la phase profonde du sommeil. Toutefois, le patient doit être informé que ce médicament n'est pas un somnifère. Les médicaments comme le Halcion (triazolam), le Restoril (témazépam), le Valium (diazépam) devraient être évités parce qu'ils dérangent la phase profonde du sommeil. (« Recognizing Fibromyalgia », *Patient Care* 7, 1989)

Les médicaments dont il sera question dans les pages qui suivent sont préconisés par divers praticiens spécialisés en fibromyalgie. Le médecin doit tenir compte, cependant, que certains sujets fibromyalgiques peuvent réagir anormalement et différemment aux mêmes médicaments. Deux patients fibromyalgiques du même âge ou de sexe opposé peuvent répondre différemment au cours d'une analyse clinique.

---

1. Tous les renseignements inclus dans les pages qui suivent sont proposés à des fins de référence seulement. En aucun cas, ils ne visent à remplacer un médecin. Loin de favoriser l'autodiagnostic, nous conseillons vivement à ceux qui souffrent de symptômes bénins ou persistants de consulter un professionnel de la santé.

Analgésiques

Les analgésiques sont des médicaments possédant des propriétés sédatives pour soulager la douleur. En fibromyalgie, les somnifères anxiolytiques ou antidépresseurs sont couramment prescrits pour remplacer les analgésiques, surtout dans les cas de douleurs chroniques musculaires. Soulignons que les médicaments possédant à la fois des propriétés antidouleurs et anti-inflammatoires sont rarement utilisés en fibromyalgie parce que l'inflammation n'y est pas présente.

Types d'analgésiques

Les analgésiques se divisent en plusieurs familles. Ils peuvent être narcotiques et non narcotiques.

NARCOTIQUES

- **Codéine, Mépéridine, Méthadone, Morphine, Oxycodone, Propoxyphène**

Les médicaments analgésiques les plus efficaces sont la morphine, la mépéridine et la méthadone, mais ils entraînent de la somnolence. On les utilise contre les douleurs consécutives à une chirurgie, les accidents graves et pour soigner certaines maladies. Parce qu'ils peuvent procurer une euphorie entraînant un abus et une dépendance, ils se classent parmi les médicaments contrôlés. Certains narcotiques moins puissants, comme la codéine et le propoxyphène, sont efficaces contre la douleur bénigne ou modérée.

Effets indésirables. Les narcotiques risquent de diminuer la lucidité, entraîner la somnolence, la nausée, les vomissements, la constipation et la dépression. Un surdosage peut induire à un coma profond et à un arrêt respiratoire fatal.

NON-NARCOTIQUES

L'acide acétylsalicylique (AAS) et l'acétaminophène agissent à la fois sur le cerveau et sur le siège de la douleur. Ils possèdent des propriétés sédatives sans entraîner de somnolence. Les analgésiques non narcotiques en vente libre ne doivent pas être utilisés au-delà de 48 heures sans avis médical.

- **AAS (Aspirine Bayer, Entrophen, etc.)**

Il existe quelque 200 dénominations commerciales pour l'analgésique AAS. Prévenant la coagulation du sang, ces médicaments s'emploient également dans le traitement des troubles circulatoires. Les AAS sont utilisés pour leur capacité analgésique et anti-inflammatoire. Ils diminuent la douleur d'intensité variable : douleurs musculaires légères, rhumatismales et articulaires, maux de tête, névralgie, maux de dents, maux de gorge et malaises de la fièvre.

Les AAS calment la douleur de la même façon que les endorphines en bloquant la production des prostaglandines. Ils interviennent dans la stimulation des terminaisons nerveuses, de sorte qu'aucun signal nerveux douloureux ne passe dans le cerveau.

Indication. On conseille de les avaler au repas avec huit onces (1 tasse) d'eau ou de lait pour réduire l'effet d'acidité et pour favoriser leur dissolution et leur absorption.

Effets secondaires et réactions indésirables. Les AAS peuvent perturber la phase profonde du sommeil, irriter et ulcérer l'estomac et le duodénum, provoquant même des saignements. Les personnes asthmatiques risquent de faire des réactions allergiques.

Prévention :

– Quand un patient doit prendre de fortes doses d'AAS, il est préférable de les remplacer par des comprimés enrobés qui se dissolvent dans l'intestin plutôt que dans l'estomac ; ainsi, l'AAS agit plus lentement.

– Utiliser prudemment l'AAS si le patient souffre d'asthme ou de rhinite chronique, car il risque d'entraîner plus facilement une réaction allergique.

– Il est conseillé de ne pas prendre de l'AAS avec d'autres médicaments en vente libre sans l'avis d'un médecin ou d'un pharmacien.

Précautions :

– Il est contre-indiqué de prendre de l'aspirine en même temps qu'un anticoagulant sans en aviser son médecin et son pharmacien.

– Prendre des mesures d'urgence s'il y a fébrilité, maux d'estomac, bourdonnement d'oreilles, vision brouillée ou vomissements.

- **ACÉTAMINOPHÈNE (Atasol, Exdol, Paradol, Tempra, Tylenol, etc.)**

Ces analgésiques non narcotiques diminuent la fièvre et soulagent une multitude de douleurs légères à modérées : maux de tête, maux de dents, névralgies, douleurs articulaires. L'acétaminophène convient aux enfants comme aux adultes.

Bien absorbés par voie orale, les acétaminophènes ne dérangent pas l'estomac. Ils constituent une solution de rechange utile pour les personnes souffrant d'ulcère gastroduodénal ou ne pouvant tolérer l'AAS. Des doses occasionnelles sont permises aux personnes traitées aux anticoagulants.

Possédant une propriété anti-inflammatoire négligeable, l'acétaminophène est moins efficace que l'AAS dans le traitement des maladies rhumatismales.

Contre-indication. L'acétaminophène est contre-indiqué :
- si le patient souffre d'anémie, de maladie rénale ou d'hépatique grave,
- s'il a démontré une allergie à ce produit,
- s'il consomme de grandes quantités d'alcool.

  Les analgésiques non narcotiques en vente libre ne doivent pas être utilisés au-delà de 48 heures sans avis médical.

Effets secondaires :
- Prise aux doses recommandées, l'acétaminophène présente peu d'effets secondaires.
- Moins que l'AAS, il peut cependant causer un peu d'irritation gastrique, des nausées, des vomissements, de l'urticaire.

  De fortes doses d'acétaminophène risquent de provoquer des troubles au foie et aux reins ; lire attentivement à ce sujet la liste des « ingrédients actifs ».
- Une surdose peut provoquer une nécrose hépatique.
- Prendre des mesures d'urgence s'il y a nausées, vomissements ou douleurs à l'estomac.

Précautions :

L'agence de nouvelles Reuter a révélé, dans un communiqué récent, que le médicament Tylenol peut être dangereux s'il est administré à des doses légèrement supérieures à celles prescrites. Selon un article publié dans le magazine *Forbes*, on a dénombré en huit ans un nombre significatif de lésions graves au foie et même des morts attribuables aux ingrédients actifs de ce médicament acétaminophène.

CRÈMES TOPIQUES ANALGÉSIQUES

- **Capsaïcine (Zostrix), Flex-O-Flex, FLEXALL, Bengay, Ruba-535, Tiger Balm**

Les crèmes (baumes ou gels glacés) topiques analgésiques sont généralement disponibles en formule régulière ou en formule ultra forte. Pour le maximum d'efficacité, les crèmes en formule régulière s'appliquent en couches minces 3 ou 4 fois par jour en frictionnant légèrement sur la zone douloureuse des muscles.

Les crèmes en formule ultra forte peuvent soulager temporairement les douleurs neuromusculaires d'origine névralgique (élancement ou sensation de brûlure à fleur de peau), telle que la sciatique, ou sur les régions très douloureuses des points déclencheurs du syndrome myofascial.

Précautions :
- Il importe d'éviter le contact de ces crèmes, baumes et gels analgésiques avec les yeux et les muqueuses, une blessure ouverte, la peau irritée ou fissurée, particulièrement celles à teneur forte ou ultra forte.
- Se laver rigoureusement les mains après l'application.
- Ne pas recouvrir d'un bandage.
- Ne pas les appliquer si la peau devient irritée ou présente des signes d'irritation.
- L'utilisation d'une source de chaleur, tel un coussin chauffant, avant ou après leur application, peut provoquer une irritation excessive de la peau, voire des brûlures.
- Pour leur application, il est conseillé d'utiliser des gants tout usage en latex ou en vinyle, en vente dans les pharmacies. Notons cependant que ce type de gants ne suffit pas en ce qui concerne l'onguent Zostrix fort en capsaïcine.

Hypnosédatifs

Comme sédatif, un hypnosédatif peut être utilisé pour le traitement de divers troubles d'anxiété. Comme hypnotique, il est utilisé pour le traitement de l'insomnie. Certains hypnosédatifs agissent comme anticonvulsivants (Diazépam et Phénobarbital) et d'autres, comme relaxants musculaires (Diazépam).

Les hypnosédatifs couramment utilisés pour le traitement des troubles du sommeil sont les benzodiazépines (Diazépam, Lorazépam, etc.) et la zopiclone (Imovane). Réduisant l'activité des cellules nerveuses cérébrales, ce groupe d'hypnosédatifs permettent de restaurer les habitudes de sommeil lorsque les troubles du sommeil sont causés, par exemple, par les douleurs musculaires et les troubles respiratoires.

Ces médicaments aident à rétablir le sommeil en réduisant l'activité des cellules nerveuses cérébrales. De bonne absorption, les benzodiazépines se répartissent dans tout l'organisme et sont métabolisés par le foie.

Note: Nous ne résumons ici des renseignements pratiques que sur deux types d'hypnosédatifs: les benzodiazépines et la zopiclone. L'information générale contenue dans les trois médicaments décrits ci-dessus permettra au lecteur d'obtenir des renseignements de base sur l'ensemble des hypnosédatifs fréquemment prescrits en fibromyalgie.

BENZODIAZÉPINES

- **LORAZÉPAM (Ativan, etc.)**

Cet hypnosédatif appartient à un groupe de médicaments qui soulagent les symptômes de l'anxiété et favorisent le sommeil. Il risque moins que d'autres benzodiazépines de s'accumuler dans l'organisme. Cependant, il entraîne lui aussi de la dépendance si le traitement est régulier et prolongé et, ainsi, ses effets peuvent s'atténuer.

Classification. Hypnosédatif, anxiolytique, traitement de courte durée seulement

Action. Dépression du système nerveux central

Effets thérapeutiques:
- Soulagement de l'anxiété
- Hypnosédatif

Efficacité du traitement:
- Sensation de mieux-être
- Diminution de la sensation subjective d'anxiété sans sédation excessive

Réactions indésirables et effets secondaires:
- Somnolence
- Léthargie
- Excitation paradoxale
- Céphalées
- Dépression
- Vision trouble
- Étourdissements
- Dépression respiratoire
- Nausées
- Vomissements
- Diarrhée
- Constipation
- Éruption cutanée

Précautions:
- Risque plus grand d'effets indésirables pour les personnes âgées.
- L'alcool renforce l'effet sédatif du Lorazépam.
- Ne pas modifier la dose sans consulter le médecin.
- Faire réévaluer régulièrement les thérapies par le médecin traitant.

- **DIAZÉPAM (Valium, etc.)**

Ce groupe de médicaments hypnosédatifs aide à diminuer la nervosité et la tension, à détendre les muscles, à traiter l'anxiété et à favoriser le sommeil. Le diazépam est disponible sous forme de comprimés et de préparations injectables.

Classification. Hypnosédatif, relaxant des muscles squelettiques, anticonvulsivant

Action:
- Dépression du système nerveux central
- *Effets thérapeutiques:* myorelaxant
- Soulagement de l'anxiété
- Sédation
- Amnésie

Réactions indésirables et effets secondaires:
- Étourdissements
- Somnolence
- Léthargie
- Sensation droguée
- Céphalées
- Dépression
- Vision trouble
- Dépression respiratoire
- Nausées
- Vomissements
- Diarrhée
- Constipation
- Éruption cutanée

Contre-indications:
- Hypersensibilité
- Douleurs aiguës rebelles
- Dépression préexistante du système nerveux central

Précautions:
- Dysfonction hépatique
- Insuffisance rénale grave
- Risque plus grand d'effets indésirables pour les personnes âgées, donc réduire les doses.
- L'alcool renforce l'effet sédatif du diazépam.
- Ne pas modifier la dose sans consulter le médecin.

– Faire réévaluer régulièrement les thérapies par le médecin traitant.

• ZOPICLONE **(Imovane)**

La zopiclone est un hypnotique appartenant à une nouvelle famille chimique non reliée par sa structure aux autres hypnotiques existants. Toutefois, le profil pharmacologique de la zopiclone est semblable à celui des benzodiazépines.

Dans le cadre d'études en laboratoire de sommeil, la zopiclone a démontré que le délai d'endormissement et le nombre de réveils nocturnes étaient réduits et que les cycles 3 et 4 du sommeil profond étaient augmentés.

Après l'administration quotidienne d'une dose de 7,5 mg au coucher, durant 14 jours, les caractéristiques pharmacocinétiques de la zopiclone n'ont pas été modifiées et le médicament ne s'est pas accumulé. La zopiclone est un hypnotique à courte durée d'action (environ quatre à sept heures).

Lorsque les demi-vies des hypnotiques sont longues, les métabolites du médicament peuvent s'accumuler pendant les périodes de prises régulières au coucher et occasionner une altération du fonctionnement cognitif et moteur pendant les heures de réveil. Si les demi-vies sont courtes, comme celle de la zopiclone, le médicament et ses métabolites sont généralement éliminés avant la prise de la prochaine dose.

Action:
– Diminue le stade d'endormissement et améliore les cycles du sommeil profond.
– Favorise la relaxation musculaire.
– Traitement des symptômes de l'insomnie transitoire (de sept à dix jours)

Effets indésirables:
– Sécheresse et goût amer dans la bouche
– Céphalées
– Lourdeur des membres
– Frissons

Précautions:

- Le patient âgé est particulièrement vulnérable aux réactions indésirables, notamment la somnolence, les étourdissements ou les troubles de la coordination.
- Des troubles de la pensée peuvent survenir
- Augmentation de l'agitation ou de l'anxiété pendant le jour chez certains patients.
- Apparition des symptômes de dépression chez certains patients
- Ne pas cesser de prendre la zopiclone de façon abrupte. Voir à ce sujet « Sevrage des somnifères » dans les pages précédentes.

Hypnotiques naturels

MÉLATONINE

Cette hormone naturelle devient de plus en plus populaire pour combattre l'insomnie et permettre aux personnes de récupérer facilement après un décalage horaire, par exemple. Les premières conclusions des expériences sur cette hormone, publiées par la revue officielle de l'Académie nationale de sciences, indiquent que les patients ayant reçu des médicaments contenant de la mélatonine s'endorment entre 5 à 6 minutes contre 15 minutes ou plus chez ceux ayant reçu un placebo.

Toutefois, les effets indésirables et autres données sont encore trop préliminaires pour qu'il soit possible de se prononcer sur l'efficacité de la mélatonine pour atténuer les troubles du sommeil chroniques éprouvés par les fibromyalgiques.

Bien qu'elle ne soit pas approuvée au Canada, la mélatonine est vendue aux États-Unis dans la plupart des pharmacies et commerces de produits naturels. L'on suggère de prendre la mélatonine deux heures ou moins avant le coucher. Cela permet que la libération de ses hormones atteigne son niveau maximum pendant les premières heures du sommeil. Des recherches en vue de l'utilisation thérapeutique de cette hormone sont en cours dans plusieurs pays.

TRYPTOPHANE

Plusieurs composés biologiques importants, dont la sérotonine et la tryptamine, dérivent de cet acide aminé indispensable. Sans le tryptophane, l'organisme serait incapable de produire suffisamment de protéines, lesquelles sont vitales pour notre survie. Comme la sérotonine, la concentration moyenne du tryptophane est significativement plus basse dans le sérum sanguin des fibromyalgiques que dans celui des sujets en santé. Une déficience de cet acide aminé peut contribuer à perturber les cycles du sommeil.

Selon le Dr J. Paul Caldwell, spécialiste du sommeil :

> Des essais cliniques ont démontré que le tryptophane est efficace pour améliorer le sommeil chez les aînés et chez les personnes qui prennent des antidépresseurs. Il raccourcit le délai d'endormissement, augmente la quantité totale de sommeil et réduit le nombre de réveils.
>
> Contrairement à d'autres hypnotiques comme les benzodiazépines, le tryptophane ne semble pas entraîner trop de changements anormaux dans les cycles de sommeil. Malheureusement, le tryptophane ne convient pas à tout le monde. Au moins 60% à 70% de ceux qui y ont recours notent une amélioration de leur sommeil. (*Le sommeil*, Guy St-Jean éditeur)

D'autres études ont démontré qu'un usage intermittent de tryptophane s'avère aussi efficace qu'un usage continu. Utilisé trois ou quatre soirs par semaine, il donne les mêmes effets qu'une dose quotidienne. À l'exception de la nausée et de la somnolence occasionnelles, cet acide aminé n'a révélé aucun effet indésirable notable. Toutefois, le Dr Caldwell recommande de prendre le tryptophane avec de la vitamine B$_6$ (pyridoxine) afin d'équilibrer la dépression qui survient parfois en l'absence de ce supplément. Le tryptophane est déconseillé aux personnes diabétiques et sclérodermiques.

En tant qu'hypnotique, le tryptophane (Tryptan) est vendu au Canada sous ordonnance médicale. Les meilleures sources naturelles de tryptophane sont le riz brun, le fromage cottage, la viande, les produits du soya et les arachides.

Antidépresseurs

On ne connaît pas encore avec précision comment agissent les anti-dépresseurs. La recherche indique qu'ils pourraient diminuer ou augmenter l'activité électrique de plusieurs types de neurones cérébraux. Ceux-ci libèrent normalement certains composés chimiques excitateurs, les neurotransmetteurs, qui stimulent les neurones voisins de sorte qu'ils sont continuellement libérés, recapturés et dégradés.

Mais dans la dépression, l'activité des neurones est perturbée, de sorte qu'ils libèrent les neurotransmetteurs en quantité moindre, ce qui réduit la stimulation. Or, en théorie, les antidépresseurs tricycliques corrigeraient cette anomalie en augmentant le nombre de neurotransmetteurs et en bloquant leur recapture. Les effets bénéfiques des antidépresseurs sont perceptibles après 10 à 14 jours, mais peuvent prendre de six à huit semaines à s'installer.

Dans le traitement de la fibromyalgie, certains antidépresseurs, tels que les tricycliques à faibles doses, sont souvent prescrits pour soulager les douleurs musculaires chroniques et améliorer les troubles du sommeil. Les médecins évitent généralement de prescrire des antidépresseurs dans les cas de dépression passagère. Ils sont davantage utilisés dans la dépression persistante.

Trois groupes importants d'antidépresseurs sont actuellement prescrits : les inhibiteurs de la monoamine oxydase (IMAO), les inhibiteurs sélectifs de la recapture de la sérotonine (ISRS) et les tricycliques. Les autres antidépresseurs, comme la maprotiline, ont des effets analogues à ceux des tricycliques.

INHIBITEURS DE LA MONOAMINE OXYDASE (IMAO)

- **Moclobémide, Manerix, Phénelzine (Nardil), Tranylcypromine (Parnate)**

Les antidépresseurs IMAO sont habituellement prescrits aux patients qui ne répondent pas au traitement aux tricycliques ou pour lesquels ces derniers sont contre-indiqués. Ils sont particulièrement efficaces chez les patients souffrant à la fois d'anxiété et de dépression, ou sujets aux états de panique et aux phobies.

Précautions. Les aliments et les boissons renfermant de la tyramine (le fromage et le vin rouge, par exemple) ainsi que certains médicaments peuvent produire une élévation potentiellement mortelle de la tension artérielle s'ils sont absorbés au cours d'un traitement aux IMAO.

INHIBITEURS SÉLECTIFS DE LA RECAPTURE DE LA SÉROTONINE (ISRS)

- **Fluoxétine (Prozac), Fluvoxamine (Luvox), Sertraline (Zoloft), Paroxétine (Paxil)**

Les antidépresseurs ISRS stimulent l'activité de la sérotonine en particulier. Rapidement absorbés, ils atteignent des concentrations sanguines maximales entre deux et quatre heures. Toutefois, les effets bénéfiques sont habituellement perceptibles après 10 à 14 jours, mais peuvent prendre de six à huit semaines à s'installer dans l'organisme.

Note : L'information générale de ce médicament est à peu près similaire aux autres médicaments de la famille d'antidépresseurs ISRS. Nous ne résumons ici que certaines caractéristiques de l'antidépresseur FLUOXÉTINE (Prozac).

La fluoxétine a longtemps eu l'avantage d'être moins sédative que les anciens antidépresseurs. Toutefois, on en connaissait mal les effets à long terme.

Précautions : L'antidépresseur fluoxétine (Prozac), d'utilisation courante, peut provoquer de nombreux problèmes de santé, même si on en vantait les mérites depuis le début de 1980 parce qu'on la croyait exempte d'effets secondaires indésirables et d'interactions graves.

Selon le *Guide des médicaments* (Éd. du Renouveau Pédagogique, 1995), des effets importants et contre-indications de ce médicament sont, entre autres, l'insuffisance rénale ou hépatique grave, des convulsions, des tremblements, la fatigue, des étourdissements, la diarrhée, les troubles visuels, les palpitations, des douleurs thoraciques et lombaires, des nausées, des douleurs abdominales, des vomissements, l'arthralgie, la myalgie, une dysfonction sexuelle, des réactions d'hypersensibilité, etc.

Par ailleurs, un article sur le sujet (*Le Soleil*, 15 novembre 1998) rapporte qu'une équipe de chercheurs a conclu que les antidépresseurs de la famille fluoxétine peuvent provoquer des effets significatifs dommageables.

TRICYCLIQUES

- **Amitriptyline (Elavil), Amoxapine (Asendin), Clomipramine (Anafranil), Doxépine (Sinéquan), Imipramine (Tofranil), Nortriptyline (Aventyl)**

Note: Nous ne résumons ci-après que les caractéristiques de l'antidépresseur tricyclique amitriptyline. L'information générale des autres antidépresseurs tricycliques est à peu près analogue à l'amitryptiline.

Les antidépresseurs tricycliques sont ainsi nommés en raison de leur unité chimique de base constituée d'un noyau moléculaire à trois chaînes fermées. Les tricycliques sont ordinairement utilisés dans le traitement de la dépression.

- **AMITRIPTYLINE**

L'action de cet antidépresseur tricyclique se caractérise généralement par une influence favorable sur le sommeil et une stimulation de l'humeur. Ce médicament a présenté des effets favorables chez des sujets fibromyalgiques pendant des tests effectués par la méthode du placebo. Il est utilisé dans le traitement des douleurs musculaires chroniques et des maux de tête.

Diverses études faites sur des patients fibromyalgiques indiquent que certains antidépresseurs tricycliques, notamment l'amitriptyline prise en faible dose, peuvent réduire le nombre de réveils pendant la nuit et augmenter la quantité de sommeil profond.

Cependant, d'autres antidépresseurs tricycliques peuvent affecter les cycles de sommeil de façon différente. Les plus petites doses nécessaires pour contrer la perturbation du sommeil causée par les douleurs musculaires et autres symptômes associés à la FM entraînent généralement moins d'effets secondaires que chez les patients souffrant de dépression. Il importe donc d'en discuter avec son médecin pour trouver le médicament et la dose qui conviennent le mieux.

Il est préférable de prendre l'amitriptyline une ou deux heures avant le coucher pour bénéficier pleinement de son effet somnolent. L'effet antidépresseur de l'amitriptyline peut ne se manifester que deux à quatre semaines après le début du traitement, mais l'effet analgésique peut survenir après une semaine.

En tenant compte que les sujets fibromyalgiques éprouvent ordinairement une grande sensibilité aux antidépresseurs, de faibles doses devraient être administrées au début du traitement pour éviter les effets indésirables. Certains médecins suggèrent de ne prendre que 10 mg pour les premières doses. Dans la plupart des cas, des doses de plus de 50 mg par jour ne sont pas nécessaires.

Action:

– Augmente les effets de la sérotonine et de la noradrénaline au niveau du système nerveux central.
– Augmente l'appétit.
– Améliore la phase du sommeil profond.
– Augmente les effets d'endogènes opiacés qui diminuent les symptômes douloureux.

Résultat:

• L'efficacité de l'amitriptyline peut se manifester par:
  – un sentiment de mieux-être
  – l'amélioration de l'appétit
  – un regain d'énergie
  – l'amélioration du sommeil
  – la diminution des symptômes douloureux chroniques

Contre-indication:

– Glaucome (maladie de l'œil)
– Diabète
– Hyperthyroïdie
– Dysfonctionnement du foie
– Asthme

Effets secondaires et réactions indésirables:

– Somnolence, léthargie, fatigue
– Sécheresse de la bouche et des yeux

- Constipation
- Rétention urinaire

Précautions :

- *Personnes âgées :* maladie cardiovasculaire préexistante
- *Hommes âgés,* souffrant d'hypertrophie de la prostate : anté-cédents de convulsions (le seuil de crise peut être abaissé)
- Les surdoses de tricycliques sont dangereuses.
- Les effets des antidépresseurs tricycliques peuvent diminuer par l'usage prolongé.
- Consulter le médecin traitant avant d'augmenter la dose.

Puisque les effets secondaires et la prise de l'amitriptyline avec d'autres médicaments peuvent provoquer des interactions impor-tantes, un suivi par le médecin traitant est hautement recommandé.

Les renseignements qui suivent sont diffusés sur Internet par le Dr David A. Nye, spécialiste réputé en fibromyalgie, de la Midelfort Clinic, à Eau Claire, au Wisconsin :

> L'amitriptyline est couramment utilisée pour soulager les symptômes de la fibromyalgie parce qu'elle améliore la qualité du sommeil profond. Cependant, le patient peut s'attendre au début du traitement à subir un effet de somnolence et de faiblesse matinale. Ces effets secondaires désagréables, incluant la sécheresse de la bouche, peuvent diminuer après quelques semaines.

> Ce médicament peut également entraîner un désir insatiable d'aliments sucrés conduisant à un excédent de poids. Je conseille d'éliminer totalement les sucreries avec l'amitriptyline et de suivre un régime alimentaire suggéré par les Weight Watchers. Des patients fibro-myalgiques rapportent que ce genre de diète soulagent également leurs symptômes. La constipation étant un autre effet secondaire fréquent, je conseille à des sujets fibromyalgiques de prendre des suppléments de magnésium pour atténuer ce malaise.

Antidépresseur naturel

MILLEPERTUIS (*ST. JOHN'S WORT*)

Le dérivé de cette plante aux mille feuilles est utilisé couramment dans divers pays pour soigner un état de dépression léger. L'usage du millepertuis est approuvé en Allemagne depuis plusieurs années pour le traitement de la dépression et des troubles du sommeil. Plus de 60 millions de capsules contenant des extraits de millepertuis sont achetées en vente libre chaque année à un coût de 30 cents chacune. Traitant les mêmes symptômes, le médicament Prozac coûte 3 $ l'unité.

L'enthousiasme pour cette herbe miracle a pris racine en Amérique du Nord à la suite de la parution en 1996 d'un résumé de 23 études européennes dans le *British Medical Journal*. Ces études comparaient avantageusement les suppléments de millepertuis à des médicaments antidépresseurs standard. L'année suivante, un article publié dans *Newsweek*, plus un reportage télévisé au populaire *20-20* présentaient le millepertuis comme un traitement favorable à la dépression.

Selon le psychopharmacologue Walter Müller, de l'Université de Frankfurt, le millepertuis possède des propriétés biochimiques intéressantes. On a constaté que le millepertuis, administré en doses variant de 300 à 1 000 mg par jour, réagit sur le cerveau de la même façon que Prozac – en prolongeant la production de sérotonine, un neurotransmetteur agissant sur l'humeur et le comportement. Malgré ses promesses, souligne le Dr Müller, le millepertuis ne doit pas être considéré comme traitement pour une grave dépression qui suscite des idées suicidaires.

Précautions:
– Les substances dérivées du millepertuis peuvent provoquer de la fatigue, des réactions allergiques et des problèmes intestinaux.
– S'abstenir de prendre toute forme de médicaments antidépresseurs avec le millepertuis.

Relaxants musculaires

Appelés également myorelaxants, les relaxants musculaires sont utilisés (souvent en association avec un analgésique) pour soulager les symptômes douloureux aigus attribuables à la contracture des muscles squelettiques associée à la fibromyalgie et au syndrome de la douleur myofasciale.

Le principal risque à long terme associé aux relaxants musculaires est une dépendance de l'organisme. L'interruption soudaine du traitement entraîne parfois une tension encore plus grande qu'avant le traitement. Des dosages trop élevés peuvent réduire excessivement la capacité de contraction des muscles et les affaiblir. C'est pourquoi le dosage doit être établi avec soin pour soulager les symptômes tout en maintenant un tonus musculaire approprié.

Les relaxants musculaires se caractérisent en deux groupes :

RELAXANTS À EFFET DIRECT : DANTROLÈNE (DANTRIUM)

Le dantrolène agit directement sur les muscles en entravant l'activité chimique des fibres musculaires dans la contraction des muscles. Le dantrolène est principalement utilisé pour le traitement de la spasticité (exagération de la tonicité musculaire se manifestant par des spasmes) imputable à des lésions de la moelle épinière, de l'apoplexie, de la paralysie cérébrale, de la sclérose en plaques.

RELAXANTS À ACTION CENTRALE (Baclofen, Carisoprodol, Cyclobenzaprine, Méthocarbamol

Note : Nous ne résumons ici des renseignements pratiques que sur le relaxant musculaire à action centrale : le cyclobenzaprine (Flexeril). L'information générale de ce médicament est à peu près analogue à l'ensemble des autres relaxants musculaires à action centrale.

CYCLOBENZAPRINE (Flexeril)

La structure du relaxant musculaire cyclobenzaprine ressemble à celle de l'antidépresseur tricyclique amitriptyline. Principalement métabolisé par le foie, ce médicament est bien absorbé depuis le tractus gastro-intestinal. La cyclobenzaprine a présenté des effets favorables chez des sujets fibromyalgiques à la suite d'analyses cliniques.

En association avec d'autres mesures thérapeutiques, on prescrit couramment la cyclobenzaprine pour diminuer la tension et les spasmes des muscles de l'appareil locomoteur, soulager les douleurs des points sensibles en fibromyalgie et des points déclencheurs de la douleur myofasciale.

Selon le Dr Don Goldenberg, dans *Fibromyalgia: Musculo-squeleton Pain Treatment* :

Certains médicaments favorisant le sommeil et relaxant les muscles, comme le cyclobenzaprine (Flexeril), sont généralement efficaces pour aider les patients fibromyalgiques. Bien qu'on ait recours à ces médicaments pour traiter la dépression chez les fibromyalgiques, ils ne sont pas spécifiquement utilisés comme antidépresseurs ou tranquillisants, mais plutôt pour soulager la douleur musculaire et favoriser le sommeil.

Action :

- Diminution de l'activité musculaire tonique et somatique au niveau du tronc cérébral
- Soulagement de la spasticité musculaire (spasmes) et de l'hyperactivité sans perte des fonctions

Posologie :

- *Adultes :* 30 mg par jour en une seule dose (ou en des doses fractionnées) administrée au coucher
- L'effet du comprimé de 10 mg est à peu près identique à celui du comprimé de 25 mg de l'amitriptyline.
- Les personnes fibromyalgiques obtiennent généralement des résultats favorables avec une posologie de 10 mg de cyclobenzaprine seulement.

Contre-indication :

- Hypersensibilité
- Infarctus récent du myocarde
- Maladie cardiovasculaire grave ou symptomatique
- Troubles de la conduction cardiaque
- Hyperthyroïdie

Effets secondaires et réactions indésirables :

- Somnolence
- Étourdissements
- Fatigue
- Maux de tête
- Nervosité
- Confusion

- Sécheresse de la bouche
- Vision trouble
- Irrégularité ou palpitations du rythme cardiaque
- Constipation
- Goût désagréable
- Digestion difficile et douloureuse
- Nausée
- Rétention urinaire
- Tremblement des mains

Précautions :
- Maladie cardiovasculaire
- Traitement prolongé
- Peut causer la sédation et rendre hasardeuse la conduite automobile.
- Prendre ce médicament avec des aliments pour réduire l'irritation gastrique.

Opiacés

MORPHINE (Épimorph, M-Eslon, M.O.S., MS Contin, Oramorph SR, Statex)

Dérivé de l'opium, cet opiacé narcotique soulage les douleurs intenses dans les cas de blessures, de chirurgie, de crises cardiaques ou de certaines maladies chroniques comme le cancer. La morphine bloque les signaux de la douleur à la moelle épinière de sorte qu'ils ne puissent se rendre au cerveau.

La morphine peut entraîner de la dépendance et de la toxicomanie. Cependant, la plupart des patients qui l'utilisent comme analgésique durant de brèves périodes peuvent s'en passer par la suite sans problème.

HYDROMORPHINE (Dilaudid, PMS-Hydromorphone)

Chimiquement apparenté à la morphine, cet opiacé est surtout utilisé pour soulager les douleurs vives et l'anxiété associées à une chirurgie, une crise cardiaque ou des maladies comme le cancer.

De petites doses soulagent efficacement les douleurs aiguës ou chroniques.

Pompe ACP

Un moyen efficace pour soulager la douleur postopératoire est la pompe d'analgésie ACP, un appareil réglementé selon les besoins du patient pour distribuer à petites doses un opiacé. Le patient n'a qu'à peser sur un bouton ou une manette pour permettre à l'opiacé de rejoindre la veine sans l'intervention d'une infirmière. Le Dr Pierre-A. Drolet, anesthésiste à l'Hôpital Maisonneuve-Rosemont, souligne que, selon le résultat de plusieurs études, les sujets opérés utilisent la pompe ACP à des fins d'analgésie et non pas dans le but de provoquer l'euphorie.

Préjudice obstiné contre l'usage des opiacés

Il existe un préjudice enraciné au sein de la communauté médicale contre l'usage des opiacés. En fait, leur effets d'accoutumance et de dépendance ont souvent résulté d'une mauvaise utilisation.

Selon l'avis du Dr Louis Roy, qui administre des traitements palliatifs à la Maison Michel Sarrazin, à Québec :

La morphine ne tue pas. Elle augmente la qualité de vie. Le but est de soulager la souffrance globale. Il est impossible de toucher au moral tant que la douleur physique est envahissante.

Gisèle Besner, vice-présidente de l'association internationale « Ensemble contre la douleur » ajoute :

Là où ça devient plus délicat et controversé, c'est quand la douleur est sans fin ou cyclique. L'arthrite, les myalgies (douleurs musculaires), le zona entrent dans ces catégories On a vu des gens cloués au lit retrouver le sourire, le jour où ils ont appris qu'ils avaient un cancer.

Les spécialistes n'utilisent les opiacés que pour calmer les douleurs intenses du cancer – mais ce ne devrait pas être le seul cas. Pourtant, l'Association nord-américaine de la douleur chronique du Canada recommande l'usage des opiacés pour traiter un grand nombre de symptômes responsables de douleurs chroniques. « Cette situation est regrettable, car certaines douleurs chroniques sont si intenses que seuls les opiacés peuvent les soulager», écrit Roderick Jamer dans *Artho Express*, hiver 1997, vol. 15, n° 4.

L'Ordre des médecins et des chirurgiens de la Colombie-Britannique et de l'Alberta ont émis des lignes directrices concernant l'usage adéquat des opiacés pour la gestion des douleurs chroniques.

Selon le Dr Howard Jacobs, médecin de famille occupant un poste de direction au Centre de la douleur chronique de la Ontario Medical Association:

> Les patients et les médecins qui redoutent les traitements aux opiacés par peur de l'accoutumance devraient être mieux informés. Nous devons modifier nos attitudes et éduquer les médecins de première ligne sur l'usage des opiacés pour traiter les douleurs chroniques. Les médecins privent leurs patients d'un précieux secours en refusant de leur administrer des opiacés.

Voici ce qu'en pense le célèbre spécialiste de la douleur, Ronald Melzack (*L'actualité*, août 1996):

> La priorité en matière de traitement de la douleur est de faire l'éducation des médecins, des infirmières et du public pour leur apprendre à ne plus avoir peur de cet excellent médicament qu'est la morphine. Il faut aussi mieux former les étudiants en médecine, qui souvent ne reçoivent qu'une dizaine d'heures de cours sur la douleur en quatre ans. Il faut changer la philosophie selon laquelle ils doivent à tout prix *guérir* des maladies – avec la douleur, on parle surtout de *traiter*, de *soulager*.

Le Dr Melzack publiait en 1990, dans la revue *Scientific American*, un article rebondissant sur «la tragédie de la douleur inutile»:

> Il y a des douleurs que les traitements existants ne peuvent soulager. Mais ce qui est inadmissible, c'est de voir des gens souffrir parce que les médecins hésitent à leur prescrire des médicaments contenant de la morphine. Pourtant, une étude portant sur plus de 10 000 brûlés traités aux opiacés durant des mois n'a révélé que 22 cas de dépendance, mais chez 22 personnes qui avaient eu auparavant des problèmes de drogue.

> Il n'y a pas de toxicité ni d'effets notables sur le fonctionnement quotidien du malade. Comme d'autres médicaments à effets prolongés, ils ont une efficacité reconnue lorsqu'ils sont administrés quotidiennement selon les indications prescrites. Pour la médecine, ce serait l'équivalent de ce qu'a fait l'aviation en franchissant le mur du son.

Pouvons-nous interdire un médicament opiacé à des personnes souffrant de douleurs chroniques qui durent des années et des années ? « C'est le débat de l'heure, avance la pharmacienne Andrée Néron. Les opiacés sont le pilier de l'arsenal antidouleur ».

Aujourd'hui, les connaissances approfondies permettent de traiter la douleur par une prescription efficace et plus sûre de la morphine et de ses dérivés synthétiques. Il a été prouvé que son utilisation prolongée contre un grand nombre de douleurs chroniques n'entraîne pas de phénomènes de tolérance. Le tabou qui restreint encore trop son usage médical sera bientôt dépassé. C'est le vœu que formulent des millions de patients souffrant de douleurs chroniques intenses.

RECOMMANDATIONS

- Insister pour obtenir une copie de tout rapport d'évaluation médicale.

- Persister pour connaître les effets secondaires et indésirables de la médication prescrite. En cas de doute, poser des questions supplémentaires.

- Suivre intégralement les conseils du médecin et du pharmacien.

- Fréquenter la même pharmacie pour se procurer tous ses médicaments afin d'y conserver en un seul endroit son dossier pharmaceutique complet et à jour.

- Exiger de son pharmacien les explications essentielles sur tout nouveau médicament qu'il dispense.

- Tenir à jour une liste personnelle des médicaments que l'on prend régulièrement ou occasionnellement, incluant ceux obtenus avec ordonnance et en vente libre. Le pharmacien peut fournir sur demande une liste mise à jour des médicaments prescrits.

- Présenter cette liste de médicaments au médecin consulté.

- S'assurer de bien comprendre toutes les instructions avant de commencer à utiliser un nouveau médicament: à quoi sert-il, quand le prendre (avant ou après un repas), si la dose peut être diminuée, que faire si des problèmes surgissent ?

- Ne pas arrêter soudainement un médicament sans l'accord de son médecin.

- Garder ses médicaments dans des contenants hermétiques.

- Prendre soin de ranger ses médicaments dans un endroit frais et sec, surtout à l'abri de la lumière. Trop chaude et humide, la salle de bain n'est pas l'endroit idéal.

- Pour les personnes qui ont tendance à oublier de prendre leurs médicaments, il est recommandé de les placer préalablement bien en vue, sur le comptoir de la cuisine ou sur la table de nuit, par exemple.

CONCLUSION

Quel que soit le genre de traitement antidouleur utilisé, l'abolition de la douleur chronique musculaire associée à la fibromyalgie n'est pas encore concevable avec l'usage des médicaments traditionnels. Nous savons toutefois que les cliniques multidisciplinaires regroupant plusieurs spécialistes de la douleur correspondent à des traitements offrant les meilleures chances pour soulager les personnes souffrant chroniquement de douleurs. Une telle approche permet aux patients de mieux participer à une vie plus active.

Toutefois, les médicaments utilisés pour calmer les douleurs musculaires de la fibromyalgie ne constituent pas une solution à moyen et à long terme. Ils sont plus efficaces à long terme quand ils sont accompagnés d'un programme personnel visant à tonifier les muscles par des exercices d'étirement musculaire appropriés (chapitre 18), et par une bonne hygiène alimentaire (chapitre 20) et de vie (chapitre 16).

Pour clore ce chapitre, laissons la parole au Dr Lassner, le fondateur du Centre d'études et de traitements de la douleur de l'Hôpital Cochin, à Paris : « La relation entre les médecins et les douloureux chroniques représente le problème type de la communication entre les médecins et les malades. »

7

Philosophie de traitement

*J'ai appris une importante leçon en prenant soin
des malades : le soignant peut mieux comprendre
la souffrance quand il est lui-même malade. Il n'y a pas
de meilleur entraînement dans la pratique de la maladie.*

Dr Paul Samuels

B IEN QUE LA FIBROMYALGIE soit facile à diagnostiquer, elle figure
parmi les plus difficiles à traiter. En plus de leur invisibilité, les
symptômes de la douleur et de la fatigue, aussi bien que les troubles
du sommeil, ne peuvent être évalués par des tests sanguins. Et,
pour compliquer le traitement médical, une brochette d'autres
malaises accompagnent couramment la fibromyalgie.

Visite écourtée

Beaucoup de sujets fibromyalgiques ont révélé leur déception à
l'égard de leur médecin. Ils se sentent souvent intimidés par leur
attitude impassible ou pressante. L'expérience leur a appris qu'il
est impossible de résumer en 15 ou 20 minutes la nature des divers
symptômes dont ils souffrent. Au cours de leur visite chez le médecin, ils doivent négliger des effets importants de leur maladie. En
conséquence, des troubles sérieux comme un mal de tête persistant,
une digestion pénible, un état dépressif sont exclus – tous des signes
importants que le médecin devrait connaître.

La Société internationale de recherche interdisciplinaire sur la maladie (SIRIM) souligne:

> Outre les restrictions et les inquiétudes éprouvées par le patient atteint de la fibromyalgie, le médecin idéal devrait tenir compte que celui-ci souffre autant moralement que physiquement. Pour chercher avec lui les facteurs qui prolongent ou aggravent les symptômes, il serait souhaitable que le médecin puisse consacrer une ou deux consultations d'une heure à son patient.

Selon la base du barème des remboursements du ministère de la Santé, une consultation ainsi prolongée apparaît inapplicable. En l'occurrence, le médecin ne serait remboursé que par des honoraires équivalents à une consultation dite normale de 20 minutes. Dans le concept actuel, cependant, la pratique expéditive des consultations comporte des conséquences sérieuses pour les patients fibromyalgiques dont la maladie nécessite une approche médicale pertinente pour chaque symptôme.

Dans son ouvrage intitulé: *The Doctor, His Patient and the Illness*, le médecin anglais Michael Balint remet en question une telle approche médicale:

> Il importe que les patients s'engagent à acquérir le sens de responsabilité envers leur maladie. Mais combien de douleurs, de souffrances, de malaises, de limitations, de restrictions, d'inquiétudes, de culpabilité et de frustrations devraient-ils supporter sans aide médicale? Et pendant combien de temps le médecin devrait-il lui offrir son soutien?

Manque de communication

En général, le patient fibromyalgique consulte un médecin sur une base régulière, non seulement pour renouveler ses ordonnances médicamenteuses, mais pour maintenir une relation étroite avec son praticien dans la gestion de sa maladie. Force est de constater, malheureusement, que la communication entre le traitant et le traité demeure fréquemment un problème de taille qui complique davantage le traitement.

Environ 80% des plaintes adressées au Collège canadien des médecins et chirurgiens traitent des problèmes de communication. Un médecin qui semble indifférent aux attentes de son malade provoque généralement chez ce dernier une frustration qui ne fait qu'aggraver ses symptômes.

Par ailleurs, bon nombre de médecins n'ont pas, semble-t-il, la formation nécessaire pour connaître et traiter une maladie complexe comme la fibromyalgie. En général, le médecin cherche d'abord à mesurer les plaintes de son patient afin de définir la nature possible de ses malaises. Par ailleurs, il est reconnu que la formation médicale qu'il a reçue lui a appris à se concentrer sur des critères d'examens scientifiques pour des maladies précises – critères d'examens qui ignorent sans doute un syndrome multisymptomatique comme la fibromyalgie. Compte tenu que la situation idéale pour le traitement de la FM n'est pas envisageable dans le contexte actuel de la santé publique, nous devons donc aborder le sujet concernant le rôle du médecin et celui du patient en tenant pour acquis que la fibromyalgie a préalablement été diagnostiquée.

LE RÔLE DU MÉDECIN

Éthique professionnelle

Des praticiens américains spécialisés en fibromyalgie estiment que leur rôle primaire est d'écouter les signes subjectifs manifestés par leur patient. Cette collaboration amène celui-ci à mieux gérer sa maladie et à adopter une hygiène de vie qui favorise les traitements. Ils reconnaissent qu'un patient répond plus positivement au traitement d'un praticien dont l'attitude démontre un intérêt pour sa maladie.

Le patient a autant besoin de se faire entendre et de comprendre sa maladie que de se sentir soulagé de ses douleurs. Or, il est important de le tenir bien informé, car sa recherche d'un diagnostic aura été de longue durée et, par conséquent, très angoissante. Il voudra savoir quels sont les facteurs qui peuvent aggraver ou diminuer ses douleurs : l'inactivité, le surmenage, le stress, un environnement malsain. Assurément, il appréciera que le médecin apaise sa peur de voir sa qualité de vie se détériorer davantage ou, pire encore, de devenir totalement handicapé.

Le médecin aura avantage à expliquer au malade que la véritable cause de la fibromyalgie demeure un syndrome inconnu et que les douleurs musculaires et la fatigue qu'il éprouve sont chroniques et complexes à soigner, et qu'il est difficile d'obtenir un soulagement satisfaisant. Il devrait lui expliquer en plus que la fibromyalgie est perçue comme une agglomération de symptômes au même titre que l'arthrite rhumatismale, la sclérose en plaques ou le lupus, par exemple – et qu'il n'y a pas pour l'instant de guérison prévisible.

Encourager son patient

Une approche sympathique est un précieux soutien pour un patient éprouvé par la fibromyalgie. Ainsi, il appartient au praticien de créer une relation de confiance en prenant le temps de lui expliquer que non seulement la douleur fait partie de la FM, mais qu'en plus d'autres symptômes importants lui sont associés. Il aura avantage à lui faire comprendre également que la FM ne se traite pas aussi facilement qu'une pneumonie, par exemple, et qu'il faut envisager le traitement de façon globale.

Le Dr Balint explique :

> Lorsque le premier choc est passé, et que la maladie au lieu de dispa-raître s'installe et prend une forme chronique, le médecin aurait avan-tage à amener son patient à collaborer afin d'élaborer un compromis entre son mode de vie habituel et les exigences de sa maladie. Toute maladie chronique signifie toujours l'acceptation de renoncer en partie à la liberté et aux plaisirs habituels de la vie. Mais l'objectif de ce concept thérapeutique n'est pas facile à atteindre pleinement. Les deux extrêmes bien connus sont le malade hyper exigeant, qui ne peut se permettre aucune détente, et le malade revendicateur et anxieux qui ne reçoit jamais assez.

C'est le rôle du médecin de faire comprendre au patient qu'une maladie chronique comme la FM exige de la persévérance et du courage, et de lui signaler que le stress émotif et physique peut vraiment aggraver les symptômes. Pour sa part, le patient aura avan-tage à savoir que la douleur musculaire, l'insomnie et la fatigue ne se traitent pas uniquement à l'aide d'une pilule.

Le praticien attentif à la fibromyalgie encourage le patient à se faire accompagner de son conjoint ou d'un autre membre de sa famille dans le but de lui proposer des conseils pour assurer un soutien familial essentiel. Puisqu'il s'avère difficile d'expliquer clairement au cours d'une première visite tous les détails de cette maladie complexe, des médecins épargnent du temps en fournissant à leurs patients une brochure ou un autre document résumant la nature et les conséquences de la FM, puis en leur suggérant un groupe de soutien spécialisé dans cette maladie.

Quoique les médecins ne peuvent que soulager les symptômes, une combinaison d'approches thérapeutiques peut s'avérer aussi importante que la médication. Il importe de convaincre les patients de garder un bon moral, de prendre une part active dans la gestion de leur état de santé et de réorganiser leur hygiène de vie.

Éléments de gestion

Les médecins M.B. Yunus et A.T. Masi, chercheurs et spécialistes dans le traitement de la FM, suggèrent les conseils suivants aux praticiens soignant les patients :

- Établir fermement le diagnostic et souligner au patient la nature incapacitante de la fibromyalgie.

- Enseigner au patient les caractéristiques de la fibromyalgie et ses mécanismes interactifs multifactoriels.

- Rassurer le patient que sa qualité de vie peut être maintenue même si les inconvénients de la FM peuvent persister.

- Offrir un soutien émotionnel et guider le patient vers des modifications comportementales pouvant améliorer les facteurs aggravants.

- Pour apaiser la douleur, lui proposer une série d'exercices d'étirement pour assouplir les muscles. Lui suggérer un thérapeute si possible.

- Conseiller au patient des méthodes de vie hygiéniques.

LE RÔLE DU PATIENT

En plus des symptômes du complexe FM/SDM (fibromyalgie et syndrome de la douleur myofasciale), un grand nombre de patients éprouvent plusieurs autres troubles de santé qui se manifestent dans l'ensemble de leur organisme. Parmi ces malaises importants figurent les troubles digestifs, de sévères maux de tête, le reflux gastro-œsophagien, les troubles du sommeil. En outre, les patients ressentent souvent la pression des collègues ou de leurs proches qui de toute évidence se montrent sceptiques à l'égard de leurs souffrances invisibles.

Le Dr Frederick Matsen, de l'Université de Washington, à Seattle, écrit:

> Beaucoup de patients fibromyalgiques ont subi différents examens et tests médicaux. Ils ont consulté divers spécialistes en quête d'une réponse à leurs douleurs musculaires et à leur fatigue persistantes. Ces vaines tentatives n'ont mené qu'à la peur et à la frustration. Ces patients se font souvent dire qu'ils «paraissent bien», que leurs tests sont normaux et qu'ils ne souffrent d'aucune maladie. À la suite d'un tel revers, leur famille et leurs amis, et même leur médecin peuvent douter de la sincérité de leurs malaises, ce qui amplifie leur sensation d'isolement, de culpabilité et de désespoir.

Au stade initial de la fibromyalgie, lorsque le patient se trouve encore sous l'effet du premier choc de douleurs, il cherchera en premier lieu à expliquer à son praticien ses malaises comme il les ressent. Il arrive que le patient puisse se sentir gêné en expliquant ses symptômes et autres malaises qu'il ne peut communiquer aisément. Il peut en l'occurrence voiler ou taire des détails importants à cause de l'embarras qu'ils peuvent susciter, surtout quand il s'agit de problèmes de nature intime.

Le patient souffrant de la fibromyalgie a besoin de la collaboration étroite de son médecin pour mieux comprendre sa maladie chronique qui le préoccupe. Il a besoin de connaître ses symptômes et leurs effets. Cette connaissance suscite habituellement en lui la volonté d'essayer une combinaison d'approches thérapeutiques susceptibles de lui apporter une attitude positive envers sa maladie.

Suggestions pratiques

- Choisir de préférence un praticien dont le cabinet est proche de son domicile.

- Choisir un médecin avec lequel on se sent à l'aise et en confiance.

- Ne pas juger un médecin sur une seule visite. Lui aussi peut avoir des hauts et des bas comme tout le monde.

- Analyser l'attitude du praticien. Semble-t-il à l'écoute ? Semble-t-il agacé à la vue d'une liste de questions ? Répond-il aux questions de façon précise et compréhensible ? Semble-t-il rassurant et encourageant ?

- Préparer à l'avance son prochain rendez-vous en dressant une liste des symptômes et autres préoccupations.

- Tenir une liste à jour de tous les médicaments utilisés couramment, incluant le dosage. En présenter une copie à son médecin au moment des visites.

- Parler franchement et ouvertement à son médecin.

- Le tenir informé quand on cesse de prendre un ou des médicaments.

- Ne pas hésiter à lui poser des questions – et à exiger des explications.

- Enregistrer ou prendre des notes pour les conseils importants.

LE PATIENT ET LA MALADIE

Je sais que la vie pourrait être pire. Je suis fortuné d'avoir tous mes membres. Mais ce genre de philosophie ne guérit pas les malaises et n'atténue pas les douleurs, les larmes, les frustrations, le chagrin qui s'ajoutent à tous les problèmes de la fibromyalgie. (Anonyme)

Conséquences pernicieuses de la fibromyalgie

Les troubles chroniques associés à la fibromyalgie occasionnent de grandes difficultés dans la vie d'un patient et de ses proches. Se sentant abattu par une crise de douleurs musculaires, par exemple, il arrive fréquemment qu'un fibromyalgique ne puisse accompagner son conjoint à des activités sociales ou familiales, assister à un concert, participer à des voyages organisés. Pour les mêmes raisons, et au grand dam de son entourage, il devra malheureusement remettre à plus tard une vacance ou un voyage préalablement organisé.

Se concentrer sur une activité n'est pas facile lorsque la douleur aiguë dans la région lombaire l'empêche de rester debout ou, pire encore, qu'une sciatique ne lui permet pas de s'asseoir confortablement. Une céphalée persistante peut aussi rendre irréalisables les tâches les plus simples. Ne pas manifester de l'irritation ni de la colère parce que ses proches pensent qu'il aime se plaindre peut aggraver tous les symptômes de la maladie.

Le patient risque alors de se décourager et de perdre tout espoir de guérison, voire de se sentir déprimé par la peur de devenir impotent. Par manque d'énergie, des besognes quotidiennes ne peuvent être accomplies. C'est avec un sentiment d'impuissance et d'amertume qu'il regarde le voisin aux cheveux gris tondre sa pelouse sans effort, se balader à bicyclette, aller à la pêche et jouer au golf – toutes des activités qu'il ne peut plus faire.

Le patient et ses proches

Pour le meilleur ou pour le pire, avant la maladie, beaucoup de couples avaient réussi à traverser ensemble des situations difficiles dans la solidarité, l'espoir et l'amour. Après le diagnostic et malgré les meilleures intentions, le patient fibromyalgique réalise avec amertume que son handicap et ses souffrances permanentes peuvent affecter sa relation avec ses proches.

Les couples peuvent s'attendre à ce que la fibromyalgie entraîne des changements dans leur relation. Le partenaire bien portant ne peut qu'observer avec impuissance le visage de son conjoint crispé par la douleur ou le dos courbé par la fatigue. Il appréhende les conséquences d'une telle maladie et craint de devenir l'infirmier permanent d'un malade chronique. Il constate que sa vie a aussi changé et qu'il devra s'organiser sans le soutien du malade. Le patient, lui, peut appréhender que l'autre le quitte.

Ces sentiments d'inquiétude disparaissent habituellement quand les deux partenaires réussissent à partager leur confiance dans l'avenir. Toutefois, on ne peut cacher à ceux qu'on aime les effets néfastes d'une maladie comme la FM, même si les médecins ne révèlent pas immédiatement à leurs patients toutes les conséquences que la maladie implique.

Le patient doit se rappeler régulièrement que sa maladie chronique affecte directement tout son entourage. Ne pouvant partager ses souffrances, ces personnes éprouvent néanmoins du chagrin et du souci. Parce que la fibromyalgie est chronique, la victime ne peut comme auparavant passer à travers les grippes, les maux de tête qui, généralement, finissaient par guérir.

Autant la FM a tendance au début à rapprocher la famille du patient, autant elle risque de l'éloigner après quelque temps, ce qui rendra la communication difficile. La chronicité d'une maladie peut en effet briser les liens affectifs, principalement avec le conjoint. Pour éviter une telle situation, le couple devrait au préalable discuter ouvertement des engagements, des responsabilités et autres détails afin de maintenir et d'assurer une relation satisfaisante.

La communication est un outil essentiel

La fibromyalgie réduit manifestement le nombre des activités et des responsabilités. Ainsi, les besoins et attentes de chaque partenaire risquent d'entrer en conflit toutes les fois qu'un changement s'impose. Il est donc essentiel, pour la satisfaction des deux conjoints, de parler de ses problèmes pour assurer l'harmonie pour ce qui est des décisions et de l'exécution des tâches quotidiennes et autres responsabilités pertinentes, incluant la sexualité.

Sefra Kobrin Pitzele, auteure de *We Are Not Alone* (Workman Pub., 1986), atteinte du syndrome de Sjögren, s'exprime ainsi sur ce sujet.

> Une communication sincère entre le patient et son conjoint peut inclure dans les liens de parenté des nouvelles règles engendrées par une maladie chronique. Savoir guider un mariage dans les eaux troubles de n'importe quelle crise est toujours risqué. La situation est toutefois différente lorsqu'une crise devient une maladie chronique.
>
> Nous vivons dans un monde où les gens deviennent fatigués de se battre, laissent tomber les bras ou optent pour un changement. Cependant, il est toujours préférable de demeurer ensemble lorsque la relation intercouple semble la meilleure solution. Les meilleures relations de couple sont celles dont les rapports fonctionnent bien. La communication est habituellement claire, sans confusion ni méfiance. Les problèmes sont généralement résolus avec efficacité par une attitude commune et une sensation de soutien à l'égard de l'un et l'autre.

Conserver la confiance mutuelle

Quand le patient est aux prises avec la maladie chronique, la confiance mutuelle est parfois mise à rude épreuve. Edmund Blair Bolles dans *Le syndrome de fatigue chronique* (Éd. de l'Homme, 1991) explique comment:

> Les deux partenaires doivent s'efforcer d'entretenir la confiance mutuelle. Pour le bien-portant, la confiance peut se trouver compromise par l'incertitude régnant à propos de la gravité de la maladie. Il doit simplement accepter et croire son conjoint sur parole quand ce dernier affirme que sa fatigue et ses douleurs sont dévastatrices.

> La confiance mutuelle est compromise dès que l'un des partenaires soupçonne l'autre d'en manquer. L'amour adulte sait que le «donneur» a aussi ses besoins. Le malade peut parler spontanément des peurs et des espoirs que lui inspire son affection tout en restant attentif aux besoins du bien-portant. Ce genre d'intimité peut paraître bizarre à ceux qui ne connaissent pas l'amour unissant le couple, mais c'est précisément le fondement de toute relation durable.

CONCLUSION

La gestion des souffrances chroniques de la fibromyalgie est un long apprentissage qui exige d'abord de la compréhension, puis l'acceptation de la douleur et de ses conséquences. Il est pénible d'accepter les contraintes exaspérantes et les échecs que nous impose une maladie douloureusement chronique – mais il faut le faire pour continuer à vivre.

Cette approche positive implique dans bien des cas un changement radical de comportement et d'attitude. Les personnes déterminées à maîtriser la douleur et les autres symptômes bénéficient d'une meilleure chance de succès que celles qui se laissent envahir par la détresse et le désespoir.

Le patient doit avant tout assumer sa propre responsabilité dans le but d'améliorer son état de santé. Pour mieux y arriver, il doit être prêt à modifier son hygiène de vie et, si nécessaire, son environnement. Il aura intérêt à faire sa propre recherche, à s'informer des conséquences de la fibromyalgie. Échanger ses sentiments avec d'autres patients fibromyalgiques lui apportera du courage et un soutien moral important.

Survivre à la fibromyalgie est à la portée de tous. Il suffit en premier lieu de mettre en pratique des conseils éprouvés :

- Affronter la réalité – on ne peut échapper aux souffrances d'une maladie qui est de nature chronique.

- Laisser transparaître la douleur, ne pas avoir honte de sa maladie.

- Comparer son handicap avec d'autres affections plus invalidantes peut apporter un stimulant qui aidera à mieux affronter sa propre maladie.

- Se concentrer sur autre chose que sa douleur, tenir un journal pour consigner ses expériences. Se motiver en préparant les repas ou en prenant une douche peut apparaître comme une activité positive.

- Suivre son rythme en évitant d'être trop exigeant avec soi-même, s'accorder du temps.

- Se tourner vers les autres, être plaisant envers son prochain est un excellent moyen de s'aider soi-même.

- Conserver son optimisme et son sens de l'humour.

Des méthodes éprouvées et utilisable par tous les patients fibromyalgiques sont élaborées au chapitre 16 « Survivre à la fibromyalgie ».

8

La douleur chronique

Dans sa forme pathologique, la douleur chronique n'a plus du tout de fonction biologique. Elle est au contraire une force maléfique qui impose au malade, à sa famille et à la société de graves stress émotionnels, physiques, économiques et sociologiques.

John J. Bonica, spécialiste de la douleur

LA DOULEUR CHRONIQUE (DC[1]) est un phénomène complexe affectant les muscles du squelette des patients atteints de fibromyalgie et du syndrome de la douleur myofasciale. Jusqu'à ce jour, les chercheurs n'ont pas encore réussi à définir clairement cette forme de douleur. Constituant le principal symptôme sur lequel se précise le diagnostic de fibromyalgie, cette forme de douleur immuable se manifeste par une sensation douloureuse dans les muscles variant en intensité et en durée.

Le fonctionnement des muscles anormalement contractés et affaiblis se traduit par une incapacité importante des mouvements corporels. Combinée à une qualité de sommeil réduite, à une grande fatigue et à une diminution marquée dans toutes les formes d'activités, la douleur chronique perturbe considérablement la qualité de vie des victimes.

Près de 30% de la population serait affligée de douleurs chroniques. De ce pourcentage, entre 30% et 50% souffriraient d'incapacité

---

1. L'abréviation DC (douleur chronique) est couramment employée dans cet ouvrage pour alléger le texte.

temporaire, permanente ou totale. Aux États-Unis, Richard A. Deyo, professeur à la Faculté de médecine de l'Université de Washington, estime que les coûts annuels de la douleur chronique totalisent 50 milliards de dollars.

De récentes données indiquent que les deux types de douleurs musculo-squelettiques propres à la fibromyalgie figurent parmi les désordres physiques les plus douloureux des maladies chroniques. Les coûts en perte de travail, en soins de santé, en médicaments et en prestations d'invalidité se chiffrent par centaines de millions de dollars au Canada.

La douleur chronique est une émotion et une sensation

Contrairement à la fièvre, la douleur musculaire ne peut se mesurer en intensité. On dit souvent que c'est le psychisme qui supporte la douleur physique. En d'autres mots, la douleur est physique et la souffrance est morale. Elle est une sensation individuelle éprouvée par tous les fibromyalgiques. Cette souffrance démoralisante perturbe considérablement la vie sociale et familiale de chaque patient.

La DC engendre toujours une forte composante émotionnelle. Ainsi, chez les patients fibromyalgiques, le bruit, la pollution de l'environnement, la fatigue et le stress aggravent son intensité. En contrepartie, l'intensité de la douleur a tendance à diminuer par la détente, les loisirs agréables et captivants.

Mais au-delà de la sensation et de l'émotion, la douleur chronique ou la douleur aiguë empruntent le même trajet. Depuis les terminaisons nerveuses du corps, elles parcourent la moelle épinière jusqu'au cerveau – ce qui laissait croire à des médecins incrédules que la douleur dont se plaignaient les patients fibromyalgiques « se trouvait surtout dans leur tête ».

La douleur chronique est en soi une maladie

Les processus neurophysiologiques intervenant dans la douleur rebelle sont mal connus parce que les sensations douloureuses de l'homme sont complexes et non mesurables. En fait, elles interviennent même en l'absence d'une lésion ou d'une stimulation nociceptive (qui capte les excitations douloureuses), telle la douleur ressentie par un amputé (douleur du membre fantôme), ou à la suite d'une lésion des nerfs sensoriels provoquée par des points déclencheurs innervant une région du corps, dont la sciatique. (Voir au chapitre 3 « Syndrome de la douleur myofasciale ».)

Selon la Société canadienne d'arthrite :

> Le cerveau humain interprète mal les informations sur l'origine des points douloureux ou points déclencheurs situés en profondeur dans le corps. En fait, l'« image mentale » de l'organisme se trouve dans le cortex cérébral. Les structures profondes du corps n'y étant pas présentées, elles ne font pas partie de l'image mentale cérébrale. Ainsi, le cerveau est incapable de localiser exactement les points d'origine de la douleur touchant ses structures profondes.

Des spécialistes de la douleur évaluent à une durée de trois à six mois la chronicité des symptômes présentant une douleur répétitive ou persistante. L'évaluation pathologique se complique lorsqu'il faut tenir compte que ce type de douleur persistante a tendance, selon les patients, à se diffuser dans d'autres régions. Le seuil de tolérance varie selon les personnes compte tenu que chacune sécrète à des divers degrés des endorphines, une substance analgésique de l'organisme aussi efficace que la morphine.

L'effet domino

Le Dr François Boureau explique ainsi l'effet domino :

> Si l'on peut considérer la douleur aiguë comme un signal d'alarme utile, la douleur chronique est en elle-même une fausse alarme. De multiples cercles vicieux réactivent quotidiennement la douleur chronique. Elle donne une tonalité désagréable permanente qui contamine toutes les situations et toutes les actions. Il est difficile de concevoir à quel point le cercle vicieux de la douleur chronique est dommageable pour la santé.

> Analysons de près ce phénomène pernicieux. La DC perturbe la qualité du sommeil qui intensifie la douleur et la fatigue ; en retour, la DC et la fatigue entraînent le désespoir qui, à son tour, augmente la douleur et la fatigue, lesquelles empêchent de pratiquer des exercices ; enfin, le cercle vicieux se boucle par le manque d'exercice qui aggrave davantage la douleur.

Malgré l'ampleur de ce cercle vicieux, une succession d'autres symptômes se manifeste en fibromyalgie par l'effet domino quand la combinaison des points sensibles et des points déclencheurs entre en jeu. Ce phénomène peut provoquer des douleurs permanentes entre les omoplates, dans la nuque, la tête, les épaules, les bras, ou des douleurs vives à la poitrine, au bas du dos, aux muscles du bassin et des cuisses jusqu'aux orteils. Ce type de douleur se traduit par des spasmes musculaires, des crampes ou par une sensation de brûlure dans diverses régions du corps. L'intensité de la douleur atteint des degrés plus intenses que celui de l'arthrite rhumatoïde.

Quand la douleur est synonyme de cauchemar

La douleur chronique comporte des conséquences physiques, sociales et économiques très importantes. Le Dr Richard Catchlove, responsable du service au Centre de traitement de la douleur de l'Hôpital Royal Victoria, à Montréal, explique :

> Avant que la douleur ne vienne bouleverser leur vie, les patients fibro-myalgiques étaient en général des personnes en excellente santé, très vaillantes, consciencieuses et altruistes. Ils étaient des piliers de notre société et avaient de la difficulté à penser pour eux-mêmes et à dire « non ».

La douleur musculaire chronique brise manifestement la vie des patients. Il suffit d'assister à une réunion regroupant des fibromyal-giques pour constater l'humeur triste reflétant leur grande souffrance. Et pour cause. Ils sont conscients qu'ils devront supporter cette affliction leur vie durant. La majorité d'entre eux, que les douleurs invalidantes obligeaient à s'absenter de leur travail, ont malheureusement fini par perdre leur emploi et, dans plusieurs cas, leur conjoint. Autant de raisons qui expliquent pourquoi beaucoup de fibromyal-giques perdent à la longue l'estime de soi et le goût de vivre.

Le Dr Catchlove ajoute :

> Après avoir tout essayé, la plupart des nos malades arrivent chez nous en désespoir de cause. Souffrant de douleurs musculaires constantes dans 90 % des cas, ils nous sont envoyés par leur médecin traitant qui en a perdu son latin… Quand une personne est éprouvée par ce type de douleur chronique, toute sa vie est bouleversée. Elle perd de l'argent

parce qu'elle a perdu son autonomie et ne travaille plus. Cela entraîne forcément beaucoup de tension dans la famille et dans l'entourage. Il faut noter une chose curieuse : ces malades étaient auparavant de grands travailleurs, très consciencieux. Aujourd'hui, la douleur musculaire les réduit à presque rien. Quand elle subsiste anormalement longtemps, vous pouvez être sûr qu'elle inclut un facteur de dépression très important. (*Le Bel Âge*, avril 1996)

Conséquences dommageables

Outre les effets désastreux expliqués ci-dessus, les DC musculaires associées à la fibromyalgie et au syndrome myofascial entraînent des conséquences physiologiques et psychologiques très dommageables. En voici quelques exemples.

Cette forme de douleur :

- aggrave davantage la fibromyalgie et ses symptômes concomitants ;
- ralentit le processus de guérison ;
- entraîne une accoutumance des réflexes nerveux ;
- désorganise la coordination et la concentration ;
- occasionne des troubles du sommeil ;
- suscite des troubles de respiration et de circulation ;
- provoque des troubles du système digestif ;
- altère l'humeur et la personnalité ;
- contribue à accroître la mélancolie, la détresse, l'irritabilité ;
- se traduit par le repli social, familial et professionnel ;
- prédispose à l'incapacité et à l'invalidité.

Figure 8.1

Un regard reflétant la douleur

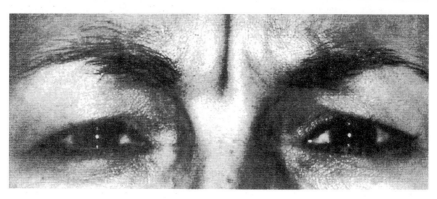

Note : Regard reflétant la douleur aiguë et persistante des points sensibles de la fibromyalgie ou des points déclencheurs du syndrome myofascial.

Photo : PC

LANGAGE DES DOULEURS

Dans *Contrôlez votre douleur* (Éd. Payot, 1986), le Dr François Boureau, spécialiste français, explique ainsi le langage des douleurs :

> Disons clairement que toutes les douleurs sont réelles, que le mécanisme initial soit physique ou psychologique. Toutefois, il n'y a pas une, mais des douleurs. Les cas de simulation où une personne fait semblant d'avoir mal, sont exceptionnels et jamais durables. Il est relativement facile de décrire une douleur lorsque sa cause est externe. Mais l'interprétation de la douleur peut facilement induire en erreur quand son origine et son mécanisme ne sont pas bien compris.

« Expliquez-moi vos douleurs ? » Cette question est généralement la première que pose le médecin quand il est consulté pour ce symptôme. Mais comment lui préciser l'intensité des douleurs musculaires qui font tant pâtir ? La réponse n'est pas facile car on manque de mots pour exprimer convenablement les diverses formes de douleurs musculaires caractérisant la fibromyalgie ou celles du syndrome de la douleur myofasciale. Une explication claire pourrait en effet aider le médecin à mieux préciser son diagnostic et à offrir des traitements plus appropriés.

Des mots simples pour exprimer une douleur complexe

Les patients fibromyalgiques sont les premiers à admettre qu'il est difficile de définir exactement la douleur irradiante des points sensibles ou des points déclencheurs. Exprimer ces types de douleurs revient en quelque sorte à expliquer la couleur de ses cheveux à un aveugle de naissance.

Toutefois, est-il possible d'expliquer clairement la sensation des douleurs fluctuant en intensité qui irradient dans diverses régions musculaires du corps ? Apparaît-elle de manière brutale ou vient-elle lentement durant quelques heures pour s'intensifier violemment ? Arrive-t-elle de façon soudaine ou la ressentons-nous par des spasmes fulgurants, inattendus, imprévisibles ?

Lorsque la douleur est vive, nous avons parfois envie de crier ou de pleurer. Nous cherchons les mots pour exprimer vraiment ce que nous ressentons. De façon assez caractéristique, nous avons souvent l'impression que ce sont les os qui font mal ; d'autres parlent de brûlures pour décrire la même douleur. Or, puisqu'il est plus facile d'expliquer par comparaison, une variété de termes sont suggérés au tableau 8.1 pour mieux imager la description de ses douleurs.

ÉVALUATION DE LA DOULEUR

La douleur chronique est avant tout une expérience subjective particulièrement individuelle. Il n'existe aucun instrument pour évaluer avec précision la densité de la douleur. En conséquence, la personne qui souffre demeure l'unique référence sur laquelle le médecin peut s'appuyer. Des études américaines démontrent que les praticiens n'écoutent pas assez le malade souffrant de douleurs chroniques. À partir de ces observations, elles concluent que les médecins et les infirmières sous-estiment généralement le mal que les patients ressentent.

Pour éviter toute improvisation, la Clinique de la douleur, à Montréal, a conçu une méthode pour obtenir une évaluation plus précise de l'intensité de la douleur de chaque patient. Gisèle Besner, qui fut un pilier de la campagne «Vers un hôpital sans douleur», explique qu'il fallait inventer un moyen pour évaluer l'intensité de la douleur afin d'apporter de meilleurs soins aux patients.

Tableau 8.1

Terminologie de la douleur chronique

Douleur des points sensibles	Douleur des points déclencheurs	Céphalées, migraines, etc.
Aiguë	Agaçante	Agaçante
Brusque	Angoissante	Angoissante
Compressante	Atroce	Atroce
Crispante	Brûlante	Compressante
Cuisante	Comprimante	Déprimante
Douloureuse	Continue	Douloureuse
Envahissante	Déprimante	Ennuyeuse
Forte	Douloureuse	Épouvantable
Fourmillante	Effrayante	Épuisante
Fulgurante	Engourdissante	Forte
Intense	Énervante	Gênante
Lancinante	Envahissante	Horrible
Martelante	Épuisante	Insupportable
Palpitante	Forte	Intense
Pénétrante	Fourmillante	Intermittente
Pénible	Froide	Irritante
Perçante	Intense	Lancinante
Pinçante	Intermittente	Nauséeuse
Pulsative	Irradiante	Pénible
Sensible	Irritante	Pesante
Sporadique	Insupportable	Poignardante
Térébrante	Mordante	Pulsative
Torturante	Piquante	Vive
Transperçante	Térébrante	
Tressaillante	Torturante	
Vive	Vive	

Les spécialistes de la douleur de l'Hôpital Saint-Luc, à Montréal, utilisent une échelle graduée de 0 à 10 (figure 8.2) que Gisèle Besner appelle « rendre la douleur visible ». Zéro correspond à l'absence de la douleur, tandis que 10 équivaut à l'amplitude maximale de la douleur que le patient puisse ressentir.

Figure 8.2

Échelle d'évaluation de la douleur

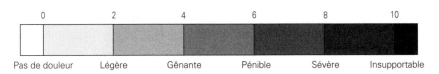

Pas de douleur	Légère	Gênante	Pénible	Sévère	Insupportable

Source : R. Melzack, 1984. Adapté de : *The Challenge of Pain, McGill Pain Questionnaire*, Penguin Books, 1991.

Comparaison de diverses douleurs

Se basant sur les données provenant du Questionnaire McGill de la douleur, le Dr Ronald Melzack, réputé chercheur sur la douleur, a proposé un tableau (voir figure 8.3) afin de permettre aux spécialistes de comparer l'intensité des douleurs les plus courantes.

Figure 8.3

Comparaison en intensité de diverses douleurs

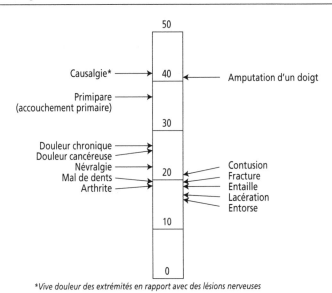

*Vive douleur des extrémités en rapport avec des lésions nerveuses

Source : R. Melzack, 1984. Adapté de : *The Challenge of Pain, McGill Pain Questionnaire*, Penguin Books, 1988.

Cette échelle nous permet de constater que l'intensité de la douleur chronique est plus forte que la douleur cancéreuse, la névralgie, l'arthrite et le mal de dents.

Le Dr Melzack explique :

Bien que les données fournies par les patients ne peuvent scientifiquement corroborer qu'une douleur est pire qu'une autre, les douleurs comparatives figurant au tableau fournissent un aperçu important de l'intensité relative de diverses douleurs. Les analyses de l'information relevées du Questionnaire McGill de la douleur ont révélé une constance remarquable dans les réponses fournies par les patients souffrant d'une même douleur.

S'aider à soulager sa douleur chronique

Témoin actif de ses souffrances, le fibromyalgique peut exercer une certaine emprise sur la douleur qui, trop souvent, rend misérable sa vie quotidienne et celle de son entourage. Il importe donc de se fixer des objectifs réalistes pour améliorer son état de santé. Selon le Dr François Boureau :

Contrôler la douleur demande plus que de la bonne volonté. C'est un apprentissage progressif nécessitant du temps et de la persévérance. Pour soulager une douleur rebelle, on doit en analyser toutes les facettes, puis contrôler chaque composante physique, psychologique et comportementale. Toutefois, des patients croient qu'il suffit de soigner la douleur pour qu'elle disparaisse définitivement. C'est parfois possible. Mais, malheureusement, c'est loin d'être la règle en matière de douleurs musculaires chroniques.

Dans un article intitulé « La douleur partagée » (communiqué, juin 1990), Hélène Roy trace un tableau très positif pour les fibromyalgiques éprouvés par des douleurs incurables :

La découverte des encéphalines et des endorphines tendent à démontrer que nous avons plus de pouvoir sur la douleur que nous l'imaginons. Le contrôle de la douleur est un long apprentissage qui passe d'abord par une attitude positive face à la maladie et, dans bien des cas, par un changement de comportement obligatoire.

TRAITEMENT

Les traitements prescrits par les médecins traitant la fibromyalgie pour soulager la douleur chronique sont expliqués au chapitre 6 « Traitement médical ». À l'exception des opiacés, les praticiens ont couramment recours aux groupes de médicaments ci-dessous pour soulager conjointement la douleur musculaire, la fatigue chronique et les troubles du sommeil :

- Analgésiques

- Antidépresseurs tricycliques

- Hypnosédatifs

- Opiacés (rarement prescrits)

- Relaxants musculaires

Les traitements thérapeutiques relatifs à la douleur chronique sont expliqués au chapitre 6 « Traitement médical ».

Faire languir le malade

L'improvisation dans le système médical a moins sa place pour Me Martyne-Isabel Forest, vice-présidente de l'Association internationale « Ensemble contre la douleur », dont le siège social est à Genève. Avocate spécialisée en droit de santé, elle est présidente du chapitre québécois. « Me Forest a été la première à mentionner le PRN (du latin *Pro Re Nata*), un sigle pour désigner l'analgésique que le médecin prescrit "au besoin" », écrit Anne-Marie Voisard dans l'un de ses reportages saillants sur la douleur (*Le Soleil*, 9 janvier 1999). Quel que soit le mot, le PRN ou plutôt l'hésitation à le prescrire, entretient des douleurs dont le malade pourrait facilement se passer.

Gisèle Besner abonde dans le même sens lorsqu'elle dit qu'il y a « deux façons pour le médecin de faire languir le malade », rapporte Mme Voisard :

Les calmants sont habituellement efficaces durant trois ou quatre heures. Si on augmente la dose, ils vont agir plus longtemps. Or, il n'est pas rare qu'on prescrive « la plus petite dose avec intervalles les plus longs possible ». L'infirmière maintenant entre en scène. Supposons que le médecin a laissé un choix de dose – de 25 à 50 mg de Dilaudid (un dérivé de la morphine) –, c'est la plus petite dose qui sera administrée. Et s'il a ajouté « aux trois ou quatre heures », le malade attendra jusqu'à l'extrême limite, qu'il souffre ou non.

Technique TENS

La technique TENS (*transcutaneous electrical neuro-stimulation*) désigne des traitements par stimulations électriques transcutanées. Ce sont des coussinets doublés d'électrodes positives et négatives qui émettent différentes fréquences d'ondes susceptibles d'enrayer la douleur. Des stimulations électriques de faible intensité sont émises durant des périodes de 5 à 20 minutes.

Cependant, cette méthode de traitement n'a pas été considérée comme efficace pour soulager les douleurs musculaires et myofasciales liées à la fibromyalgie. Des études indiquent que seulement 10 % des patients ressentent un soulagement bénéfique prolongé, alors que les autres patients n'ont obtenu qu'un soulagement de courte durée.

CONCLUSION

La tragédie de la douleur chronique affecte non seulement le malade, mais aussi sa famille et la société en général. S'appuyant sur des statistiques américaines, le Dr René Truchon, directeur du Centre de traitement de la douleur au CHUL, à Québec, révélait récemment que la douleur chronique conduit au divorce dans 70 % des cas. Rien n'indique qu'elle soit différente au Canada. Les spécialistes s'entendent pour reconnaître une dimension psychologique à la douleur qu'on ne réussit pas à guérir.

Malgré des traitements appropriés, cette forme de douleur persistante résiste aux thérapies et aux médicaments. Les moyens de la combattre ne permettent pas à ce jour de garantir un soulagement définitif. Condamnant des milliers de personnes à ne plus travailler pour gagner leur vie et faire vivre leurs proches, la douleur chronique musculaire associée à la fibromyalgie engendre des coûts astronomiques en médicaments et en prestations d'invalidité.

Toutefois, des cliniques multidisciplinaires se spécialisant dans les douleurs postopératoires et chroniques réussissent à se tailler la place qui leur revient dans une société où les mécanismes de la douleur chronique sont encore bien mal connus. Leur organisation repose sur le principe selon lequel tous les différents moyens thérapeutiques possibles contre la douleur peuvent être analysés et proposés. Les spécialistes travaillant dans ces centres convainquent de plus en plus les patients éprouvant de la douleur du bien fondé de leur approche physiologique et psychologique.

Le droit de ne pas souffrir !

Un groupe appelé le Washington Cancer Pain Institute propose l'adoption de la «Charte des droits de la personne souffrant de douleurs chroniques» suivante:

J'ai le droit à la reconnaissance de l'authenticité de ma douleur par des professionnels de la santé, ma famille, mes amis et le reste de mon entourage. J'ai droit au contrôle de ma douleur quelle qu'en soit la cause et l'intensité. J'ai droit à un traitement respectueux en tout temps et quand j'ai besoin de médicaments. J'ai le droit de ne pas être perçu comme un drogué. J'ai droit à la prévention, ou au moins à la minimisation de la douleur quand je subis des traitements. (*L'actualité*, août 1996)

Pour en savoir plus

Pour mieux surmonter et s'adapter à la douleur chronique, le patient fibromyalgique aura intérêt à consulter une grande variété de renseignements complémentaires dans les chapitres suivants :

- Chapitre 6 : *Traitement médical* – Cliniques de la douleur, Analgésiques, Relaxants musculaires, Hypnotiques, Hypnotiques naturels, Somnifères, Opiacés.

- Chapitre 16 : *Survivre à la fibromyalgie* – Surmonter la douleur chronique, Atteindre son équilibre physique et psychique.

- Chapitre 17 : *Soutien et entraide* – Maintenir ses relations, Groupes d'entraide.

- Chapitre 18 : *Exercices d'assouplissement et thérapies de détente* – Respiration profonde, Relaxation, Marche, Bienfaits des exercices souples, Relaxation musculaire progressive, Exercices d'étirement musculaire, Aquathérapie, Massage, Méditation, Taï-chi.

- Chapitre 19 : *Médecines alternatives* – Acupuncture, Biofeedback, Hypnothérapie, Imagerie mentale.

- Chapitre 20 : *Hygiène alimentaire* – Suppléments alimentaires essentiels pour les patients fibromyalgiques, etc.

9

La fatigue chronique

Une grande faiblesse, vous avez, comme on dit,
des mains de beurre, une lourdeur de tête.

Baudelaire

Des spécialistes qualifient la fatigue chronique (FC[1]) accompagnant la fibromyalgie comme une fatigue générale qui épuise l'organisme sans cause apparente. Ce symptôme primaire, qui touche tous les patients fibromyalgiques, est une problème médical difficile à cerner. Le traitement est compliqué parce que l'origine est incertaine et la thérapie non spécifique.

Il y aurait entre trois et cinq millions d'Américains, et des centaines de milliers de Canadiens, frappés de fatigue chronique. Succédant à la douleur, elle occupe le deuxième rang des motifs de consultation en pratique médicale. Un sondage récent dénombre que 30 % de Nord-Américains sont handicapés par la FC, que 58 % s'en plaignent fréquemment, et que seulement 12 % de la population ignorent ce symptôme. En France, 87 % de la population déclarent se sentir très souvent fatigués ou souvent et parfois fatigués.

La neurasthénie, décrite aux États-Unis à la fin du XIXe siècle, correspondait de près à l'état de fatigue chronique que nous connaissons aujourd'hui en fibromyalgie. Consécutive à des phases d'épuisement soudaines, elle associait une condition exagérée

---

1. Les abréviations FC (fatigue chronique) et SFC (syndrome de fatigue chronique) sont utilisées couramment dans le présent chapitre.

d'insatisfaction à une fatigue persistante, des maux de tête, la faiblesse musculaire et la désorientation.

Les signes physiologiques de la fatigue chronique comprennent aujourd'hui les nausées, la faiblesse musculaire, les douleurs pharyngées, la diminution de l'appétit, les spasmes digestifs, la constipation, la somnolence, la frilosité. Les manifestations de la FC sont analogues à celles du syndrome de la fatigue chronique qui, récemment, a été reconnu par le Collège des médecins du Québec comme une entité pathologique. Les douleurs musculaires, les troubles du sommeil, le surmenage prolongé, des situations stressantes et certains médicaments amplifient couramment l'intensité de ce symptôme.

La FC exclut toutes les causes de fatigue dites « normales », tels une surcharge de travail ou un exercice prolongé. Ce type de bonne fatigue, qui disparaît habituellement au repos, est un phénomène positif qui nous exalte après un travail satisfaisant. Après une longue marche stimulante, elle ouvre l'appétit et apporte un sommeil profond et réparateur. Ce type de fatigue appartient à la sagesse du corps dans la mesure où elle joue le rôle d'un signal d'alarme dont le but est d'éviter l'épuisement.

Mais lorsque la fatigue persiste après quelques bonnes nuits de sommeil, elle peut passer de menaçante à chronique. Si elle dure plus de six mois, une pathologie physique et psychique s'installe, se prolonge et ne s'améliore pas. Elle est alors qualifiée de fatigue chronique ou d'asthénie en langage médical. À ce stade, l'organisme récupère plus difficilement, le système immunitaire s'épuise, puis le système nerveux ainsi dérangé finit par se dérégler. Survient ensuite d'autres maladies contribuant davantage à accentuer la FC, telle la dépression.

Se développant lentement et longuement vers des affections particulières, la fatigue chronique peut masquer plusieurs symptômes : l'anémie, la dépression, les troubles cardiovasculaires, l'hépatite, la maladie de Lyme, le lupus, etc. La composante de ces troubles constitue un agent destructeur pernicieux qui perturbe l'équilibre physique et psychologique de la victime.

La fatigue chronique apparentée au syndrome de la fatigue chronique

La fatigue chronique associée à la FM s'apparente intimement au syndrome de fatigue chronique (SFC), aussi appelé «encéphalomyélite myalgique[2]». Environ 75 % des patients atteints éprouvent les mêmes symptômes accompagnant la fibromyalgie. En 1991, le National Institute of Health a jugé que le syndrome de la fibromyalgie est synonyme de syndrome de fatigue chronique. Dans bien des cas, on accepte en médecine que ces deux syndromes fassent partie de la même famille.

Certains chercheurs, dont Pritchard et Holmes, se sont interrogés sur les distinctions nosologiques de ces deux maladies. Ils ont conclu que les sujets souffrant de FM répondent à peu près aux mêmes critères que ceux du SFC.

Le Dr Simon Carette, spécialiste en fibromyalgie explique :

Une personne dirigée vers un rhumatologue pour des douleurs musculaires et une fatigue persistante sera probablement diagnostiquée fibromyalgique alors qu'elle sera classée SFC en hématologie, en médecine interne ou en virologie.

D'ailleurs, les différences sont minimes lorsqu'on compare les critères utilisés pour cerner la FC associée à la fibromyalgie et les critères pertinents au SFC. L'importance de l'expression douloureuse est souvent le seul facteur qui départage les deux symptômes. Et comme en fibromyalgie, tous les patients se plaignent de fatigue persistante. Entre la FM et le SFC, la frontière est si ténue que l'on peut se demander à bon droit s'il ne s'agit pas de jumeaux identiques.

Par ailleurs, le Dr Muhammad B. Yunus, spécialiste américain de la FM et du SFC, soutient, dans un récent rapport, que certains symptômes caractérisant ces deux maladies sont en quelque sorte variés. Présente dans l'ensemble des cas de FM, la fatigue est moins virulente que celle du SFC. Inversement, les douleurs musculo-squelettiques, présentes chez tous les fibromyalgiques, sont absentes chez 15 % à

---

2. Un rapport du Royal College of Physicians, publié par *The Times*, 3 octobre 1996, indique que l'appellation «encéphalomyélite myalgique» (EM), employée pour désigner le syndrome de fatigue chronique, est erronée. EM signifie littéralement «inflammation du cerveau et de la moelle épinière», inflammation qui n'est pas apparente chez les personnes souffrant du SFC ou de fibromyalgie.

20 % des patients atteints du SFC. À l'exception de l'intestin irritable, plus commun en FM, les autres symptômes accompagnant ces deux maladies sont identiques. Il conclut que même si la FM et le SFC présentent les mêmes caractéristiques, certains facteurs pathologiques sont plus proéminents dans l'un ou l'autre des deux symptômes.

Épidémiologie du SFC

Le Dr Byron Hyde rappelle le lien viral entre le SFC et la poliomyélite :

> Avant 1955, quand fut introduite la vaccination systématique contre la poliomyélite, la majorité des épidémies du SFC se produisaient en même temps ou à la suite d'épidémies de poliomyélite paralytique. Cette dernière maladie disparut après cette date, mais le SFC persista, puis se modifia. Le tout nous fait penser nettement à un rapport viral entre le SFC et la poliomyélite. Or, il semble évident que l'introduction de la vaccination antipolio, qui suivit l'épidémie de 1955, eut un effet remarquable puisqu'elle prévient depuis la paralysie chez les patients atteints du SFC, et on ne trouve plus de décès parmi eux.

Jusqu'en 1979, le SFC avait tendance à s'infiltrer dans les endroits les plus propices à la contagion, surtout dans les hôpitaux et dans les écoles. Nommée alors « Yuppies' Flu », elle se fit mieux connaître à l'automne de 1984 lorsque 200 personnes développèrent les mêmes symptômes à Incline Village, situé au bord du lac Tahoe, à la frontière est de la Californie. Un groupe d'enseignants avaient d'abord consulté des médecins pour ce qui semblait une grippe très tenace. Majoritairement, ces personnes présentaient des signes d'une mononucléose infectieuse, comme celle causée par le virus d'Epstein-Barr, sauf qu'une épidémie de mononucléose ne s'était jamais vue.

L'année suivante, en 1985, l'épidémie frappa le village de Lyndonville, NY, sur les rives du lac Ontario. De nombreux cas de contagion, commençant par une fièvre sans cause apparente, ont été rapportés au cours des premiers jours de la maladie. Se trouvent parmi les victimes des hommes et des enfants, et le quart des patients ne sont pas porteurs du virus d'Epstein-Barr. « Avant d'être malades, les hommes étaient de gros travailleurs engagés dans leur communauté. La diversité de symptômes me laissaient perplexe, explique le Dr David Bell, leur médecin traitant. Il semblait de plus en plus que cette maladie n'avait rien à voir avec la dépression nerveuse. »

Maintenant, Le Dr Bell affirme que cette infection virale a été l'une des plus graves qu'il n'ait jamais rencontrée.

Depuis, plusieurs équipes de chercheurs canadiens et américains se sont penchés sur d'autres groupes épidémiques du SFC signalés un peu partout dans les deux pays, épidémies présentant les mêmes signes pathologiques. Le fait que l'origine de cette maladie reste inconnue explique pourquoi la communauté médicale ne peut se fixer sur un nom précis désignant le SFC. Les symptômes qui lui sont associés sont si divergents qu'il est difficile de trouver une appellation pouvant accommoder chacun d'eux.

Maladie auto-immune

À titre de conférencier, le Dr Denis Phaneuf, microbiologiste-infectiologue au Centre hospitalier universitaire de l'Université de Montréal, a expliqué que le SFC, maladie auto-immune, touche surtout les femmes entre 30 et 50 ans, de race blanche, au travail, habitant des villes plutôt que des villages isolés. Il a souligné qu'il n'existe pas de véritable test pour détecter à coup sûr et rapidement le syndrome de fatigue chronique. Le Dr Phaneuf fait remarquer :

> Toutefois, plus les recherches progressent, plus on arrive à dissocier les variantes de ce qu'on appelle «les maladies de la fatigue». Par exemple, on a pensé que la mononucléose était une des grandes causes du SFC, alors qu'on classe maintenant ces deux maladies à part. On a cru aussi à une variante de lupus, qu'on appelait «petit lupus». L'intérêt de bien classer la maladie est de choisir le meilleur traitement. De récentes théories se penchent sur les possibilités suivantes : un dysfonctionnement neuroendocrinien, les entérovirus, les toxines environnementales, une prédisposition génétique, ou la combinaison de ces multiples facteurs.

Reconnaissance du SFC

Le Collège des médecins du Québec avait, en 1995, reconnu la gravité du problème lié au syndrome de fatigue chronique en formant un groupe de travail sur la mystérieuse maladie. Le Collège admettait que peu de médecins voulaient s'y aventurer pour la peine. Mais tout récemment, il a donné au SFC une crédibilité plus transparente en émettant des lignes directrices reconnaissant officiellement cette maladie comme une entité pathologique.

Conséquences

Un document rédigé par le Dr Ronald Comtois, endocrinologue à l'Hôpital Notre-Dame, à Montréal, présente des statistiques intéressantes : 100 % des sujets fibromyalgiques sont fatigués chroniquement et subissent des douleurs musculaires ; 90 % ont du mal à se concentrer et souffrent de maux de tête ; 85 % éprouvent des douleurs au pharynx ; 75 % présentent des douleurs articulaires et une sensation de fièvre ; 70 % se plaignent des troubles du sommeil et 65 % ont des allergies et des troubles intestinaux. On parle de fatigue chronique lorsque la sensation de fatigue empêche le patient de vaquer à 50 % de ses activités quotidiennes durant une période de plus de six mois.

Selon le Dr Anne Milton, elle-même atteinte de cette maladie :

Les désordres psychologiques causés par la fatigue chronique se comptent parmi les maux les plus importants. L'affaiblissement intellectuel s'avère une véritable catastrophe pour ceux et celles qui travaillent dans des domaines dont les qualités de l'esprit ont préséance. Certains patients n'arrivent plus à se concentrer, d'autres ressentent des troubles de mémoire. Ils souffrent de désorganisation de la fonction cognitive, inversant et cherchant leurs mots ou utilisant des mots inappropriés dans le contexte de leur propos.

Chute de la pression sanguine

Une récente étude, menée au Johns Hopkins University Hospital, à Baltimore, incorpore un lien entre la fatigue chronique et un trouble dans le mécanisme du corps régularisant la pression sanguine. Cette étude a démontré que 22 sujets sur 23 souffrant de douleur chronique étaient atteints d'un syndrome dont le corps réagissait anormalement durant les périodes prolongées en position debout. En conséquence, et parce que le rythme cardiaque diminue et la pression sanguine baisse rapidement, il en résulte une sensation de vertige accompagnée de faiblesse et d'épuisement pouvant durer de quelques heures à quelques jours. Certains sujets ont exprimé une amélioration après avoir été soignés pour leur problème de basse pression.

Le Dr Henri Rubinstein écrit, dans *Vivre sans fatigue* (Éd. Payot, 1992):

> Parler de fatigue constitue une manière presque complète de décrire les cercles vicieux qui s'installent et entretiennent des baisses durables de l'énergie vitale. C'est aussi une façon d'exposer ce que devrait être effectivement une approche globale du problème de santé. Il est surtout nécessaire de donner de l'espoir aux personnes fatiguées, car ce sont des malades qui souffrent.

TRAITEMENT MÉDICAL

Tant d'incertitudes sur la fatigue chronique associée à la fibromyalgie engendrent évidemment une confusion sur l'usage des médicaments. Actuellement, il n'y a pas de traitement particulier pour soigner ce symptôme. Le seul soutien médical que peuvent espérer les patients vient de quelques médicaments masquant temporairement la fatigue. Les médecins conseillent souvent le repos et prescrivent générale-ment des antidépresseurs pour contrer les effets déprimants de la fatigue, les spasmes musculaires, les troubles de digestion et les maux de tête.

« Si une patiente se présentait chez moi avec tous les signes de fatigue chronique, je la soignerais de la même manière que mes patients atteints de fibromyalgie », explique le Dr Simon Carette, rhumatologue et spécialiste en fibromyalgie. Il présente sa démarche ainsi :

> Après avoir éliminé toutes les possibilités de pathologies associées – à l'aide du questionnaire médical, de l'examen physique et des tests de laboratoire –, j'attaquerais tous les problèmes de fond, incluant la fatigue chronique, la douleur musculaire, les troubles du sommeil et les problèmes d'ordre psychique. Je l'aiderais à prendre conscience des effets de la douleur et de la fatigue sur son moral. Des antidépresseurs en doses légères, un antalgique (calmant), parfois une psychothérapie, et plus souvent une remise en question des habitudes de vie restent les recours les plus efficaces.

Le Dr Denis Phaneuf reconnaît que dans plusieurs cas, l'améliora-tion de l'état du malade revient souvent au patient lui-même. À part des traitements médicamenteux « officiels », le patient finit par bien reconnaître ce qui lui apporte un certain soulagement, que ce soit certaines huiles oméga, des vitamines (attention à l'intoxication !), des extraits de protéines, des diètes salées, la lumière, l'exercice, ou une bonne oxygénation.

Le traitement de la fatigue chronique, incluant celui de la fibromyalgie, est élaboré au chapitre 6 « Traitement médical ».

Prévention

Les quelques règles de prévention qui suivent sont proposées pour surmonter la fatigue chronique concomitante à la fibromyalgie :

- Se libérer des situations stressantes.

- Profiter des périodes de repos pour se détendre.

- Se reposer dès que l'on ressent les premiers signes d'alarme de la fatigue.

- Connaître et respecter les limites de ses capacités physiques.

- Dans la mesure du possible, partager les activités quotidiennes qui exigent davantage d'énergie.

- Magasiner plus souvent et moins longtemps et se réserver des moments de repos au cours des emplettes.

- Pour tout rendez-vous, prévoir au moins une demi-heure pour se détendre avant le départ ; cela peut éliminer la pression de « dernière minute ».

- Dans ses activités quotidiennes, tenir compte de son état de santé, de son âge, de sa capacité physique et des autres symptômes incommodants de la fibromyalgie.

CONCLUSION

Les patients fibromyalgiques doivent s'adapter à la présence chronique de la fatigue. On ne peut plus vaquer à ses occupations quotidiennes comme avant la maladie. Cela ne signifie pas qu'il faille abandonner les activités que l'on a à cœur. S'adapter à ce symptôme invalidant implique à première vue de conserver son courage, ses espoirs et son énergie en se consacrant à des activités épanouissantes.

C'est une bonne idée de toujours rester attentif aux premiers signes de fatigue afin de mieux connaître ses limites et ses capacités. Si un manque d'énergie empêche le patient FM d'accomplir une occupation comme auparavant, il faut alors trouver un autre moyen d'y parvenir et de suivre des horaires souples tout au long de la journée. Le célèbre acteur anglais Laurence Olivier conseillait à tous ses collègues du cinéma de ne jamais dépasser leur réserves physiques et intellectuelles parce que les signes de la fatigue devenaient alors visibles.

10

Les troubles du sommeil

*En réalité, on n'est jamais ni complètement endormi la nuit
ni complètement réveillé le jour.*

Thomas Edison

PARMI LES DIVERS SYMPTÔMES accompagnant la fibromyalgie figurent
au premier plan les troubles du sommeil. Il n'existe pas de définition distincte pour ce type d'insomnie chronique. Des spécialistes le
qualifie de sommeil non réparateur entrecoupé de périodes anormales
de réveils. Pour l'ensemble des personnes fibromyalgiques, bien
dormir est une faveur rarement accordée. S'ensuit inévitablement
un épuisement de l'organisme qui peut se poursuivre durant le jour.

Les mystères du sommeil intriguent les scientifiques depuis les
temps anciens. Jusqu'au milieu du siècle, il était perçu comme un
phénomène trop complexe pour mériter d'être étudié sérieusement.
Depuis, la découverte du sommeil paradoxal fit entrevoir la possibilité que le sommeil cachait bien plus qu'il ne semblait à première
vue. Dans les années 1980, des spécialistes ont observé que le
sommeil est un état physiologique aussi complexe que l'état de veille.

Même si les mécanismes du sommeil sont maintenant mieux
connus, on ignore de quelle façon le sommeil est bénéfique et pourquoi certaines personnes arrivent à dormir peu sans ressentir une
insuffisance. L'une des formes les plus communes d'insomnie est
l'incapacité de se laisser glisser dans le sommeil.

Quel que soit les circonstances ou l'âge, bien dormir régulièrement est l'une des plus grandes puissances de la vie. Le cerveau et

les processus métaboliques ont périodiquement besoin du repos vital que procure le sommeil pour fonctionner efficacement. Ce besoin biologique participe dans le processus de la connaissance, de l'apprentissage, de la coordination et de l'attention de tous les humains. Pour profiter quotidiennement de ce repos indispensable à notre existence, nous passons en moyenne un tiers de notre vie à dormir.

À chacun sa dose de sommeil

L'être humain adulte dort en moyenne 7 à 8 heures par 24 heures. Alors que des personnes se contentent de 5 heures de sommeil, d'autres ont besoin de 9 à 10 heures. La durée du sommeil convenable varie d'une personne à l'autre. Chez la femme, le sommeil diffère de celui observé chez l'homme. Entre 20 et 40 ans, les femmes ont tendance à se coucher plus tôt que les hommes. Elle mettent plus de temps à s'endormir et dorment généralement plus longtemps.

Curieusement, le besoin de sommeil ne diminue pas avec l'âge. C'est plutôt l'habileté à dormir sans interruption toute la nuit qui fléchit. Les gens âgées dorment moins la nuit que les plus jeunes, mais ils sommeillent plus facilement durant le jour.

Si nous sommes privés de sommeil par un quelconque événement, un deuil, un stress psychologique, une blessure bénigne, ce genre d'insomnie passagère se classifie de normal. Par ailleurs, certaines personnes s'adonnant à un travail intellectuel intense, ou gardant en tête leur travail, ont tendance à avoir le sommeil plus fragile.

LES PHASES DU SOMMEIL

Au cours d'une nuit normale de bon sommeil, nous traversons divers cycles de sommeil : un stade d'état de veille, un stade de somnolence, quatre cycles de sommeil lent, un sommeil paradoxal et une dernière phase de sommeil intermédiaire menant au cycle de réveil. Cette alternance veille-sommeil n'est qu'un des nombreux cycles du corps humain.

À l'aide de trois types de signaux électriques enregistrés sur l'électroencéphalogramme (EEG), le sommeil est mesuré selon le même principe qu'un électrocardiogramme traçant un graphisme de l'activité du cœur. Ainsi, l'EEG enregistre l'activité du cerveau au moyen d'électrodes placées sur le cuir chevelu, l'électro-oculogramme mesure les mouvements des yeux, tandis que l'électro-myogramme enregistre les contractions musculaires.

Pour mesurer les ondes cérébrales des divers stades de sommeil, il suffit de faire dormir toute la nuit un témoin coiffé de sept ou huit électrodes. Les signaux électriques sont amplifiés, filtrés et transmis simultanément au poste de contrôle du laboratoire. L'EEG imprime les ondes cérébrales sur papier ou les enregistre sur un écran d'ordinateur ou sur un polygraphe (figure 10.1).

Au cours des divers stades du sommeil, le cerveau transmet des ondes de fréquence et d'amplitude différentes. Quand nous sommes éveillés et actifs, le cerveau émet des ondes bêta de faible amplitude, leur fréquence se situant entre 17 et 50 cycles à la seconde.

Figure 10.1
Mesure du sommeil par l'EEG

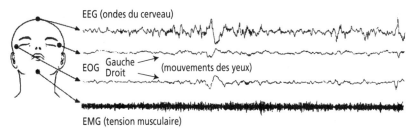

Note : Au moyen d'électrodes sur la tête et des tracés obtenus par les enregistrements électroencéphalographiques (EEG), il est possible de mesurer les phases du sommeil par l'activité des ondes du cerveau, par les mouvements des yeux et la tension musculaire.

Source : *Vaincre les ennemis du sommeil*, Les Éditions de l'Homme, 1997.

État de veille

Dans cette première phase de l'endormissement, le sujet réagit beaucoup moins à l'environnement extérieur. À ce stade, pendant que les muscles se détendent, il est ordinairement conscient de pensées intermittentes ou décousues, une sensation de bien-être l'envahit. Ses yeux oscillent lentement derrière ses paupières fermées. Sa respiration adopte un rythme régulier.

L'état de veille montre que les ondes cérébrales alpha se succèdent rapidement au rythme de 8 à 12 cycles par seconde (figures 10.2, 10.3). Cette phase occupe environ 5% du temps total du sommeil. En l'espace de 10 à 15 minutes, le sujet entre dans le deuxième cycle du sommeil. Essentiellement, l'état de veille prédomine les autres stades du sommeil. Il peut empêcher ou permettre la sensation de détente que procure une paisible nuit de bon sommeil.

Cet aspect est très important pour les fibromyalgiques aux prises avec des troubles chroniques de sommeil. Si les douleurs musculaires importunent ces personnes lorsqu'elles sont couchées pour la nuit, elles peuvent en effet stimuler le stade de veille tout autant que le ferait un bruit irritant ou une lumière forte, faisant en sorte que le cycle suivant de somnolence ne peut être atteint.

État de somnolence

Bien que distinct sur l'EEG, l'état de somnolence amène le sujet de l'état de veille aux cycles lents et profonds du sommeil qui vont suivre. Toutefois, il est plus difficile de se réveiller au stade de somnolence. Ce sommeil léger n'est pas encore enregistré dans le cerveau comme étant du sommeil. La détente musculaire se poursuit et la respiration devient plus profonde. À l'endormissement, un faisceau d'ondes thêta se succèdent au rythme d'environ quatre à sept cycles par seconde.

Sommeil lent et profond

Pendant les stades II à IV du sommeil lent, le cerveau produit des ondes delta plus lentes (se situant entre 1/2 à 3 cycles à la seconde), atteignant une amplitude très grande comparativement aux autres ondes cérébrales. Normalement, le stade IV constitue la phase du sommeil la plus profonde, celle dont il est le plus difficile de se réveiller (voir figure 10.3).

Environ une demi-heure après le coucher, le processus normal fait que le sujet entre dans un stade de sommeil lent et profond caractérisé par les stades II à IV. Au cours de ces phases les plus reposantes, toutes les fonctions de l'organisme, incluant les muscles, se trouvent dans la situation idéale pour se régénérer. Le corps est alors au ralenti; ses mouvements sont presque inexistants. Le

Figure 10.2

Stades du sommeil

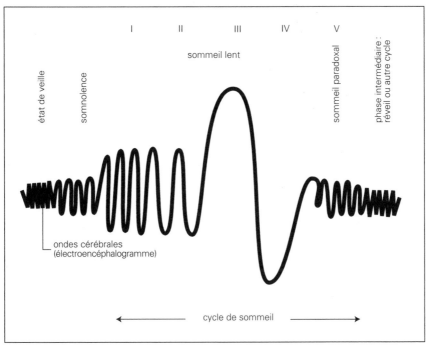

Note : Au cours d'une nuit de sommeil normal, nous alternons d'un stade à l'autre, passant graduellement d'un sommeil léger (stade I) à un sommeil profond (stades III et IV), suivi d'un épisode de sommeil paradoxal (V), stade dans lequel il est possible de rêver.

Source : *Larousse Multimédia Encyclopédique*, 1996.

rythme cardiaque et la tension artérielle baissent sensiblement et se stabilisent. La tension des muscles, la respiration et le pouls ralentissent.

Sur le tracé EEG (figure 10.3), le débit électrique du cerveau pendant les cycles de sommeil lent et profond indique un ralentissement marqué du rythme des ondes delta, tombant entre 1/2 à 3 cycles par seconde. L'aiguille enregistre des sursauts que les neurologues appellent «fuseaux de sommeil». À ce stade, les muscles sont entièrement relâchés, les yeux bougent à peine. C'est la phase pendant laquelle il est le plus difficile de se réveiller.

Figure 10.3

Tracés de l'activité cérébrale par enregistrements électroencéphalographiques

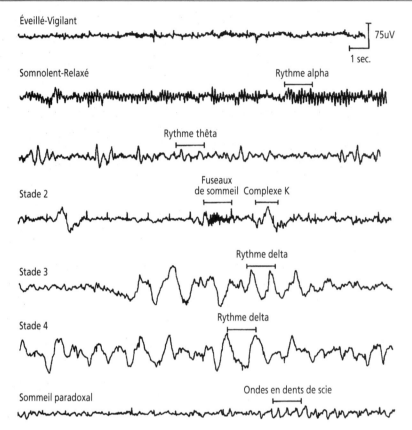

Note : Les ondes bêta, d'une fréquence de 15 à 20 cycles par seconde, représentent un état normal de l'adulte au repos. Le rythme des ondes alpha se caractérisent par une succession d'oscillations lentes d'une fréquence de 8 à 12 cycles par seconde Les ondes thêta (4 à 7 cycles par seconde) représentent un sommeil léger des phases I et II. Le rythme delta (1/2 à 3 cycles par seconde) est enregistré pendant les stades de sommeil profond III à IV.

Source : *Vaincre les ennemis du sommeil*, Les Éditions de l'Homme, 1997.

On enregistre 20 à 30 grands mouvements EEG de cycles lents et profonds pendant une nuit de sommeil normal. Utilisant environ 80 % du sommeil chez l'adulte, ces cycles se déroulent en quatre phases de profondeur croissante caractérisées par les ondes cérébrales delta de plus en plus amples et lentes.

Interférences des ondes alpha

En fibromyalgie, cependant, durant les phases de sommeil lent et profond, les fréquences des ondes rapides alpha (du cycle de veille) débordent anormalement sur les fréquences beaucoup plus lentes des ondes delta. En procurant un état anormal de sommeil léger interrompu par des stades d'éveil, ce dérèglement provoque une perturbation qui prive l'organisme du sommeil vital pour la réparation et le repos de tous ses systèmes organiques.

Bienfaits du sommeil réparateur

Des chercheurs estiment que le cycle du sommeil lent et profond fortifie le système immunitaire. Il libère les cellules de leurs déchets et les répare ou les remplace ; la mémoire est emmagasinée, les hormones sont sécrétées, le métabolisme est stimulé, les tensions et le stress diminuent. Le sommeil profond est également important pour la restauration essentielle des capacités autant intellectuelles que physiques.

Méfaits du sommeil non réparateur

Normalement, le sommeil s'écoule selon les mouvements d'une « horloge biologique », de sorte que la noirceur endort et la lumière éveille. Pour les fibromyalgiques, cependant, le sommeil ne correspond pas à ce principe. En plus des troubles causés par l'interférence des ondes alpha sur les ondes delta, leur sommeil est interrompu pendant la nuit par d'autres ennemis notables : les douleurs et les crampes musculaires, le stress et les effets indésirables de certains médicaments.

Lorsque les patients fibromyalgiques ont de la difficulté à s'endormir, c'est rarement le cycle du sommeil profond qui est en cause, mais plutôt l'état de veille qui fonctionne trop. Des chercheurs croient que les anomalies neurochimiques et biochimiques du sommeil observées chez ces personnes seraient responsables des douleurs musculaires et de la fatigue chronique associées à la FM.

Sommeil paradoxal

Cette phase est ainsi nommée parce que le sommeil est aussi actif que pendant l'état d'éveil. Le cycle paradoxal débute environ une heure à une heure trente après le début du sommeil. Normalement, le bon dormeur reprend le chemin inverse en repassant chacun des stades I à IV jusqu'à ce qu'il pénètre dans le sommeil paradoxal. Au cours de ce sommeil, son cerveau produit des ondes «en dents de scie» relativement plus rapides et de faible amplitude ressemblant à celles du sommeil léger du stade I (figure 10.3). Pendant cette période de sommeil «profond», il aura de la difficulté à se réveiller.

Durant le sommeil paradoxal, les rythmes cardiaque et respiratoire sont irréguliers. La pression sanguine varie et le cerveau augmente sa consommation de glucose. On observe une chute totale du tonus musculaire, entrecoupée de myoclonies (contractions musculaires brèves) et de mouvements oculaires rapides non coordonnés. Ces mouvements oculaires sont considérés comme des événements se déroulant dans les rêves.

À la fin du cycle paradoxal, une personne bien dormante peut se réveiller sans s'en apercevoir. Elle passera de ce stade au sommeil lent en cycles de 90 à 110 minutes, interrompu à plusieurs reprises d'un bref épisode de somnolence. Ce sommeil prédomine durant le cycle V avant de passer à la phase intermédiaire du réveil vers la fin de la nuit ou, parfois, à d'autres cycles du sommeil.

Ce stade de sommeil peut occasionner une dilatation des vaisseaux sanguins du pelvis, chez la femme, et une érection chez l'homme. Les crises nocturnes d'angine de poitrine, d'asthme, d'emphysème surviennent souvent pendant la phase du sommeil paradoxal. Les accidents des vaisseaux cérébraux, les infarctus du myocarde pendant la nuit sont souvent causés par l'instabilité vasculaire fréquente durant ce stade.

Des chercheurs croient que le sommeil paradoxal à ondes lentes s'accompagne d'une diminution de glucose et d'oxygène, aussi bien au niveau cérébral qu'au niveau de l'organisme. Ainsi, le sommeil permettrait d'économiser de l'énergie comme le font certains animaux durant l'hibernation.

Nous rêvons tous chaque nuit, même s'il est rare que nous nous rappelions de nos rêves le matin venu. C'est pendant les cycles de sommeil paradoxal que 80 % de nos rêves surviennent. Ces périodes ont tendance à devenir plus longues, et au petit matin, elles peuvent durer près d'une demi-heure. Toutefois, si on nous éveillait après quelques minutes de sommeil paradoxal, nous pourrions probablement mieux raconter les détails de notre rêve.

IRRÉGULARITÉS BIOCHIMIQUES

Pouvant contribuer aux perturbations du sommeil profond, les irrégularités biochimiques qui suivent ont été détectées dans le sérum des patients fibromyalgiques (voir au chapitre 4 «Anomalies biochimiques et physiologiques».)

- *La sérotonine.* Plusieurs études confirment une déficience de sérotonine dans le sérum des sujets fibromyalgiques. Cette anomalie serait responsable de la perturbation du sommeil causée par l'irrégularité des ondes alpha-delta dans la phase réparatrice du sommeil profond. Dans la régulation du sommeil, cet acide aminé joue un rôle physiologique important comme vasoconstricteur et médiateur du système nerveux central.

- *La mélatonine.* La concentration de mélatonine est particulièrement basse en fibromyalgie. Sécrétée la nuit par la glande pinéale, cette hormone atteint sa concentration maximale au cours du sommeil lent et profond. Par son pouvoir sédatif, la mélatonine aide à régulariser les cycles de sommeil. Elle joue un rôle essentiel dans les rythmes biologiques et contribue ainsi au repos de l'organisme durant la nuit.

- *Le tryptophane.* La concentration moyenne de cet acide aminé est plus basse dans le sérum sanguin des fibromyalgiques. Contribuant à régulariser le sommeil, il est indispensable à l'organisme. Il dérive de la sérotonine ou de la tryptamine.

- *La substance P.* Un excédent considérable en substance P a été observé chez les fibromyalgiques. Abaissant la pression artérielle, elle jouerait un rôle de médiateur chimique au niveau du système nerveux. Selon une hypothèse, le surcroît de substance P aurait une relation corrélative avec le niveau abaissé de sérotonine dans le sang des fibromyalgiques.

LE STRESS ET L'INSOMNIE

Diverses études indiquent que l'un des facteurs responsables importants concernant les troubles du sommeil chez les fibromyalgiques est le stress causé par les symptômes persistants de la douleur musculaire et de la fatigue chronique.

Le Dr Edmund Jacobson, auteur de *Savoir relaxer pour combattre le stress*, explique comment on peut rester allongé des heures sans bouger et continuer à manifester des signes d'activité mentale, d'énervement et d'anxiété à cause d'une forte tension musculaire. Il a observé que la personne qui n'est pas en état de relaxation complète, à cause de la douleur et de la fatigue chroniques, par exemple, présente des séries de tensions qui sont absentes chez une personne complètement détendue : la respiration irrégulière, le froncement du front et des sourcils, le clignotement des paupières, les mouvements des yeux, de la tête, des doigts et des orteils.

L'accumulation de stress émotionnel et physique est manifestement incompatible avec le sommeil. Elle désorganise les stades d'endormissement et provoque de nombreux réveils importuns. L'irrégularité des cycles du sommeil lent et profond diminue le pouvoir réparateur du sommeil. Ainsi, le stress provoque de façon hostile un état de surtension musculaire et d'hypertension artérielle.

Si nous ne pouvons échapper aux pensées stressantes qui perturbent notre esprit avant de nous endormir, il sera impossible d'atteindre le cycle de somnolence qui conduit rapidement au sommeil lent et profond. Si cette réaction anormale au stress persiste des jours et des semaines, cela aura pour effet d'accentuer la chronicité des troubles de sommeil. Si les crises du stress se prolongent, le système de défense se dégrade peu à peu et la maladie s'installe.

Les conséquences du stress sont élaborées au chapitre 15 « Stress et fibromyalgie ».

CONSÉQUENCES DOMMAGEABLES DES TROUBLES DU SOMMEIL

Le manque de sommeil lent et profond, subit par l'ensemble des patients atteints de fibromyalgie, est une dysfonction redoutable de l'organisme. Le peu d'énergie vitale qu'il génère est insuffisant pour rétablir l'équilibre de leur métabolisme.

La plupart des conséquences nuisibles de nature psychique et physiologique attribuables au manque de sommeil réparateur restent méconnues par les scientifiques. Cependant, des études montrent que les douleurs musculaires et la fatigue chronique propres à la fibromyalgie sont étroitement liées à la perte quotidienne du sommeil non régénérateur de l'énergie corporelle. En outre, les patients ressentent beaucoup plus la douleur lorsque leur état de fatigue s'aggrave par de longues nuits privées de sommeil.

Privées de sommeil réparateur, les fonctions physiques et neurologiques sont altérées. La première modification observée est généralement une diminution de la perception de l'environnement et un ralentissement de la capacité de discernement. Les tâches exigeant de la prévoyance, de la planification et de la prudence sont celles qui en souffrent le plus. C'est un peu comme si la perspective changeait et que l'on ne saisissait plus l'importance de nos actes. Alors que la faculté de raisonnement et de pensée reste relativement inchangée, la motivation est nettement diminuée.

Conséquences neurologiques

Quand nous ne dormons pas assez, nous accumulons une lourde dette de sommeil. Généralement, les conséquences neurologiques suivantes en résultent:

- Les symptômes suivants sont amplifiés: la fatigue, la dépression, les pertes de cognition, la sensibilité à l'environnement.
- La somnolence se manifeste à tout moment de la journée.
- Une plus grande sensibilité au froid se manifeste.
- Le rendement intellectuel baisse, ainsi que l'acuité des sens, particulièrement la vue.
- Des pertes de mémoire, des difficultés d'attention et de concentration apparaissent.
- La difficulté à assimiler de nouvelles connaissances se manifeste.
- La réserve émotionnelle est nettement diminuée.

- La capacité d'adaptation, de concentration et de motivation est restreinte.

- Les changements de la vie quotidienne sont plus stressants.

Conséquences physiologiques

Qualifiés comme un état de déséquilibre, les troubles de sommeil associés à la fibromyalgie entraînent une variété de problèmes physiologiques, sociaux et familiaux. En fait, la privation de sommeil réparateur provoque des altérations physiologiques qui constituent une véritable menace pour la santé des fibromyalgiques. En plus des douleurs musculaires chroniques, plusieurs changements physiques s'ajoutent aux troubles du sommeil.

- Les symptômes accompagnant la fibromyalgie, notamment les douleurs myofasciales, la fatigue et les maux de tête, sont considérablement amplifiés.

- Les problèmes de vision sont plus fréquents.

- La réserve d'énergie est nettement diminuée.

- Les tâches quotidiennes demandent plus d'efforts.

- Les raideurs matinales sont plus tenaces.

Conséquences sociales et familiales

- Incertitude dans les activités sociales qui ne peuvent être planifiées

- Vie sédentaire

- Troubles sexuels

- Problèmes conjugaux

- Relations inharmonieuses avec ses proches ou ses amis

- Suspicion ou mésentente de la part des patrons et collègues

- Scepticisme de la part des médecins

HYGIÈNE ALIMENTAIRE

Une diète saine englobe généralement toutes les substances nutritives que requiert l'organisme pour son bon fonctionnement, incluant celles qui favorisent le sommeil. Un verre de lait chaud (contenant du tryptophane) avant le coucher, par exemple, peut aider à mieux s'endormir.

Les nutriments essentiels, les suppléments, les carences et les intolérances sont expliqués en profondeur au chapitre 20 «Hygiène alimentaire».

Caféine : un excitant antisommeil

Globalement, les propriétés de la caféine sont celles d'un stimulant ; elle intensifie la vigilance ainsi que de nombreuses fonctions corporelles (tableau 10.1). À l'opposé, des aliments acidifiants sont souvent la cause des brûlures d'estomac et des gaz susceptibles de déranger le sommeil. L'eau et les autres breuvages pris en trop grande quantité durant la soirée peuvent entraîner des réveils attribuables aux besoins urinaires.

En ce qui concerne la qualité du sommeil, la sensibilité à la caféine varie d'une personne à l'autre, comme c'est le cas pour toutes les drogues. De façon générale, la caféine active le métabolisme, stimule la sécrétion d'acide gastrique et augmente la sécrétion urinaire. Elle augmente en plus le rythme cardiaque, le rythme respiratoire, la tension artérielle et la température du corps.

Il importe donc d'éviter de consommer après le repas du midi toute substance contenant de la caféine (thé, café, cola, cacao). Facilement absorbée, la caféine commence à atteindre tous les tissus du corps cinq minutes après son ingestion. En l'espace de 15 à 45 minutes, elle est presque complètement absorbée : plus de 99 % d'une dose de caféine pénètre dans le flot sanguin.

Les tisanes

À travers les siècles, une multitude d'éléments naturels ont été expérimentés pour améliorer la qualité du sommeil. Certaines plantes médicinales populaires, dont l'efficacité est reconnue depuis

Tableau 10.1

Quantité de caféine contenue dans les aliments et les boissons

Aliment/boisson	Milligrammes de caféine	
	Moyenne	Variations
CAFÉ (150 ml: 1 tasse moyenne)		
infusé, filtre	115	60-180
infusé au percolateur	80	40-170
instantané	65	30-120
décaféiné, infusé	3	2-5
décaféiné, instantané	2	1-5
THÉ (150 ml: tasse moyenne)		
infusé, principales marques américaines	40	20-90
infusé, marques importées	60	25-110
instantané	30	25-50
glacé (360 ml)	70	67-76
BOISSON au CACAO (150 ml)	4	2-20
LAIT AU CHOCOLAT (240 ml)	5	2-7
CHOCOLAT AU LAIT (28 g)	6	1-15
CHOCOLAT NOIR, mi-sucré (28 g)	20	5-35
CHOCOLAT BAKER pour la cuisson (28 g)	26	26
SIROP à saveur de chocolat (28 g)	4	4

Source : FDA, Food Additive Chemistry Evaluation Branch, selon l'évaluation de la documentation existante sur les niveaux de concentration de caféine. (*Le sommeil*, Association médicale canadienne, J. Paul Caldwell, M.D., Éd. Guy Saint-Jean, 1997.)

des siècles, entrent dans la composition des calmants, des somnifères ou des hypnotiques. Parmi la grande variété de tisanes naturelles maintenant disponibles, plusieurs offrent un bon moyen pour favoriser la détente et le sommeil. De saveurs surprenantes, elles sont bien tolérées dans l'organisme et permettent des traitements prolongés sans effets secondaires désagréables et sans dépendance.

Il faut se méfier cependant des mérites de certains produits dont les valeurs sont vantées à outrance par les producteurs et les commerçants. Soulignons que leurs substances ou composantes, telles que décrites sur ces produits, ne s'appuient sur aucune expérimentation scientifique et ne sont pas à ce jour réglementées au Canada.

Pour cumuler les effets digestifs et sédatifs, les herboristes suggèrent de prendre une tisane deux fois par jour, la dernière après le repas du soir. Une cuillerée à thé (5 g) de fleurs ou de feuilles infusées 15 minutes dans une tasse d'eau bouillante suffit pour la plupart des tisanes.

Pour favoriser la détente et le sommeil, les tisanes couramment utilisées comprennent :

- *Camomille*. L'infusion des fleurs et des feuilles de cette plante herbacée aromatique est un breuvage très populaire. Avant l'arrivée des somnifères chimiques, les malades hospitalisés avaient droit à l'heure du coucher à une tisane de camomille. Les adeptes lui reconnaissent des propriétés sédatives et digestives. Ses fleurs semblables à des marguerites donnent à la tisane une saveur douce et agréable.

- *Citronnelle* (mélisse ou verveine odorante). Cette plante vivace contenant une huile essentielle est couramment utilisée comme sédatif et analgésique léger. Faisant partie de la même famille que la menthe, elle possède un arôme identique. Elle est couramment utilisée en Europe pour calmer les enfants.

- *Passiflore*. Aussi appelée « fleur de la passion », cette plante à larges fleurs étoilées est originaire d'Amérique équatoriale. Plusieurs espèces portent un fruit comestible et charnu. La grenadille et la barbadine des Antilles sont en réalité des passiflores. Elle apaise et prédispose au sommeil.

- *Tilleul*. La fleur de ce bel arbre européen est utilisée fréquemment comme tisane calmante agissant sur le sommeil lent et profond. Le tilleul est employé pour ombrager les avenues et les parcs, et le bois est utilisé en sculpture.

- *Valériane*. Appelée aussi « herbe-à-chats », la partie rhizomateuse de cette plante vivace à fleurs roses ou blanches est employée en pharmacie comme antispasmodique. Les racines de cette herbe ornementale odorante sont couramment utilisées pour leurs propriétés sédatives et hypnotiques.

- *Verveine*. Cette herbe voyante et odorante se caractérise par sa tige carrée et ses grandes fleurs irrégulières aux couleurs pourpre, rouge ou bleue. Cultivée pour son parfum, elle est très populaire comme infusion pour ses effets tranquillisants et sédatifs.

- *Autres breuvages sédatifs.* Le romarin, le houblon, la menthe, le fenouil, la scutellaire, la marjolaine sont d'autres plantes favorisant le sommeil. Se rappeler qu'un verre de lait chaud pris au coucher peut apaiser et prédisposer au sommeil.

TRAITEMENT MÉDICAL

Les troubles de sommeil associés à la fibromyalgie sont généralement irréguliers et permanents. Ce dérèglement physiologique complexe n'est pas une maladie mais un symptôme pathologique qui mérite une attention médicale particulière. En fait, il n'existe pas de médication spéciale pour traiter conjointement les troubles du sommeil, la douleur musculaire et la fatigue chronique.

Malgré ce dilemme, certains médicaments peuvent temporairement aider les personnes fibromyalgiques à mieux dormir. Bien que certains somnifères moins puissants soient disponibles en vente libre, les médecins déconseillent généralement leur usage car ils risquent de perturber davantage les divers cycles du sommeil.

Les médicaments recommandés pour traiter les troubles du sommeil offrent plutôt une solution à court terme que doivent envisager avec prudence les fibromyalgiques. Les médicaments les plus efficaces exigent une ordonnance médicale, mais ils doivent être utilisés durant de courtes périodes de temps et selon la dose la plus faible permettant d'obtenir l'effet recherché. Utilisés à long terme, la plupart des somnifères risquent d'entraîner une accoutumance. À la longue :

- Leurs effets nuisibles deviennent de plus en plus prononcés.

- La durée de leur efficacité diminue.

- Le patient pourrait avoir à augmenter la dose pour s'endormir.

L'approche médicale liée à la fibromyalgie, y compris les troubles du sommeil, est élaborée au chapitre « Traitement médical ».

CONSEILS POUR FAVORISER LE SOMMEIL

Il existe de nombreuses composantes qui, manifestement, peuvent déranger la qualité du sommeil. Les conseils pertinents qui suivent peuvent aider à favoriser un « environnement propice » à l'endormissement et au sommeil réparateur :

1. Se fixer des heures régulières pour les repas et le sommeil, peu importe que vous alliez au lit à 21 h ou à 1 h du matin.

2. Éviter toute forme de caféine (café, cola, chocolat, thé) après le repas du midi.

3. Prendre le repas principal au milieu du jour vers midi.

4. Prendre le repas du soir de bonne heure pour que la digestion se termine avant le coucher. Il faut au moins quatre à cinq heures pour digérer un repas riche.

5. Consommer l'alcool avec modération, particulièrement pendant la soirée.

6. Fumer à l'heure du coucher peut effectivement nuire au sommeil.

7. Éviter les exercices ou efforts physiques avant d'aller au lit.

8. S'abstenir de participer à des discussions vives dans la soirée.

9. Créer une atmosphère de détente en réduisant l'intensité de la lumière ambiante durant la soirée.

10. S'accorder une heure de détente avant de se mettre au lit, incluant une douche ou un bain à l'eau chaude (l'eau trop chaude augmente la tension musculaire).

11. Ne manger que légèrement avant d'aller au lit.

12. N'utiliser la chambre à coucher que pour dormir. Le téléviseur et l'ordinateur n'ont pas leur place dans une chambre où on veut dormir paisiblement.

13. Brancher en saison froide une couverture électrique 15 à 20 minutes avant le coucher.

14. Expérimenter l'usage d'un oreiller cervical pour réduire la tension musculaire des épaules et du cou. Utilisé par les

personnes dormant sur le côté, ce type d'oreiller aligne mieux la tête et la base du cou pour soulager la douleur cervicale.

15. Le matelas et sommier doivent procurer un support assez souple pour épouser la forme du corps.

16. Utiliser en période hivernale des couvertures chaudes mais légères. Se méfier des draps et couvertures en polyester pouvant causer des allergies cutanées.

17. S'abstenir formellement de penser à ses soucis. Il ne faut pas laisser les ennuis de la journée nous poursuivre jusque dans notre lit.

18. En attendant que la somnolence fasse place au sommeil, inscrire dans son journal les activités et pensées positives de la journée.

19. Pratiquer la relaxation en laissant le sommeil venir lentement (voir au chapitre 18 «Exercices d'assouplissement et thérapies de détente»).

20. Apprendre à capter et à respecter les signaux de sommeil envoyés par le cerveau, tels que les bâillements et les paupières lourdes.

21. Dormir dans une chambre tranquille, sombre et confortable.

22. Supprimer de la chambre à coucher toute odeur forte (parfums, plantes).

23. Aérer la chambre à coucher en laissant une fenêtre entrouverte. En général, la température idéale pour dormir se situe entre 18 °C et 20 °C.

24. La lecture distrayante favorise l'endormissement quand le sommeil tarde à venir.

25. Si le sommeil tarde à venir, se lever pour boire une tisane calmante ou une tasse de lait chaud ; se détendre en attendant les premiers signes d'endormissement.

26. Pour éviter les bouffées de chaleur pouvant déranger le sommeil, des patientes fibromyalgiques utilisent, selon l'avis de leur médecin, des hormones œstrogènes.

27. Se lever régulièrement aux mêmes heures le matin, particulièrement en hiver pour permettre à l'organisme de s'ajuster à son cycle veille-sommeil.

28. Faire une courte sieste dans la journée pour régénérer l'organisme.

29. Compenser le manque de soleil durant les jours grisâtres en allumant quelques lumières pour éclairer les pièces.

30. Abandonner graduellement l'usage soutenu des somnifères pour vaincre l'accoutumance et retrouver le sommeil naturel.

CONCLUSION

Souvent très vive, la douleur musculaire chronique est une des principales causes des troubles du sommeil permanents associés à la fibromyalgie. Ce type de douleur peut en effet retarder, voire empêcher l'endormissement. Non seulement les cycles du sommeil sont perturbés par la douleur musculaire, ce sont les mêmes systèmes neurotransmetteurs (sérotonine, catécholamine) qui interviennent dans les mécanismes biochimiques de la douleur et du sommeil.

Les troubles du sommeil non réparateur privent les fibromyalgiques d'une qualité de vie essentielle, d'un bonheur et d'une paix d'esprit que seuls peuvent connaître les personnes bien dormantes. Ces troubles limitent la capacité de fonctionner et d'apprécier la vie à sa juste valeur, même si les patients doivent s'imposer des critères de qualité de vie souvent difficiles à atteindre.

Pour en savoir plus

Pour mieux surmonter et s'adapter aux troubles de sommeil chroniques, le fibromyalgique tirera avantage de la lecture des chapitres suivants :

- Chapitre 6 : *Traitement médical* – Hypnosédatifs, Antidépresseurs, Antidépresseur naturel, Relaxants musculaires.

- Chapitre 16 : *Survivre à la fibromyalgie* – Se libérer des facteurs stressants ; Surmonter les troubles du sommeil.

- Chapitre 18 : *Exercices d'assouplissement et thérapies de détente* – Respiration profonde, Relaxation, Relaxation musculaire progressive, Aquathérapie, Massage, Méditation, Naturopathie, Taï-chi.

- Chapitre 19 : *Médecines alternatives* – Acupuncture, Biofeedback, Hypnothérapie, Imagerie mentale.

- Chapitre 20 : *Hygiène alimentaire* – Suppléments alimentaires essentiels pour les patients fibromyalgiques, etc.

11

Symptômes concomitants à la fibromyalgie

Rien ne se passe en une des parties du corps qui n'ait pas sa répercussion dans toutes les autres.

Alain

NOUS AVONS VU au chapitre 2 que les symptômes primaires de la fibromyalgie se distinguent par la douleur musculaire, la fatigue chronique et les troubles du sommeil. En plus de ces trois maladies chroniques, la fibromyalgie s'accompagne couramment d'une multitude d'autres affections appelées «symptômes concomitants». Nous examinons dans le présent chapitre seize de ces plus importantes pathologies qui dérèglent le fonctionnement de l'organisme chez l'ensemble des patients fibromyalgiques. Soulignons que les personnes qui se sentent touchées par certaines de ces affections ne sont pas nécessairement atteintes de la fibromyalgie.

Avis : Tous les renseignements inclus dans les pages qui suivent sont proposés à des fins de référence seulement. En aucun cas, ils ne visent à remplacer un médecin. Loin de favoriser l'autodiagnostic, nous conseillons vivement à ceux qui souffrent de symptômes persistants de consulter un professionnel de la santé.

Les symptômes concomitants à la fibromyalgie sont répartis en ordre alphabétique.

• Allergies	• Maladie de Raynaud
• Canal carpien (syndrome du)	• Maux de tête
• Constipation	• Perte de cognition
• Cystite	• Reflux gastro-œsophagien
• Dépression	• Syndrome prémenstruel
• Engourdissement	• Syndrome de Sjögren
• Intestin irritable	• Thyroïdite
• Mal de gorge	• Vessie irritable

ALLERGIES

Essentiellement, l'allergie est une réaction inappropriée ou exagérée du système immunitaire au contact d'une substance étrangère (allergène) dans sa lutte aux corps étrangers qu'il ne peut identifier. Les symptômes de l'allergie sont causés par un taux élevé d'histamine dans le sang. Un grand nombre de maladies, comme l'asthme ou l'eczéma, sont provoquées par des réactions allergiques à l'inhalation de pollen ou de poussière, par le contact de la peau avec des allergènes ou par l'ingestion de certains aliments. Les réactions individuelles aux allergènes varient beaucoup.

Tous les corps hostiles à l'organisme, comme les virus et les bactéries, sont soumis au contrôle des anticorps sécrétés par le système immunitaire. Quand l'allergène pénètre dans l'organisme par la peau, par les poumons, par le système digestif ou par la voie sanguine, il n'y a généralement aucune réaction.

Cependant, chez certaines personnes, l'allergène provoque une libération d'histamine qui se traduit généralement par divers symptômes : l'inflammation de la peau, l'œdème des tissus, l'écoulement nasal, les éternuements, une constriction des voies respiratoires, une augmentation de la production d'acide gastrique, des irritations cutanées (boutons, démangeaisons) et de l'hypotension artérielle.

Types d'allergies

Il existe trois grandes familles d'allergies :

- *Allergies de contact* (poussière, poils et plumes, piqûres d'insectes). Ces substances déclenchent de l'eczéma, des rougeurs, des larmoiements et des tensions musculaires.

- *Allergies d'origine respiratoire.* Elles causent de l'asthme, le rhume des foins.

- *Allergies alimentaires.* Une corrélation existe entre les allergies alimentaires et l'intervention du système immunitaire. Elles peuvent causer de l'urticaire, des rougeurs, des démangeaisons, des brûlures d'estomac. (Voir : Allergies alimentaires et Intolérance alimentaire au chapitre 20 « Hygiène alimentaire ».)

Causes

Pour des raisons inconnues, les patients fibromyalgiques sont prédisposés aux réactions allergènes. Éprouvant des symptômes à longueur d'année, ils sont particulièrement allergiques à certains agents chimiques comme les détersifs et le monoxyde de carbone, les piqûres d'insectes ou de parasites.

On trouve dans les aliments de nombreux allergènes. Les plus sévères sont dans les œufs, les oignons, le lait, les arachides, le chocolat, les champignons, le glutamate monosodique (utilisé dans certains mets chinois), certains fruits de mer.

D'autres facteurs connus favorisent le développement de réactions allergiques : une activité physique excessive, une situation de stress extrême. Certains parfums et cosmétiques, des crèmes solaires, la fumée de cigarette ou de cigare, la plupart des substances toxiques, les insecticides ou les détergents, sont en général de grands déclencheurs d'allergies.

Plusieurs types de médicaments risquent de causer de l'allergie, même si le médecin ou le pharmacien a négligé de vous fournir des avis en ce sens. Des somnifères, des antibiotiques et même des vitamines peuvent être allergènes. Dans certains cas, c'est la combinaison de deux ou de plusieurs substances qui crée la réaction allergique.

Prévention

La vapeur émanant d'un humidificateur améliore la respiration des personnes qui subissent des réactions aux allergènes affectant les voies respiratoires. Néanmoins, un nettoyage mensuel des filtres de cet appareil est indispensable. Durant la période de l'herbe à poux, on conseille d'éviter les promenades après la pluie dans la nature ou en forêt, surtout en matinée quand la concentration de pollen est élevée.

Pour les personnes allergiques au pollen, il est conseiller de garder les fenêtres de la voiture fermées pendant la saison estivale. On recommande surtout d'éviter le contact avec les agents allergènes comme la poussière, les poils d'animaux domestiques, les coussins, les animaux en peluche. Il importe de ne pas surchauffer la maison, particulièrement la chambre à coucher.

Traitement

Éviter dans la mesure du possible les contacts avec les substances allergènes semble le meilleur remède.

• *Antihistaminiques*. Ce sont les médicaments les plus employés dans le traitement des réactions allergiques pour réduire la gravité des symptômes. Une grande variété d'antihistaminiques sont offerts en pharmacie. Toutefois, aucun ne s'attaque à la cause du problème. Bien qu'ils aient des effets et des usages généralement semblables, des différences dans l'intensité de leur action influent sur leur usage.

Certains antihistaminiques peuvent provoquer des effets secondaires, surtout la somnolence. En raison de leurs effets sédatifs prononcés, il est conseillé d'être prudent lors de la conduite d'un véhicule et, dans certains cas, d'éviter de conduire son automobile au cours d'un traitement. Actuellement, cependant, la plupart des nouveaux antihistaminiques ne provoquent plus de somnolence. Ils ont aussi l'avantage de ne nécessiter qu'une prise par jour. Des personnes souffrant de glaucome ou de troubles de la prostate devraient consulter un médecin avant de prendre des antihistaminiques.

• *Corticostéroïdes* : pris par voie orale (comprimés à croquer ou à dissoudre) ou appliqués sur la peau (pommades ou gels).

Précautions

Une allergie alimentaire peut être dangereuse. Une chute de tension (hypotension) artérielle peut causer un choc anaphylactique qui conduit au collapsus, un état pathologique caractérisé par un malaise soudain, un pouls rapide, des sueurs froides. Autres signes d'un choc anaphylactique : une faiblesse ; la respiration pénible ; le corps se couvre rapidement de plaques rouges ; les lèvres, les paupières et le visage enflent. Il importe alors de se rendre rapidement à l'urgence de l'hôpital le plus proche.

CANAL CARPIEN (SYNDROME DU)

Le syndrome du canal carpien (SCC) se caractérise par une douleur à la main occasionnée par la compression du nerf médian dans le passage du poignet appelé « canal carpien ». Si les tissus de ce passage se gonflent, ils provoquent de la douleur en comprimant le nerf médian. Celui-ci reçoit les messages sensitifs provenant du pouce, de l'index, du majeur et de la partie externe de l'annulaire, puis les transmet aux muscles à chacun des doigts. Pour diverses raisons, il arrive qu'il se retrouve comprimé au niveau du poignet causant de la douleur et des engourdissements dans son trajet.

Peu connu de la génération précédente, le SCC est rapidement devenu un malaise de l'existence moderne, particulièrement depuis l'utilisation très populaire d'ordinateurs au bureau et à domicile. Ce symptôme, plus fréquent chez les femmes d'âge moyen, mais surtout au début de la ménopause, s'associe à une lésion du poignet qui se traduit par des mouvements rapides et répétitifs des doigts (dactylos, pianistes, etc.).

Le syndrome du canal carpien se complique parfois par la douleur pouvant irradier au coude et à l'épaule, accompagnée de l'engourdissement des doigts. Une certaine position des poignets pendant le sommeil entraîne souvent la compression du nerf médian produisant ainsi de l'inconfort dans la main. Cette compression cause ordinairement un engourdissement, des fourmillements et une douleur à l'index et au majeur de la main affectée, s'accompagnant d'une faiblesse du pouce et dans les doigts. À cet égard, on recommande le port d'une orthèse la nuit.

Voir à ce sujet : Douleur au poignet et aux doigts, chapitre 3 «Syndrome de la douleur chronique myofasciale».

Traitement

L'affection guérit parfois d'elle-même. Des compresses froides peuvent soulager les symptômes. Lorsque la douleur persiste, le médecin prescrit des analgésiques.

Un électromyogramme, enregistrant des courants électriques liés aux contractions musculaires, est utilisé pour localiser un nerf endommagé. Si la douleur persiste ou s'aggrave, deux ou trois injections de cortisone au niveau du canal carpien soulagent généralement les malaises. Ce médicament prend deux à quatre semaines à agir. Dans les cas rebelles, une chirurgie bénigne est souvent inévitable pour dégager le nerf médian comprimé.

CONSTIPATION

Ce symptôme, qui se caractérise par un retard dans l'évacuation des selles, varie d'une personne à l'autre. Soulignons qu'il n'y a pas de rythme dit «normal» de la défécation. Moins de trois selles par semaine émises avec difficulté est un signe reconnu de constipation. En général, la constipation ne reflète aucune maladie organique, sauf quand le phénomène se manifeste après la quarantaine.

La constipation se manifeste quand les matières fécales passent trop lentement dans le gros intestin. La manifestation la plus fréquente de la constipation est l'irrégularité, souvent accompagnée de maux de tête. Si l'on exclut les rares cas liés à une maladie organique (cancer, maladie inflammatoire), la plupart des constipations sont purement fonctionnelles. Elles sont souvent favorisées par l'alimentation occidentale pauvre en fibres et par la sédentarité.

Cause

En fibromyalgie, la constipation peut être attribuable au syndrome de l'intestin irritable, à l'hypothyroïdie (expliqués ci-après) ou à une dysfonction musculaire du côlon. Elle peut être consécutive à de nombreux autres facteurs : une insuffisance de fibres et de liquide dans l'alimentation, l'alitement, la fièvre, la tension nerveuse, le stress, l'anxiété, un régime restrictif, une fissure anale, les hémorroïdes, l'abus de laxatifs. La constipation survient souvent parce que les personnes ne prennent pas le temps d'aller à la selle.

La constipation peut aussi résulter des effets secondaires de certains médicaments, tels que les analgésiques narcotiques, les relaxants musculaires, les antidépresseurs tricycliques (amitriptyline), la codéine, les antiacides à base d'aluminium, les tranquillisants. (Ces médicaments, couramment utilisés en fibromyalgie, sont détaillés au chapitre 6 « Traitement médical ».) Un niveau élevé de calcium et un niveau abaissé d'hormones thyroïdiennes (hypothyroïdie), et une médication à base de narcotiques peuvent entraîner la constipation.

Prévention

Les exercices physiques légers et la marche sont recommandés pour stimuler l'intestin. On conseille de boire beaucoup d'eau, au moins un litre par jour, des jus de légumes ou de fruits, incluant le nectar de pruneaux. Les céréales complètes, le son d'avoine, de riz ou de blé, les graines de tournesol, les petits pois et haricots verts, les pommes de terre en robe des champs, les fruits et légumes frais constituent un régime riche en fibres alimentaires qui aide à prévenir la constipation.

Les graines de lin ont la réputation d'avoir une action laxative douce ; il suffit de laisser tremper durant une nuit une cuillerée à café de graines de lin dans 150 ml d'eau froide ; ajouter le tout aux céréales du petit déjeuner. Elles peuvent entrer comme ingrédients dans les biscuits et les muffins.

Les suppositoires à la glycérine sont utilisés occasionnellement ; ils agissent habituellement en trois à cinq heures, mais ils peuvent agir immédiatement sous l'effet réflexe.

Précaution

La constipation peut masquer une maladie grave, comme le cancer du côlon. Un avis médical est conseillé quand on note un changement subit dans ses habitudes intestinales et que cette modification persiste au-delà de deux semaines, ainsi que dans les cas de saignements, de douleurs au moment de l'évacuation des selles, ou d'une perte de poids. Des doses excessives de laxatifs peuvent causer la diarrhée ; leur usage prolongé peut aggraver la constipation ou la dépendance favorisant la paresse intestinale.

Traitement

Ne pouvant être qu'une solution temporaire, les laxatifs doux en vente libre risquent de gêner le fonctionnement normal du côlon. Ils sont indispensables en cas d'hémorroïdes ou si l'inconfort ressenti au passage des selles est un facteur d'aggravation pour une autre pathologie. Quant aux laxatifs violents, ils peuvent irriter la muqueuse des intestins et provoquer des spasmes, des inflammations et des diarrhées. Si la situation perdure, il vaut mieux consulter un médecin.

• *Laxatifs stimulants* : bisacodyl, séné. Ces laxatifs de contact peuvent être pris à l'occasion si d'autres traitements n'ont pas soulagé le symptôme. Ne pas prendre plus qu'une semaine parce qu'ils peuvent causer des crampes abdominales et de la diarrhée. Dans ce cas, il faut consulter un médecin.

• *Laxatifs à effet de masse* : méthylcellulose, psyllium (Metamucil, Fibrepur, Novo-Mucilax, Prodiem). Agissant lentement, ces laxatifs à effet de masse sont moins susceptibles que les autres laxatifs d'entraver la fonction normale des intestins. Riches en fibres alimentaires, ces produits doivent être pris avec beaucoup d'eau, sinon ils risquent d'entraîner, par accumulation, un effet constipant.

• *Osmotiques* (Hydroxyde de magnésium, Lactulose, Phosphate de sodium). À la place des laxatifs agissant par effet de masse, on utilise les osmotiques dans le traitement de la constipation chronique. Ils peuvent causer des crampes abdominales et de la flatulence.

CYSTITE

Ce symptôme désigne l'inflammation de la vessie souvent liée à une infection bactérienne. Toute gêne à l'évacuation vésicale des urines prédispose à l'infection. Ce ralentissement urinaire dans la vessie ou dans l'urètre favorise le pullulement microbien. La miction peut s'accompagner d'une douleur brûlante et de démangeaisons ; les urines peuvent être malodorantes et accompagnées de pertes sanguines. La fièvre et les frissons accompagnent certaines crises importantes.

Causes

La cystite se manifeste par divers symptômes : envies fréquentes et urgentes d'uriner le jour ou la nuit et une douleur sourde au bas ventre.

La bactérie responsable est habituellement d'origine intestinale. L'urètre étant situé à proximité de l'anus, les germes proviennent généralement du vagin ou de l'intestin. Plus fréquente chez les femmes que chez les hommes, la cystite est un symptôme courant, particulièrement chez celles dont l'urètre est court, laissant ainsi les germes remonter facilement jusqu'à l'intérieur de la vessie. En fait, la simple introduction d'une sonde dans la vessie peut être une source d'infection.

Diagnostic

L'examen cytobactériologique de la culture des urines avec anti-biogramme confirme ordinairement la présence des germes. Chez la femme, on peut suspecter l'existence d'un trouble urétral en rapport avec des traumatismes de l'urètre (généralement après des rapports sexuels). Chez l'homme, il faut penser à une urétrite, et demander un prélèvement urétral, ou à une prostatite.

Traitement

Dans tous les cas de cystite, on recommande de boire abondamment lors des crises de cystites, de prendre de la vitamine C pour acidifier ses urines et d'être très attentif à son hygiène afin d'éviter les récidives. On recommande aux femmes de vider leur vessie après un rapport sexuel afin de ne pas aggraver leur état.

Le traitement antibiotique apporte souvent un soulagement après un ou deux jours. Toute attaque de cystite qui durerait plus de 48 heures ou qui s'accompagnerait d'un état fiévreux doit être portée à l'attention du médecin traitant.

DÉPRESSION

Des périodes de dépression touchent couramment des personnes atteintes de fibromyalgie. Contrairement à ce qui a longtemps été prétendu, ce symptôme n'est en aucun cas une faiblesse de caractère ou de personnalité. Il faut distinguer les états dépressifs de courte durée de la dépression profonde. Une maladie pathologique en elle-même, la dépression grave cache souvent un problème de santé sérieux.

La dépression se présente par un raisonnement dépréciatif ou négatif, une grande culpabilité, un manque d'appétit, une baisse des forces physiques et morales. La concentration devient difficile et les réactions sont lentes. Le malade éprouve une grande fatigue, des troubles digestifs, des maux de tête, une douleur lombaire, des troubles de sommeil.

Elle se manifeste également par des sentiments de tristesse, d'inutilité, de désespoir, de pessimisme, d'isolement, ou par un manque d'intérêt pour le travail et la famille. Ces troubles peuvent durer quelques heures, plusieurs jours, semaines ou mois. Ils atteignent leur sommet en fin de soirée. Quand la dépression se prolonge plus d'un mois, elle peut devenir par son intensité ou sa durée un véritable état pathologique.

Causes

Les psychiatres classent la dépression sous deux formes :

- *Exogène* (ou psychogène). Peut être causée par plusieurs facteurs externes : décès d'un proche, maladie chronique douloureuse, perte d'un emploi, divorce, séparation, soucis matériels.

- *Endogène*. Peut être attribuable à des troubles du métabolisme comme l'anémie, les troubles hormonaux (notamment à une déficience thyroïdiennes), à une carence en vitamines, à la toxicomanie.

Un dérèglement hormonal, des bouleversements endocriniens, certains médicaments, les somnifères et les contraceptifs peuvent favoriser la dépression. Les troubles de sommeil accompagnant la fibromyalgie, privant ainsi les patients de repos, peuvent manifestement faire sombrer ces derniers dans la dépression.

Traitement[1]

Une dépression persistante et non traitée peut être lourde de conséquences. Elle entraîne fréquemment une perte d'autonomie et crée un fardeau additionnel pour tous les membres de la famille. Une approche médicale et psychologique devrait être associée au traitement de ce symptôme.

Dans les cas de dépression mineure, les praticiens recommandent généralement des tranquillisants ou des somnifères. Dans des cas plus graves, ils prescrivent souvent des antidépresseurs sur plusieurs semaines. La psychothérapie individuelle ou de groupe est parfois indiquée lorsque la personnalité et les événements de la vie sont les principales causes de la dépression.

ENGOURDISSEMENT

Provoqué par une interférence des influx le long des nerfs sensitifs, ce symptôme concomitant à la fibromyalgie se manifeste par une perte de sensibilité dans une partie du corps. L'engourdissement se présente par des fourmillements dans les membres, accompagnés de picotements répétés qui correspondent à de faibles chocs électriques.

Dans le cas des patients fibromyalgiques souffrant d'une sciatique, la source de l'engourdissement prend racine dans les vertèbres lombaires pour irradier le long du nerf sciatique dans la cuisse, la jambe et le pied (voir Sciatique au chapitre 3 «Syndrome de la douleur chronique myofasciale»).

Un engourdissement est souvent provoqué par une interruption des impulsions nerveuses sous l'influence d'une mauvaise position dans laquelle un nerf se trouve comprimé. Lorsqu'il s'agit d'immobilisme, une diminution de la circulation sanguine en est la cause. Des gelures résultant d'un froid intense entraîne aussi l'engourdissement.

Un mauvais fonctionnement de la glande thyroïde (thyroïdite) est souvent la source de ce symptôme chez les fibromyalgiques (la thyroïdite est élaborée dans les pages suivantes). Accompagné d'une

---

1. La médication relative à la fibromyalgie, incluant les antidépresseurs, est élaborée au chapitre 6 « Traitement médical ».

sensation d'engourdissement et de fourmillements lorsque les doigts ou les orteils deviennent bleus, froids puis rouges en retrouvant leur sensibilité, ce peut alors être le syndrome du canal carpien ou la maladie de Raynaud. Cette maladie est expliquée ci-après.

Diagnostic et traitement

L'examen neurophysiologique peut révéler une altération sensorielle d'une région de la peau où aboutissent un nerf périphérique simple, plusieurs nerfs ou une zone sensitive dans le système nerveux central. Comme dans la sclérose en plaques, l'engourdissement peut être causé par une perte de sensibilité à un endroit quelconque du corps en raison d'une lésion des faisceaux nerveux.

En général, l'étendue de la région d'engourdissement peut révéler une lésion nerveuse. Dans ce cas, un tel diagnostic permet au médecin de prescrire un traitement approprié.

INTESTIN IRRITABLE

En plus des douleurs abdominales et des troubles du transit digestif, les patients fibromyalgiques éprouvent couramment des troubles de digestion causés par le syndrome de l'intestin irritable. Ce symptôme est généralement le siège d'une affection inflammatoire appelée « colite spasmodique », terme désignant les maladies de l'intestin grêle ou du côlon dont l'origine est inconnue. Les troubles de l'intestin irritable se manifestent à la fois par une constipation ou une diarrhée, ou par l'alternance des deux.

Sont inclus dans les malaises de l'intestin irritable des brûlures gastriques, des coliques, une pesanteur postprandiale (qui survient après les repas), des nausées, des maux de tête, des douleurs dorsales, de la fatigue, de fréquents bâillements, des palpitations et un manque d'appétit.

Causes

Selon le Dr Devin Starlanyl, elle-même atteinte de la fibromyalgie et du syndrome de la douleur myofasciale :

Les points déclencheurs de la douleur myofasciale des muscles du bassin et de la région lombaire, l'insuffisance d'apport sanguin attribuable à des troubles vasculaires, la fatigue chronique, les troubles du sommeil sont tous des pathologies susceptibles de désorganiser le fonctionnement normal de l'intestin. Les troubles du côlon irritable nuisent davantage à la production de sérotonine. Ces deux phénomènes aggravent la fibromyalgie qui, en retour, exaspère les mécanismes de l'intestin.

Prévention

L'intestin irritable impose un régime alimentaire qui exclut les épices, le café, le chocolat, le thé, les colas, les friandises et confitures, les aliments trop salés. En contrepartie, une nourriture riche en fibres alimentaires favorise la régularité des selles et stimule les contractions musculaires du côlon permettant d'évacuer plus rapidement les déchets potentiellement toxiques.

Puisque le lactose peut s'avérer un agent irritant pour l'intestin, on conseille d'éviter les aliments contenant du lactose comme le lait, la crème et la crème glacée, les fromages mous. Ces denrées sont de plus en plus offertes sans lactose.

- Éviter les aliments acides irritant davantage l'intestin.

- Choisir un régime alimentaire bien équilibré en diminuant les graisses.

- Supprimer les aliments produisant de la flatulence comme le chou, les choux-fleurs, les choux de Bruxelles, les oignons, le brocoli, etc.

- Augmenter sa consommation quotidienne de fibres alimentaires.

- Boire beaucoup d'eau, au moins 1,5 litre par jour.

- Utiliser au besoin un coussin chauffant sur l'abdomen.

- Prendre plusieurs petits repas légers plutôt qu'un repas copieux.

Traitement

Le traitement se limite à certains aliments et médicaments susceptibles de soulager ou d'atténuer les symptômes. L'hygiène alimentaire mérite une attention particulière en supprimant les aliments pouvant irriter un intestin capricieux. De leur part, les allergies ou les intolérances alimentaires amplifient manifestement les symptômes de l'intestin irritable (voir Allergie alimentaire et Intolérance alimentaire au chapitre 20 « Hygiène alimentaire »).

Des antiacides obtenus en vente libre et certains médicaments prescrits pour diminuer la production d'acide soulagent habituellement les malaises. Le Metamucil sans sucre, une texture lisse de fibres d'origine naturelle, s'est avéré efficace pour les personnes dont l'apport alimentaire en fibres est insuffisant. Pour activer la digestion, on conseille de boire une grande quantité de liquide, au moins deux litres par jour.

En cas d'aggravation, ou si les symptômes persistent, il est conseillé de consulter un gastro-entérologue.

MAL DE GORGE

Le mal de gorge accompagnant la fibromyalgie s'identifie à la pharyngite chronique dont les causes peuvent être nombreuses. Ce symptôme se caractérise particulièrement par une sensation intermittente de sécheresse et de boule dans la gorge.

Cause

Cette affection est souvent causée par le reflux gastro-œsophagien (décrit aux pages suivantes) qui est lié à la FM. D'autres facteurs peuvent entraîner un mal de gorge : une rhinite ou une sinusite chronique, une situation stressante, le contact avec des substances chimiques irritantes, le monoxyde de carbone, la poussière, les gaz toxiques, la fumée de cigarette et des polluants atmosphériques.

Traitement

À l'examen, on ne distingue qu'une simple rougeur pharyngée. Quand la cause est déterminée, le traitement du mal de gorge s'associe à des soins locaux : aérosols ou vaporisateurs anesthésiques-antiseptiques, gargarismes avec solutions salées. L'humidité et la chaleur ont un effet bénéfique sur les maux de gorge. On obtient une boisson apaisante en mélangeant le jus d'un demi-citron et une cuillerée à soupe de glycérine à une tasse d'eau chaude.

Les pastilles antiseptiques avec miel ou glycérine aident à soulager l'irritation et la sécheresse de la gorge. Certains gargarismes analgésiques, obtenus en vente libre, atténuent l'irritation. S'il s'agit d'une infection virale, le mal de gorge disparaît habituellement en une ou deux semaines. Les antibiotiques sont sans valeur thérapeutique sauf en cas de surinfection bactérienne.

Une consultation médicale s'impose si un mal de gorge persiste plus d'une semaine, ou s'accompagne d'une fièvre, d'une perte d'appétit. Ces signes pourraient masquer une affection plus grave.

MALADIE DE RAYNAUD

Cette pathologie se caractérise par une sensation brûlante aux extrémités des doigts et des orteils. L'exposition au froid entraîne généralement la contraction brutale des petites artères de leurs extrémités. Ainsi privées de sang, celles-ci blanchissent et deviennent engourdies. Cette maladie tient son nom du médecin français Maurice Raynaud (1834-1881) qui l'a décrite comme « un cas d'anoxie[2] locale des mains et des pieds ».

La vasoconstriction interrompant l'arrivée du sang dans les petites artères irriguant les extrémités cause cette affection. Les doigts s'avèrent plus souvent affectés que les orteils. Appelé « vasospasme », la maladie de Raynaud s'accompagne d'une sensation de picotement, d'engourdissement, de douleur et de froideur. Lorsque la circulation sanguine se rétablit, les doigts bleuissent, les douleurs s'accentuent pendant quelques minutes et la peau devient rouge.

Soulignons que dans la maladie de Raynaud, le trouble circulatoire atteint de façon régulière les doigts des deux mains et des deux pieds, alors que dans le Phénomène de Raynaud les dérèglements circulatoires n'affectent que les doigts d'une main ou d'un pied à la fois.

Causes

Les hypothèses sur l'origine de la maladie de Raynaud abondent. Des spécialistes en douleurs myofasciales estiment qu'elle est consécutive à un ensemble de symptômes provoqués par l'irritation

---

2. Anoxie : diminution de la quantité d'oxygène que le sang distribue aux tissus de l'organisme.

des points déclencheurs du muscle sous-épineux servant à produire un mouvement externe du bras, ou à la compression de la première côte et à la contraction du muscle scalène antérieur. La combinaison de ces points déclencheurs et de ceux des muscles du bras et de la main expliquerait pourquoi les personnes atteintes de cette maladie échapperaient involontairement des objets.

Des études indiquent qu'elle peut résulter d'une dysfonction des vaisseaux sanguins qui réagissent anormalement sous l'effet du froid. En réduisant la quantité sanguine des extrémités par la contraction des artérioles, le corps conserve sa chaleur. Or, quand le corps est exposé à une température froide, les mains et les pieds sont les premiers à perdre rapidement leur chaleur. La vibration d'outils électriques ou le maniement fréquent des claviers d'ordinateurs ou de pianos, par exemple, peut prédisposer à la maladie de Raynaud.

Traitement

Le traitement repose en premier lieu sur la prévention. Les patients doivent éviter l'exposition au froid, à la fumée du tabac (celui-ci agissant comme vasoconstricteur artériolaire) et les médicaments vasoconstricteurs. Des vêtements chauds, un foulard, des bas et des mitaines en lainage sont indispensables pour protéger les extrémités des membres en saison hivernale. À l'intérieur, des bas et des chaussures confortablement chauds conviennent bien.

Si les symptômes sont intenses, des vasodilatateurs sont généralement prescrits pour relâcher les parois vasculaires. Une sympathectomie (section des fibres nerveuses qui contrôlent le calibre des artères) est envisagée dans les cas graves.

MAUX DE TÊTE

Synonymes de céphalées, les maux de tête affectent en fréquences variables la plupart des fibromyalgiques adultes. Se présentant généralement par une douleur persistante, ce symptôme s'accroît par des crises intermittentes. Les points déclencheurs du muscle sternocléidomastoïdien (du cou) provoquent souvent ce symptôme (voir Maux de tête au chapitre 3 « Syndrome de la douleur chronique myofasciale »).

La migraine s'installe par l'action de composés chimiques sur les vaisseaux sanguins dans le cuir chevelu et autour du cerveau. La première phase d'un accès de migraine se caractérise par la constriction des vaisseaux sanguins entourant le cerveau. Au cours de la deuxième phase, les vaisseaux sanguins du cuir chevelu se dilatent et entraînent parfois de violents maux de tête. Cette contraction comprime les vaisseaux sanguins, entrave la circulation sanguine et stimule les nerfs.

Les maux de tête se classent en deux catégories principales :

- *Céphalées par tension ou par contraction.* Elles constituent le type de maux de tête le plus courant. On y fait allusion parfois en parlant de « tension nerveuse ». Elles sont souvent entraînées par une tension émotionnelle consécutive à l'inquiétude, la peur, l'anxiété ou la dépression. Les céphalées de tension sont également consécutives à des situations de stress prolongées, à l'hypertension artérielle, à une tumeur cérébrale, à un anévrisme cérébral ou à une méningite.

- *Migraine.* Quoique le stress constitue un facteur important, l'origine de la migraine suscite beaucoup d'hypothèses. Affectant environ 20 % de la population, plus fréquemment les femmes, les crises de migraine se présentent par des nausées et des vomissements, une sensibilité à la lumière, aux bruits et aux odeurs. Ce symptôme peut être consécutif à un dérangement visuel, une faiblesse musculaire, des étourdissements, un parler indistinct, un manque de stabilité, la confusion, une sensation de picotement dans les bras ou jambes.

Traitement

Des méthodes de traitement autres que les médicaments peuvent soulager certains maux de tête : étirer ou masser les muscles des épaules, du cou, du cuir chevelu ; éviter un environnement bruyant ou une pièce mal aérée ; prendre un bain chaud suivi du repos au lit, et si possible, dormir quelques heures.

Les spécialistes estiment que tous les maux de tête partagent un mécanisme semblable de traitement. Puisque les médecins ne savent pas à l'avance de quel type de mal de tête il s'agit, le traitement peut s'avérer difficile. En général, les soins appropriés pour apaiser les symptômes sont les mêmes qui calment la douleur. L'acupuncture est réputée pour réduire la fréquence et la durée de ce symptôme.

Il existe une panoplie d'analgésiques pour soigner les maux de tête. Les médicaments offerts en vente libre, tels que l'acide acétylsalicylique (Aspirine) et l'acétaminophène (Tylenol), demeurent des médicaments populaires pour les douleurs d'intensité modérée à élevée.

L'ergotamine est souvent prescrite pour traiter les crises d'intensité grave, pourvu qu'elle soit prise au début de la crise. Le sumatriptan (Imitrex) et les autres médicaments de la même classe, ainsi que le butorphanol (Stadol NS) sont des analgésiques nouveaux utilisés dans le traitement des maux de tête.

Il est conseillé de consulter un médecin si les maux de tête résistent au dosage distinct d'analgésiques. Il pourrait s'agir d'une autre maladie importante nécessitant des soins d'urgence.

PERTE DE COGNITION

Ce symptôme signifie une perte partielle de l'ensemble du processus psychique aboutissant à la mémoire et à la concentration. Dans cet état, le cerveau est en perte de faculté pour conserver certaines traces de l'expérience passée ou récente. Fréquent chez les fibromyalgiques, ce phénomène peut être attribuable à plusieurs déficiences biochimiques dans le sang de leur cerveau, incluant le tryptophane, la sérotonine, la mélatonine et le magnésium (voir au chapitre 4 «Anomalies biochimiques et physiologiques»).

Une personne adulte sur trois est éprouvée par les troubles de concentration et de mémoire à court terme occasionnés par la perte de cognition. Quand on entre dans une pièce pour une raison précise, mais qu'on ne sait plus pourquoi, cela peut être attribuable à une déficience de mémoire à court terme. Pareillement, lorsqu'on s'efforce de se rappeler d'un mot pour compléter une phrase, ou encore quand on perd le fil de sa pensée en parlant.

Les pertes de mémoire et de concentration éveillent une forme d'anxiété qui amène à se demander si ce symptôme ne présage pas une dysfonction psychique comme la maladie d'Alzheimer. Apparaissant à mi-âge, la perte de cognition présente au début des troubles de mémoire et d'autres problèmes de comportement. Soulignons cependant que les symptômes de concentration associés à la FM sont, à court terme, pathologiquement différents des symptômes de l'Alzheimer.

Normalement, la mémoire peut à la fois manipuler environ six parties d'information et de stimulus. Cependant, les patients aux prises avec divers symptômes associés à la FM qui s'efforcent pour accomplir leurs tâches quotidiennes, alors qu'ils souffrent d'insomnie, de fatigue et de douleurs, ne peuvent s'attendre à manipuler autant d'informations ou de stimulus. Toutefois, les pertes de mémoire occasionnelles sont normales. Elles font partie de la vie des gens de tout âge.

Conséquences

La perte de cognition peut entraîner de la difficulté à :

- apprendre et à retenir l'information ;
- se rappeler spontanément de certaines informations ;
- se rappeler du nom d'une personne connue, d'un mot commun, des événements de sa vie ;
- se concentrer sur une conversation ou à la suivre ;
- se concentrer sur la lecture ;
- se rappeler de l'endroit où l'on a placé un objet ;
- se rappeler momentanément d'une certaine activité à faire ;
- se souvenir d'événements exigeant de nombreux détails, comme les préparatifs d'un voyage, d'une réception.

Stratégies

Pour compenser la perte de mémoire ou de concentration, il suffit de développer des stratégies simples mais efficaces pour être en temps voulu à des rendez-vous, souligner des anniversaires et se rappeler de l'endroit où l'on range chaque objet ou article. Lorsqu'une fatigue intense et soudaine nous envahit, par exemple, dans un centre commercial bondé de clients, il est sage de s'arrêter sur-le-champ pour se reposer – sans quoi il pourrait survenir une perte de l'orientation, de l'équilibre, et peut-être même une crise de panique. Il est fortement conseillé de profiter de ce moment pour prendre une pause café et se détendre complètement avant de poursuivre ses activités.

Les conseils qui suivent contribuent à réduire la confusion :

- Organiser soigneusement les endroits où se rangent les divers articles.

- Toujours placer à leur place habituelle les articles importants, comme le porte-monnaie, les lunettes, les clés, les outils.

- Prendre soin de retenir l'endroit précis où l'on stationne la voiture.

- Écrire sur le calendrier ou à l'agenda tous les rendez-vous importants.

- Coller des notes « aide-mémoire » à des endroits stratégiques : sur la porte du réfrigérateur ou sur le volant de la voiture, par exemple.

- Placer près du téléphone une tablette de papier et un stylo.

- Écrire au préalable les sujets importants d'une prochaine conversation téléphonique.

- Répéter à maintes reprises une information à retenir.

- Se rappeler le nom d'une personne en l'associant à un ami du même nom.

- Placer à l'avance et bien en vue les médicaments à prendre plus tard dans la journée ou le lendemain matin.

- Ranger les divers papiers (factures, correspondance, abonnements, rapports d'impôts) dans des dossiers bien distincts dont les titres se suivent par ordre alphabétique.

Causes

Les pertes de cognition et de concentration peuvent être occasionnées par les effets secondaires de certains médicaments, notamment les tranquillisants du type benzodiazépines. Utilisés de façon prolongée, ils induisent parfois à une amnésie antérograde se manifestant par l'impossibilité de fixer de nouveaux souvenirs.

L'hypoglycémie (insuffisance du taux de glucose dans le sang), une dysfonction de la glande thyroïde, une déficience en vitamine B et en acides aminés, et le stress émotionnel sont des facteurs qui peuvent contribuer aux pertes de mémoire.

REFLUX GASTRO-ŒSOPHAGIEN

Appelé communément « reflux gastrique », le reflux gastro-œsophagien se manifeste par une régurgitation du contenu acide de l'estomac vers l'œsophage (tube reliant la gorge à l'estomac). Cette substance très acide provoque souvent des brûlures d'estomac, des régurgitations ainsi qu'un goût amer dans la bouche et la gorge. Survenant souvent après les repas, ce symptôme concomitant à la fibromyalgie se manifeste plus fréquemment en position couchée parce qu'il favorise la montée du reflux gastrique.

L'effort physique ou l'inclinaison du corps vers l'avant après avoir mangé peut provoquer une pression gravitationnelle suffisante pour activer le reflux de l'acide gastrique. Dans des crises plus longues, les douleurs peuvent irradier dans la poitrine et ressembler à une crise d'angine. En fait, certaines personnes se réveillent pendant la nuit à cause des douleurs causées par cette régurgitation. D'autres personnes éprouvent de la difficulté à avaler des liquides ou des aliments chauds, froids ou acides.

Causes

Le reflux gastro-œsophagien est causé par une dysfonction du sphincter musculaire (situé à la partie inférieure de l'œsophage), qui laisse le liquide gastrique remonter vers la gorge. Ce symptôme peut être associé à un ulcère ou à une hernie hiatale provoquant parfois de fortes douleurs abdominales, des brûlures d'estomac, et même de l'anémie chronique par saignement discret mais prolongé.

Prévention

- Éviter de boire avant le repas, mais boire avec modération pendant le repas.

- Prendre, à des heures régulières, des repas légers composés d'aliments susceptibles de réduire l'acidité, comme le riz, le poulet, le poisson, les céréales.

- Mastiquer longuement chaque bouchée.

- Éliminer les aliments frits ou gras, les plats épicés, les jus d'agrumes, le chocolat, le café, les sauces.

- Limiter les repas copieux, les boissons effervescentes, l'alcool.

- Ne pas fumer après le repas ; la fumée irrite la muqueuse de l'estomac.

- Éviter de manger un repas durant les trois heures précédant le coucher.

- Dormir la tête surélevée afin d'éviter le reflux nocturne.

Traitement

Le traitement comprend avant tout une transformation de l'hygiène de vie et une réduction du poids. L'application de compresses chaudes sur l'estomac améliore la circulation et provoque une détente musculaire dans cette région. Quand les symptômes persistent, les médecins prescrivent des médicaments antiacides contenant une substance alcaline, comme l'hydroxyde d'aluminium ou de magnésium, des neutralisants pour réduire l'acidité dans l'estomac. Aussi, certains médicaments agissent en inhibant la sécrétion d'acide dans le tube digestif.

Le reflux gastro-œsophagien permanent peut entraîner de sérieuses lésions de l'œsophage pouvant justifier une surveillance endoscopique. Un examen radiologique par lavement baryté permet de suivre le transit gastro-duodénal pour diagnostiquer le reflux du contenu gastrique. La chirurgie est parfois utilisée dans les sténoses graves de l'œsophage ou dans certaines hernies hiatales.

SYNDROME PRÉMENSTRUEL

Le syndrome prémenstruel comporte des troubles physiques et émotionnels qui apparaissent une semaine ou deux avant les règles. Il débute au moment de l'ovulation ou après et se prolonge jusqu'à la menstruation. Il affecte la majorité des femmes à un moment ou à un autre de leur vie. Certaines d'entre elles n'éprouvent qu'un léger désagrément alors que d'autres subissent différents malaises qui, parfois, perturbent considérablement leur vie professionnelle et sociale.

Les symptômes physiques les plus courants sont la fatigue, les troubles du sommeil, le gonflement des seins, les ballonnements abdominaux et les douleurs dans le bas ventre, une pesanteur pelvienne, des œdèmes aux chevilles et aux pieds, de la constipation ou de la diarrhée, des maux de tête, des éruptions cutanées, l'envie soudaine de nourriture sucrée ou les vertiges. Les signes psychologiques les plus fréquents accompagnant le syndrome prémenstruel incluent la difficulté de concentration, l'absence au travail, de l'agressivité, de la tristesse, des envies de pleurer.

Causes

Son origine est inconnue, cependant de nombreuses théories existent. Les modifications hormonales survenant au cours du cycle menstruel jouent manifestement un rôle important. Mais un déséquilibre entre les niveaux d'œstrogènes et de progestérone, ou des déficits en vitamines E et B_6 (pyridoxine) n'ont pas été confirmés.

Prévention

La relaxation, l'exercice léger, la marche, un régime alimentaire excluant le sel, la caféine, le chocolat, l'alcool et la prise de vitamine B_6, de magnésium ou d'huile d'onagre peuvent soulager. Les émotions étant amplifiées pendant cette période, on conseille d'éviter les situations stressantes.

Traitement

En abolissant les cycles menstruels, les contraceptifs oraux donnent parfois des résultats satisfaisants. La médecine préconise deux types de traitements, l'un symptomatique et l'autre hormonal:

- *Traitement symptomatique.* Il présente l'avantage de soulager la patiente, mais ne résout pas la cause première des malaises. Le médecin prescrit parfois des diurétiques pour les œdèmes et les ballonnements abdominaux, de la bromocriptine pour le gonflement des seins, des analgésiques pour les maux de tête. Des antidépresseurs sont parfois prescrits pour les états dépressifs.

- *Traitement hormonal.* Il consiste soit à inhiber la sécrétion ovarienne, soit à la supplémenter afin de stabiliser les taux d'œstrogènes et de progestérones tout au long du cycle menstruel. Dans les cas d'insuffisance ovarienne, le traitement peut reposer sur l'administration d'œstroprogestatifs sous forme de pilules contraceptives, de progestérone naturelle ou de synthèse.

SYNDROME DE SJÖGREN

Synonyme de «syndrome siccatif» ou de «syndrome sec», le syndrome de Sjögren se distingue par une sécheresse excessive des yeux, de la bouche et des lèvres, de la peau, de la gorge, du nez, du vagin. Il affecte un grand nombre de personnes fibromyalgiques âgées de 40 ans et plus.

Ce symptôme se manifeste par la diminution puis par l'arrêt de la sécrétion des glandes lacrymales, salivaires, trachéales, digestives et vaginales. Il peut en résulter une sécheresse généralisée des muqueuses avec inflammation de la cornée de l'œil et de la face postérieure des paupières (conjonctivite), une pharyngite sèche ou une rhinite.

Le trouble le plus marquant et le plus incommodant du syndrome de Sjögren est la kératoconjonctivite sèche (œil sec) qui cause des démangeaisons, une irritation et des brûlures à l'œil. Cette affection se manifeste également soit par une absence de larmes, par un larmoiement excessif (à l'exposition au froid, au vent, à l'air chaud, à la fumée) ou des démangeaisons au bord des cils. La douleur à l'ouverture des yeux le matin est typique, de même que l'incapacité de pleurer lors de réactions émotives. À un stade plus avancé, le sujet souffre d'une sensibilité excessive des yeux à la lumière (photophobie). Durant la nuit, heureusement, il y a régression.

L'atteinte des glandes salivaires se traduit par une sécheresse de la bouche, de la gorge qui gêne la déglutition ou par une voix rauque ou faible. Elle peut aussi provoquer des brûlures dans la bouche, des fissures aux lèvres et à la langue, et de l'inflammation aux gencives (gingivite). Une bonne hygiène dentaire est essentielle puisque le manque de salive augmente le risque de caries. Le symptôme de la bouche sèche peut en outre s'amplifier par l'usage d'antidépresseurs, de tranquillisants, de relaxants musculaires, d'antihistaminiques et d'antinauséeux.

L'origine du syndrome de Sjögren est inconnue. Mais sachant qu'il déstabilise le système de défense de l'organisme, des chercheurs croient que cette maladie auto-immune détruit les glandes qui produisent les sécrétions lubrifiantes. On l'associe à d'autres maladies auto-immunes, comme la polyarthrite rhumatoïde ou le lupus érythémateux disséminé. L'évolution est chronique, parfois modérément fébrile.

Recommandations

- Boire au moins huit verres d'eau par jour, mais en petites quantités à la fois.

- Prendre quelques gorgées d'eau avant d'avaler ses médicaments.

- Supprimer le plus possible les aliments épicés, salés et acides, ainsi que la caféine, l'alcool et le tabac.

- Éviter les rince-bouche commerciaux contenant de l'alcool et des essences irritantes.

Prévention

Se gargariser la bouche souvent demeure le traitement idéal de base. À cet égard, utiliser un gargarisme composé d'un quart de cuillère à thé de sel dans un demi-verre d'eau tiède pour soulager la sécheresse de la gorge et maintenir une hygiène buccale saine. Mâcher une gomme désignée pour accroître la salive, telle que la gomme Biotène sans sucre, qui active la sécrétion de salive dans la bouche et la gorge. Sucer un bonbon acidulé ou mouiller la bouche en utilisant un vaporisateur d'eau ou de la salive artificielle peuvent être efficace pour garder la bouche humide.

Traitement

Des gouttes ophtalmiques (larmes artificielles) permettant d'humidifier la surface de l'œil constituent le traitement de base. Les sujets atteints du syndrome de Sjögren éprouvent souvent des difficultés à porter des lentilles cornéennes. Les ophtalmologistes insistent pour que ces gens accordent une attention toute particulière à la stérilisation et au nettoyage des lentilles.

Selon le Dr Patricia Laughrea, ophtalmologiste au Centre hospitalier de l'Université Laval, des antihistaminiques, diurétiques, sédatifs, décongestionnants nasaux et même de simples analgésiques sont capables d'inhiber les larmes.

THYROÏDITE

Thyroïdite est le terme générique désignant toutes les inflammations de la glande thyroïde. Située devant le larynx (pomme d'Adam chez l'homme), la glande thyroïde sécrète les hormones thyroïdiennes riches en iode qui régulent toutes les fonctions métaboliques de l'organisme. Elle a pour fonction de réguler la température du corps, d'augmenter la consommation d'oxygène dans les tissus musculaires et de libérer la calcitonine qui maintient l'équilibre calcique.

Les principales hormones thyroïdiennes sont la trïodothyronine (T_3) et la tétraïodothyronine ou thyroxine (T_4) qui, ensemble, régularisent le métabolisme en augmentant la consommation cellulaire d'oxygène dans les tissus. Les chiffres 3 et 4 indiquent le nombre d'atomes d'iode de chaque molécule. Emmagasinées dans la glande thyroïde, ces hormones répondent en temps opportun aux besoins de l'organisme.

Essentielles pour le développement du système nerveux central, les hormones T_3 et T_4 stimulent la croissance, abaissent le taux de cholestérol, augmentent les effets des hormones corticosurrénales et accélèrent la sécrétion de l'insuline. Les troubles les plus courants sont l'hypothyroïdie ou l'hyperthyroïdie. Ces dysfonctions peuvent affecter littéralement chaque organe ou appareil de l'organisme.

- **L'hypothyroïdie**

Produisant les effets inverses de l'hyperthyroïdie, cette maladie insidieuse prend des années avant de se manifester clairement par des symptômes majeurs. Elle apparaît lorsque la glande thyroïde provoque une insuffisance d'hormones T_3 et T_4 dans le sang qui entraîne un ralentissement de tout le processus métabolique du corps. Sans cause apparente, elle peut survenir à tout âge.

L'hypothyroïdie peut résulter d'un ralentissement de la glande ou d'une insuffisance hypophysaire. Les symptômes précoces à l'âge adulte entraînent la léthargie et la faiblesse, un sentiment dépressif, la fatigue, la somnolence, des difficultés de concentration et d'élocution, un état de constipation opiniâtre et fréquent, les yeux bouffis, une diminution de l'ouïe, une plus grande sensibilité au froid, la peau sèche, une perte d'appétit. La voix de la femme devient parfois rauque.

Se manifestant par le durcissement des muscles, la rigidité des articulations, particulièrement au lever, l'hypothyroïdie ressemble à l'arthrite ou à du rhumatisme. Elle peut entraîner le goitre – une augmentation du volume de la glande thyroïde résultant d'une croissance anormale du tissu thyroïdien.

- **L'hyperthyroïdie (thyrotoxicose)**

Elle apparaît lorsque la glande thyroïde hyperactive produit des quantités excessives d'hormones thyroïdiennes T_3 et T_4 dans le sang. Les symptômes se manifestent par une perte de poids malgré un bon appétit, de l'agitation, de l'irritabilité, de l'insomnie ou un sommeil agité, une grande intolérance à la chaleur, de la moiteur des mains, de fortes transpirations, un rythme cardiaque rapide, des tremblements aux extrémités, de l'épuisement.

Généralement, la soif est plus intense et les mictions d'urine sont fréquentes mais peu abondantes. Chez les femmes, les anomalies menstruelles sont fréquentes, certaines peuvent devenir stériles. Parfois l'ovulation cesse, bien que les écoulements menstruels se poursuivent.

Traitement

Quelle qu'en soit la cause, l'hypothyroïdie est beaucoup plus facile à soigner que l'hyperthyroïdie, même si les traitements sont relativement les mêmes pour les personnes souffrant de l'une ou de l'autre.

Le traitement consiste habituellement en l'administration d'hormones synthétiques thyroïdiennes contenant de la lévothyroxine, souvent appelée «thyroxine» (Eltroxin, Synthroid, T_4), ou du méthimazole (Tapazole). La lévothyroxine prend une à deux semaines à évoluer, mais l'état d'équilibre hormonal chez la majorité des sujets n'est atteint qu'après quatre à six semaines. L'équilibre de ceux dont l'état d'insuffisance thyroïdienne est de longue date peut prendre jusqu'à six mois. Pendant un traitement à long terme, des examens périodiques du fonctionnement de la thyroïde sont nécessaires.

Selon le Dr Devin Starlanyl, auteure de *Fibromyalgia & Chronic Pain Syndrome*, le test sanguin thyroïdien que l'on obtient habituellement ne donne pas un résultat précis pour les patients souffrant du complexe de DC/SDM (douleur chronique et syndrome de la douleur myofasciale). Elle suggère aux fibromyalgiques une série de tests sanguins appelée «Tableau B_{12}». Ces analyses sanguines sont constituées de T_4 Total, T_3 Total, ainsi que du taux de TSH *(thyroid stimulating hormone)* provenant de l'hypophyse.

VESSIE IRRITABLE

Ce symptôme incommodant se caractérise par des contractions intermittentes et non maîtrisables des muscles de la paroi vésicale. Une vessie irritable risque d'entraîner une incontinence urinaire. Elle atteint un nombre important de femmes fibromyalgiques. Chez l'homme, une infection urinaire est toujours anormale; la plus fréquente se présente par un obstacle à l'évacuation de la vessie, laquelle peut être attribuable à une hypertrophie prostatique (prostate).

Différents irritants au niveau de l'urètre rendent ce canal fragile aux infections. Cela a pour effet de permettre aux bactéries de pénétrer dans la vessie et de déclencher l'infection. Les irritants en cause sont à peu près les mêmes que pour les champignons du type *Candida albicans*: savons parfumés, mousse de bain, l'eau des piscines, certains détergents.

Les infections de la vessie, mieux connues sous le terme de «cystite», sont fréquentes chez la femme. Les troubles occasionnés par une vessie irritable constituent un handicap fonctionnel psychologique et social important. En outre, ils peuvent entraîner des complications irréversibles: dilatation vésicale et rénale, infections répétitives, insuffisance rénale.

Les troubles de la vessie irritable se répartissent en deux grandes catégories:

- *Incontinence urinaire*. Elle est liée soit à une vessie hyperactive (responsable de l'action pressante d'uriner ou d'un besoin irrésistible d'uriner), soit à une insuffisance sphinctérienne. Cela peut se produire aussi bien après un éternuement qu'après un éclat de rire sans que le sujet éprouve le besoin d'uriner. C'est la perte involontaire d'urine ou une incontinence urinaire à l'effort. Pouvant survenir à tout âge, ce symptôme touche trois fois plus de femmes que d'hommes.

  La rééducation motrice des muscles pelviens est devenu le traitement de choix. Se faisant à l'aide d'exercices spécifiques et de stimulation électrique, cette technique donne de bons résultats.

- *Rétention chronique ou aiguë d'urine*. Cette catégorie de vessie irritable peut résulter d'une paralysie du muscle vésical (pouvant rendre les mictions lentes et pénibles) ou d'une mauvaise ouverture du sphincter durant la miction. Le sphincter est actionné quand la vessie est pleine, mais il peut être commandé par le sujet pour arrêter l'évacuation complète de la vessie.

Prévention

- Uriner chaque jour à des moments fixes, préférablement toutes les heures même sans envie.

- Puis, augmenter graduellement l'intervalle jusqu'à trois heures.

- Pendant la miction, arrêter une seule fois, puis continuer.

- Diminuer la consommation d'alcool et de caféine car ils irritent la vessie.

- Choisir un régime riche en fibres mais pauvre en calories afin d'éviter la constipation susceptible d'aggraver les troubles urinaires. Un excédent de poids provoque une plus grande pression sur la vessie.

Traitement

En matière de troubles urinaires, de nombreux praticiens estiment que la prévention prédomine les autres traitements. Certains d'entre eux dispensent à leurs patients des conseils analogues aux naturo-praticiens sur l'hygiène alimentaire et l'exercice approprié afin de renforcer les muscles du bassin et de l'abdomen.

La rééducation motrice des muscles pelviens s'est avérée un traitement efficace. Cette thérapie se fait généralement à l'aide d'exercices spéciaux (exercices de Kegel) et de la stimulation élec-trique (électrostimulation). Ce type d'exercices se pratiquent égale-ment en évitant d'aller aux toilettes pour uriner sans raison valable. L'urétropexie (remontage de la vessie) est de plus en plus réservé aux patientes chez qui les traitements non chirurgicaux n'ont pas donné de bons résultats.

Les graves troubles de la vessie irritable doivent être dépistés et traités par un urologue. Le traitement efficace d'une vessie hyper-active fait appel aux médicaments anticholinergiques. Ces derniers servent à améliorer le confort du sujet (disparition des fuites urinaires et du besoin pressant d'uriner), puis à empêcher la vessie de se déformer et les reins de se dilater. Les effets indésirables de ces médicaments sont la constipation et la sécheresse de la bouche.

12

Les causes probables

L'homme est absurde par ce qu'il cherche,
il est grand par ce qu'il trouve.

Paul Valéry

DEPUIS UN QUART DE SIÈCLE, plusieurs chercheurs ont avancé une multitude de théories pour éclaircir l'origine du syndrome de la fibromyalgie. Diverses causes probables sont pointées du doigt : une dysfonction du système immunitaire, des entérovirus, des bactéries, des réactions à l'environnement, des irrégularités dans les tissus musculaires, les stress de la vie moderne, entre autres.

Pour les spécialistes qui favorisent la thèse virale, une variété d'infections virales pourraient déclencher ce syndrome ; l'herpès, la mononucléose et le zona n'en sont que quelques exemples. Certains chercheurs croient que la fibromyalgie proviendrait d'un microbe, apparemment inoffensif, qui pourrait déstabiliser le système immunitaire. D'autres spécialistes pensent que des anomalies biochimiques ou physiologiques du plasma sanguin dans le cerveau des patients fibromyalgiques entraîneraient une dysfonction du système immunitaire. Amplifiant la confusion, bon nombre de rhumatologues considèrent la fibromyalgie comme une forme de rhumatisme non articulaire et non inflammatoire.

Dominée par la douleur musculaire et la fatigue chronique, la fibromyalgie est une maladie qui touche à peu près une personne sur 20 dans l'ensemble des pays industrialisés. Plus souvent diagnostiquée chez les Blancs et les Asiatiques, elle est plutôt rare chez les

Noirs. Aucune évidence physique n'a encore été détectée dans les tests cliniques, explique le Dr Laurence Bradley, Ph.D., qui a mené des recherches sur l'origine de la fibromyalgie à l'Université d'Alabama.

La fibromyalgie a longtemps été qualifiée comme une maladie d'ordre psychique. Toutefois, les résultats de diverses recherches ont réfuté à tour de rôle cette hypothèse en précisant que l'ensemble des problèmes psychosomatiques éprouvés par les patients fibromyalgiques sont le résultat et non la cause de la maladie.

Beaucoup de questions sur la fibromyalgie restent sans réponse. Bien qu'on connaisse la présence de plusieurs désordres biochimiques et physiologiques, les causes réelles de la douleur musculaire irradiante et de l'existence des points sensibles et des points déclencheurs n'ont pas été élucidées.

Néanmoins, pour démystifier ce syndrome complexe, des recherches scientifiques se poursuivent dans le monde entier. À la suite de diverses études menées chez des sujets fibromyalgiques, des spécialistes penchent de plus en plus vers des désordres de nature biochimique, immunochimique, virale et environnementale pour en expliquer les causes. L'espace manque dans le présent ouvrage pour aborder l'abondance des hypothèses qui ont été avancées sur la fibromyalgie depuis plusieurs décennies.

Les hypothèses les plus plausibles sont analysées dans les pages suivantes:

- Dysfonction du système immunitaire

- Anomalies musculaires

- Anomalies du débit sanguin au cerveau

- Déséquilibre biochimique

- Interféron alpha et le seuil de la douleur

- Origine virale

- Stress physique et émotionnel

- Sensibilité aux produits chimiques

DYSFONCTION DU SYSTÈME IMMUNITAIRE

La base de la prévention de l'organisme est le phénoménal système immunitaire. Lorsqu'il est sain, ce système peut lutter contre la maladie infectieuse comme il lutte contre les allergies, les toxines bactériennes, les virus et autres microbes, et contre les agents pathogènes de l'environnement. Ainsi, et grâce à son processus de défense, un ensemble de cellules et de protéines agissent en neutralisant ou en détruisant les micro-organismes infectieux et potentiellement nocifs pour protéger l'organisme.

Quelques jours et même quelques semaines sont parfois nécessaires pour que se développent une immunité acquise en réponse à une infection. Pendant cette période intermédiaire, des personnes peuvent être très malades, voire mourir.

Anomalies du système immunitaire

Dans certaines circonstances, le système immunitaire peut lui-même être la cause de la maladie ou d'autres infections nuisibles. Il arrive que les propres protéines de l'organisme soient identifiées à tort comme des antigènes. Agissant comme substances étrangères, ces derniers sont susceptibles de déclencher une réaction immunitaire en provoquant la formation d'anticorps.

Les bactéries, les virus, les champignons microscopiques, les parasites et les cellules altérées de l'organisme sont des antigènes. Bien qu'ils soient en général des substances étrangères à l'organisme dans le cas des maladies auto-immunes, c'est un élément même de l'organisme que celui-ci ne reconnaît plus comme propre à lui.

D'innombrables anomalies du système immunitaire ont été documentées par divers groupes de chercheurs. Par exemple :

- *Déséquilibre du ratio T-CD4/TCD8*, stimulant les cellules T_4 (auxiliaires) à chercher avec trop d'ardeur des corps étrangers, alors que les cellules T_8 suppressives (contribuant à la formation d'auto-anticorps) n'assument plus adéquatement leur rôle dans la tolérance immunitaire. Un déficit en cellules suppressives T_8 serait à l'origine des maladies auto-immunes.

- *Sous-activité des cellules tueuses naturelles* NK, dont le rôle est de détruire les cellules infectées. En l'absence d'anticorps, ces cellules sont capables de lyser (de lysine : substances anticorps) certaines lignes de cellules lymphoblastiques induites par un virus.

- *Un microbe bénin* provoquerait le système immunitaire qui, normalement, le chasse. Mais une fois le microbe détruit, le système continue de se développer en attaquant son propre organisme, notamment les vaisseaux sanguins et les muscles.

Maladies auto-immunes

On qualifie de maladies auto-immunes un ensemble d'affections provoquées par une réaction du système immunitaire d'une personne contre ses propres cellules et tissus comme s'ils étaient des corps étrangers. Les causes d'une telle dysfonction sont mal connues mais des facteurs génétiques sont mis en cause.

Des spécialistes estiment que les symptômes primaires de la fibromyalgie (la douleur musculaire, la fatigue chronique et les troubles du sommeil) se présentent comme des désordres des différents systèmes de l'organisme. Certains de ces spécialistes ont tendance à croire que la diversité des dysfonctions organiques en FM pourrait être à l'origine de certaines maladies auto-immunes. On croit qu'une maladie auto-immune peut toucher un seul organe ou une cellule particulière, ou bien s'attaquer à plusieurs systèmes comme dans le cas de la fibromyalgie.

Voici une liste des maladies que les spécialistes croient d'origine auto-immune.

- *Allergies :* réaction excessive de l'organisme au contact d'une substance agressive appelée «allergène». Celui-ci provoque une libération d'histamine qui se traduit par des symptômes : sensibilité aux aliments, aux allergènes (pollens, poussières, moisissures, squames [lamelles épidermiques] d'animaux), au stress extrême.

- *Anémie hémolytique* (maladie de Thompson) : une variété d'anémie hémolytique qui se traduit par la destruction de globules rouges.

- *Anémie pernicieuse:* anémie progressive caractérisée par une diminution du nombre de globules rouges.

- *Diabète sucré* lié soit à un déficit d'insuline, soit à une résistance de cette hormone favorisant une accumulation de glucose dans le sang.

- *Hépatite chronique active* dont le processus inflammatoire détruit progressivement certaines cellules du foie.

- *Infertilité auto-immune:* stérilité de l'homme (spermatozoïde) ou de la femme (ovule).

- *Lupus érythémateux aigu:* éruption de placards érythémateux siégeant au visage et aux mains.

- *Maladie d'Addison:* insuffisance surrénale chronique causée par la destruction des deux glandes surrénales.

- *Maladie de Basedow:* sécheresse de la glande thyroïde.

- *Maladie de Hodgkin:* affection cancéreuse des ganglions lymphatiques.

- *Mononucléose infectieuse:* infection virale dont la transmission se fait essentiellement par la salive, affectant surtout les adolescents et les jeunes adultes.

- *Myasthénie:* tendance excessive à la fatigue musculaire évoluant par poussées.

- *Pulpura thrombopénique idiopathique:* hémorragies cutanées (purpura) causées par des désordres vasculo-sanguins particuliers.

- *Syndrome de fatigue chronique* (analogue à la fatigue profonde accompagnant la fibromyalgie). Symptômes initiaux: infection de la partie supérieure de l'appareil respiratoire ou de la région gastro-intestinale.

- *Syndrome de Goodpasture:* présence dans le sérum d'anticorps antimembrane alvéolaire et glomérulaire (hémorragie).

- *Syndrome de Sjögren:* diminution de la sécrétion des glandes lacrymales, salivaires, trachéales, digestives et vaginales.

- *Thyroïdite d'Ashimoto:* diminution de l'activité de la glande thyroïde (voir Thyroïdite, au chapitre 11 « Symptômes concomitants à la fibromyalgie »).

- *VIH* ou *SIDA* (virus d'immunodéficience humaine): infection qui détruit le système immunitaire de sorte que l'organisme ne puisse plus combattre les infections dont il fait l'objet.

Fonctions du système immunitaire en fibromyalgie

Quelques découvertes intéressantes ont été faites en ce qui concerne les fonctions du système immunitaire en fibromyalgie. Les docteurs H.A. Smythe, de l'Université de Toronto, et son collègue H. Moldofsky avaient constaté entre 1972 et 1976 qu'ils pouvaient provoquer des symptômes de la FM en perturbant la phase profonde du sommeil de leurs patients.

Ils ont été les premiers à décrire l'intrusion anormale de la fréquence alpha dans la partie profonde du sommeil qui provoque un sommeil léger et non réparateur. Cette importante découverte deviendra 20 ans plus tard un facteur déterminant dans la symptomatologie de la fibromyalgie. Les découvertes de Smythe et Moldofsky ont démontré qu'un tel changement dans le sommeil de ces patients pouvait contribuer à une déficience du système immunitaire.

Par ailleurs, le chercheur Xavier Caro, M.D., de Northbridge, en Californie, a publié en 1984 un rapport sur le rôle du système immunitaire en fibromyalgie. Il y décrivait la présence dominante de protéines (76%) réagissant au système immunitaire dans la peau des patients fibromyalgiques, alors que les protéines étaient rarement présentes dans la peau des personnes en santé. Mais le phénomène des protéines, qui s'échappaient par les cloisons des vaisseaux sanguins pour s'accumuler dans les tissus environnants, avait souvent été décrit dans des maladies présentant une composante immunologique.

Le *Fibromyalgia Network*, de Tucson, en Arizona, a publié dans son bulletin de janvier 1994 les renseignements décrits par le Dr Caro sur le fonctionnement altéré des cellules destructrices naturelles chez 42 patients fibromyalgiques. Il a découvert que les sujets en santé avaient un niveau de cellules destructrices normales plus élevé que les patients fibromyalgiques. Selon ses observations, il y a trois raisons qui appuient cette découverte :

1. Les cellules destructrices peuvent elles-mêmes être en dérèglement.

2. Une ou plusieurs substances immunitaires peuvent dérégler leur fonctionnement, ou

3. Des agents provoquant l'action des cellules naturelles, comme l'interleukine-2 (substance plasmatique qui stimulent d'autres cellules responsables de l'immunité) ou l'interféron alpha, peuvent être diminués ou même absents. Notons que tous les interférons stimulent l'activité des cellules tueuses naturelles.

Certains cas de fibromyalgie ou de syndrome de fatigue chronique semblent avoir été consécutifs à un traumatisme physique, tel qu'un accident de voiture ou une chirurgie, ou à une autre infection comme une bronchite aiguë, une pneumonie ou une atteinte toxique.

Il est possible qu'un virus déjà présent mais inactif puisse être réveillé par un choc quelconque du système immunitaire. Par exemple, si une personne atteinte d'une mononucléose entre en contact avec un produit toxique, cette intoxication peut désarçonner le système immunitaire et permettre ainsi au virus Epstein-Barr de prendre le dessus et de s'installer de façon chronique.

ANOMALIES MUSCULAIRES

Calcification musculaire

Le Dr Hans Selye a remarqué chez des sujets, au cours de ses recherches sur le stress en 1975, une forme de calcification musculaire apparaissant sur certains tissus de leurs muscles qu'il nomma « calciphylaxie ». Cette anormalité dans les tissus musculaires se manifeste peu importe si l'agent stresseur est une maladie chronique, un important traumatisme d'ordre émotionnel, des blessures multiples ou des expériences stressantes consécutives selon le principe de « lutte ou fuite ».

Le phénomène de calcification ou de resserrement du fascia est commun chez les patients atteints de la douleur chronique musculo-squelettique. Quand une telle dysfonction se présente, les tissus s'épaississent et perdent leur élasticité. Ainsi, l'habileté des neuro-transmetteurs d'envoyer des messages au corps et d'en recevoir de lui est amoindrie, de sorte que cette fonction est anormalement interrompue.

Des spécialistes de la douleur musculaire résument ce phénomène en d'autres termes : le cerveau humain reconnaît en premier lieu ce qui le blesse. Par son arsenal chimique complexe, il peut endormir ce qui fait mal là où la douleur a un siège à peu près précis. En fibromyalgie, cependant, cet arsenal n'est pas aussi efficace pour dissimuler les sensations complexes de la douleur musculo-squelettique qui peut irradier d'un muscle à l'autre. Et même si le cerveau est le centre de contrôle de l'organisme, il se trompe quand il s'agit de ce type de douleur profonde dans le corps – un phénomène que les chercheurs n'ont pas encore résolu.

Microtraumas

Ordinairement, des microtraumas aux muscles surviennent au cours d'activités quotidiennes. L'organisme répare alors ces lésions légères et les muscles quand il se repose, principalement dans la phase profonde du sommeil. Dans le cas des patients fibromyalgiques, cependant, cette phase est constamment perturbée soit par l'interférence des ondes alpha, soit par un manque d'hormones de croissance.

Puisque le niveau d'hormones de croissance chez les fibromyalgiques est déficient, cela pourrait expliquer les raisons pour lesquelles les muscles endommagés se rétablissent plus lentement chez ces patients. Le résultat d'une étude présume que les cellules défectueuses des muscles diminueraient la quantité nécessaire d'oxygène, causant des sensations de douleurs similaires à celles que subissent les athlètes à la suite d'activités sportives vigoureuses.

On sait qu'un muscle blessé a tendance à se contracter et que cette contraction provoque la douleur. Des biopsies musculaires récentes ont révélé les anormalités qui suivent chez les sujets fibromyalgiques :

- *Hypoxémie* – faible quantité d'oxygène dans les tissus des muscles.

- *Phosphatase (phosphate)* – niveau abaissé des phosphates dans les muscles des points sensibles.

- *ATP* (acide *adénosine triphosphorique*) – niveau abaissé dans les biopsies des muscles, principalement dans les points sensibles du trapèze, ainsi qu'une énergie métabolique anormale dans les biceps des bras. Intervenant dans la contraction musculaire, l'ATP est la principale source d'énergie de l'organisme.

- *Anormalités mitochondriales* – ensemble des formations qui parsèment le protoplasma des cellules.

- *ADP* (acide *adénosine diphosphorique*) – niveau abaissé dans les biopsies des muscles. L'ADP intervient dans la contraction musculaire et dans les oxydations cellulaires.

- *Nécrose* – altération d'un tissu consécutif à la mort de ses cellules.

- *Hypertonie musculaire* – augmentation de l'excitabilité nerveuse ou de la tonicité d'un muscle se traduisant par une diminution de son élasticité et provoquant parfois un spasme ou une douleur musculaire irradiante.

Hyperirritabilité

Aucune recherche scientifique n'a encore expliqué la raison pour laquelle les douleurs musculaires sont amplifiées de façon régulière par les éléments suivants :

- *Variations barométriques*, c'est-à-dire des changements brusques de la température (baisse de pression atmosphérique, surtout), le froid, les orages de pluie ou de neige, le brouillard.

- *Irritabilité excessive* au bruit et à la lumière forte.

- *Intolérance marquée* au froid, aux courants d'air ou à l'air climatisé, aux produits toxiques, aux odeurs fortes (incluant les parfums), aux facteurs stressants.

ANOMALIES DU DÉBIT SANGUIN

Des scanographies SPECT (de l'anglais *Single Photon Emission Computed Tomography*) du cerveau, une technique d'imageries nucléaires effectuées chez des patients souffrant du syndrome de la fatigue chronique (SFC)[1] démontrent :

- que l'*exercice* provoque une forte baisse de la circulation sanguine et de l'activité du système nerveux central, aggravant leurs capacités déjà réduites. Des trous apparaissent là où il y aurait normalement de la circulation sanguine. Même 24 heures plus tard, le degré d'hypoperfusion était gravement réduit (Mena, Goldstein, 1990).

- une *hypoperfusion* (manque de circulation sanguine) très marquée dans les lobes temporaux, pariétaux et frontaux du cerveau, principalement l'hémisphère droit, qui empire nettement avec l'exercice (Mena, 1993).

Issue du deuxième congrès mondial sur la fibromyalgie en 1992, la Déclaration de Copenhague a inclus « l'intolérance à l'exercice » dans la liste des symptômes de la FM. Il est maintenant reconnu que l'exercice provoque la respiration superficielle ou l'hyperventilation chez les sujets atteints du SFC.

Utilisant de nouvelles technologies en imagerie cérébrale (angioencéphalographie), divers centres de recherche ont analysé les fonctions du cerveau chez les personnes atteintes de FM. En comparant ces résultats à ceux des témoins bien portants, les chercheurs rapportent des irrégularités constantes qui se caractérisent par des baisses du débit sanguin dans le cerveau de ces patients, principalement dans les tissus de la région du système limbique. Ce type d'anomalité biologique peut être attribuable à une dysfonction des vaisseaux sanguins du cerveau, laquelle causerait un manque d'oxygène dans les régions cérébrales engagées dans le processus des signaux de douleur provenant des tissus du corps.

---

1. The National Institute of Health a conclu en 1991 que le syndrome de la fibromyalgie est synonyme de syndrome de la fatigue chronique. Les symptômes de ces deux maladies sont physiologiquement les mêmes.

« Une sensation d'étourdissement se produit habituellement quand la pression sanguine devient trop basse dans le cerveau », rapportent les auteurs de *The Fibromyalgia Help Book* (Smith House Press, 1996). Des études indiquent que les sujets fibromyalgiques éprouvent de légères anomalies dans la fonction du système nerveux autonome, ce qui pourrait causer ce type d'étourdissement et de fatigue.

La recherche a été effectuée en attachant chaque sujet fibromyalgique sur une table inclinante. Placée d'abord à l'horizontale, la table était levée progressivement jusqu'à la position presque verticale. Après environ 15 minutes dans cette position, des sujets fibromyalgiques commençaient à se sentir étourdis – et quelques-uns se sont en fait évanouis.

Durant ce test, la pression sanguine prise à intervalles réguliers montrait un battement cardiaque plus bas que la moyenne chez les sujets fibromyalgiques. En outre, leur cœur ne réagissait pas à ce problème. Lorsque les sujets fibromyalgiques revenaient en position couchée normale à la fin de l'examen, certains d'entre eux présentaient une pression sanguine plus élevée que la normale, et leur niveau de sérum sanguin était nettement plus bas que la moyenne.

DÉSÉQUILIBRE BIOCHIMIQUE

Déficience en tryptophane

Le tryptophane, dont dérivent la sérotonine et la tryptamine, est l'un des acides aminés essentiels intégrés dans le groupe des substances chimiques indispensables au métabolisme et à la vie humaine. Sans le tryptophane, le corps est inapte à produire suffisamment de ces protéines essentielles provenant uniquement de l'alimentation.

Des études indiquent que la concentration moyenne du tryptophane est significativement plus basse dans le sérum sanguin des fibromyalgiques que dans celui des sujets en santé. Une déficience de tryptophane correspond directement à celle de la sérotonine expliquée ci-après.

Déficience en sérotonine

Dérivant du tryptophane, la sérotonine est présente dans de nombreux tissus de l'organisme, particulièrement dans le cerveau, les plaquettes sanguines et les muqueuses du tube digestif. Cependant, le niveau de cette substance aminée essentielle est abaissée dans le sang des fibromyalgiques. Cette déficience peut entraîner une dysfonction dans une variété de systèmes de l'organisme.

Selon le Dr Denis Phaneuf, microbiologiste à l'hôpital Hôtel-Dieu de Montréal :

> Une forte proportion de personnes souffrant de la fibromyalgie ou du syndrome de fatigue chronique développera l'une ou l'autre de ces deux maladies. Un déséquilibre chimique serait associé à ces maladies puisque les patients observés ont en commun un faible taux de sérotonine dans leur sang.

De récentes recherches dirigées par le Dr G.W. Waylonis, à l'Université de l'Ohio, confirment qu'il existe une déficience marquée de sérotonine ou de récepteurs de sérotonine, ou des deux, dans le système nerveux des fibromyalgiques. Une autre expérimentation effectuée par I. Jon Russell, M.D., Ph.D, de l'Université du Texas, à San Antonio, indique que les liens qui rattachent la sérotonine à la surface des plaquettes auraient une structure ressemblant aux neurones qui lient la sérotonine dans le système nerveux central.

Cette variable correspondait au nombre des points sensibles, c'est-à-dire plus la concentration de plaquettes de sérotonine était faible, plus le nombre de points sensibles augmentait chez les fibromyalgiques.

Déficience en cortisol

Appelée aussi «hydrocortisone», cette hormone stéroïde vitale à l'organisme est sécrétée par les glandes surrénales. Dotée d'une puissante action anti-inflammatoire et antiallergique, elle s'oppose à la formation des anticorps. En fibromyalgie, le niveau de cortisol est anormalement déficient selon les études récentes patronnées par le National Institute of Health (NIAM), un organisme fédéral américain coordonnant les recherches biochimiques sur la FM et la douleur musculo-squelettique.

Les sujets dont l'organisme produit une quantité inadéquate de cortisol présentent les mêmes symptômes que les personnes atteintes de fibromyalgie. Le NIAM espère que ces recherches permettront de mieux connaître la FM dans le but de découvrir de nouvelles méthodes pour soigner ce syndrome.

Déficience en magnésium

Le magnésium est une substance minérale essentielle intervenant dans de nombreuses et importantes réactions physiologiques de l'organisme. Une déficience en magnésium peut aggraver la fatigue chronique et provoquer des crises d'asthme, de la confusion, de l'insomnie, des troubles digestifs, pulmonaires et cardiovasculaires.

Une étude dirigée en 1995 par le Dr Daniel Clauw, à l'Université Georgetown, en Caroline du Sud, indique qu'une déficience en magnésium dans les muscles serait liée à la douleur chronique chez les patients fibromyalgiques.

Le Dr Clauw a évalué sur une base quotidienne plusieurs patients fibromyalgiques durant un mois. Chez certains d'entre eux, il a découvert que le magnésium fluctue significativement d'une journée à l'autre, particulièrement chez les femmes. Ces personnes avec un niveau intracellulaire abaissé dans les muscles ressentent plus de douleur. (Voir à ce sujet au chapitre 4 «Anomalies biochimiques et physiologiques».)

Excédent de substance P

Présente dans les tissus du système nerveux central, principalement dans le tube digestif, la substance P est une enzyme polypeptidique. Elle participe à abaisser la pression artérielle, à provoquer une vasodilatation périphérique et à augmenter le péristaltisme intestinal. Elle jouerait un rôle de médiateur chimique au niveau du système nerveux.

Le niveau de la substance P est doublé et même triplé chez les sujets fibromyalgiques. Cet excédent s'ajoute aux résultats de diverses recherches montrant que la circulation sanguine du cerveau est plus faible chez les patients fibromyalgiques, particulièrement dans les segments transmettant la douleur. Ce phénomène peut provoquer des épisodes transmissibles de la douleur à travers l'organisme.

À ce sujet, le Dr Bradley souligne :

> Si les centres de la douleur ne fonctionnent pas de façon efficace, ils ne peuvent inhiber la transmission de la douleur correctement. En d'autres termes, chez les personnes en bonne santé, ces centres de la douleur gardent fermées les « portes » de la douleur. Mais, chez les patients fibromyalgiques, nous voyons de façon constante des niveaux très bas du seuil de la douleur – des niveaux deux à trois fois plus bas que les bien-portants.

INTERFÉRON ALPHA ET LE SEUIL DE LA DOULEUR

Le Dr Gregg Middleton, attaché à la Texas Southwestern University, à Dallas, a étudié l'action des interférons chez les patients fibromyalgiques. Il a appuyé sa recherche sur la possibilité que le déversement de cytokynes, particulièrement les interférons alpha (médiateur permettant à certaines cellules de communiquer entre elles), par l'organisme pourrait être lié au développement de la douleur musculaire chez les fibromyalgiques. Les interférons sont un groupe de protéines (alpha, bêta et gamma) produites naturellement par les cellules infectées par un virus qui inhibent la reproduction virale à l'intérieur des cellules saines.

Le Dr Middleton croit que ce facteur pourrait contribuer à mieux comprendre l'augmentation de la fréquence de la fibromyalgie dans les maladies auto-immunitaires où l'on a observé des taux élevés de cytokynes. La prévalence de la fibromyalgie dans la population en général est d'environ 5 %. Elle augmente de 15 % à 40 % chez les patients atteints en outre de lupus ou d'arthrite rhumatoïde.

Le traitement des patients cancéreux avec l'interféron alpha s'est révélé une cause de symptômes quasi identiques à la fibromyalgie. Treize patients avec des infections chroniques d'hépatite C ont été évalués pour la FM après quatre semaines de thérapie à l'interféron alpha. On a observé une diminution marquée du seuil de la douleur chez ces patients ainsi traités.

À la suite de cette découverte, l'American College of Rheumatology a conclu que l'interféron alpha lui-même ne cause probablement pas la fibromyalgie, mais peut augmenter la susceptibilité d'une personne à développer la FM en abaissant le seuil de la douleur.

ORIGINE VIRALE

Les entérovirus

La famille des entérovirus (communément appelé « rétrovirus ») comprend les virus Coxsackie, Poliovirus, Échovirus et l'hépatite A.

Le Dr Byron Hyde, fondateur de la Fondation Nightingale, à Ottawa, qui a découvert des parallèles étroits entre le syndrome de la fatigue chronique et la polio (voir tableau 12.1), rappelle le début des recherches sur les rétrovirus :

> Quand j'étais étudiant en médecine il y a 25 ans, et jusqu'au début des années 1980, il y avait une croyance aveugle que les rétrovirus ne pouvaient pas infecter les humains. Dans la courte période entre 1983 et 1985, lorsqu'on a découvert les séries de rétrovirus humains VHTL et VIH, il est devenu apparent que les rétrovirus étaient non seulement capables de rendre les humains malades, mais que ces maladies rétrovirales causaient de toute évidence un désastre absolu au niveau personnel et de la santé publique.

Les recherches se poursuivent et selon le microbiologiste Denis Phaneuf :

> Des études suggèrent que plusieurs virus ou certains traumatismes pourraient aider à déclencher la fibromyalgie ou le syndrome de fatigue chronique chez une personne prédisposée. Également étudiée en profondeur est l'hypothèse de la déficience de certains neurotransmetteurs qui joueraient un rôle prépondérant dans la régulation de la phase du sommeil profond. À l'aide d'électroencéphalogrammes enregistrés pendant le sommeil, on remarque des ondes anormales montrant qu'il y a une perturbation du sommeil profond ou du sommeil réparateur pouvant amplifier la douleur et aggraver la fatigue. La maladie pourrait se manifester à la suite d'une opération, d'une ou plusieurs infections virales consécutives, d'un traumatisme qui viendrait perturber l'équilibre d'une personne fragile.

Même si l'on ne soupçonne plus la polio depuis l'immunisation en 1955, le Dr Hyde croit qu'une forme non paralysante de la polio continue d'agir clandestinement.

> Le vaccin nous protège contre la polio paralytique puisqu'il détruit les hormones des cornes antérieures de la moelle épinière qui communiquent le mouvement aux muscles. Mais la polio et d'autres entérovirus peuvent

s'attaquer à d'autres parties du système nerveux central, telles que les cornes postérieures de la moelle épinière qui transmettent les sensations de la douleur au cerveau.

Tableau 12.1

Expériences scientifiques sur la cause virale du syndrome de fatigue chronique

1. *Entérovirus unique.* Virus appartenant à l'un des groupes suivants : les Poliovirus (Gilliam A.G., 1938), les virus Coxsackie (Calder et Warnock, 1984).
2. *Entérovirus multiples.* L'un ou des virus cités ci-avant (Behan P.O., 1988).
3. *Précurseur + entérovirus multiples.* Il s'agit d'une atteinte immunitaire initiale, suivie de l'infection causale par un des entérovirus ; cette atteinte immunitaire initiale peut être une infection du même groupe de virus, ou d'un groupe différent ; elle peut être aussi une atteinte non virale du système immunitaire (Hyde B., 1989).
4. *Herpèsvirus unique.* La maladie ne serait causée que par l'un des herpès-virus suivants : virus Epstein-Barr, cytomégalovirus, herpèsvirus humain 6 ou de la roséole infantile (HHV6), virus d'Inoue-Melnick, virus zostérien ou de la varicelle (Jones F.G. *et al.*, 1985 ; Tosato G. *et al.*, 1985 ; Strauss S.E. *et al.*, 1985).
5. *Herpèsvirus multiple.* L'un des herpèsvirus précédents serait capable de provoquer le SFC.
6. *Rétrovirus :* un rétrovirus différent du virus du syndrome d'immuno-déficience acquise (SIDA), mais d'action comparable, lequel provoquerait le SFC (Young A.J., 1989 ; Ablashi D., 1989).
7. *Précurseur commun.* Il existe un précurseur commun entre le SIDA et le SFC qui pourrait être le HHV6, un autre virus ou un germe d'apparence virale encore inconnu (Young A.J., 1989).

Source : Dr Byron Hyde.

Pendant que le SFC atteignait un niveau épidémique au Canada en 1984, les laboratoires du ministère de la Santé de l'Ontario enregistraient une hausse très importante des entérovirus, surtout les Coxsackie B5, les échovirus 11, et les Polio 3. Leur hausse marquée est comparable à l'épidémie canadienne de 1984-1987. Un des épicentres avait frappé Montréal le jour de la fête du Travail en 1984. Le SFC s'est vite propagé jusqu'à Kingston.

Le virus herpès

Dès le début de l'épidémie, les chercheurs américains ont cru avoir affaire à une infection chronique d'Epstein-Barr, le virus causant la mononucléose infectieuse. Par contre, depuis le symposium international immunologique tenu à Atlanta en 1987, cette théorie s'éclipsa. On a alors soupçonné d'autres virus de la famille herpès, soit un virus cytomégalovirus ou le virus herpès humain 6.

Plusieurs virus différents peuvent causer la FM ou le SFC, estime le Dr Hugh Fudenberg, neuroimmunologue en Caroline du Sud. Les symptômes de ces deux maladies ne sont pas liés au virus herpès en tant que tel, mais plutôt au dérèglement immunologique qui résulte d'une stimulation antigénique persistante provoquée par un virus. Tel un rhume, ces maladies peuvent être déclenchées par un grand nombre de virus qui suscitent des réactions similaires du corps humain. Dans ce cas, des virus doivent être puissants pour endommager le système nerveux central et le système immunitaire.

Maladie de Lyme

La maladie de Lyme[2] (MdL) est une affection infectieuse articulaire, neurologique et cardiaque, dont l'agent est une bactérie transmise à l'homme par une piqûre de tique.

Parallèlement aux recherches sur le syndrome de la fatigue chronique, dont l'origine est hypothétiquement considérée comme une affection virale, les études sur la fibromyalgie ont plutôt été concentrées sur la douleur et les tissus musculaires. Et même s'il n'y a pas d'évidence directe d'une cause virale en FM, de récentes études suggèrent que certaines infections peuvent causer la fibromyalgie (Sigal, 1990 ; Nash, Chard, Hazleman, 1989).

À la suite de ces observations, la maladie de Lyme associée à la fibromyalgie comporte un intérêt particulier. Deux cliniques américaines se spécialisant dans la maladie de Lyme ont rapporté que la fibromyalgie et le syndrome de la fatigue chronique seraient des séquelles de la maladie de Lyme (Sigal, 1990 ; Steere *et al.*, 1993).

---

2. Maladie de Lyme : parasite se nourrissant de sang, pouvant aussi piquer l'être humain et transmettre diverses maladies infectieuses.

Les conclusions de ces rapports cliniques suggèrent ceci :

- Entre 25 % et 45 % des patients dirigés vers des cliniques MdL sont atteints de la fibromyalgie.

- Une moyenne élevée de patients diagnostiqués à tort comme atteints de la MdL s'est avérée appartenir au groupe FM/SFC.

- 84 des 156 patients (54 %) déjà atteints de la MdL souffraient en plus d'une autre maladie qui a été diagnostiquée FM/SFC par l'équipe de Steere (« The Overdiagnosis of Lyme Disease », *JAMA* 269:1812-1816, 1993).

- La plupart de ces patients ont développé les symptômes de FM/SFC en même temps que la maladie de Lyme ou peu après celle-ci.

VIH

VIH signifie « virus d'immunodéficience humaine ». Ce virus est responsable du SIDA. Présente dans 20 % des cas de VIH, la fibromyalgie est, selon plusieurs études, la plus prévalente des infections musculo-squelettiques du VIH. La dépression est plus intense et dure plus longtemps chez les patients atteints de fibromyalgie VIH que chez les sujets souffrant uniquement du VIH (Buskila *et al.*, 1990 ; Simms *et al.*, 1992).

Le sida, dont la première manifestation remonte à 1981, est la phase grave et tardive de l'infection par le VIH 1 et 2. Ces derniers détruisent les globules blancs, les lymphocytes T4, ou CD4, qui constituent la base active de l'immunité anti-infectueuse. Cette destruction provoque ainsi une déficience du système immunitaire.

STRESS PHYSIQUE ET ÉMOTIONNEL

Depuis les études sur le stress du Dr Hans Selye, à l'Université de Prague puis à l'Université de Montréal, des médecins ont observé que les troubles de santé sont souvent le résultat d'un stress prolongé. Quand une personne subit des périodes successives de stress provoqué par des relations difficiles et insurmontables, les capacités d'adaptation du corps s'épuisent inévitablement.

Le stress provoque de profondes altérations dans le métabolisme de l'organisme. Les modifications chimiques circulent en permanence entre les systèmes immunitaire et neurovégétatif. Deux systèmes principaux interviennent dans les réactions aux facteurs de stress :

- *Système endocrinien.* Il sécrète de la cortisone (hormone de la glande surrénale).

- *Système nerveux.* Sa stimulation aboutit à la sécrétion d'hormones catécholamines, notamment l'adrénaline. Cette réaction est très rapide et assez brutale.

La fibromyalgie, le syndrome de fatigue chronique, l'arthrite rhumatismale et le lupus sont des maladies que certains spécialistes lient aux perturbations émotionnelles entraînées par des événements stressants.

SENSIBILITÉ AUX PRODUITS CHIMIQUES

Incommodés par de multiples hypersensibilités chimiques, les patients fibromyalgiques développent fréquemment des réactions négatives dès qu'ils sont exposés à des substances toxiques. Plusieurs signes cliniques d'hypersensibilités chimiques ressemblent à la FM, confirme le Dr Daniel Clauw. Dans une étude pilote faite sur 60 patients fibromyalgiques, il a mesuré la prédominance des hypersensibilités chimiques multiples ; 33 % de ces sujets rencontraient les critères de classification publiés relativement à ces substances.

Dans ce groupe, les substances chimiques les plus nocives incluaient le tabac, les gaz d'échappement des automobiles, la poussière, les médicaments, les produits de nettoyage, la peinture. Quand les critères pour les multiples sensibilités chroniques étaient présents chez des fibromyalgiques, en comparaison à ceux qui en étaient exempts, il n'y avait aucune différence dans la description des autres symptômes (la douleur, la fatigue, la raideur matinale, les maux de tête, la difficulté de concentration, le gonflement abdominal...). Le Dr Clauw a conclu que les hypersensibilités chimiques pourraient être cliniquement reliées et que la FM pourrait être consécutive à une hypersensibilité à divers types de stimuli du système nerveux central.

Intolérance aux médicaments

Des études ont aussi montré que beaucoup de fibromyalgiques sont régulièrement incapables de tolérer des médicaments utilisés pour le traitement de la maladie et de ses symptômes.

En analysant ce phénomène, le Dr Clauw a étudié deux systèmes d'enzymes différents impliqués dans le métabolisme de produits chimiques étrangers dans le corps, incluant les médicaments utilisés. Il croit que l'hyperactivité du système nerveux central pourrait être une explication plausible concernant des réactions à divers médicaments observées chez les fibromyalgiques, compte tenu de leur hypersensibilité à diverses sources environnementales comme le bruit, l'odeur et les stimuli de la lumière vive.

CONCLUSION

Indépendamment du débat immuable entre physiologistes et psychologues sur la nature de la fibromyalgie et du syndrome de la fatigue chronique, des endocrinologues, infectiologues, neurologues, virologues et microbiologistes concourent vers le même but pour trouver, dans une longue liste de suspects, l'authentique coupable qui propage un véritable désordre physiologique dans tout l'organisme des patients qui sont victimes de ces deux maladies douloureuses et invalidantes.

Les chercheurs en étiologie sont évidemment conscients qu'au moins une trentaine de nouvelles maladies infectieuses, dont le sida, sont apparues au cours du dernier siècle. Soulignons toutefois que l'usage répété d'antibiotiques durant cette période a permis à certaines bactéries de développer une résistance féroce aux effets spécifiques de ces médicaments. C'est ce qui s'est produit pour un grand nombre de patients fibromyalgiques qui ont été contraints d'utiliser au cours de leur vie une grande variété d'antibiotiques pour traiter une diversité d'affections infectieuses répétitives. Par conséquent, l'origine de la fibromyalgie pourrait fort bien s'avérer une maladie bactérienne capable de déstabiliser l'ensemble des fonctions du système immunitaire.

Le réputé biologiste américain, Paul Ewald, spécialiste dans l'évolution des microbes et des maladies infectieuses, évoquait récemment dans *The Atlantic Monthly* :

Quand une maladie courante n'a pas de causes génétiques ou environ-nementales, c'est qu'elle est causée par des microbes. La schizophrénie, le diabète juvénile, la dépression grave et la maladie d'Alzheimer pourraient également être causées par des microbes. Toutefois, on estime que seulement 0,4 % de toutes les espèces de bactéries existant sur la terre ont été répertoriées.

Récemment, le Dr Leslie O. Simpson, de la Nouvelle-Zélande, révélait que des cellules sanguines déformées nuisaient à la circu-lation sanguine des patients atteints de fibromyalgie ou du syndrome de fatigue chronique. Après avoir analysé 2 000 échantillons sanguins, il a trouvé que 80 % de ces patients montraient des cellules qui étaient rigides plutôt que flexibles. En empêchant le sang de circuler normalement, cette anomalie réduisait de façon marquée le niveau normal d'oxygène nécessaire dans l'organisme pour produire l'énergie vitale. Cette dysfonction pourrait expliquer, par exemple, la grande fatigue qui accompagne ces deux syndromes.

Dans son bulletin de mars 1999, l'Association québécoise de l'encéphalomyélite myalgique ou du syndrome de fatigue chronique (AQUEM) levait le voile sur une découverte récente concernant une cardiomyopathie infectieuse. Assisté de ses collègues, le Dr Martin Lerner, infectiologue de l'Hôpital William Beaumont et de l'Université Wayne State, annonçait que le SFC/EM peut être causé par une infection persistante du cœur, provoqué par un virus de type herpès. Tous les patients atteints de ce syndrome démontraient une fonction ventriculaire gauche affaiblie. Cette étude renforce la conviction de certains chercheurs selon laquelle l'exercice le moindrement rude est dommageable pour les patients fibromyalgiques et le SFC/EM. Deux virus, seuls ou associés, le Cytomégalovirus et l'Epstein-Barr, seraient responsables de l'infection en attaquant le tissu fibreux cardiaque.

Il ne faut pas s'attendre à ce que l'on soit fixé avant plusieurs années sur la véritable étiologie de la fibromyalgie. Cette maladie pourrait avoir plusieurs origines plutôt qu'une seule. Toutefois, un fait tangible émerge de cette énigme scientifique : les connaissances acquises par les chercheurs sur la fibromyalgie permettent de préciser de mieux en mieux l'identité du syndrome de fatigue chronique.

13

Répercussions psychologiques

Les souffrances du corps entraînent l'affliction de l'âme –
une affliction encore plus difficile à supporter.

Anonyme

NOUS AVONS VU aux chapitres précédents que les points sensibles de la fibromyalgie et les points déclencheurs du syndrome de la douleur myofasciale pouvaient se diffuser dans tous les muscles du corps. Quand la fatigue chronique, les troubles du sommeil et un palmarès d'autres symptômes accompagnant la fibromyalgie sont combinés, les périodes de rémission ou d'accalmie sont de courte durée pour les patients. Des souffrances quasi constantes prédominent leur vie quotidienne. Puisque l'origine de la FM n'est pas connue, la menace omniprésente de souffrir de cette maladie leur vie durant est fort préoccupante.

Les qualificatifs manquent pour décrire ce genre d'affliction qui contraint les patients à s'ajuster constamment aux courtes périodes d'accalmie. Avant d'être frappés par la fibromyalgie, ils étaient des personnes entreprenantes et actives qui poursuivaient des objectifs et réalisaient des projets. Mais depuis, ils doivent affronter une maladie persistante qui s'acharne à leur rappeler à tout moment qu'ils sont prisonniers à vie d'une incapacité physique déconcertante.

Le tableau 13.1 donne un aperçu contrastant des caractéristiques de l'état de santé d'un bien-portant par rapport à celui d'un patient fibromyalgique.

Tableau 13.1

Comparaison entre la santé d'un bien-portant et celle d'un patient fibromyalgique

État de santé d'un bien-portant	État de santé d'un patient fibromyalgique
Confiance, détermination	Incertitude, hésitation, indécision
Indépendant, autonome	Assujetti, dépendant, résigné
Capable de poursuivre ses objectifs	Objectifs mis de côté ou abandonnés
Énergique, résolu	Incapacité physique, incertain, indécis
Exempt de douleur et autres troubles de la santé	Souffre chroniquement de douleurs, de fatigue et autres symptômes
Sensation de bien-être physique et psychologique	Souffrances permanentes se traduisant par une vie misérable
Mobilité normale	Mobilité restreinte
Fonctionnement normal de l'organisme	Troubles de fonctionnement des divers systèmes de l'organisme
Optimisme naturel	Pessimisme face à la vie
Libre de voyager, de participer à des événements ou activités de loisir	Incapable de voyager ou de participer à des événements sociaux ou de loisir
Certitude et assurance	Incertitude, doute
Capacité d'assumer des fonctions sociales et communautaires	Incapacité d'assumer toute fonction sociale ou communautaire
Exempt de soins médicaux	Rapports fréquents avec des médecins; effets nuisibles des médicaments
État de bien-être avec les autres	Tendance à s'éloigner des autres et à se replier sur soi
Peut envisager l'avenir avec assurance	Envisage l'avenir avec incertitude et angoisse

ADAPTATION DIFFICILE AUX DOULEURS

Des recherches menées auprès de 201 patients fibromyalgiques par Tamara Tiller, vice-présidente de l'Association de la fibromyalgie, à Washington, DC, révèlent des particularités intéressantes de cette maladie chronique.

> Une des difficultés que rencontre le patient fibromyalgique auprès d'autres personnes est celle de ne pas être reconnu comme une personne malade parce que les symptômes ne paraissent pas. Mais en les regardant de près, on peut détecter les traits tirés de leur visage, les cercles noirs sous les yeux, une pâleur faciale, une raideur corporelle, une posture alternant entre la position debout et la position assise.
>
> De nature fière, ils ont de la difficulté à se reconnaître entre eux-mêmes. Par convention sociale, ils se sentent obligés de s'habiller de façon attrayante, de parler gentiment aux autres et de se comporter correctement. Si vous êtes une victime de cette maladie, vous vous êtes peut-être demandé au cours d'une réunion de la fibromyalgie : « Est-ce possible que tous ces gens souffrent des mêmes symptômes incapacitants que moi-même ? Sont-ils vraiment tous atteints de cette maladie déconcertante ? »

Les fibromyalgiques admettent qu'ils n'arrivent pas à s'ajuster aux périodes de douleurs musculaires ou de fatigue chronique qui les rendent inefficaces dans leurs activités familiales et sociales. De nature entreprenante, ils s'identifiaient auparavant à l'initiative et à l'autosuffisance. Après le diagnostic, leur comportement et leur vie ont complètement changé.

Bien que la fibromyalgie suscite beaucoup de douleurs, le surmenage ne cause pas nécessairement la fatigue. Celle-ci peut survenir n'importe quand et n'importe où, voire dans des périodes de détente. Transporter des sacs d'épicerie à la maison, monter un escalier, nettoyer les vitres, passer la vadrouille, tondre le gazon sont des activités quotidiennes très épuisantes pour ces personnes qui n'ont pas de résistance.

L'IMPRÉVISIBILITÉ DES SYMPTÔMES

La fibromyalgie ne suit pas le cours normal des maladies usuelles où les patients éprouvent un soulagement progressif qui annonce de longues périodes d'accalmie. En comparaison, l'état de santé des fibromyalgiques est plutôt fluctuant et incertain, avec de fréquentes périodes erratiques d'exacerbation, de courts moments de rémission et de rechute.

> Lorsqu'une crise aiguë de douleurs musculaires survient, nous avons peu de temps pour nous ajuster à l'incapacité physique qu'elle provoque. Il est manifestement difficile d'accepter ce genre d'handicap divergent d'une durée imprédictible. Les restrictions qui nous sont ainsi imposées entraînent un état de frustration qui aggrave les autres symptômes. (M. Guité)

L'instabilité des symptômes chroniques en fibromyalgie est un ensemble de déceptions qui désorganise la gestion du temps. «Bons jours» ou «mauvais jours», les patients ne savent pas quand et comment l'un des symptômes surviendra. Cette énigme entraîne un profond climat d'incertitude et rend impossible la planification de toute activité.

En conséquence, ils éprouvent un sentiment d'impuissance que leur impose un train de vie instable. Or, ils doivent quotidiennement s'ajuster à l'incertitude des crises de douleurs ou de fatigue, de la perte de mémoire et autres malaises préoccupants. Durant ces périodes imprévisibles, leurs responsabilités sont très difficiles à assumer.

PÉRIODES D'EXACERBATION

La nature imprévisible d'une crise de douleurs, frappant de pleine force un patient déjà importuné par les autres symptômes, rend la maladie encore plus difficile à supporter. Les activités quotidiennes demandant le moindre effort physique sont négligées; celles nécessitant un minimum de concentration sont mises de côté, toute visite ou activité sociale sont abandonnées.

En outre, les autres symptômes accompagnant la fibromyalgie particulièrement la fatigue, les troubles de sommeil, les troubles de l'intestin irritable, les douleurs menstruelles, pour n'en souligner que quelques-uns, reflètent des cicatrices socialement honteuses qui condamnent indûment beaucoup de patients. Dans ce contexte, ils viennent à croire qu'il est «socialement incorrect» de manifester ou d'extérioriser leurs troubles de santé.

La crainte que la maladie puisse s'aggraver est omniprésente. Mais c'est surtout par des crises de douleurs aiguës puis par de courtes périodes de rémission que la fibromyalgie rend le patient incertain de son présent et de son futur. Accompagnant souvent des périodes de dépression, la peur et l'incertitude face à l'avenir peut susciter des pensées suicidaires.

Cette appréhension amènera le patient fibromyalgique à s'interroger sur sa longue agonie – peut-être même sur le temps qui lui reste à vivre. Supporter sans aucune justification des douleurs corporelles extrêmes sans médicaments analgésiques efficaces est une affliction dévastatrice qui peut faire paraître la mort comme un dénouement simple et désirable.

Dans un grand nombre de cas, heureusement, les patients fibromyalgiques essayent avec l'énergie du désespoir de surmonter les périodes d'exacerbation et de sortir de leur pitoyable état. Cette prise de conscience les amène souvent à visiter à nouveau leur praticien pour tenter d'obtenir un analgésique encore plus puissant, un relaxant musculaire plus efficace, un meilleur hypnosédatif qui pourraient enfin leur procurer à chaque nuit un sommeil profond et reposant.

LE « BROUILLARD » INTÉRIEUR

La fibromyalgie est souvent désignée comme une maladie aux « cinquante symptômes ». Mais la perte de cognition, caractérisée par des troubles de concentration et de mémoire à court terme, est manifestement le plus préoccupant. Couramment appelé en anglais *fibrofog*, le brouillard intérieur (BI) fait partie du syndrome de la perte de cognition (expliqué au chapitre 11 « Les symptômes concomitants à la fibromyalgie »).

Le brouillard intérieur surpasse de loin l'état de confusion à court terme que l'on éprouve de temps à autre en fibromyalgie. Pouvant durer des heures et des jours, des périodes de BI entraînent des conséquences psychologiques à la fois déconcertantes et exaspérantes. De nombreux patients fibromyalgiques ont dû abandonner leur travail ou leurs activités communautaires en raison de la nature extrême de la combinaison BI/DC/FC (brouillard intérieur, douleur chronique, fatigue chronique).

Ce symptôme se présente de temps à autre, sans raison apparente, ou pendant une crise de douleurs quand tous les muscles du corps font terriblement mal. Souvent accompagné d'une profonde fatigue intellectuelle et physique, le BI se manifeste généralement le matin, peu après le réveil, par une sensation de légèreté mentale et des troubles de concentration – comme si les idées s'entremêlaient.

Causes

Plusieurs facteurs peuvent entraîner le symptôme du «brouillard intérieur». Le bulletin *Fibromyalgia Network Newsletter* de janvier 1995 informe que la technique d'imagerie nucléaire utilisant la tomographie (SPECT) a révélé une déficience sanguine significative dans l'hémisphère droit et dans le thalamus gauche et droit du cerveau des sujets fibromyalgiques. Cette dysfonction physiologique semble jouer un rôle direct dans les troubles de cognition dont se plaignent ces patients.

Peu après (juillet 1995), dans ce même bulletin, les docteurs Daniel Clauw et Jay Golsdstein ont rapporté que la perte de cognition est probablement attribuable à la combinaison du manque de sommeil profond et de la fatigue chronique liés à la fibromyalgie.

Par ailleurs, le Dr Wayne London, en 1995, estimait que les troubles de concentration et de pertes de mémoire associés à la fibromyalgie pouvaient résulter de la fatigue musculaire, de troubles du système digestif ou d'une dysfonction du système immunitaire.

L'INCERTITUDE

Les personnes en santé peuvent sécuriser leur présent en planifiant avec confiance leur avenir. En comparaison, les fibromyalgiques doivent régulièrement renoncer à des projets prévus depuis longtemps. La prévoyance n'est pour eux qu'un idéal car, dans l'univers de cette maladie multisymptomatique, les certitudes n'existent pas. Que ce soit pour un voyage, un cours ou des leçons de musique, les objectifs dont ils ont longtemps rêvé doivent être amèrement abandonnés.

Depuis le diagnostic, ils ne peuvent anticiper avec assurance l'accomplissement d'aucune activité qui exigera un effort physique. En voici quelques exemples :

- Pourrais-je accompagner mon mari à l'anniversaire de mariage de sa sœur ?

- Serais-je assez bien pour assister au mariage de mon fils ?

- Devrions-nous déménager dans cette maison à deux étages avec des marches ?

- Aurais-je assez d'énergie pour recevoir ma famille à Noël ?

- La douleur et la fatigue chroniques m'empêcheront-elles d'aller en vacances à la campagne cet été avec mon conjoint et mes enfants ?

Devant l'ampleur des incertitudes, le patient fibromyalgique ressent souvent la frustration. Un jour, en période de rémission, comme il se sent relativement en forme, il accomplit des tâches longtemps mises de côté. Cependant, il devra en payer le prix. Il aura à affronter au réveil le lendemain une nouvelle crise de fatigue et de douleurs qui pourrait l'envahir de la tête aux pieds – ce qui amplifiera la frustration.

Cet état d'imprévisibilité fait en sorte que les responsabilités quotidiennes et sociales sont assumées selon les périodes de rémission. Par conséquent, l'incapacité de planifier une quelconque activité demeure un obstacle considérable qui, manifestement, restreint la qualité de vie des fibromyalgiques.

HANDICAP DIFFICILE À ACCEPTER

Lorsque des personnes en santé souffrent de divers symptômes courants comme les problèmes de digestion, la grippe, les maux de tête, ces malaises sont souvent consécutifs au surmenage, à des événements stressants ou à un abus alimentaire. Ces symptômes disparaissent normalement pendant des périodes de repos, de vacances ou grâce à des médicaments.

Faisant face aux mêmes symptômes, les patients fibromyalgiques doivent continuellement recourir à des médicaments plus puissants qui risquent de provoquer des effets indésirables nocifs. En fait, ces personnes se sentent prisonnières d'une maladie grave et chroniquement invalidante. Cette prise de conscience à l'égard de leur incapacité conduit inévitablement un grand nombre de fibromyalgiques vers une perte d'identité et le doute de soi-même.

Rejet social

Selon le Dr Paul J. Donoghue, Ph.D. :

> Aucune maladie n'est acceptable en société. Dans un groupe, je préfère être celui qui est en santé au lieu de celui qui est malade. Je ne veux pas dire que je suis malade, mais quand vous êtes malade, personne n'aime être avec vous. En général, lorsqu'une personne souffre d'une maladie, elle ne peut contribuer à l'énergie du groupe. Elle requiert une attention spéciale, des besoins particuliers ; elle attire le regard sur ses faiblesses humaines. Comme les sans-abri ou les familles pauvres dans le besoin, les malades chroniques présentent un besoin que beaucoup de gens n'aiment pas aborder.

A. Bégin, coauteure, elle-même atteinte de FM, nous confie :

> À l'exception de mon médecin traitant, de certains membres de ma famille et de l'Association fibromyalgique, je préfère garder le silence sur la nature de ma maladie. Les quelques fois où j'ai souligné l'ampleur de mes douleurs musculaires, de ma fatigue chronique et de mes troubles de sommeil, j'ai constaté une attitude incrédule et un manque de sympathie de la part de connaissances et autres personnes. Quand viendra le jour où l'on nous croira sans nécessairement nous comprendre ?

À propos de l'acceptabilité sociale, le Dr James MacFarlane, Ph.D., ASBM, de Toronto, émet l'opinion suivante :

> Ces patients tenaces qui consultent pour des douleurs irradiantes et d'autres problèmes invisibles sont souvent perçus comme des imposteurs ou des hypocondriaques parce qu'on ne leur découvre généralement aucune physiopathologie. Le large éventail de leurs plaintes les entraîne souvent à consulter plusieurs types de spécialistes qui leur collent autant d'étiquettes cliniques. Au moment où nous voyons finalement le patient, des diagnostics ont déjà été établis : le syndrome de fatigue chronique, le syndrome de l'intestin irritable, une dysfonction de l'articulation temporo-mandibulaire, la mononucléose, le syndrome des *yuppies*, l'insomnie et, avant tout, la dépression.

Piètre qualité de vie

De récentes statistiques révèlent que, comparativement aux autres maladies douloureuses, la fibromyalgie entraîne une qualité de vie beaucoup plus pénible à supporter que celle des sujets atteints d'une infection pulmonaire chronique, une maladie rhumatismale ou auto-immune, par exemple. Un sondage de l'Association de fibromyalgie de Washington, DC, démontrait récemment que 98 % des répondants affirmaient que la fibromyalgie avait un effet extrêmement négatif sur leur qualité de vie.

Une autre recherche a été menée en 1993 par C.S. Burckhardt et son équipe sur la qualité générale de vie de 280 patients atteints de fibromyalgie, d'arthrite rhumatoïde, d'ostéoarthrite, d'ostéome (tumeur osseuse) permanente, d'obstruction pulmonaire chronique et de diabète insulinodépendant. Les résultats de cette étude confirment que les patients fibromyalgiques expérimentent une qualité de vie significativement plus déplorable que les autres personnes atteintes des maladies analysées.

Découragement

Affligés par des souffrances permanentes, beaucoup de patients ont tendance à s'apitoyer sur leur sort. Cette attitude se traduit souvent par la tristesse, l'ennui, le chagrin et le découragement. Ils perdent le goût de communiquer avec les autres. Cet état d'âme contribue inévitablement à aggraver davantage les symptômes.

Quand quelqu'un leur demande comment ils vont, ils aimeraient bien leur répondre en évoquant la triste vérité. Mais, ils s'abstiennent de se plaindre par peur de se faire juger de plaignards. S'ils répondent « très bien ! », ils camouflent leur triste attitude en forçant un sourire amer. Par la suite, cependant, ils s'indigneront devant le peu de sympathie et de compassion qu'ils reçoivent.

Cet état de découragement est attribuable, de toute évidence, aux douleurs chroniques musculaires et à la fatigue persistante. De récentes études montrent qu'environ 45 % des fibromyalgiques souffrent de périodes dépressives et d'anxiété. Leurs douleurs aggravent manifestement les troubles de sommeil qui, à leur tour, entraînent la fatigue et la tension, caractérisant ainsi le cercle vicieux de la fibromyalgie.

Conséquences

En s'intensifiant, les symptômes accompagnant la fibromyalgie provoquent régulièrement de sérieux problèmes pour les patients, tant sur le plan personnel et familial que sur le plan social. Le découragement, la dépression, les longues périodes d'abattement, le manque d'estime de soi, la perte d'identité, une rupture conjugale sont des événements courants. Parfois le suicide entre en jeu.

Sur le plan social, la douleur et la fatigue chroniques permettent rarement à ces patients de participer à des activités sociales ou familiales. Ils ont tendance à s'isoler et à couper les liens avec les amis.

Le témoignage qui suit reflète une forme de conséquences bouleversantes que peut engendrer la fibromyalgie au sein d'une famille où tout allait pour le mieux avant la maladie.

La fibromyalgie a ruiné notre vie familiale depuis que ma femme souffre de cette terrible maladie. Ne pouvant tolérer aucun bruit, elle n'endure pas que je joue avec les enfants. Nous avons dû mettre un terme au camping où nous avions beaucoup de plaisir ensemble durant les vacances et les fins de semaines. Les liens avec nos amis se sont coupés. Mon épouse est généralement trop souffrante pour visiter la parenté ou la recevoir. Depuis qu'elle a été diagnostiquée fibromyalgique, elle communique un peu plus avec moi et les enfants. Mais elle a encore tendance à se retirer souvent en elle-même ; je sais alors qu'elle souffre beaucoup de douleurs, de fatigue et de découragement.

Quand elle s'inquiète de ses symptômes douloureux, elle en parle un peu plus ; c'est notre seul lien de communication. Nous n'avons plus de vie de couple. Finalement j'ai perdu moi aussi tout intérêt dans la plupart des activités sociales. Je suis désolé pour elle, et je ne sais plus quoi faire pour l'aider. Ne comprenant vraiment pas ce qui se passe, les enfants sont très attristés de voir leur mère tant souffrir. Avant cette maladie, elle était si différente et si gentille envers nous et les autres. (Anonyme)

La douleur et la fatigue, des sensations non évaluables par les spécialistes de la santé, sont manifestement démoralisantes pour les patients et leur entourage. Ils ont l'impression de perdre la maîtrise parce qu'ils connaissent peu de moyens pour se sortir de son emprise.

CONCLUSION

Affronter les conséquences physiologiques et psychologiques de la FM est un défi de taille. Le Dr Donoghue explique :

> Prendre des vacances, faire un voyage chez des parents éloignés sont des occupations que les patients ne peuvent accomplir à cause des contraintes physiques de la FM. Toutefois, quand ils souffrent de douleurs et de fatigue persistantes, et d'autres symptômes, ils doivent connaître quels éléments de leur maladie ils peuvent ou non maîtriser. Il y a des symptômes sur lesquels ils n'ont pas d'emprise et d'autres qu'ils doivent apprendre à maîtriser afin de vivre de façon la plus satisfaisante possible.

Il est difficile, cependant, de développer une attitude positive face à une maladie aussi contraignante. Toutefois, les patients fibromyalgiques doivent changer leur attitude négative envers la maladie. Ils doivent apprendre à accomplir certaines tâches quotidiennes selon leur limite d'énergie et leur capacité physique.

Une modification dans le style de vie des fibromyalgiques est donc primordiale pour surmonter les souffrances de cette maladie contraignante. En adoptant une attitude positive, ils pourront mieux réorganiser certains comportements dans leur vie.

Pour en savoir plus

Pour mieux surmonter les contraintes de la fibromyalgie, la personne fibromyalgique a avantage à consulter une variété de renseignements complémentaires dans les chapitres suivants :

- Chapitre 6 : *Traitement médical* – Cliniques de la douleur, Analgésiques, Hypnosédatifs, Antidépresseurs, Relaxants musculaires.

- Chapitre 16 : *Survivre à la fibromyalgie* – Se prendre en main, Se libérer des facteurs stressants, Surmonter la douleur, la fatigue et les troubles du sommeil, Atteindre son équilibre physique et psychique.

- Chapitre 17 : *Soutien et entraide* – Soutien familial, Maintenir ses relations.

- Chapitre 18 : *Exercices d'assouplissement et thérapies de détente* – Respiration profonde, Relaxation, Relaxation musculaire progressive, Marche, Aquathérapie, Massage, Méditation, Naturopathie, Taï-chi.

- Chapitre 19 : *Médecines alternatives* – Acupuncture, Biofeedback, Hypnothérapie, Imagerie mentale.

- Chapitre 20 : *Hygiène alimentaire* – Les 10 nutriments essentiels, Allergies alimentaires, Intolérances alimentaires, Suppléments essentiels pour les fibromyalgiques.

14

Aspect juridique

Il n'y a pas de définition légale explicite pour désigner
l'invalidité. Ainsi, la définition suivante semble prévaloir
dans les cas de jurisprudence: «invalidité totale»
signifie «invalidité substantielle».

Michelle Sarrazin, auteure, atteinte du SFC

M ÊME SI LA FIBROMYALGIE a finalement obtenu sa reconnaissance comme entité pathologique au début des années 1990, et qu'on ne doute plus maintenant de son existence, elle fait néanmoins l'objet de controverses quant aux conséquences de sa gravité. Le Dr Denis Phaneuf, microbiologiste, à Montréal, figure bien connue dans la recherche sur la fibromyalgie, a constaté que 70% des patients fibromyalgiques étaient inaptes au travail, et que 50% éprouvaient des problèmes dans l'exécution de leurs tâches quotidiennes.

À partir des observations du Dr Frederick Wolfe, chercheur américain dans l'étiologie de la fibromyalgie, cette maladie est considérée comme une cause légitime d'incapacité à long terme et on croit qu'elle engendre des répercussions importantes sur la société (Bennet, R.M., «Disabling fibromyalgia, Appearance versus Reality», *J. Rheumatology*, 1993).

Avis: Toutes les informations incluses dans le présent chapitre sont proposées à des fins de renseignement seulement. Elles ne visent en aucun cas à remplacer les intervenants et autres professionnels en procédures juridiques.

Assurance invalidité

Selon les compagnies d'assurances collectives, une clause d'assurance invalidité peut être soit obligatoire soit optimale pour l'ensemble du groupe. Pour les divers groupes d'employés de l'État, par exemple, les régimes d'assurance collective contiennent habituellement une clause obligatoire d'assurance invalidité.

En théorie, l'assureur rembourse en cas d'invalidité totale des prestations mensuelles fixes pendant une certaine période, pourvu que l'invalidité soit compatible avec la définition et les limites du contrat.

Types d'assurances

- *Assurance individuelle.* Seulement quelques compagnies d'assurances offrent une clause d'assurance invalidité aux travailleurs autonomes. Ce type d'assurance exige des primes plus élevées. Si un travailleur autonome est membre d'une association professionnelle, celle-ci peut lui proposer une assurance collective.

- *Assurance collective.* Appelée également « assurance associative », elle est offerte à un groupe de travailleurs qui exercent le même métier, à des employés d'une même entreprise ou à des membres d'une association professionnelle. Plus économique que l'assurance individuelle, l'assuré est parfois contraint de verser pour des couvertures qui ne l'intéressent pas.

Types de polices

Trois types de polices sont disponibles sur le marché de l'assurance santé.

- *Contrat résiliable.* Au moment de son renouvellement, l'assureur se réserve le droit de modifier le montant de la prime et les conditions du contrat. La plupart des contrats résiliables viennent à échéance annuellement, mais l'assureur peut mettre fin au contrat en tout temps.

- *Contrat résiliable avec garanti.* Il s'agit d'une police haut de gamme à laquelle les groupes ont rarement accès. L'assureur fixe le montant des primes et l'ensemble des conditions du contrat au moment de la signature. Le contrat se renouvelle automatiquement chaque année. Toutefois, l'assuré peut demander de l'ouvrir pour avoir une meilleure couverture, par exemple.

Quand un assuré a signé un contrat résiliable ou à renouvellement garanti, il doit informer l'assureur de tout changement important de son état de santé : problème récent d'hypertension, d'anémie, de diabète, etc., de ses revenus et de son type du travail.

- *Renouvellement garanti.* L'assureur ne peut ni modifier les conditions de ce type de contrat ni refuser de le renouveler. Il peut toutefois augmenter le montant de la prime au renouvellement du contrat.

Couverture

Quel que soit le type de police, une fois que le contrat final signé est remis à l'assuré, il dispose de dix jours pour l'examiner attentivement et le résilier au besoin. Dès qu'un assuré est accepté comme client, il doit payer régulièrement sa prime, faute de quoi le contrat prend fin.

Soulignons que le terme « invalidité » n'a pas la même signification d'un contrat à l'autre. Avant de signer, il est fort conseillé de vérifier soigneusement toutes les clauses de son contrat d'assurance pour connaître toutes les couvertures d'invalidité, les délais de carence, les options ou les exclusions. Si la police qu'on remet au client n'est pas explicite, il importe de demander des renseignements additionnels à l'agent ou au courtier.

- *Invalidité totale.* La plupart des contrats d'assurance exigent l'invalidité totale pour donner droit aux prestations d'indemnité. D'autres contrats stipulent que, dès que l'état de santé de l'assuré sera rétabli, l'assureur considérera l'assuré apte à travailler, quitte à ce qu'il exerce un autre type de travail. Certains contrats incluent une couverture précisant que l'assuré sera indemnisé tant qu'il ne pourra occuper son travail habituel.

- *Invalidité partielle.* Les couvertures d'invalidité partielle et résiduelle font parfois partie du contrat. Sinon, il faut les acheter séparément avant de signer le contrat.

- *Invalidité prolongée*. Dans certaines clauses d'invalidité prolongée, l'assureur offre à son client de racheter son contrat en échange d'un montant d'argent.

Dans ce cas, l'assureur peut exiger que l'assuré renonce à l'une ou à l'ensemble des couvertures suivantes :

- assurance vie ;

- assurance maladie complémentaire ;

- indemnité de frais hospitaliers supplémentaires ;

- indemnité de frais de médicaments ;

- indemnité de frais de soins de la vue ;

- indemnité de frais supplémentaires de soins de santé.

À noter que certains de ces renoncements peuvent s'avérer fort préjudiciables pour l'assuré possédant un contrat d'assurance prolongée. Toutefois, rien n'oblige l'assuré d'accepter toute forme d'offre ou de renoncer à toute couverture de son contrat.

- *Délais de carence*. Tout contrat comporte un «délai de carence», ou une période d'attente signifiant que les prestations ne seront pas versées avant deux, trois ou six mois après le début de l'invalidité. Plus cette période est courte, plus la prime coûte cher.

- *Options*. Le contrat peut comporter une variété d'options. Celles-ci comprennent des indemnités couvrant les frais de bureau, une réadaptation pour retourner au travail, le non-paiement des primes en cas d'invalidité, l'élimination du délai de carence en cas d'hospitalisation, etc.

- *Exclusions*. La plupart des polices d'assurance excluent systématiquement l'invalidité résultant d'une tentative de suicide, d'un acte criminel ou d'une période «d'invalidité liée à une grossesse sans complications».

(Adapté de «L'assurance invalidité», *Protégez-vous*, février 1999.)

PROCÉDURE

La première étape à franchir pour l'obtention d'une indemnisation d'invalidité est une consultation à la Régie des rentes du Québec (RRQ). Cet organisme est un régime d'assurance public et obligatoire. Il a pour but d'offrir une protection financière de base aux travailleurs pour des cas d'invalidité ou de retraite.

Ce régime d'assurance est financé par les cotisations des travailleurs et des employeurs, lesquelles sont perçues par le ministère du Revenu du Québec et gérées par la Caisse de dépôt et placement du Québec.

En cas d'invalidité, la Régie prévoit des prestations au travailleur qui n'a pas atteint l'âge de 65 ans et qui ne reçoit pas déjà une rente de retraite. Pour être reconnu invalide par la RRQ, il faut en plus répondre aux deux conditions suivantes :

1. Le travailleur doit avoir versé une cotisation durant une période d'au moins deux ans au cours des trois dernières années, ou d'au moins cinq ans au cours des dix dernières années, ou au moins durant la moitié des années où il pouvait cotiser, avec un minimum de deux années.

2. Être déclaré invalide par la RRQ.

Le montant de la rente d'invalidité atteignait 899,76 $ par mois en 1998. La Régie peut déclarer que le travailleur est réputé invalide à compter d'une date qui peut remonter jusqu'à un maximum de 12 mois avant la demande. Toutefois, la rente d'invalidité ne peut être versée qu'à compter du 4e mois suivant celui où le travailleur a été reconnu invalide par la RRQ. Le prestataire d'une rente de retraite a jusqu'à 18 mois après le premier versement pour présenter une demande de rente d'invalidité.

Les enfants d'un parent bénéficiaire d'une rente d'invalidité du Régime des rentes ont aussi droit à une rente jusqu'à l'âge de 18 ans (53,91 $ en 1998), laquelle est assujettie à l'impôt sur le revenu. Les prestations cessent d'être versées quand le travailleur n'est plus invalide ou quand il atteint l'âge de 65 ans.

Dans le cas où le travailleur a droit à des prestations d'assurance salaire ou d'assurance invalidité d'un organisme privé, telle une compagnie d'assurance maladie, le montant de cette indemnité est ordinairement déduit des prestations d'invalidité de la RRQ.

Droit à l'appel

Tout prestataire du Régime des rentes du Québec a droit à la révision et à l'appel. Le droit de révision doit être exercé par écrit dans les 12 mois suivant la date de l'«Avis d'acceptation». Le prestataire doit alors souligner tout événement susceptible de faire changer la décision, ou soumettre un nouveau document à l'appui de la demande de révision.

Qualifications d'invalidité

Pour se qualifier invalide au travail, un patient diagnostiqué fibromyalgique devra avant tout prouver qu'il répond aux critères d'invalidité définis par la RRQ. Ainsi, le demandeur doit être incapable d'effectuer toute forme de travaux. Tout emploi requiert une présence régulière, l'habileté de se concentrer, de remplir ses tâches selon les instructions, etc. Précisons qu'à la RRQ, le critère d'incapacité totale et permanente prévaut pour l'établissement d'une rente d'invalidité.

Rapport médical

À chacune des visites, il est indispensable que le médecin traitant ait inscrit au dossier tous les symptômes dont l'assuré s'est plaint en prévision d'un rapport médical qui pourra appuyer éventuellement la demande d'indemnités pour l'incapacité au travail de son patient.

La façon dont le rapport médical d'un ou des médecins traitants est rédigé en établissant l'invalidité du patient jouera un rôle déterminant dans la décision du médecin-conseil de la Régie. Les formulaires intitulés: «Demande de prestations d'invalidité» et «Rapport médical» sont disponibles aux divers bureaux provinciaux de la Régie des rentes.

Rapport du médecin

Fourni sur demande par la RRQ, le document intitulé «L'invalidité dans le Régime des rentes – Guide du médecin traitant» aide le médecin dans la rédaction de son rapport médical. Ces renseignements permettront au médecin-conseil de la RRQ d'établir si le requérant répond aux exigences de la *Loi sur le régime des retraites du Québec*.

Dans son article sur le sujet «Swimming Upstream», paru dans *Fibromyalgia Network Newsletter*, en avril 1995, Joshua W. Potter explique qu'une réclamation d'invalidité est favorisée quand un médecin inclut dans son rapport une attestation médicale clairement établie. En voici un exemple:

> Auparavant, le travail du requérant consistait à être assis toute la journée à analyser des données, et il pouvait lever jusqu'à 10 lb. Maintenant le patient ne peut rester assis que pour une durée maximale de 20 minutes, ne peut se concentrer à cause de la douleur et des médicaments, et est toujours fatigué parce qu'il manque de sommeil. Le patient est irritable, argumentateur, et manque ses rendez-vous. Un examen démontre qu'il peut maintenant lever jusqu'à 3 lb seulement.

Pour être estimé à sa juste valeur, le rapport médical du médecin doit être bref et précis. Voici un exemple:

> Avant la maladie, cette patiente pouvait faire [tel ou tel travail] et maintenant elle ne peut plus le faire parce que ses douleurs musculaires chroniques et la fatigue chronique l'en empêchent; elle manque de concentration, a des pertes de mémoire et souffre chroniquement du syndrome de l'intestin irritable [etc.].

De plus, si le rapport médical est vague et mal appuyé par la fréquence et l'intensité des symptômes non explicites, les chances d'être qualifié d'invalide sont évidemment affaiblies.

Entrevue avec le médecin-conseil de la RRQ

Des personnes invalides ne pouvant pas travailler conseillent d'apporter un magnétocassette à la première entrevue avec le médecin-conseil de la RRQ – entrevue enregistrée qui pourrait s'avérer importante en cas d'une demande en appel.

Par ailleurs, le requérant doit se préparer à répondre aux questions ci-dessous et à les décrire convenablement:

- l'historique de sa maladie;
- les différentes régions des points douloureux ou de la douleur myofasciale, ou les deux;

- la fréquence et l'intensité de la douleur musculaire et de la fatigue ;
- la capacité de se lever, de marcher, de rester debout ou assis ;
- la description du dernier travail ;
- les périodes de dépression attribuables à la fibromyalgie ;
- la date de l'arrêt du travail ;
- la compagnie d'assurances du requérant.

L'examen qui suivra cette première entrevue par le médecin-conseil est habituellement de courte durée. Le requérant doit être conscient qu'un intervenant médical de la Régie peut ne pas pratiquer couramment la médecine et ne pas connaître la fibromyalgie. Les résultats de cet examen peuvent s'étendre sur plusieurs mois.

Si le prestataire n'est pas d'accord avec la décision de la RRQ, il peut dans les 90 jours qui suivent en appeler au tribunal de la Commission des affaires sociales (CAS). Les décisions du tribunal, qui est indépendant de la RRQ, sont finales et sans appel.

SYMPTÔMES INVALIDANTS DE LA FIBROMYALGIE

La fibromyalgie présente une douleur localisée dans 18 points sensibles du corps touchant notamment les muscles de la nuque, du cou, des épaules. Un patient fibromyalgique peut en plus subir chroniquement des points déclencheurs du syndrome de la douleur myofasciale, une forme de douleur intense qui peut irradier dans l'ensemble des muscles du corps. En fait, les points déclencheurs des muscles de la région lombaire et du bassin peuvent se contracter anormalement et provoquer une sciatique – une douleur vive qui empêche le sujet de s'asseoir confortablement –, phénomène physiologique connu qui correspond à un cas juridique important.

En plus de la douleur musculaire chronique, les patients fibromyalgiques se plaignent d'une grande fatigue, d'importants troubles de sommeil, de dépression, de perte de mémoire et d'un nombre considérable d'autres symptômes associés à la FM qui, dans l'ensemble, rendent manifestement inapte au travail.

Il existe beaucoup d'incertitude et de controverse au sujet des effets dommageables résultant des interactions de divers médicaments pris en même temps. C'est particulièrement le cas en fibromyalgie où au moins quatre médicaments différents sont couramment prescrits pour tenter de soulager les douleurs musculaires (analgésiques et relaxants musculaires), la fatigue chronique (antidépresseurs) et les troubles de sommeil chroniques (hypnosédatifs). En conséquence, l'interaction chimique de ces quatre médicaments peuvent fort bien accentuer l'incapacité au travail d'un patient fibromyalgique.

Douleur chronique mal interprétée

À ce jour, les experts en pathologie n'ont pas trouvé les moyens cliniques pour mesurer l'intensité de la douleur chronique. Ce dilemme médical cause des préjudices importants à l'égard des patients devenus invalides par la FM qui se voient refuser des prestations d'indemnité auxquelles ils ont droit.

Un groupe de spécialistes s'est penché en 1994 sur la « classification de la douleur chronique » sous les auspices de l'Association internationale sur l'étude de la douleur (International Association for the Study of Pain [IASP]) dans le but de définir et de classifier la spécificité de la douleur musculo-squelettique. Les réponses à cette maladie défiant la science médicale ne se trouvent pas dans les tests cliniques.

Même si l'IASP conclut que la douleur chronique est spécifiquement différente de la douleur aiguë, ses membres ont tendance à croire que ce symptôme peut être provoqué par plus d'une cause. Demeurant un phénomène expérimental unique, l'IASP souligne que le terme « douleur chronique » est souvent utilisé péjorativement dans le monde médical et juridique.

En dehors du point de vue des experts légaux, la décision finale concernant l'admissibilité à une forme d'indemnisation est rendue par le tribunal dans presque tous les cas. S'appuyant sur la méconnaissance clinique de la douleur décrite ci-avant, il est fort probable que des commissaires et autres intervenants juridiques ne puissent ni connaître ni évaluer correctement la nature incapacitante des douleurs musculaires chroniques et autres symptômes concomitants des requérants fibromyalgiques qui cherchent à faire légaliser leur invalidité.

Dans cette conjoncture particulière, soulignons que le requérant fibromyalgique demeure manifestement le seul arbitre capable de défendre raisonnablement devant un tribunal son incapacité physique l'empêchant d'occuper un travail. Cependant, ce privilège lui est rarement accordé.

Les enjeux sont fort importants pour la défense protégeant l'employeur et les assureurs. Les dépenses encourues par le temps perdu au travail pour inaptitude physique, les coûts liés aux traitements médicaux, à la compensation salariale et aux frais juridiques se chiffrent en milliards de dollars annuellement au Canada. Même si seulement 10% de tous les malades éprouvent des douleurs chroniques, ces derniers représentaient 75% de l'ensemble des dépenses médicales et compensatoires encourues pour la douleur chronique aux États-Unis en 1996.

Aspect médical controversé

Au cœur de l'aspect juridique concernant la fibromyalgie, l'invalidité causée par la douleur musculo-squelettique et la fatigue chroniques incarne une expérience que seul le patient connaît vraiment. Par conséquent, des intervenants du corps médical participant aux débats juridiques peuvent avoir une interprétation impartiale ou arbitraire de ces deux pathologies bien distinctes et d'origine inconnue.

Ainsi, un médecin-conseil, attaché à la RRQ ou à un autre organisme juridique, peut ne pas connaître l'aspect pathologique de la FM. Pour d'autres intervenants dans le processus juridique, il est fort possible qu'ils entretiennent des doutes ou de la suspicion quant à l'invalidité physique d'une maladie invisible comme la fibromyalgie ou le syndrome de la fatigue chronique qui ne causent que de la douleur et de la fatigue et quelques autres symptômes subjectifs manifestés par un requérant en quête d'indemnités pour invalidité.

Résistance acharnée des assureurs

Le médecin traitant est souvent placé dans une situation délicate entre son patient et les médecins-conseils de la CAS défendant l'assureur. Selon l'éthique médicale, le rôle du médecin est avant tout d'apporter des soins médicaux à son patient. Toutefois, il arrive fréquemment que les experts médicaux de la CAS contestent le rapport d'un médecin traitant.

Le Soleil de Québec (19 avril 1998) rapporte le fait suivant :

> Une multinationale de l'assurance vie veut interrompre le paiement de la rente d'invalidité à un administrateur de 39 ans de Laval, aveugle depuis quatre ans, parce que des emplois en télémarketing sont maintenant offerts aux personnes vivant cet handicap. Les gens qui ont conçu ce programme de formation spécialement pour offrir des débouchés professionnels aux aveugles ne se doutaient pas des répercussions que cela entraîneraient.

Selon l'avocate Suzanne Hardy-Lemieux, spécialiste dans le domaine :

> Les assureurs resserrent tellement les mailles du filet que des gens vraiment invalides, avec une expertise médicale blindée, sont obligés d'aller en cour pour contester la coupure de leurs prestations.

Elle cite quelques cas où les prestations d'invalidité ont été coupées par des assureurs estimant que ces personnes peuvent encore avoir un gagne-pain. Exemples : un employé manuel dans la cinquantaine, atteint de sclérose en plaques ; un vétérinaire invalide qui n'est plus en mesure de donner à manger, quelques minutes par jour, aux animaux élevés par son épouse.

Le Regroupement des assureurs de personnes à charte du Québec (RACQ) est intervenu dans des dossiers aussi variés que la fibromyalgie et la Charte des droits et libertés. Dans le cas de la fibromyalgie, la RACQ a préparé en 1997 un mémoire à l'intention du Collège des médecins en faveur d'une réduction de l'émission des certificats d'invalidité totale pour un diagnostic de FM.

Selon ce regroupement d'assureurs, la fibromyalgie « correspond à un ensemble complexe de perturbations physiologiques qui fait dire aux personnes atteintes qu'elles ont mal partout » (*La Presse*, 26 sept. 1996).

Influence arbitraire

Dans son livre *Compensation Systems for Injury and Disease: The Policy Choices*, Terence G. Ison, professeur de droit au Osgoode Hall, à Toronto, n'est pas d'accord avec ceux qui exercent une influence arbitraire dans le processus de compensation ou de réclamation au sujet de l'incapacité au travail liée à une maladie chronique. Il estime que d'autres variantes significatives jouant un rôle important incluent la nature de l'invalidité, la capacité du corps médical dans le diagnostic et le traitement, le soutien familial, le facteur économique et environnemental et d'autres facteurs d'influence majeure.

Ison estime que 90% des handicapés veulent guérir de leur maladie pour retourner au travail. Une opinion controversée laisse entendre que si les gains monétaires se généralisent, la compensation pour invalidité devrait éliminer les symptômes. Au contraire, de nombreuses évidences démontrent que les problèmes de santé associés à la fibromyalgie continuent après le versement des prestations.

Pour sa part, la Confédération des organismes des personnes handicapées du Québec y va d'un verdict dévastateur à l'endroit de ces fonctionnaires ou médecins-conseils qui doivent décider du statut de soutien financier d'une personne handicapée. Selon la Confédération, les enquêtes démontrent clairement que le système de contrôle est opprimant et dans certains cas harcelant. « Combien de rapports médicaux refusés et d'expertises bidons de médecins-conseils engagés par la Commission ont fait craquer des gens pour qui la vie est déjà difficile » (*Le Soleil*, 5 mars 1997).

DÉCISIONS JURIDIQUES ARBITRAIRES

Depuis le début des années 1990, la fibromyalgie est reconnue par le tribunal. Mais cette reconnaissance n'assure en rien des remboursements aux patients fibromyalgiques qui en font la demande pour invalidité physique totale. Impliquant des sommes d'argent variant de minimes à importantes, les décisions ont tendance à pencher en faveur de l'intervenant juridique qui défend sa cause de façon la plus convaincante.

Environ 60% des prestataires d'invalidité ne poursuivent pas les démarches au-delà d'un refus de versement par les assureurs parce qu'ils manquent de ressources physiques et morales pour continuer leur lutte, et ce même si les tribunaux leur donnent raison 10 fois sur 12, affirme Mᵉ Hardy-Lemieux.

Dans la plupart des cas, signale Richard Fournier, directeur des communications à l'Assurance Vie Desjardins, l'assureur conteste le fait que son assuré est vraiment invalide, au sens de la définition contenue dans le contrat, ou prétend qu'une maladie préexistante à la signature du contrat d'assurance pourrait être à l'origine de l'invalidité.

D'après le tribunal, même si le contrat d'assurance ne le dit pas, la capacité de travail de l'invalide doit être examinée à la lumière de critères objectifs comme l'éducation, l'expérience et la formation de l'assuré, estime le juge Paul-Arthur Gendrau. Avant que l'assureur puisse se dégager de sa responsabilité, l'assuré doit être en mesure de se recycler dans un temps raisonnable et avoir la capacité de travailler un nombre d'heures suffisant pour retirer un salaire normal de son nouvel emploi. C'est à l'assureur qui veut cesser de verser des prestations d'en faire la preuve (*Le Soleil*, 29 avril 1998).

Les tribunaux ont tendance à accorder une importance particulière à l'opinion des médecins de famille qui ont soigné de façon régulière et durant une période prolongée les patients fibromyalgiques pour les facteurs retenus au moment du diagnostic.

Le Dʳ Mark J. Pellegrino, de Columbus, Ohio, lui-même atteint de fibromyalgie, écrit dans *Fibromyalgia: Managing the Pain* (Anadem Pub., 1997):

En dépit de la fibromyalgie, j'essaie d'aider chaque patient à accomplir ses tâches selon sa capacité physique. Cependant, chaque patient vit un ensemble de circonstances qui doivent être examinées. Un patient souffrant de fibromyalgie grave, qui ne répond pas aux traitements, en devient totalement invalide.

Les requérants invalides s'unissent

D'après le rapport publié par le vérificateur général du Canada en septembre 1996, on peut déduire que quelque 50 000 citoyens sont lésés par la Régie des rentes du Québec. Le vérificateur évalue à

2,93 % des cotisations le taux de bénéficiaires pour invalidité au Régime des pensions du Canada. Pour la même année, la RRQ affiche un taux de 1,42 %, une différence qui demande clarification rapporte *Le Soleil* de Québec (1ᵉʳ novembre 1998).

Pour contrer cette lacune, trois personnes atteintes de maladies chroniques invalidantes peu reconnues par les régimes d'assurance publics et privés ont récemment fondé l'Association québécoise des victimes d'assurance invalidité (AQVAI). Les membres fondateurs sont appuyés par les revendications d'une centaine de personnes malades et lésées dans leurs droits.

L'AQVAI a déjà fait parvenir au Protecteur du citoyen et à la Commission des droits de la personne du Québec un document dénonçant un cas de harcèlement et de non-respect des droits. Après examen des différents critères d'invalidité prolongée, les fondateurs d'AQVAI ont mis le doigt sur l'élément discriminatoire : la RRQ ne reconnaît pas les raisons médicales d'invalidité. Au nombre de ces raisons médicales d'invalidité, on note la fibromyalgie, le syndrome de la fatigue chronique, les sensibilités chimiques multiples et le syndrome de la guerre du Golfe.

René Picard, conseiller à AQVAI, explique :

Dans la plupart de ces conditions, il y a atteinte au système nerveux que seule une technique sophistiquée d'imagerie nucléaire (SPECT) peut mettre en évidence. Les individus atteints de ces maladies souffrent de douleurs chroniques et de troubles du sommeil pour lesquels ils prennent des médicaments contre la douleur et l'insomnie. Malheureusement, leur foie est souvent moins performant et une intolérance aux médicaments s'installe. Dans de nombreux cas, des allergies alimentaires et une inflammation chronique de l'intestin grêle et du côlon se manifestent. L'intestin laisse alors filtrer dans le sang des substances insuffisamment dégradées qui altèrent le métabolisme du cerveau. En plus des victimes de la RRQ, on peut en compter des dizaines de milliers d'autres. Des salariés atteints de maladies graves et chroniques se voient refuser le soutien pour lequel ils ont pourtant cotisé pendant 20, 25 ou 30 ans. (*Le Soleil,* 1ᵉʳ décembre 1998)

JURISPRUDENCE CANADIENNE

Nous abordons dans les textes qui suivent un résumé de quelques jurisprudences canadiennes des dix dernières années relatives à l'invalidité totale attribuable à la FM.

Les trois causes qui suivent sont tirées du *Journal de la Société canadienne de rhumatologie* (décembre 1994), «Fibromyalgie, la justice canadienne se prononce» (Dr John Verrier Jones et Diana Ginn, de l'Université Dalhousie, à Halifax).

FULTON C. MANUFACTURERS LIFE INSURANCE CO.

Dans cette cause, le jugement a été rendu par la cour de la Nouvelle-Écosse le 19 mars 1990 (I.L.R. 1-2620). Le requérant, M. Fulton, âgé de 39 ans, souffrait déjà de fibromyalgie depuis cinq ans avant de cesser de travailler à cause de sa maladie en mai 1990. Il avait surtout travaillé comme voyageur de commerce. Conformément au régime d'assurance collective, il avait reçu des prestations pour invalidité d'octobre 1985 à mars 1987.

À cette époque, les rhumatologues A. et H. avaient confirmé le diagnostic de fibromyalgie avant de conclure que le requérant n'était pas totalement invalide. Malgré la fibrosite [fibromyalgie], ces deux médecins estimaient qu'il était physiquement apte à accomplir les tâches qu'exige un emploi dans des limites raisonnables. En tant que spécialistes, ni l'un ni l'autre des médecins n'a témoigné des effets physiologiques ou psychologiques de la douleur. Par conséquent, il convient d'accorder moins de poids à leur opinion selon laquelle le requérant n'est pas invalide.

Toutefois, M. Fulton impute son invalidité à la douleur et non pas à la diminution de ses facultés physiques. Ensuite sont fournis de nombreux rapports, émanant d'un praticien, de psychiatres et de physiatres, mentionnant l'existence de dépression et de tentatives de suicide ainsi que l'échec thérapeutique. En 1990, après avoir examiné le requérant, un troisième rhumatologue émet l'opinion «qu'il est devenu invalide à cause de sa fibromyalgie et de ses piètres techniques d'adaptation». Le requérant réclame que l'on continue de lui verser ses prestations d'invalidité.

La cour a accordé plus de poids aux preuves fournies par le Dr M., le médecin de famille du plaignant, qui a déclaré «connaître M. Fulton depuis près de quatre ans et l'avoir vu presque toutes les semaines durant cette période. Il s'est dit prêt à affirmer avec emphase que M. Fulton est invalide.»

Le juge a trouvé crédible la preuve offerte par le Dr M. et a déclaré éprouver un grand respect pour son opinion. Selon lui, le requérant «a prouvé au-delà de la prépondérance des probabilités qu'il est tout à fait inapte au travail», et lui a accordé le versement de ses prestations d'invalidité avec intérêts courus et dépens.

Martin c. Mutuelle d'Omaha

La décision dans cette cause a été rendue par la cour de l'Ontario, division générale, le 9 août 1991 (I.L.R. 1-2795). La requérante, Mme Martin, âgée de 46 ans, demande des prestations d'incapacité à long terme, conformément aux dispositions de son régime d'assurance collective selon lequel elle avait travaillé comme ouvrière dans une usine.

En 1981, elle avait été référée à un rhumatologue qui avait diagnostiqué chez elle la fibrosite [fibromyalgie] et avait affirmé «qu'il n'y avait aucun signe d'invalidité totale». Toutefois, à l'automne 1979, elle cessa de travailler, puis reçut des prestations d'invalidité de 1980 à 1988.

En janvier 1991, Mme Martin a été examinée par un autre rhumatologue qui a confirmé le diagnostic de fibromyalgie et a ajouté «je crois que les probabilités sont extrêmement faibles que cette dame retourne un jour à un travail lucratif. Je dois souligner que cela n'est pas causé par ses limites physiques, mais bien par des douleurs qu'elle éprouve.»

La cour a jugé la requérante admissible à des prestations d'invalidité à long terme.

Cook et autres c. Walkers Wharf Ltd. et Davis

La Cour d'appel de la Nouvelle-Écosse, division de la première instance, a rendu sa décision dans cette cause le 17 novembre 1992 (117 N.S.R., 2nd, 361). En 1988, l'appelante, Mme Cook, *infirmière âgée de 39 ans, était passagère dans une voiture qui fut emboutie par un camion, propriété du défendeur.*

En mobilisant des patients, elle avait en 1977 subi une blessure au dos, puis à nouveau en février et en août 1989. Son médecin de famille l'a traitée plusieurs fois entre 1976 et 1992; ses notes mentionnaient souvent « dépression, lombalgie et élongation ». En janvier 1991, un rhumatologue a diagnostiqué la fibromyalgie et a déclaré: « Je doute qu'elle retourne au travail bientôt ». En avril de la même année, Mme Cook a été examinée par un physiatre qui a déclaré qu'elle avait « développé de la fibromyalgie des suites d'une blessure au dos pour laquelle elle demande à être indemnisée ». Le témoignage d'un autre expert a révélé que l'appelante souffrait de dépression.

Une note de l'Associative Rehabilatation Inc., rédigée en décembre 1991, cite: « elle croit que l'accident de la route est responsable de ses problèmes de fibromyalgie et de dépression ».

Lors du procès, le juge a cherché à savoir si l'accident de la route avait contribué à l'aggravation des problèmes de la plaignante relativement à sa lombalgie et à sa fibromyalgie. Il a conclu que « selon la preuve fournie, l'incidence de l'accident en question dans ce cas est au mieux obscure ». Il a accordé à l'appelante des dommages de 18 000$ et des dépens de 2475$.

Causes soumises à la Cour supérieure

Les trois cas qui suivent sont extraits de *L'écho-fibro*, « Chronique juridique », avril 1996. Cet excellent article est de Me Jacqueline Bissonnette, avocate respectée, qui a défendu avec succès des causes relatives à des demandes de prestations d'invalidité par des patients atteints de fibromyalgie.

HIRSCH C. SUN LIFE DU CANADA

Cette cause (R.R.A. 656) a été soumise à la Cour supérieure en 1993. La Cour devait décider si Mme Hirsch était, en raison de sa maladie, incapable d'occuper un emploi véritablement rémunérateur pour lequel elle était raisonnablement préparée en fonction de sa formation et de son expérience.

Mme Hirsch était atteinte sévèrement de fibromyalgie. Elle avait cessé de travailler au début des années 1980. Son assureur avait accepté de l'indemniser pendant quelques années pour ensuite cesser le versement de toute prestation lorsque celle-ci s'est vue refuser par la Régie des rentes du Québec le droit à une rente d'invalidité.

Les experts entendus de part et d'autre devant le tribunal reconnaissaient le diagnostic de fibromyalgie mais divergeaient d'opinions quant à la gravité de la maladie. L'expert retenu par l'assureur était d'avis que Mme Hirsch était capable d'occuper un poste clérical, de type léger et sédentaire avec alternance de la position assise et debout dans un milieu exempt de stress.

Face à la controverse des experts des parties, la Cour retenait le témoignage de Mme Hirsch et ordonnait à l'assureur de poursuivre le versement des prestations d'invalidité.

GRATTON-SIMARD C. COMPAGNIE T. EATON CANADA

Dans cette cause (J.E. 95-1190), le diagnostic n'était pas contesté, mais les experts différaient d'opinions quant au caractère invalidant ou non invalidant de la fibromyalgie. L'un des experts retenus par l'employeur suggérait le retour au travail progressif de Mme Gratton-Simard sur le marché du travail dans un emploi clérical de type léger.

Dans un jugement étoffé, le juge Pierre Tessier notait, suite à son examen de la littérature médicale sur le sujet, que la fibromyalgie pouvait dans certains cas affecter les personnes qui en souffraient au point de devenir invalidante. Devant les témoignages contradictoires des experts, il retenait la version de Mme Gratton-Simard, version qui avait été confirmée par les membres de son entourage. Le juge a de plus reproché aux experts de l'employeur de ne pas avoir tenu suffisamment compte dans leur analyse de la capacité de travailler, des douleurs et de l'état de fatigue qui caractérise la maladie.

La Cour supérieure a reconnu que la fibromyalgie pouvait en certains cas être invalidante, ce qui justifiait dans cette cause le versement de prestations à long terme.

BISSON C. CANASSURANCE, COMPAGNIE D'ASSURANCE VIE CROIX BLEUE

Dans le jugement de cette cause (C.S. 450-05-000941-936) rendu le 19 juin 1995, la Cour a accueilli la demande d'un entrepreneur en construction atteint sévèrement de fibromyalgie. Après avoir déclaré M. Bisson totalement invalide, la Cour a condamné l'assureur à lui verser les prestations prévues au contrat d'assurance invalidité.

Opinions divergentes

Selon Mᵉ Jacqueline Bissonnette, il y a deux groupes d'opinion différente à la Commission des affaires sociales :

> Le tribunal d'appel de la Commission des affaires sociales a été appelé à juger en dernière instance de litiges opposant un demandeur atteint de fibromyalgie à la Régie des rentes du Québec relativement à la rente d'invalidité. L'examen des décisions rendues par la Commission révèle que les commissaires sont divisés sur cette question. Un premier groupe considère que la fibromyalgie en soi n'est pas une maladie empêchant une personne de vaquer à un emploi, même léger (RR-56885, RR-53226, RR-13043, RR-12797).

> Le second groupe demeure plus favorable à la fibromyalgie. Influencée de toute évidence par les récents jugements de la Cour supérieure cités ci-dessus, la Commission a reconnu à quelques reprises que la fibromyalgie peut être invalidante dans certains cas au point d'empêcher une personne de travailler.

En présence d'une mésentente entre les experts retenus par chacune des parties quant à la gravité de la maladie, au traitement, au pronostic, à l'importance de la composante psychologique et aux signes objectifs constatés, la Commission écrivait :

> Le rôle de la Commission, comme tribunal d'appel, n'est pas celui d'une académie et elle n'a pas à trancher entre deux écoles de pensée véhiculant des théories opposées quant à l'étiologie des symptômes et quant au traitement de la maladie. La Commission ne doit déterminer que si l'appelante, dans ce cas précis, est atteinte d'une ou de plusieurs conditions pathologiques la rendant incapable de tout travail. À cet égard, la Commission retient d'une part que l'appelante présente des symptômes importants qui ne sont pas niés par les experts de l'intimée et qui, selon ses propres experts la rendent incapable de tout travail ou même

de toute activité significative. Que ces symptômes soient le résultat de la fibromyalgie, d'un syndrome dépressif marqué ou de la juxtaposition de l'une ou de l'autre de ces conditions importe peu, finalement (RR-56803, p. 11).

Point de vue d'une requérante

Dans son livre intitulé *L'assurance invalidité, comment vous protéger contre votre compagnie d'assurance maladie*, Michelle Sarrazin trace un chemin bondé de contraintes juridiques visant à obtenir gain de cause qui débuta en janvier 1986. Alors qu'elle était âgée de 44 ans, la Mutuelle du Canada cessa de lui verser ses indemnités mensuelles «de réadaptation» qu'elle lui versait depuis avril 1983 pour invalidité.

Atteinte du syndrome de la fatigue chronique (encéphalomyélite myalgique dont les symptômes sont analogues à la fibromyalgie) et de troubles cardiaques à la suite d'un infarctus du myocarde, elle alla en appel contre sa compagnie d'assurance maladie pour défendre en justice ses droits concernant l'annulation de sa pension d'invalidité.

Le litige se réglera hors cour dix ans plus tard, soit en février 1993, quand Mme Sarrazin a dû accepter, selon l'avis de ses avocats, un montant forfaitaire considérablement au-dessous de ce qu'elle aurait été en droit de recevoir jusqu'à 65 ans. En plus de son assurance vie de 50 000 $ à laquelle elle devait renoncer, elle a dû également renoncer à la clause suivante qui faisait partie de son contrat d'assurance :

Assurance maladie complémentaire : indemnité de frais hospitaliers supplémentaires ; indemnité de frais de médicaments ; indemnité de frais de soins de la vue ; indemnité de frais supplémentaires de soins de santé.

Selon Mme Sarrazin, la majorité des compagnies d'assurances agissent de la même façon. Elle souligne :

La plupart des cas de jurisprudence relatifs à l'invalidité d'une personne font état du fait qu'il n'y a pas de définition légale du terme *invalidité*, et que la définition juridique est laissée à la discrétion du juge. La définition suivante semble prévaloir : *Invalidité totale signifie invalidité substantielle.*

À cause des implications juridiques, un grand nombre de médecins hésitent ou refusent carrément à rendre un diagnostic d'invalidité. Si une définition claire au sens juridique de l'invalidité était formulée, son utilisation favoriserait peut-être une implication plus forte des médecins.

Conseils pertinents

Selon son expérience, Michelle Sarrazin suggère les recommandations suivantes aux requérants d'une rente d'invalidité :

1. Lors de visites médicales, décrivez toujours complètement votre état de santé. Si vous êtes interrompu, exigez poliment d'expliquer tout ce que vous avez à dire – c'est votre droit.

2. Si, un jour, vous devez intenter une poursuite, on ne pourra pas alléguer que vous vous êtes découvert d'autres symptômes en cours de route.

3. Demandez toujours de relire ce que votre médecin inscrit dans votre dossier médical. En cas de litige, les assureurs se réfèrent à ce dossier.

4. Aussitôt que vous recevez une rente d'invalidité prolongée, obtenez de votre employeur une copie du contrat de votre assurance. Cette initiative est capitale car, autrement, vous ignorez vos *obligations contractuelles d'assuré*.

5. Et soyez persuadé que l'assureur ne vous en informera pas.

6. Autre exemple que le mien, la clause de certains assureurs stipule que si l'assuré fait une tentative de retour au travail, ne serait-ce que pour cinq minutes, sa rente d'invalidité est automatiquement annulée.

7. Répondez toujours par lettre à l'assureur et conservez des photocopies de ces lettres.

8. Si possible, enregistrez toute conversation téléphonique avec l'assureur, sinon prenez immédiatement note de la conversation. Envoyez copie écrite de la conversation à l'intervenant avec qui vous avez parlé, et ce avec demande de confirmation. Ainsi, vous aurez une preuve du contenu de l'échange téléphonique.

9. Même s'il n'y a pas encore litige avec votre assureur, conservez toute correspondance. Cette initiative pourra plus tard faciliter le travail de votre avocat.

10. Informez votre médecin que vous désirez avoir accès à tout échange de correspondance entre lui et votre assureur.

11. Vous êtes dans votre droit parce que votre dossier médical vous appartient.

12. Lors d'une rencontre avec un «expert» de votre assureur, accumulez le plus de preuves possible (témoins, magnéto-cassette, vidéoscope [caméra vidéo]) pour, éventuellement, pouvoir prouver en cour le compte rendu de cette visite.

13. Ainsi, on ne pourra alors douter de votre témoignage.

14. Lorsqu'il y a litige avec votre assureur, n'hésitez pas à demander l'aide de votre employeur et de votre syndicat. Ils vous seront des alliés précieux.

15. Même «alité», la recherche d'un avocat est possible par l'entremise de votre employeur, de votre syndicat, de parents ou d'amis.

16. En soumettant votre cas par téléphone à votre avocat, il pourra vous faire parvenir par la poste votre dossier et la signature du «mandat» que vous lui confiez.

17. S'il y a désaccord avec votre bureau d'avocats, tout en sachant que vous êtes dans votre droit, n'hésitez pas à en choisir un autre.

CONCLUSION

En première instance, la majorité des demandes initiales pour obtenir une compensation d'invalidité sont systématiquement rejetées par la RRQ. Par conséquent, les requérants invalides doivent donc avoir recours à la Commission des affaires sociales (CAS) pour faire valoir leur droit. Mais puisque le droit n'est pas accessible à la majorité des contribuables, analysons les statistiques étonnantes qui suivent :

- À la suite du rejet par la RRQ d'une demande de prestation d'invalidité, 2% seulement des assurés se rendent devant les juges de la CAS pour obtenir gain de cause;

- 3% des causes en appel devant la CAS aboutissent à un règlement hors cour;

- 5% seulement des demandes représentent les tentatives de fraude, le même pourcentage que celui établi par le Conseil canadien du développement social pour ce qui est du chômage et de l'aide sociale;

- 95% des assurés abandonnent au cours de la longue route judiciaire régie par la Commission des affaires sociales.

Un grand nombre de travailleurs qui ont versé durant de nombreuses années des primes d'assurance invalidité apprennent à leurs dépens que les sociétés d'assurance exercent beaucoup de réticence à l'égard des prestations d'invalidité quand la maladie les rend inaptes au travail. «Des gens vraiment invalides, avec une expertise médicale blindée, sont obligés de recourir à la justice pour contester la coupure de leurs prestations», déclare une avocate spécialisée en assurance invalidité.

L'ambiguïté concernant la compensation monétaire d'invalidité en FM ne sera résolue que lorsque des méthodes précises seront élaborées pour mesurer adéquatement les effets handicapants de la douleur et de la fatigue chroniques et, par ailleurs, pour évaluer l'incapacité réelle des patients au travail.

En outre, le caractère obscur du terme «invalidité» au sens juridique est plus ou moins laissé à la discrétion des juges, discrétion qui, au détriment de l'assuré, semble plutôt pencher en faveur de l'assureur. La définition du terme «invalidité» devrait donc être précisée par les hautes instances gouvernementales afin de corriger dans les textes juridiques cette lacune arbitraire.

Selon Me Jacqueline Bissonnette:

La fibromyalgie suscite des controverses lorsqu'elle se manifeste à la suite d'un accident de travail ou d'un accident automobile. Dans de tels cas, le fardeau imposé à la victime est souvent doublé. Dans un premier temps, elle doit établir l'existence de la maladie et son degré de gravité et, dans un second temps, le lien de cause à effet entre la maladie et l'accident. Dans certains cas, la Commission des affaires sociales a statué en faveur des victimes, notamment dans l'affaire numéro AA-14337.

Jusqu'à présent, les tribunaux se sont montrés relativement ouverts à la fibromyalgie à titre de maladie invalidante. Toutefois, la question est loin d'être réglée puisque plusieurs causes doivent être entendues au cours des prochaines années. Il est à espérer que les connaissances médicales sur la maladie se développeront de manière à dégager des critères d'analyse suffisamment précis pour guider les médecins dans l'évaluation de l'état de leurs patients.

15

Stress et fibromyalgie

Libéré du stress, vous pourrez apprécier pleinement
la vie à chaque instant. Vous utiliserez au mieux
les ressources dont vous disposez.
Dʳ Lionel Coudron

L'ORGANISATION MONDIALE DE LA SANTÉ signale que le stress est devenu à l'aube de l'an 2000 le fléau du monde occidental sans qu'aucune mesure concrète pour l'astreindre soit pour autant envisagée. Par ailleurs, le Bureau international du travail pointe le stress comme un des plus graves problèmes de notre temps. En 1990, la Commission de la santé au travail a accordé à 87 personnes des indemnités pour des lésions professionnelles attribuables au stress. En 1996, ce nombre est passé à 461 cas indemnisés pour les mêmes troubles de santé, soit une augmentation de 528%.

La vague croissante de la fibromyalgie suit en parallèle ce phénomène de stress que nous impose la vie moderne. Un article publié récemment dans le quotidien *Le Soleil*, de Québec, rapporte qu'une augmentation de 550% de cas de fibromyalgie a été répertoriée depuis les deux dernières années.

Des spécialistes en fibromyalgie confirment que de nombreux patients avaient préalablement été exposés à des situations prolongées de stress environnemental, social ou familial. Ils indiquent en outre que les symptômes primaires de la FM, notamment la douleur chronique, la fatigue et les troubles du sommeil, sont sans aucun doute aggravés par des facteurs stressants qui, à leur tour, désorganisent le fonctionnement de l'organisme.

Effets du stress

Le mot « stress » est passé du domaine médical à la vie courante depuis la publication des études scientifiques du Dr Hans Selye, endocrinologue : *The Stress of Life* (Paris, 1956), puis *Stress sans détresse* (Éd. La Presse, 1974). Chercheur à l'Université McGill, puis plus tard à l'Université de Montréal, Hans Selye avait remarqué une variété de stress d'une grande intensité sur des rats de laboratoire lorsqu'on les provoquait par le froid, la chaleur, l'irritation nerveuse, l'infection, des traumatismes et autres stimulus stressants.

Face au danger ou à l'agression, le corps de l'homme de pierre réagissait pour *lutter* ou *fuir* contre les prédateurs. De nos jours, ce phénomène se manifeste de la même façon. Dans le but de mobiliser tout l'organisme pour combattre ou fuir, le stress met en branle tout le dispositif musculaire pour réagir avec un maximum d'efficacité. Lorsque la source de menace disparaît, l'organisme retrouve sa stabilité homéostatique (stabilisation des organismes vivants).

En fait, le stress est une réaction normale de l'organisme à des agressions soudaines. Il maintient un état de tension physique (tonus musculaire) et psychologique. Que le stress soit aigu ou permanent, les réactions de l'organisme se répercutent rapidement. En réponse au réflexe de lutte ou de fuite, le stress aigu (danger imminent, peur, blessure) correspond à la menace et au besoin de l'action immédiate.

Cette première réaction de l'organisme se traduit par une sécrétion précipitée des glandes surrénales. Un battement rapide du cœur est l'une des caractéristiques habituelles d'une foule de réactions stressantes. Plus l'agent stressant est intense, plus la réaction d'adaptation est importante (tableau 15.1).

Pendant la phase d'alarme du stress aigu, une réaction d'immobilité temporaire survient ordinairement. Mais lorsque le stress est brusque et surprenant, il peut conduire à la paralysie légère (parésie). C'est le cas du chasseur novice qui « gèle » ou paralyse littéralement lorsqu'un énorme orignal (élan d'Amérique) surgit. Le temps d'exposition au stress conditionne l'épuisement de l'organisme. Plus on est en harmonie avec soi-même, plus l'absorption du stress sera source de performance pour un processus normal et de courte durée. Si la durée du stress s'accentue, plus la sécrétion secondaire d'hormones surrénaliennes répondra à l'alarme de « lutte ou de fuite ».

Tableau 15.1

Réactions au stress prolongé

Signes de stress	Réactions physiques
Système immunitaire moins efficace	Libération d'adrénaline, de cortisol et de noradrénaline
Palpitations, douleurs dans la poitrine, bourdonnement d'oreille, panique	Accélération de la respiration pour fournir un maximum d'oxygène aux muscles
Hypertension artérielle	Accélération de l'activité cardiovasculaire
Transpiration excessive, rougeur de la peau	Irrigation sanguine cutanée, transpiration intense pour rafraîchir la peau
Douleurs au cou et aux épaules, tension musculaire, crampes	Contraction des principaux muscles, surtout ceux du cou et des épaules
Troubles digestifs, douleurs à l'abdomen	Baisse de la circulation sanguine dans l'activité digestive
Fatigue	Plus grande libération du sucre par le foie : source d'énergie rapide
Difficulté à avaler	Bouche sèche, dilatation des pupilles
Mictions fréquentes	Relâchement des sphincters de l'anus et de la vessie

Réactions au stress prolongé

Les conséquences des réactions au stress prolongé (désaccord familial, difficultés au travail) sont les mêmes que celles du stress aigu. À cet effet, l'organisme puise dans son réservoir d'énergie pour contrer le stress. Selon les circonstances, toutefois, ce réservoir s'épuise plus ou moins rapidement.

En réponse au stress prolongé, l'organisme récupère rapidement sans laisser de séquelles. Mais si les tensions et les contraintes associées au stress se poursuivent au-dessus du seuil optimal, les défenses du système immunitaire risquent de s'effondrer. Dans ce cas, il s'ensuit généralement un épuisement hormonal qui se traduit par des troubles physiologiques (maladies) ou psychiques (détresse, dépression, burnout).

À ce stade, l'organisme ne cesse de produire certaines substances chimiques, particulièrement le cortisol, l'adrénaline et la noradrénaline, qui affaiblissent le système immunitaire. L'organisme est alors surstimulé, surmené, trop sollicité à une adaptation excessive exigeant une sécrétion importante d'hormones d'adaptation. Ce phénomène est souvent responsable de certains troubles métaboliques et organiques.

Stress de la vie moderne

Dans *Les énergies du stress* (Éd. Robert Lafont, 1994), le Dr Xavier Maniguet illustre avec rigueur le phénomène du stress de la vie moderne et de ses conséquences :

> Abrité, sécurisé, climatisé, défendu, épaulé, subventionné, diplômé, prévenu, assisté, assuré, dédommagé, remplacé, robotisé, spécialisé, socialisé, l'homme moderne évolue dans un monde de contingences qui lui échappent, qui sont décidées, gérées et contrôlées par les autres. Coincé entre des obligations socioprofessionnelles toujours plus contraignantes et des sollicitations toujours plus attrayantes, le travailleur vit dans la précipitation, la frustration et l'inhibition.

> Dernier bastion naturel pour l'individu, la famille n'échappe pas à la menace des bouleversements : les conflits de générations, l'éclatement des conventions sociales, la confusion des rôles, la marginalisation de l'autorité parentale, la « libération » de la femme, le mépris pour les « vieillards inutiles ». La qualité des liens affectifs qui unissaient les membres d'une même famille s'est considérablement détériorée car, là encore, l'individu n'a pas eu le temps de s'adapter à une évolution trop rapide. L'éclatement de la cellule familiale laisse l'homme stressé encore un peu plus seul avec lui-même.

Dépouillé de ses défenses naturelles de lutte ou de fuite, l'homme moderne ne sait plus comment se positionner devant la compétition et le harcèlement psychologique. Ses défenses ne peuvent se développer que grâce aux renforcements liés à l'expérience qu'il possède des situations dans lesquelles il doit lutter. Impuissant devant son manque d'action défensive, il est alors réduit à l'inaction, et souvent à l'apathie.

Stress et maladie

Depuis le stress de Selye, de nouveaux agents stresseurs se sont ajoutés aux pressions d'une société surindustrialisée, notamment en Amérique du Nord, au Japon et en Europe occidentale. La haute technologie engendre des changements de plus en plus rapides qui désorganisent la vie des individus. Force est de reconnaître que la société contemporaine devient de plus en plus dominée par le stress – lequel peut rendre malade dans certaines situations.

En effet, des maladies apparaissent avec une perspicacité frappante. Ce sont, entre autres, la fibromyalgie, le syndrome de la fatigue chronique, les troubles vasculaires (athérosclérose, congestion cérébrale), le cancer, l'arthrite, les maladies respiratoires (asthme, bronchite et emphysème) et les maladies auto-immunes. Selon une enquête menée par l'Ordre des ingénieurs du Québec, 85 % de ses membres se sentent stressés en raison d'une surcharge de travail et disent manquer de temps.

Durant des siècles, le monde du travail s'est préoccupé avant tout du corps humain – mais on a négligé l'esprit. Maintenant, des spécialistes en relation de travail doivent s'attarder à la vague croissante des cas d'épuisement suscité par le stress professionnel.

Pour contrer le stress et la fatigue, on voit surgir un peu partout depuis quelques années des programmes d'aide aux employés. De grandes entreprises et des organismes gouvernementaux adoptent des mesures pour offrir des périodes de repos à leurs employés.

Seagram, IBM et Pepsi offrent à leurs travailleurs des séminaires sur les bienfaits du sommeil dans l'espoir de les rendre plus productifs. Un chercheur en psychologie de l'Université Cornell, à New York, recommande aux chefs d'entreprise d'inciter leurs employés à faire une courte sieste au cours de la journée, dans des lieux prévus à cette fin.

LIEN ENTRE LE STRESS ET LA FIBROMYALGIE

La fibromyalgie, qui semble débuter sans raison pathologique apparente, survient souvent à la suite d'un traumatisme ou pendant une surcharge de stress répétitifs, lesquels peuvent déstabiliser le système immunitaire. Le fait que les principaux symptômes associés à la fibromyalgie s'aggravent fréquemment en raison des agents stresseurs indique qu'il y a une relation étroite entre le stress et la fibromyalgie.

On sait que les liens entre les stress successifs ou prolongés et les symptômes primaires de la fibromyalgie sont indissociables. En ajoutant à ces symptômes les troubles de l'intestin irritable et d'autres maladies concomitantes, l'ensemble de ces éléments entretient la fibromyalgie dans des cercles vicieux de déficiences physiologique et psychologique (figure 15.1).

Figure 15.1

Symptômes liés au stress

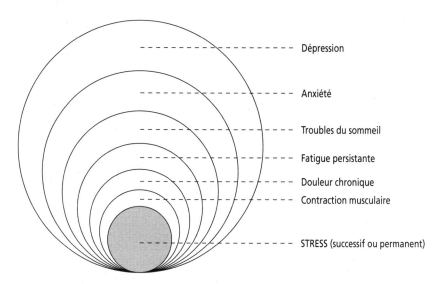

Note : Directement lié au stress, l'ensemble de ces symptômes entretient la fibromyalgie dans des cercles vicieux de déficience physique et psychologique.
Source : *Copigraf*, Mélanie Giroux, Loretteville, 1999.

Si une personne ignore son surcroît de stress, elle se conditionne à en supporter un niveau encore plus élevé. Mais lorsque cette surcharge l'empêche de répondre à la réaction d'alarme, cela entraîne un effet de stress cumulatif et permanent qui risque d'affecter sérieusement l'équilibre du système immunitaire. Ce phénomène anormal produit généralement une inhibition de l'action, une incapacité d'agir qui, en retour, aggrave la santé. Une surcharge de stress cumulatifs, en intensité ou en fréquence, peut en effet conduire à l'épuisement, à la paralysie totale, voire à la mort.

Et lorsque le cercle vicieux du stress est installé, le déséquilibre entre les systèmes sympathique et parasympathique peut occasionner une dysfonction de divers organes et provoquer davantage la douleur musculaire, la fatigue chronique, les troubles du sommeil et les autres symptômes concomitants à la fibromyalgie.

EFFETS NOCIFS DU STRESS

Un grand nombre de livres et de revues médicales traitant des effets du stress indiquent de plus en plus que le stress serait à l'origine de nombreuses maladies – notamment le burnout professionnel (syn. : brûlure interne). Néanmoins, des spécialistes affirment que les stress de la vie moderne peuvent en effet déclencher non seulement des maladies fonctionnelles mais aussi des maladies organiques. C'est le cas de la fibromyalgie. Plusieurs études démontrent qu'elle apparaît souvent à la suite d'un traumatisme – ou pendant des situations soutenues de stress émotionnel.

Dans son rapport annuel de 1993, le Bureau international du travail (organisme étudiant des conditions de travail), siégeant à Genève, mentionne :

> Le stress est l'un des plus graves problèmes de notre temps. Il provoque un très grand nombre de maladies, et dans certains pays, comme le Japon, le stress serait mortel. Appelé *karoshi*, c'est une maladie redoutée se traduisant par l'épuisement physique et nerveux. Le karoshi touche des employés modèles travaillant au-delà de leurs limites et qui, au bout d'un certain temps, sombrent dans l'apathie et dans un épuisement physique et psychologique qui peut même conduire à la mort.

Symptômes aggravés par le stress

Bien d'autres agents stresseurs entraînent des conséquences néfastes liées au phénomène de dégradation du métabolisme, du système digestif et à d'autres maladies organiques. À cet égard, un grand nombre de symptômes physiologiques et psychiques associés à la fibromyalgie sont fréquemment aggravés et entretenus par des situations de stress répétitives – surtout quand les tensions sont difficiles à régler.

Les symptômes les plus aggravés par le stress sont :

- *les contractions et douleurs musculaires*
- *la fatigue chronique*
- *les troubles du sommeil :* difficulté de s'endormir, réveils fréquents, perturbation du sommeil réparateur
- *l'anxiété*, s'accompagnant de réactions physiologiques et psychiques : sécheresse de la bouche, palpitations, transpiration, hypertension
- *la dépression*
- *l'épuisement* se manifestant par un état de fatigue soutenue, de lassitude, de découragement, de faiblesse, d'anxiété
- *la spasmophilie* caractérisée par une hyperirritabilité neuro-musculaire
- *l'insuffisance vasculaire* (athérosclérose) consécutive à l'hypercholestérolémie
- *l'hypertension artérielle périodique :* hausse brusque de la tension artérielle provoquant parfois des douleurs musculaires
- *l'asthme*
- *la perte de cognition :* troubles de concentration et de mémoire à court terme
- *la dévalorisation de soi*
- *la sensibilité à l'environnement,* se présentant principalement par l'irritabilité aux bruits, au froid et aux odeurs fortes
- *les maux de tête :* caractérisés par la céphalée ou la migraine
- *l'intestin irritable :* se traduisant par des troubles digestifs chroniques

PERCEPTION DU STRESS

En définitive, tout est stress dans notre univers. On le trouve dans tous les milieux et à tous les âges. Comme producteur d'énergie, il est un élément essentiel pour affronter nos problèmes et nous motiver. En fait, la vie elle-même est un élément de stress puisque nous vivons en permanence dans un environnement qui subit des changements successifs.

Ce n'est pas nécessairement l'événement lui-même qui cause le stress, mais notre perception et notre réaction face à la situation. Analysons brièvement la définition du terme «percevoir». Selon la perception de chacun, de nombreuses situations peuvent apparaître dangereuses pour les uns et relativement sécuritaires pour les autres. Par exemple, le stress lié à la peur de se noyer est très fort pour la majorité d'entre nous. Toutefois, les adeptes de la plongée sous-marine ont beaucoup moins peur de se noyer que ceux qui ne savent pas nager. Or, c'est parfois la perception face à l'événement qui cause le stress plutôt que la situation elle-même.

Le stress peut paraître irritant pour les uns et agréable pour les autres, tels que: les rythmes de vie (voyages à l'étranger, déménagement, nouvelle carrière), les changements climatiques (le froid de l'hiver ou la chaleur de l'été), les bruits (roulement agaçant de la circulation routière ou le son agréable ou désagréable de certaines musiques), les émotions (la colère, les cris, la joie, le deuil, la naissance, l'indifférence, l'irresponsabilité, l'insolence).

Bon stress

Naturellement en harmonie avec elles-mêmes, les personnes en santé gèrent habituellement bien leur stress. Le bon stress reflète tout ce qui fait plaisir: la joie, la réussite, l'amour, l'enthousiasme, l'initiative et la satisfaction dans le travail et dans les tâches quotidiennes, l'émerveillement, le plaisir d'aimer et d'être aimé. Tant que le bon stress ne dépasse pas le seuil de tolérance, il constitue une force positive qui procure des stimulus, c'est-à-dire qui est capable de provoquer la réaction d'un système excitable.

Mauvais stress

Tout ce qui dépasse le seuil de tolérance ou qui est en contradiction avec soi-même se qualifie de mauvais stress : la tristesse, la peine, l'ingratitude, la peur, l'angoisse. Il y a excès de stress quand une maladie chronique et douloureuse comme la fibromyalgie provoque des souffrances interminables. Le mauvais stress est une surcharge de soucis, de désagréments, de deuils, d'ingratitude, de surmenage, de contrariétés. Il est lié à des émotions négatives, la mauvaise organisation au travail, les disputes agressives et, souvent, les dualités en soi-même.

Les mauvais stress se divisent en quatre catégories :

- *Physique :* traumatisme, blessure, fracture, douleur, fatigue, effort intense, activité dangereuse, exercice physique exagéré.

- *Sensoriel :* émotions négatives, bruits irritants, désenchantement, douleur chronique, faim, soif, chaleur, froid, insécurité, peur, incertitude, mauvaises odeurs, allergènes, pollution, substances toxiques, fumée de cigarette.

- *Socioprofessionnel :* harcèlement, congédiement, rivalité hiérarchique, sexisme, discrimination, surmenage, fatigue intellectuelle, déplacement.

- *Psychoémotionnel :* deuil, échec, anxiété, nervosité, phobie, terreur, inquiétude, incertitude, angoisse, frustration, divorce, délire, refoulement, agression, haine, jalousie, culpabilité, tristesse, manque de confiance en soi.

Des spécialistes indiquent que les facteurs prédisposants aux maladies sont le stress psychosocial, les changements répétitifs et la pollution. Le stress devient pathologique quand nous réagissons comme si nous étions menacés, même longtemps après la disparition du danger. Lorsque des réactions négatives au stress persistent trop longtemps sans s'atténuer, des manifestations physiologiques et psychosomatiques apparaissent. Bon nombre d'exemples de ce type d'agents stresseurs sont expliqués dans les pages suivantes.

Les changements négatifs de la vie qui se succèdent et causent de fortes inquiétudes peuvent effectivement entraîner la dépression, ou le burnout, et nous rendre malade. Les bouleversements qui exigent des ajustements majeurs, comme la maladie chronique ou auto-immune, la perte d'un conjoint, la séparation ou le divorce, sont les plus grandes sources de stress.

IDENTIFIER ET ÉVALUER SES SOURCES DE STRESS

La douleur intense et permanente, la fatigue, le manque de sommeil, les troubles sexuels, le changement dans la responsabilité des tâches devenues accablantes pour le conjoint sont qualifiés comme des facteurs très stressants. Les personnes victimes d'une maladie chronique sont sujettes à subir une séparation ou un divorce plus fréquemment que les bien-portants.

Quoique le stress soit inévitable, il est cependant identifiable, évaluable et gérable. Des statistiques démontrent que la moitié des consultations chez le médecin sont liées au stress. Cependant, les sources de ce phénomène notoire se dépistent facilement.

Chacun réagit différemment au stress selon sa personnalité et son attitude. Devant une situation similaire, une personne subira des troubles digestifs, une autre aura peur. Les hommes auront tendance à devenir plus irritables ou agressifs que les femmes, mais celles-ci seront plus sujettes aux maux de tête.

Il appartient donc à chacun d'évaluer l'intensité de ses stress – ce qui demande en l'occurrence un examen critique de soi-même. Comme nous pourrons le constater au chapitre suivant – « Survivre à la fibromyalgie » – le processus d'évaluation de ces divers agents stresseurs représente un plan d'action déterminant dans sa démarche individuelle pour restaurer sa santé.

Échelle d'évaluation du stress social et familial

Les docteurs Thomas H. Holmes et Richard H. Rahe, de la Faculté de médecine de l'Université de Washington, ont conçu une méthode systématique pour analyser l'intensité du stress attribuable aux changements d'ordre social et familial qui interviennent au cours de la vie (tableau 15.2). Cette étude a été menée auprès de 5 000 sujets.

Tableau 15.2

Évaluation des sources du stress familial et social

Événements de la vie	Degré de stress	√	Événements de la vie	Degré de stress	√
1. Décès du conjoint ou compagnon, d'un enfant	100		22. Soucis financiers	35	
2. Divorce ou séparation	75		23. Enfant quittant le foyer	3	
3. Maladie chronique ou blessure grave	70		24. Examens ou prise de parole en public	30	
4. Perte d'emploi	70		25. Éloignement des enfants	30	
5. Emprisonnement, infractions aux lois	70		26. Conjoint cessant ou reprenant le travail	25	
6. Mort d'un ami intime	60		27. Dispute avec un voisin	25	
7. Départ en retraite	60		28. Condition de vie changée	25	
8. Mariage	50		29. Troubles avec le patron	25	
9. Maladie d'un membre de la famille	50		30. Début d'une nouvelle relation	25	
10. Changement de domicile	50		31. Changement d'horaire ou de conditions de travail	20	
11. Changement dans les relations amoureuses	45		32. Changement de responsabilités au travail	29	
12. Grossesse	45		33. Changement d'école	20	
13. Accident ou traumatisme	45		34. Changement de loisirs	20	
14. Nouveau membre dans la famille	45		35. Changement dans les activités religieuses	20	
15. Dette ou hypothèque importante	45		36. Changement dans les activités sociales	20	
16. Changement de métier ou d'emploi	45		37. Hypothèque ou emprunt de moins de 10 000 $	20	
17. Décès d'un parent âgé	45		38. Période des Fêtes	20	
18. Nouvelles responsabilités au travail	40		39. Départ en vacances	20	
19. Sérieuse dispute conjugale	40		40. Réunions de famille	20	
20. Prise en charge d'une personne âgée	40		41. Changement dans les réunions de famille	20	
21. Problèmes avec des membres de la famille	40		42. Infraction mineure de la loi, contravention	15	

Source : Barème du questionnaire établi d'après les travaux de Holmes et Rahe (1967).

Les événements analysés dans cette échelle font partie de la vie de chacun de nous. L'intensité des réactions stressantes à ces événements est habituellement normale. Mais lorsque les changements se produisent en même temps ou de façon successive, les effets cumulatifs produisent des réactions encore plus stressantes pouvant même déclencher la maladie.

Les conséquences du stress varient selon l'attitude et les modalités de chaque événement. Par exemple, la perte d'emploi est moins stressante pour un jeune travailleur que pour un jeune père de famille. La mort accidentelle d'un enfant suscite un impact beaucoup plus stressant que le décès d'un parent âgé. Un divorce peut être perçu comme un soulagement pour les uns, mais comme une catastrophe pour les autres.

Nous avons souligné précédemment que les tentatives maintenues par l'organisme pour s'adapter à la présence continuelle des facteurs stressants épuisaient les ressources du corps et exposaient celui-ci à la maladie. Des spécialistes de la santé estiment que le stress joue un rôle important dans la moitié de toutes les consultations médicales.

Démontrant que certains événements stressants sont plus nuisibles que d'autres, le tableau de Holmes et Rahe peut aider à évaluer les facteurs de stress vécus depuis les 12 derniers mois. Cette échelle attribue un degré 0 à aucun stress et 100 au stress maximal. Le résultat de leurs études a démontré que des sujets ayant obtenu entre 150 et 200 points, 37 % sont tombés gravement malades dans cette même période de 12 mois. Entre 200 et 300 points, le risque d'être atteint d'une maladie chronique a grimpé à 80 %.

Ces résultats n'ont évidemment qu'une signification évaluative. Même si cette échelle est limitative, elle a cependant le mérite de relier une variété de situations stressantes et de nous rendre conscient de leurs conséquences. Pour évaluer l'intensité de ses divers stress, il s'agit d'analyser la liste du tableau 15.2 et de cocher les événements auxquels on a été confrontés au cours des 12 derniers mois. Il suffit ensuite de les additionner pour obtenir le résultat global des événements stressants que la personne a subis au cours de la dernière année.

On conseille de conserver son bilan de stress familial et social pour le comparer à celui que l'on répétera à nouveau dans six mois ou un an afin de savoir si le niveau de stress a diminué ou augmenté.

Stress secondaire à la fibromyalgie

En plus des événements analysés à l'échelle d'évaluation de Holmes et Rahe, les fibromyalgiques subissent d'intenses crises de douleurs musculaires qui en soi sont une source de stress. S'ensuivent alors d'autres malaises attribuables à une dysfonction du système immunitaire. Par exemple, des muscles du corps se raidissent et d'autres cessent de fonctionner, les troubles de l'intestin irritable dérèglent le système digestif, le manque de sommeil et la fatigue intensifient la douleur – lesquels symptômes caractérisent l'effet domino qui gonfle davantage le niveau de stress.

Le tableau 15.3 permet d'évaluer l'intensité du stress provoqué par divers symptômes accompagnant la fibromyalgie. Utilisant une notation de 0 pour aucun stress à 10 points pour les événements les plus stressants, ces données sont pratiques pour comparer périodiquement leur intensité, ainsi que la fréquence des crises de douleurs musculaires et des autres symptômes.

Pour mieux informer son médecin, un tel bilan pourra tenir lieu de statistiques pertinentes sur l'évolution négative ou positive des symptômes. Ce bilan n'évalue pas, évidemment, les stress causés par tous les malaises de la FM. Il permet cependant d'en faire une évaluation objective.

Des études montrent que le seuil de tolérance au stress se situe à un niveau nettement plus bas chez les fibromyalgiques que chez les individus bien portants. Par exemple, le bruit, la lumière, les odeurs fortes, la pollution, les changements climatiques, le froid, l'humidité sont des sources de stress très irritantes chez les sujets fibromyalgiques.

Évaluation de divers stress personnels

Le bilan du stress personnel, figurant au tableau 15.4, explore certaines habitudes au travail, en société et en famille. L'espace manque dans le présent ouvrage pour aborder toutes les situations de stress et les prédispositions liées à l'attitude et au comportement individuel.

Tableau 15.3

Évaluation du stress attribuable à la fibromyalgie

Stress majeur : 10 Stress moyen : 7 Stress mineur : 3	Oui Non	Évalua- tion
Considérez-vous la fibromyalgie comme une maladie invalidante ?		
Vos médicaments contre la douleur sont-ils efficaces ?		
Avez-vous l'impression d'être négligé par vos proches ?		
Êtes-vous souvent déprimé ?		
Avez-vous des réveils fréquents pendant la nuit ?		
Éprouvez-vous des pertes de mémoire et de concentration ?		
Êtes-vous sensible au bruit, à la lumière, à la pollution ?		
Souffrez-vous de fatigue le matin au réveil et durant la journée ?		
Les douleurs musculaires sont-elles fréquentes ?		
Éprouvez-vous des douleurs myofasciales (points déclencheurs) ?		
Éprouvez-vous souvent des allergies ?		
En position assise, êtes-vous souvent importuné par une douleur vive siégeant dans la région fessière ?		
Avez-vous la sensation d'avoir une boule dans la gorge ?		
Avez-vous souvent la bouche sèche et les yeux secs ?		
Souffrez-vous fréquemment de maux de tête ?		
Êtes-vous importuné par des douleurs persistantes aux épaules et au cou ?		
Subissez-vous couramment des douleurs thoraciques ?		
Souffrez-vous d'engourdissements aux jambes et aux pieds ?		
Avez-vous souvent des douleurs dorsales et lombaires ?		
Éprouvez-vous régulièrement des troubles de digestion ?		
Êtes-vous importuné par le reflux gastro-œsophagien ?		
Échappez-vous fréquemment des objets ?		
DATE : TOTAL des points :		

Tableau 15.4

Évaluation de certains stress personnels

Stress important : 10 Stress modéré : 7 Stress faible : 3	Oui Non	Évalua- tion
Prenez-vous des décisions en permanence ?		
Avez-vous des heures de travail supérieures à dix par jour ?		
Votre occupation vous amène-t-elle à vous déplacer souvent ?		
Fumez-vous ou subissez-vous la fumée des fumeurs ?		
Devez-vous intervenir souvent dans des conflits ?		
Dirigez-vous des réunions ?		
Devez-vous respecter régulièrement des délais ?		
Subissez-vous fréquemment des changements ?		
Prenez-vous régulièrement des vacances ?		
Votre travail exige-t-il plus d'une demi-heure pour s'y rendre ?		
Subissez-vous au travail de la pression de vos supérieurs ?		
Vos tâches quotidiennes sont-elles dévalorisantes ?		
Vous arrive-t-il de vous ennuyer ou de vous sentir inutile ?		
Prenez-vous régulièrement des périodes de repos ?		
Vivez-vous une relation familiale difficile ?		
Avez-vous des troubles de communication avec votre conjoint ?		
Sentez-vous un vide affectif ?		
Avez-vous des activités culturelles régulières ?		
Vivez-vous dans un environnement pollué ou qui vous déplaît ?		
Manquez-vous d'objectifs dans votre existence ?		
Avez-vous l'impression que vos succès ne sont pas soulignés ?		
Avez-vous tendance à vous culpabiliser ?		
Vous ennuyez-vous rapidement dans certaines conversations ?		
Êtes-vous impulsif ? Vous emportez-vous facilement ?		
DATE : TOTAL des points :		

Une source abondante d'information sur le stress lié au comportement personnel a été publiée par des psychiatres et psychanalystes, pour ne citer que quelques-unes des écoles de pensée sur la psychologie humaine. Toutefois, aucune de ces approches n'a tout à fait raison. En fait, la personne elle-même vivant une situation de stress peut mieux que quiconque choisir les moyens à sa disposition pour se libérer des sources de stress qui désorganisent sa vie.

CONCLUSION

Nous avons examiné dans ce chapitre l'influence positive du bon stress et les effets néfastes du mauvais stress sur la santé physique et psychique. Pour contrebalancer les fortes tensions liées à des problèmes affectifs, professionnels ou financiers, il importe de bien connaître ses ressources afin de mieux maîtriser les changements que la vie trépidante moderne nous apporte.

Des études soulignent que les personnes dépourvues de ressources pour affronter les contraintes imprévisibles imposées par les situations stressantes éprouvent habituellement beaucoup de difficulté à résoudre certains problèmes dans leur vie. Plus les pressions sont importantes, plus les effets négatifs du stress risquent d'être dommageables pour leur santé et leur qualité de vie.

Pour en savoir plus

Pour mieux se libérer de certaines situations stressantes, le patient fibromyalgique a intérêt à consulter les renseignements complémentaires dans les chapitres suivants:

- Chapitre 16: *Survivre à la fibromyalgie* – Se prendre en main, Se libérer des facteurs stressants, Développer son équilibre physique et psychique.

- Chapitre 17: *Soutien et entraide* – Soutien familial, Maintenir ses relations.

- Chapitre 18: *Exercices d'assouplissement et thérapies de détente* – Respiration profonde, Relaxation, Relaxation musculaire progressive, Exercices d'étirement musculaire, Marche, Aquathérapie, Massage, Méditation, Naturopathie, Taï-chi.

- Chapitre 19: *Médecines alternatives* – Acupuncture, Biofeedback, Hypnothérapie, Imagerie mentale.

16

Survivre à la fibromyalgie

Quand le malade cesse d'être un objet passif de soins médicaux pour devenir un partenaire actif de sa guérison, son attitude change.

Il commence à ressentir que son état de santé dépend de lui en grande partie et qu'il peut prendre part à sa guérison, et généralement il va mieux rapidement.

Dr Carl Somonton

Bon nombre de personnes affligées par la fibromyalgie craignent qu'il soit impossible de surmonter la douleur accablante et la fatigue persistante qui épuisent le corps et l'esprit. Un éventuel remède prodigieux, qui pourrait guérir leurs souffrances, demeure leur seul espoir. En attendant, ils doivent en plus supporter les troubles de sommeil et autres malaises chroniques qui minent davantage leur santé.

Conscients que la fibromyalgie a rendu irréalisables leurs buts et leurs projets d'avenir, ils éprouvent de profonds sentiments d'amertume et d'angoisse. Les contraintes pénibles qui leur sont imposées par cette maladie énigmatique les obligent à se soumettre aux incertitudes de tous les jours. Les responsabilités familiales sont restreintes et les activités sociales sont suspendues. Ne plus avoir la capacité d'occuper la place qu'ils avaient au sein de leur famille et de leur communauté entraîne un sentiment de frustration et la dévalorisation de soi.

SORTIR DE L'EMPRISE DE LA FIBROMYALGIE

Malgré les souffrances omniprésentes, les patients fibromyalgiques doivent garder leur courage parce que l'organisme possède les capacités nécessaires pour survivre à des situations désespérantes – à condition toutefois que celui-ci puisse fonctionner dans un ensemble de règles physiques et psychiques raisonnablement saines pour la santé.

Pendant les courtes périodes de rémission quand les crises de douleur diminuent en intensité, les fibromyalgiques ont toutefois une tendance naturelle d'envisager l'avenir avec optimisme. Cette disposition positive leur permet désormais de rêver d'un avenir meilleur où, comme avant la maladie, ils pourront réaliser avec assurance des projets qui leur tiennent à cœur.

Devant cette réalité, il appartient à chaque patient fibromyalgique d'adopter une formule personnelle qui, étape par étape, le guidera par l'entremise d'objectifs bien définis. Par des techniques appropriées, nous proposons dans les pages qui suivent des méthodes éprouvées pouvant aider le patient à surmonter cette maladie harassante et préoccupante.

Se fixer des objectifs pour survivre à la fibromyalgique

On admet dans les milieux médicaux que les patients qui contrôlent leur maladie parviennent mieux à améliorer leur santé. Cela demande de reprendre énergiquement la maîtrise de soi-même et de s'autodéterminer à surmonter sa maladie chronique, c'est-à-dire se fixer des objectifs sans l'influence des autres.

L'autodétermination et l'optimisme résolus sont les forces motrices nécessaires qui permettent de définir des objectifs déterminants. Pour se motiver, il suffit de songer aux résultats désirés en imprégnant son subconscient d'une image faisant partie du processus de rétablissement. Les buts à atteindre paraîtront alors plus réalistes et moins lointains.

Quatre objectifs stratégiques

Les contraintes apportées par la fibromyalgie exercent sur beaucoup de patients une forme de résignation qui les rend inertes et impuissants face à la maladie. Pour se sortir de cette emprise, des objectifs précis qui correspondent à de véritables aspirations doivent être fixés. Ce principe de gestion répond bien à des résolutions qui donnent un signification à sa vie. Lorsqu'on se sent déconcerté par la maladie, les objectifs que l'on désire atteindre sont de véritables balises qui nous guident dans la bonne direction.

En utilisant des moyens à sa portée, les quatre objectifs suivants sont déterminants pour réussir à survivre à la fibromyalgie :

1. Se prendre en main.

2. Se libérer des facteurs stressants.

3. Surmonter la douleur, la fatigue et les troubles du sommeil.

4. Atteindre l'équilibre physique et psychique.

SE PRENDRE EN MAIN

Parvenir à ses objectifs requiert la volonté manifeste de réussir. La valorisation qu'apportent les réussites est le rêve des gens heureux. Et malgré les souffrances physiques qu'endurent les patients fibromyalgiques, ils ambitionnent tout autant de réussir et d'être heureux. Pour atteindre ce but, il suffit de se faire confiance, de caresser ses rêves et de persévérer dans son cheminement.

Selon son initiative et sa ténacité, chaque personne possède les ressources nécessaires pour s'épanouir dans la réussite. Il s'agit de respecter les limites imposées par la maladie et d'être honnête avec soi-même et les autres.

La première étape consiste à créer une tâche à court terme qui renforcera son autonomie. Les petites décisions à portée de la main sembleront dès lors importantes parce qu'elles influenceront les objectifs qui se succéderont. Ce principe éprouvé d'autogestion peut en effet vaincre la sédentarité et incitera le fibromyalgique à poursuivre d'autres objectifs dans son cheminement.

Un patient fibromyalgique se sent moins victime dès qu'il décide d'être un participant volontaire et actif dans le processus de son rétablissement. En assumant cette responsabilité, il découvre alors qu'il n'est plus un sujet passif de traitements basés que sur des médicaments. Il est conscient que son cheminement se fera plus naturellement avec l'aide de son conjoint, de sa famille et de son médecin.

Néanmoins, l'inestimable soutien des autres patients fibromyalgiques est fort apprécié. Il est rassurant de pouvoir parler de ses malaises à un «complice» discret qui saura écouter et comprendre ses souffrances sans juger. Partager son angoisse, obtenir de la compréhension des autres sont des moyens appréciables pour lutter contre toute forme de maladie chronique.

Trucs pour se prendre en main

Pouvant être la source d'une grande réalisation, la décision de se prendre en main pour recouvrer sa santé et améliorer sa qualité de vie est un objectif primordial. Il importe de reprendre son identité et la confiance en soi – de reconnaître et apprécier ses aptitudes – et de se sentir maître de son propre destin.

Pour réussir ce premier objectif, il importe que le patient:

- obtienne le soutien et l'aide des membres de sa famille et de ses amis;

- acquière des autres patients fibromyalgiques l'entraide et les renseignements pertinents qui lui permettront de mieux connaître la nature de sa maladie;

- gère son support médical en choisissant un médecin qui s'intéressera à lui et à sa maladie afin d'obtenir le meilleur traitement;

- suive selon ses propres capacités l'évolution de ce premier objectif afin d'entreprendre avec dynamisme les étapes qui le mèneront au deuxième objectif.

SE LIBÉRER DES FACTEURS STRESSANTS

Au chapitre précédent, nous avons analysé la procédure permettant d'identifier et d'évaluer les sources suivantes du stress:

- Évaluation des sources du stress familial et social (tableau 15.2).

- Évaluation du stress attribuable à la fibromyalgie (tableau 15.3).

- Évaluation de certains stress personnels (tableau 15.4).

Définir ses stress nuisibles et dommageables

Des études révèlent que les personnes qui résistent le mieux au stress sont celles qui se fixent des objectifs et qui parviennent à les atteindre. Les personnes qui perçoivent les changements de la vie moderne comme un défi peuvent mieux s'y adapter en maîtrisant le stress à leur avantage.

Les fibromyalgiques ont donc avantage à connaître leurs propres défenses naturelles face aux situations stressantes qui déstabilisent leur vie. En général, la plupart des réactions au stress sont soutenables, et d'autres sont inévitables. Toutefois, plus l'origine du stress est ambiguë et que les sources sont variées et consécutives, plus il paraîtra compliqué de s'en libérer.

Pour y arriver, il s'agit de dresser une liste des facteurs stressants les plus nuisibles et de trouver des solutions pour mieux les supporter ou, mieux encore, pour s'en libérer. Il est recommandé de sélectionner en premier lieu les éléments stressants les plus faciles à résoudre, et de les régler un à la fois. Bien des problèmes se résolvent par une attitude objective et positive envers certains agents stresseurs. L'aide d'un conseiller spécialisé peut être bénéfique pour gérer certaines situations de stress difficiles à résoudre soi-même ou qui se traduiraient par d'autres stress importants.

Plan d'action

Le plan d'action suggéré ci-après est essentiel pour s'aider à se libérer des effets négatifs du stress.

Auto-examen

• AGIR CALMEMENT PLUTÔT QUE DE RÉAGIR IMPULSIVEMENT

Exposées à des situations non dramatiques, les personnes décontractées ressentent un minimum de tension et de stress. Mais celles qui réagissent impulsivement et nerveusement à des situations semblables vivent des stress autodestructeurs. Dans une situation stressante, la réalité est souvent modifiée parce que l'émotivité entre en jeu.

La colère intériorisée et le refoulement, causés par une réaction prolongée au stress, sont plus dommageables que la tension passagère ou l'agression. La réaction physique du corps face à un facteur stressant influence le système nerveux qui, en retour, intensifie la tension et les douleurs. Voir au chapitre 8 « La douleur chronique ».

• S'ACCORDER DU TEMPS AVANT DE RÉAGIR

Le stress s'amplifie souvent par des réactions négatives irréfléchies. Importunée par l'émotion, une personne stressée se trouve dans une position de faiblesse pour juger objectivement. Dans cette situation, elle ne doit pas céder dans le feu de l'action à l'anxiété et à la colère qui conduisent souvent à la déception. Pour mieux l'envisager, il faut d'abord qu'elle se donne du temps pour reprendre son équilibre émotif et examiner la situation froidement. Par la suite, elle pourra mieux analyser la situation et l'interpréter objectivement. Un délai, dans les circonstances, favorise une réaction détendue et plus éclairée.

• CULTIVER DES RELATIONS

Un bon contact avec son entourage contribue à diminuer considérablement les effets du stress. Une saine tradition antistress est de souligner les anniversaires et autres fêtes, par exemple. Cultiver ses racines en s'occupant de la généalogie et de la biographie familiale est un autre moyen sûr à court et à long terme.

• ÉVITER LES DISCUSSIONS AGRESSIVES OU NÉGATIVES

L'énergie dépensée en discussions agressives ou négatives est une grande source de stress. Ces échanges sont souvent provoqués par l'attitude agressive d'une personne qui, au dépend d'une autre, se

« défoule » pour des riens. Pareillement, la personne qui abuse d'une conversation téléphonique pour monologuer longuement sur des banalités est une autre source de stress.

• APPRENDRE À RECONNAÎTRE LA CRITIQUE JUSTIFIÉE

La critique est généralement constructive et raisonnable quand on lui porte une oreille attentive. Le calme, l'écoute et l'humilité permettent de mieux maîtriser la situation qu'une critique mal reçue.

• SE FAIRE CONFIANCE

Les personnes qui ressentent la gêne en s'affirmant limitent leurs aptitudes à faire face au stress de la vie quotidienne. Attendre des autres une solution à ses problèmes est une source de stress. Que ce soit pour exprimer un besoin, un désir ou une opinion, il s'agit simplement de se faire confiance.

SURMONTER LA DOULEUR, LA FATIGUE ET LES TROUBLES DU SOMMEIL

Après avoir dressé un plan d'action pour se prendre en main et se libérer de ses stress les plus nuisibles, le patient est fort mieux équipé pour surmonter la fibromyalgie. Cependant, surmonter les trois principaux symptômes de cette maladie constitue l'objectif le plus exigeant.

Apprendre à supporter la douleur chronique

En théorie, la douleur se qualifie comme une sensation douloureuse qui s'échelonne entre un léger désagrément et une souffrance insupportable imputable à la stimulation des terminaisons nerveuses sensitives à la suite d'une lésion ou d'une maladie chronique.

En fibromyalgie, cependant, et en l'absence de toute lésion, il importe de se rappeler que la douleur se caractérise par deux symptômes chroniques distincts :

- *Douleur musculaire* se distinguant par des points très sensibles dans des régions bilatérales du corps pouvant se diffuser d'une région à une autre.

- *Douleurs musculaires myofasciales* caractérisées par des points déclencheurs extrêmement sensibles et consécutifs à une dysfonction neuromusculaire des fascias entourant les tissus des muscles squelettiques pouvant irradier dans tout le corps.

L'effet domino de ces deux formes de douleurs musculaires se manifeste quand la combinaison des points sensibles et des points déclencheurs provoque des douleurs quasi permanentes qui se répercutent dans la poitrine, la nuque, la tête (céphalées et migraines), les épaules, les bras, le bas du dos et les muscles du bassin qui entraînent souvent une douleur sciatique irradiant dans les jambes et pieds.

Sources d'épuisement et d'insomnie, les douleurs musculaires décrites ci-dessus sont réelles, constantes et infinies. Quelles que soient leurs causes, il faut apprendre à les supporter pour vivre avec elles et ne pas se contenter d'attendre les périodes de rémission.

Sur le plan thérapeutique, il est certain que l'entraide familiale jouera un très grand rôle dans la tolérance de la douleur. Les thérapies antidouleurs et les conseils pour mieux la supporter, expliqués ci-après, sont des mesures qui ont fait leur preuve.

Thérapies antidouleurs

La sensation douloureuse purement physique peut être diminuée, voire annihilée, par une commande venue du cerveau ; c'est un des mécanismes naturels de suppression de la douleur.

Toutefois, il faut savoir que la douleur est une émotion, laquelle peut aussi être maîtrisée psychologiquement par diverses thérapies : la respiration profonde, la relaxation (élaborées au chapitre 18 «Exercices d'assouplissement et thérapies de détente»), puis l'acupuncture, le biofeedback, l'hypnothérapie et l'imagerie mentale (expliqués au chapitre 19 «Médecines alternatives»).

Conseils pour mieux supporter la douleur

Les conseils qui suivent pour mieux supporter la douleur musculaire et la fatigue chroniques sont en partie adaptés du populaire ouvrage : *Libérez-vous du stress*, par Trevor Powell (Sélection du Reader's Digest, 1998).

1. *Apprendre à relaxer.* Adopter une technique de relaxation progressive et de respiration profonde (expliquée au chapitre 20).

2. *Ménager ses forces.* Rester actif, mais ne pas trop en faire.

3. *S'organiser.* Surveiller les périodes quand la douleur s'intensifie, puis programmer ses activités en conséquence.

4. *Faire diversion.* Prévoir des activités intéressantes ou distrayantes pour se changer les idées.

5. *Être positif.* Au lieu de se laisser obnubiler par ses douleurs, se dire plutôt: «Ça ira mieux si j'arrive à relaxer».

6. *Se motiver.* Se fixer des objectifs et se récompenser quand il sont atteints.

7. *Faire appel aux amis.* Demander de l'aide mais se responsabiliser pour conserver son autonomie.

8. *Réduire le stress.* Ainsi, on diminue la douleur.

Les douleurs musculaires sont élaborées au chapitre 3 «Le syndrome de la douleur chronique myofasciale», et au chapitre 8 «La douleur chronique».

Surmonter la fatigue chronique

Qualifié de fatigue générale de l'organisme sans cause apparente, ce deuxième symptôme primaire étroitement lié à la fibromyalgie épuise lentement, puis draine toute l'énergie du corps. Atteignant sans exception tous les patients fibromyalgiques, cette maladie constitue un problème médical difficile à cerner. Le traitement est compliqué parce que l'origine est inconnue et la thérapie non précisée.

Les répercussions des douleurs musculaires et des troubles du sommeil, et notamment les situations stressantes sont les principales causes qui amplifient l'intensité de la fatigue chronique. Les signes physiologiques comprennent surtout l'anorexie, la faiblesse musculaire, les douleurs pharyngées, la perte de l'appétit, les spasmes digestifs, la constipation, la somnolence, la frilosité.

Apprendre à vivre avec la fatigue chronique

1. *Établir un programme.* Se fixer des activités précises mais appropriées pour chaque jour. Commencer par des tâches simples et de courte durée, puis augmenter ses activités peu à peu.

2. *Discipliner son sommeil.* Se coucher tous les jours à la même heure pour permettre à l'organisme de récupérer son énergie (voir au chapitre 10 « Les troubles du sommeil »).

3. *Analyser les sources de stress.* Elles peuvent être à l'origine d'une sensation d'épuisement. Chercher les moyens de retrouver son dynamisme habituel.

4. *Faire de l'exercice d'étirement musculaire* en respirant profondément et en marchant (voir au chapitre 18 « Exercices d'assouplissement et thérapies de détente »).

5. *Être actif.* Savoir que l'inactivité prolongée finit par accroître la léthargie et par provoquer des troubles du sommeil, une perte de motivation, une perte de la forme physique.

6. *Améliorer son hygiène de vie.* Choisir une alimentation saine, répartie en trois repas par jour (voir au chapitre 20 « Hygiène alimentaire »). Diminuer l'alcool et le tabac.

7. *Se changer les idées.* Trouver des activités convenables pour se distraire et se stimuler.

8. *Ne pas se décourager.* Des rechutes de fatigue sont inévitables puisque cela fait partie de la fibromyalgie.

Surmonter les troubles du sommeil

Ce troisième symptôme primaire de la FM se distingue par un sommeil non réparateur entrecoupé de périodes anormales de réveils. Une mauvaise nuit de sommeil se traduit par une sensation pénible de fatigue physique et mentale. À la longue, les répercussions entraînent l'épuisement des forces du patient qui se poursuit souvent durant le jour. Un manque de sommeil qui persiste constitue un facteur de stress majeur qui, à son tour, amplifie les douleurs musculaires et la fatigue chronique.

Conseils pour mieux dormir

Les hypnoptiques (aussi appelés «somnifères») sont prescrits en fibromyalgie pour des périodes de courte durée afin de susciter un meilleur sommeil. Ils sont expliqués au chapitre 6 «Traitement médical».

D'autres informations pertinentes et un grande variété de conseils susceptibles d'améliorer l'endormissement et favoriser le sommeil profond et réparateur sont suggérés au chapitre 10, «Les troubles du sommeil».

ATTEINDRE L'ÉQUILIBRE PHYSIQUE ET PSYCHIQUE

Dans la longue démarche pour réussir à survivre à la fibromyalgie, ce dernier objectif est tout aussi important que les trois premiers élaborés aux pages précédentes : se prendre en main, se libérer des facteurs stressants et surmonter la douleur, la fatigue et les troubles du sommeil.

Atteindre son équilibre physique et psychique est un projet de taille – un objectif fondamental pour toute personne qui aspire ardemment au bonheur. Toutefois, il faut se rappeler que la santé est tributaire de l'harmonie entre le corps, le cœur et l'esprit.

La maladie fournit des ressources

Des spécialistes en fibromyalgie ont observé que l'aspect physiologique de la douleur musculaire et de la fatigue chronique associées à la FM ne peut être traité avec efficacité sans prendre en considération les effets physiques et psychiques. Or, il importe donc de considérer que le développement personnel pour atteindre l'équilibre entre son corps et son esprit constitue un objectif indispensable dans son cheminement pour rétablir sa santé.

Ce dernier objectif stratégique se compose de quatre méthodes éprouvées pour accroître l'équilibre physique et psychique :

- Connaître ses besoins essentiels.

- Cultiver l'estime de soi.

- S'affirmer avec conviction.

- Cultiver l'optimisme.

Connaître ses besoins essentiels

La participation active au développement de son équilibre physique et psychique définit ses besoins essentiels. Et malgré la douleur et la fatigue, les rôles à assumer peuvent être épanouissants.

S'accepter tel que l'on est

Il faut d'abord s'accepter tel que l'on est, c'est-à-dire:

- Avoir confiance en soi pour aimer et se sentir aimé.

- Être à l'écoute de ses sentiments et de ses ambitions.

- Se faire respecter par son entourage.

- Savoir que l'estime de soi attirera manifestement le respect des autres.

Le manque de confiance en soi confère une grande importance aux compliments des autres – compliments pour lesquels la satisfaction se dissipe rapidement. Cherchant ainsi à éviter le blâme et la critique, un tel comportement favorise l'autodépendance qui, malheureusement, peut se révéler décevante et nuisible à la santé.

Aimer et être aimé

Se sentir aimé est un besoin fondamental pour l'équilibre physique et psychique. Si ce besoin n'est pas comblé, l'organisme subira un grand stress. Les spécialistes en relations humaines ont compris depuis longtemps que l'estime de soi permet de mieux nouer une amitié avec les autres, surtout pour les personnes affligées par les effets nuisibles d'une maladie douloureuse qui les empêchent de faire bonne impression.

Le manque de confiance en soi exige un effort plus grand et constant pour s'évaluer positivement. Néanmoins, pour obtenir la compassion de ceux qui nous entourent, on doit leur inspirer la confiance, l'amour et le respect. Être attentif aux besoins des autres donne une raison à sa propre vie. Développer la reconnaissance et la complaisance envers ses proches attirera assurément l'amitié et le respect.

Le patient fibromyalgique qui est à l'écoute des besoins de son entourage fait appel à une grande maturité car, ces personnes aussi éprouvent les aspects négatifs de cette maladie. Cette attitude à l'égard de ses proches est habituellement digne de compassion et de grand réconfort. Aimer et être aimé est un sentiment que l'on n'obtiendra pas d'autrui tant que l'on ne l'aura pas acquis soi-même.

Prendre soin de soi-même

Cela se résume à satisfaire ses besoins physiques, intellectuels, affectifs et sociaux. Il faut d'abord être attentif à soi-même avant d'aider les autres – et savoir dire «non» à certaines sollicitations. Cette attitude incite le patient à consacrer du temps à sa famille, à respecter une hygiène alimentaire saine, à s'investir dans des activités intéressantes, à prendre des périodes de détente et à s'offrir de temps en temps une gratification.

Être compris et appuyé

Comme toutes autres victimes d'une maladie chronique, les fibromyalgiques comptent sur la compréhension de leurs proches et amis. Cependant, quand l'aide leur est offerte, il leur arrive parfois de penser ou d'exprimer les sentiments suivants :

- Je n'aime pas demander de l'aide.
- J'ai toujours été fier de me débrouiller seul.
- C'est humiliant de demander de l'aide quand on est malade.

L'un des obstacles à surmonter est la crainte d'être rejeté. Cette attitude reflète l'incapacité d'exercer ses responsabilités. Pourtant, souffrir demande ce genre de modestie. Puisque la compassion est naturelle en donnant, elle peut aussi très bien se manifester en recevant. Une telle indulgence incite habituellement les autres à nous aider avec plaisir.

Entretenir des relations de confiance avec les membres de son entourage offre la possibilité d'exprimer ses besoins et, en retour, de recevoir de l'aide. Une meilleure compréhension de ses proches s'acquiert quand on les aide à comprendre qu'on a besoin qu'ils partagent avec nous l'évolution ou le dénouement de cette maladie incapacitante. Somme toute, on s'assure mieux d'être compris et appuyé lorsqu'on manifeste en toute franchise de l'intérêt pour les autres.

Cultiver l'estime de soi

Cultiver l'estime de soi, c'est de faire des choix qui influencent directement et positivement sa façon de vivre. Cette faculté signifie aussi l'acceptation de ses limites et de ses forces et l'authenticité avec soi-même et les autres. Cependant, pour bon nombre de victimes de la FM aux prises avec des malaises constants, cultiver l'estime de soi peut sembler insurmontable. Les pensées négatives étant bien gravées dans l'esprit des fibromyalgiques depuis le début de la maladie, il est parfois difficile pour ces derniers de s'en départir.

Le défi est de taille, mais les compensations en valent vraiment la peine. Il faut d'abord cesser de « performer » pour plaire aux autres et reconnaître qu'ils nous estimeront si l'on se montre cordial, enthousiaste et optimiste. Au lieu de se préoccuper de ce que les autres pensent de soi, on doit songer plutôt à être simplement soi-même. Apprendre à vivre quotidiennement avec ses peines et ses joies et vivre pleinement le moment présent est une excellente façon d'atteindre l'équilibre physique et psychique.

En principe, tout ce que l'on admire chez les autres reflète ce que l'on est. En cultivant une image positive de soi, on obtient un plus grand respect des autres – et, par conséquent, de soi-même. Par ce processus, on acquiert aussi de l'assurance et une meilleure connaissance de soi.

Pour acquérir la confiance en soi, il faut :

- Adopter les pensées et le comportement d'une personne sûre d'elle.

- Éviter le ressentiment et cesser de blâmer les autres.

- Se motiver avant d'entreprendre une activité en imaginant les bénéfices du résultat final.

- Agir positivement – même si l'on ne réussit pas.

- Apprendre à se récompenser en se félicitant pour une activité accomplie.

- S'affirmer en disant «je» pour demander ce que l'on veut. Exemple : «Je désire...» ou «J'aimerais...».

- Prendre les moyens pour avoir du plaisir, rire et connaître le bonheur.

S'affirmer avec conviction

Développer sa personnalité et son originalité avec conviction est le premier pas à franchir dans l'estime de soi. L'autonomie étant de plus en plus favorisée dans la société moderne, les personnes qui s'affirment attirent beaucoup de respect de la part de leur entourage. Exprimer calmement ses points de vue et ses besoins reflète une attitude intermédiaire entre la passivité et l'agressivité. Cette attitude permet d'être plus à l'aise avec soi-même. L'aptitude à exprimer ses émotions aide à approfondir ses relations avec les autres.

En contrepartie, sans une stratégie personnelle, nous courons le risque de perdre le respect des autres – et, ainsi, de provoquer des tensions psychiques qui sont sources de stress. Les psychologues ont observé que les émotions et les pensées négatives se traduisent souvent par des répercussions nuisibles sur la santé.

Règles pour s'affirmer avec conviction

- J'ai le droit de ne pas être parfait.

- Je peux exprimer ma colère devant les autres.

- Il n'y a aucune raison de respecter quelqu'un plus que moi-même.

- J'ai le droit d'affirmer mes besoins essentiels avec fermeté.

- J'ai le droit d'agir en fonction de mes limites.

- Si un ami fait quelque chose qui ne me plaît pas, je peux le lui souligner.

- Quand je ne veux pas faire quelque chose, je sais dire non.

- Mon territoire est clairement défini pour ne pas céder à la manipulation des autres.

- J'exprime mes préférences avec conviction.

- J'agis selon mes convictions. Je ne crains pas de dire oui ou non.

- Je donne mon opinion, même si les autres ne sont pas d'accord.

- Respecter l'opinion des gens ne veut pas dire que je suis d'accord avec eux.

- J'ai le droit de ne pas tenir compte des conseils des autres, même quand je sollicite leur opinion.

Cultiver l'optimisme

En fibromyalgie, un problème de taille à surmonter n'est pas seulement la douleur et la fatigue, mais l'attitude négative. Toutes formes de pensées négatives, notamment la culpabilité et le manque d'estime de soi, paralysent et empêchent d'atteindre ses ressources potentielles. De là l'importance de se définir et d'être optimisme.

Dans son processus de rétablissement, et malgré les inconvénients physiques et psychiques de la FM, l'on doit mettre au point un répertoire d'idées positives à propos de soi-même et des autres. Lorsqu'on cultive l'optimisme, ce que l'on pense, dit et croit a sûrement une influence sur ses chances de rétablir sa santé.

Pour se convaincre, inscrire sur une feuille ses qualités et les traits positifs de sa personnalité. Cet exercice permet d'évaluer son degré d'estime, éveille et augmente la confiance en soi et stimule la motivation dans la réussite de ses objectifs. Cette attitude positive aide à mieux affronter les effets néfastes d'une maladie chronique et à vaincre les difficultés qui en découlent.

On a plus de chance de réussir avec une attitude optimiste. En outre, la pensée positive protège des éléments déclencheurs du stress. Puisque le cerveau ne peut gérer que quelques images mentales en même temps, il suffit de lui imposer que des pensées agréables. Ainsi, les pensées négatives s'estomperont par elles-mêmes. Il sera alors plus facile de partager ses joies ou ses peines, ses émotions positives ou négatives.

Caractéristiques des personnes composant le mieux avec la maladie

Le Dr G.F. Solomon, l'un des fondateurs de la psycho-neuro-immunologie, estime que les personnes qui composent le mieux avec les effets d'une maladie sont celles qui :

– montrent moins d'anxiété et contrôlent mieux le stress ;

– démontrent une plus grande capacité de s'affirmer ;

– sont conscientes et en mesure de répondre à leurs besoins ;

– sont moins portées à s'autosacrifier ;

– expriment leurs sentiments ;

– demandent de l'aide et acceptent le soutien de leurs proches ;

– recherchent le plaisir.

Voyager sans tracas

Bien que les voyages procurent plaisir et enchantement, les personnes fibromyalgiques évitent les déplacements d'envergure qui, inévitablement, empirent les douleurs musculaires, la fatigue et les autres symptômes associés à la FM. Ils participent rarement à des voyages organisés en raison de leur incapacité à suivre le rythme des visites dans les lieux touristiques ou dans les tours de ville.

En plus d'être affligés par le syndrome de la douleur myofasciale, les patients fibromyalgiques craignent davantage les voyages. En position assise prolongée, les points déclencheurs du muscle pyramidal peuvent irriter le nerf sciatique adjacent, causant ainsi une douleur très intense aux fesses qui irradient dans les jambes et les pieds. Or, ces patients s'abstiennent de voyager en autocar ou en avion.

Heureusement, il existe une procédure qui permet à un grand nombre de patients incommodés par la FM de voyager avec assurance et plaisir. Sans perdre de vue que la fibromyalgie ne prend jamais de vacances, il importe de planifier et d'organiser avec pré-caution les détails importants d'un voyage.

Suggestions pertinentes

- Choisir de préférence un agent de voyage avec de l'expérience dans les voyages pour personnes en perte d'autonomie.

- Une note du médecin décrivant la gravité de son handicap peut permettre à une personne qui accompagne le patient fibro-myalgique de voyager gratuitement en train et en autobus – et à moitié prix en avion.

- Décider en premier lieu d'un endroit de villégiature conve-nable autant pour soi que pour son conjoint ou autre compa-gnon de voyage.

- Les centres touristiques aux températures semi-tropicales et sèches sont les plus favorables pour la détente.

- Choisir un endroit offrant des loisirs qui permettent de s'asseoir ou de rester debout, et où l'on peut marcher libre-ment dans des endroits sécuritaires.

- Anticiper les problèmes potentiels que peuvent susciter les symptômes de la FM.

- Faire participer les membres de la famille ou les amis aux préparatifs d'une visite prochaine. Leur faire connaître à l'avance les besoins essentiels pendant le séjour, comme des périodes de repos, la nature de son régime alimentaire, etc.

- Pour rendre la planification du voyage moins stressante, noter avec exactitude dans un agenda les détails importants du voyage.

- Éviter autant que possible les voyages en avion nécessitant une correspondance.

- Réserver à l'avance un siège convenable aux personnes avec mobilité réduite.

- Utiliser des valises munies de roulettes.

- Éviter de porter des vêtements trop ajustés durant le voyage.

- Apporter un dessus de matelas en forme de coquilles d'œufs, ou un matelas gonflable, peut s'avérer fort pratique. L'industrie hôtelière ne dispose généralement pas de matelas assez souple pour les clients fibromyalgiques éprouvant des douleurs musculaires.

- Placer ses médicaments dans des contenants (en vente dans les pharmacies) conçus pour chaque jour de la semaine.

- Mettre les bouteilles de médicaments en liquide dans des sacs en plastique.

- Transporter ses médicaments dans son sac à main pour s'assurer qu'ils n'aboutissent pas dans un autre pays s'il y a égarement de ses valises.

- Emporter quelques bouteilles d'eau potable pour boire pendant le voyage.

- Savoir qu'on offre des chambres désignées pour les personnes handicapées dans certains hôtels.

- S'assurer que l'agent de voyage peut garantir par écrit une chambre au premier étage – et le nombre de marches pour l'atteindre.

- Certaines chaînes d'hôtels ou de motels possèdent des salles de bain munies de sièges de toilette plus élevés et de barres pour le bain.

- Certains tours de ville sont planifiés pour des personnes en perte d'autonomie.

- S'informer au sujet des assurances permettant l'annulation de voyages.

- Se renseigner sur la variété de vêtements appropriés pour un séjour en pays étranger.

- En voyageant en automobile, prendre une pause de 10 à 15 minutes toutes les heures pour s'étirer et se dégourdir les muscles.

- Éviter de voyager durant les fins de semaines ou les jours de fête.

- En autocar, s'informer des arrêts pour planifier des périodes de détente.

- Savoir que l'Office des transports du Canada offre un service permettant aux clients à mobilité réduite de se déplacer facilement en avion, en train et à bord des traversiers. L'Office s'occupe également des plaintes des voyageurs.

Conseils pour survivre à la fibromyalgie

Il n'y a pas de moyens simples pour affronter la dualité coexistante entre les difficultés quotidiennes de la vie et les effets incapacitants de la fibromyalgie. L'une des mesures efficaces pour affronter ces deux réalités repose sur la discipline individuelle et l'aptitude de composer avec la FM et ses symptômes concomitants. Savoir respecter ses possibilités physiques permet de mieux vivre en complicité avec sa maladie.

Les conseils qui suivent sont donnés pour aider les patients à survivre aux symptômes incapacitants de la FM.

- *Se tenir actif.* Malgré la maladie, les fibromyalgiques doivent demeurer conscients qu'ils possèdent toujours les mêmes sentiments, les mêmes goûts et les mêmes intérêts. Il s'agit maintenant de trouver de nouvelles occupations et de nouveaux loisirs par l'utilisation créative de nouvelles ressources qui apporteront des changements positifs dans leur mode de vie.

- *Restructurer ses valeurs.* On ne peut atteindre ses objectifs si on ignore ses valeurs. Découlant de sa créativité individuelle, celles-ci devrait être son mode de conduite, ses croyances, ses préférences et son idéal. Les valeurs diffèrent d'une génération à une autre et d'une personne à une autre. Le mieux qu'on puisse faire dans les circonstances est de restructurer ses valeurs compatibles à sa personnalité en combinant les anciennes aux nouvelles.

- *Maintenir un juste équilibre entre travail et loisirs.* Pour beaucoup de gens, un passe-temps agréable qui donne libre cours à la créativité procure une grande détente. La peinture, la lecture, l'écriture, le cinéma et de nombreuses autres activités constituent des moyens palliatifs aux souffrances persistantes de la douleur et de la fatigue chroniques.

- *Relâcher ses tensions*. Quand on souffre de douleurs musculaires soutenues, toute contrainte semble stressante. Choisir une tâche facile, faire quelques exercices d'étirement musculaire en respirant profondément, ou prendre une marche sont des activités qui soulagent la tension et diminuent les effets du stress.

- *Éviter les activités exigeantes*. Certaines tâches peuvent provoquer une réapparition encore plus forte de la douleur et de la fatigue. Il faut donc pressentir le signal d'alarme de ses limites physiques et s'arrêter avant qu'il soit trop tard.

- *Se reposer*. Le manque de sommeil que subissent les fibromyalgiques conduit à l'irritabilité et au stress. Vaut mieux alors s'abandonner de temps à autre à la flânerie, cet art agréable de se complaire dans une douce inaction.

Suggestions pertinentes

1. Assumer la responsabilité de ses actes, de ses décisions, de leurs conséquences.

2. Apprendre à être rationnel et positif. Trouver ses propres solutions plutôt que de s'en remettre aux autres.

3. Profiter pleinement de la vie en se fixant des objectifs qui stimulent et motivent.

4. Apprendre à se libérer des stress qui déstabilisent sa vie. Savoir que la haine est une grande source de stress.

5. Adopter une attitude positive à l'égard de sa maladie et de ses contraintes.

6. Connaître et respecter ses limites. S'initier à dire non sans se sentir coupable.

7. Changer régulièrement de position pour éviter les engourdissements et les raideurs musculaires. S'initier à garder une bonne posture.

8. Éviter la tension musculaire prolongée, surtout celle du cou et des épaules résultant du regard prolongé sur un écran d'ordinateur ou de la conduite d'une voiture, par exemple.

9. Pour éviter la déception, ne pas planifier les activités importantes trop à l'avance.

10. S'accepter tel que l'on est – avec ses faiblesses et ses qualités.

11. Prendre soin de son corps. S'abandonner à des périodes de repos – mais éviter la sédentarité en pratiquant la marche, la relaxation musculaire progressive et les exercices d'étirement (voir au chapitre 18 «Exercices d'assouplissement et thérapies de détente»).

12. Saisir l'occasion de faire des siestes sans ressentir de la culpabilité.

13. Lors d'une invitation, préciser l'horaire d'arrivée et de départ à ses amis pour qu'ils puissent reconnaître et respecter ses limites d'énergie.

14. Se libérer des facteurs stressants qui intensifient les symptômes de la FM (voir aux pages précédentes «Se libérer des facteurs stressants»).

15. S'exposer le moins possible aux températures froides et humides, aux courants d'air ou à l'air climatisé, aux endroits pollués et bruyants.

16. Solliciter la compréhension et le soutien des membres de sa famille.

17. Se fixer des objectifs précis pour recouvrer sa santé et sa qualité de vie.

18. Faire les choses que l'on aime en mettant en évidence ses qualités et ses aptitudes – et en respectant assidûment ses limites d'énergie.

19. Appartenir à une association régionale de fibromyalgie pour :
    – trouver un médecin qui connaît bien la fibromyalgie et ses traitements ;
    – échanger ses connaissances avec d'autres patients ;
    – mieux connaître la nature de la fibromyalgie et ses symptômes concomitants.

20. Entretenir des liens affectifs avec son conjoint, ses enfants et ses amis.

21. Prendre l'habitude au coucher de se remémorer les moments heureux et positifs de la journée.

22. Conserver sa foi. Un récent sondage indique que les malades qui ont conservé leur pratique religieuse maintiennent un meilleur moral et connaissent une amélioration significative de leur état de santé.

Pour en savoir plus

Pour réussir à sortir de l'emprise de la fibromyalgie, le lecteur a intérêt à consulter les renseignements complémentaires dans les chapitres suivants :

- Chapitre 7 : *Philosophie de traitement* – Le patient et la maladie, Le patient et ses proches.

- Chapitre 14 : *Aspect juridique* – Procédure, Les requérants invalides s'unissent.

- Chapitre 15 : *Stress et fibromyalgie* – Lien entre le stress et la fibromyalgie, Identifier et évaluer ses sources de stress.

- Chapitre 17 : *Soutien et entraide* – Soutien familial, Maintenir ses relations.

- Chapitre 18 : *Exercices d'assouplissement et thérapies de détente* – Respiration profonde, Relaxation, Relaxation musculaire progressive, Exercices d'étirement musculaire, Marche, Aquathérapie, Massage, Méditation, Naturopathie, Taï-chi.

- Chapitre 19 : *Médecines alternatives* – Acupuncture, Biofeedback, Hypnothérapie, Imagerie mentale.

- Chapitre 20 : *Hygiène alimentaire* – Les 10 nutriments essentiels, Suppléments vitaminiques, Intolérances alimentaires, Allergies alimentaires, Suppléments alimentaires essentiels pour les fibromyalgiques.

17

Soutien et entraide

Affronter la maladie chronique est un grand défi. Mais elle est plus tolérable quand on peut partager avec un autre ses peurs, le doute de soi-même, sa colère et sa honte.

Dᵣ Paul J. Donoghue

QUALIFIÉE DE MALADIE INVISIBLE, la fibromyalgie ne reflète pas les souffrances soutenues sur les visages des personnes qui en sont victimes. Par conséquent, le patient attire moins de sympathie et de soutien qu'il le mérite de ses proches, de ses amis et même de son médecin. L'effort exigé pour se lever le matin, accomplir les tâches les plus simples, rester debout ou assis, peut en effet susciter de sérieux inconvénients que l'entourage ne peut évidemment pas comprendre.

Souffrant sans connaître la nature de sa maladie, un fibromyalgique peut très bien s'imaginer être victime d'une maladie morbide, comme le cancer, qui peut le conduire graduellement à l'invalidité totale. Mais, après de nombreuses années de souffrance, quand on établira un diagnostic, il sera rassuré d'apprendre que la fibromyalgie ne fait pas mourir. Dès ce moment, la lutte contre ses effets invalidants est à moitié gagnée, même si sa qualité de vie ne sera plus jamais ce qu'elle était auparavant.

Le patient doit être conscient que cette maladie continuera de subjuguer sa vie jusqu'au jour où il saura maîtriser ses effets envahissants. Il est donc souhaitable qu'il adopte des moyens réalisables et efficaces pour connaître le développement physiologique et psychologique des multiples symptômes coexistant avec la fibromyalgie.

Un bon moyen pour se familiariser avec la fibromyalgie et ses conséquences est de lire les informations contenues dans le présent ouvrage, puis de les partager avec d'autres patients fibromyalgiques. Le lecteur aura alors compris que cette maladie multisymptomatique n'est pas seulement physique – mais qu'elle touche également tous les aspects de sa vie. Pour surmonter les effets nuisibles de la FM, le patient aura besoin du soutien indispensable des autres.

Soutien familial

Rappelons que la fibromyalgie est une maladie dissimulée clandestinement dans le corps du patient. Elle est donc imperceptible par son entourage. Même s'il tente d'expliquer les effets incommodants de la fibromyalgie à des membres de sa famille, ces derniers ne peuvent évidemment le croire ni le comprendre puisque la majorité des victimes n'ont pas physiquement l'air malade. Par contre, s'il se renferme sur lui-même, il est probable qu'il subisse l'indifférence des autres et l'isolement – ce qui peut l'entraîner dans le découragement et la solitude.

Il est donc vital de communiquer autant ses souffrances que ses besoins à quelqu'un de son milieu, idéalement à un confident, une personne proche de soi qui sait partager ses épreuves et comprendre sans juger. Expliquer l'expérience que l'on éprouve à une personne intime peut alléger considérablement le fardeau de la maladie. Le soutien ainsi obtenu donnera au patient l'énergie et le courage de mieux surmonter sa maladie et de songer à une meilleure qualité de vie.

Après le diagnostic, cependant, il arrive que des membres de la famille épuisent leur sympathie en constatant que la chronicité des douleurs musculaires, la fatigue et les autres malaises associés à la fibromyalgie persistent durant de longues périodes. Tout en étant présents, ils deviennent insensibles aux souffrances du patient.

Tragiquement, nombreux sont ceux qui, à la longue, ont vécu la séparation ou le divorce d'un conjoint parce que celui-ci ne pouvait plus supporter, jour après jour, autant de souffrances et d'incertitudes. Comme toute autre maladie chronique, la fibromyalgie peut en effet provoquer la rupture du couple si le patient laisse cette maladie dominer leur relation. Inversement, la solidité du couple, basée sur le soutien réciproque permet généralement à ces deux personnes de mieux affronter la maladie de l'un ou de l'autre.

MAINTENIR SES RELATIONS

Une relation intime est celle qui nous permet d'être soi-même avec les autres. (Dr Deepak Chopra)

Isolée par un enchaînement de malaises qui se succèdent, la victime fibromyalgique a plus que jamais besoin de sympathie, de compréhension, d'encouragement et d'affection. Si elle communique aux autres ses besoins fondamentaux, elle sera comblée par ses proches – son conjoint, sa famille, ses amis.

L'indispensable communication

Fondamentalement, la communication est indispensable pour chacun de nous. Mais, il est surprenant de constater que bon nombre de personnes ne savent tout simplement pas exprimer leurs émotions. Certaines choisissent de les manifester en critiquant ou en se renfermant sur elles-mêmes. Ces personnes sont souvent inhabiles pour écouter les problèmes des autres ou mal à l'aise de le faire.

La communication devient essentielle quand un patient devient improductif et inutile par la maladie. C'est dans cette période pénible qu'il a besoin le plus de communiquer et d'être compris. Malheureusement, toute maladie chronique entraîne à la longue de fortes tensions familiales pouvant mettre à rude épreuve les relations conjugale et familiale.

Une bonne communication devient désespérément nécessaire quand elle est manquante. Pourtant de simples mots réconfortants, des conseils encourageants témoignent d'une grande compassion : « Ta maladie pourrait être plus grave ; essayons de lutter ensemble », « Sois positif, ça va s'arranger », « Demain sera une meilleure journée ».

Réconfort et compassion

Une étude, rapportée dans le *New York Times* (avril 1989) confirmait que :

> la façon qu'une personne traite son conjoint souffrant d'une maladie chronique a un impact fondamental sur la manière qu'il s'ajuste à ses souffrances. Les chercheurs ont aussi observé que de légers grognements, ou même des commentaires bénins, provoquent des résultats très nuisibles envers un proche atteint d'une maladie douloureuse. Si

un époux critique ou ignore sa femme malade, l'étude a démontré en plus qu'elle développera une attitude extrêmement négative envers sa maladie et qu'elle se renfermera sur elle-même en espérant que ses malaises disparaîtront. Inversement, quand l'épouse ressent que son mari est d'un grand soutien, elle adopte généralement une attitude positive pouvant l'aider à mieux lutter contre sa maladie.

Se basant sur leurs expériences, les auteurs Paul J. Donoghue, Ph.D., et Mary E. Siegel, Ph.D., écrivent dans *Sick and Tired of Feeling Sick and Tired* (W.W. Norton & Co., 1992) :

> Personne n'est plus important que son conjoint dans la maladie chronique. Il est un miroir dans lequel elle se regarde pour se voir. Devenue vulnérable par sa maladie, elle craint de se voir laide, indésirable, rebutante. Mais celles dont les conjoints sont attentifs, partagent et communiquent, ont tendance à se sentir comprises, utiles, admirées et aimées.

> Il est bien difficile pour une personne chroniquement malade de se voir charmante et aimable. À l'inverse, cela peut être frustrant pour un époux de constater que sa femme doute d'elle-même et n'est pas sûre de son amour. Le conjoint a besoin de savoir pourquoi elle a de la difficulté à comprendre son affection pour elle. Il a besoin de son attention et de son attachement, de sa confiance et de son optimisme, de sa compagnie pour marcher ensemble, dîner au restaurant, échanger leurs sentiments, faire l'amour et être ensemble comme ce l'était avant qu'elle soit frappée d'une maladie chronique.

Chaque conjoint doit se sentir bien dans une situation où l'un ou l'autre souffre d'une maladie chronique. Chacun doit être à l'aise en reconnaissant les besoins de l'autre, en communiquant et en répondant à ceux-ci. Il ne faut pas laisser son conjoint deviner ses sentiments dans des situations particulières. Considérant qu'on n'est plus à 60 ans ce qu'on était à 30 ans, chacun change ou évolue à sa façon. Toutefois, une maladie multisymptomatique comme la fibromyalgie peut aggraver la situation de l'un par rapport à l'autre.

Néanmoins, il est illusoire de cacher à ses proches les effets d'une maladie invalidante comme la fibromyalgie. De bien des manières, ils vont être importunés par cette maladie dont les nombreux effets sont imprévisibles. L'approche idéale à adopter est d'essayer de fonctionner ensemble afin de comprendre et d'accepter cette nouvelle situation – et d'affronter conjointement les incertitudes et les défis nouveaux que la maladie entraîne.

Écouter avec empathie

L'empathie est la faculté de s'identifier aux autres et de comprendre ce qu'ils ressentent. L'écoute active est un art pratiqué par peu de personnes. Cependant, cette importante faculté peut s'apprendre sans difficulté en corroborant par des questions et en expliquant ses pensées à la personne avec qui l'on converse. Savoir écouter consciencieusement, être totalement présent à l'égard des souffrances d'un proche est une preuve d'amour sincère.

Les suggestions qui suivent aident à stimuler des conversations intéressantes :

- Porter son attention sur les sentiments qu'exprime une personne. Cela oblige à l'écouter attentivement pour réussir à mieux communiquer ses propres sentiments.

- Éviter les questions qui touchent l'intimité de la personne. Il est sage d'écouter d'abord les sentiments de l'interlocuteur, puis de poser des questions pour clarifier des détails.

- Communiquer la réalité plutôt que les impressions.

- Laisser à la personne qui parle la chance de clarifier ses sentiments. Écouter de cette façon demande une certaine humilité.

- Éviter d'offrir trop rapidement du réconfort ou de la consolation. Il est plus sage d'écouter auparavant les sentiments de l'autre.

Suggestions pour la personne aidante

La partie la plus humiliante pour le malade chronique comprend les soins et le soutien qu'apporte son entourage familial. Accepter de l'aide en périodes de crises douloureuses demande de l'humilité. Mais, inversement, il n'est pas toujours facile pour une personne d'offrir un soutien à un proche dans sa maladie. Les bonnes solutions ne sont pas toujours à la portée de l'un et de l'autre.

Les conseils ci-dessous concernent la personne aidant le patient.

- Faire preuve de patience et de tolérance à l'endroit du malade.

- Le traiter en tout temps avec dignité et respect. Comprendre que sa maladie est involontaire et qu'il n'a pas choisi d'être épaulé par un proche.

- Lui montrer de la complaisance ; l'encourager quand il souffre.

- L'inclure autant que possible dans ses activités, ne serait-ce que de lui demander conseil, de l'accompagner dans une marche, de l'assister dans ses achats, de partager un repas au restaurant.

- Élaborer un système d'entraide pour éviter les frustrations de part et d'autre.

- Demander ce que le malade désire au lieu de le déduire pour lui permettre de participer le mieux possible.

- Tenir compte de certaines priorités face à un patient. Couper le gazon peut être moins important que de partager ensemble une journée champêtre.

- Communiquer avec le malade et écouter ses désirs.

- Comprendre l'importance d'être honnête et authentique avec lui.

- En période de rémission, l'encourager à faire des activités qu'il aime pour le tenir actif.

Suggestions pour le patient fibromyalgique

- À son tour, le patient doit traiter avec dignité la personne qui lui donne un soutien. Se rappeler qu'elle aussi a des limites d'énergie et des besoins personnels.

- Si la personne montre de l'intérêt, le tenir au courant des recherches scientifiques sur la fibromyalgie et ses divers symptômes.

- S'assurer de ne pas abuser de sa générosité, d'être attentif et reconnaissant à son égard.

- Savoir que la personne aidante peut parfois manquer de disponibilité. Se rappeler que l'on a une obligation morale envers elle.

- Communiquer ses besoins sous la forme interrogative est un signe de respect envers ce soutien qui n'est pas un serviteur.

- Éviter autant que possible de se plaindre en présence de la personne qui vous apporte un soutien moral et physique.

- Développer une relation mutuelle et constructive avec son soutien. Analyser ensemble son statut de couple ou d'amis, surtout si l'on sent que son attachement a diminué depuis l'apparition de la maladie.

- S'efforcer de participer à certaines activités sociales. Expliquer à son soutien que vous voulez vous engager même si les effets de la fibromyalgie limitent vos capacités.

- Malgré les adversités, conserver votre fierté, votre dignité et votre sens de l'humour pour encourager ceux qui vous apportent de l'aide.

GROUPES D'ENTRAIDE

Des associations d'entraide se forment de plus en plus dans la plupart des pays industrialisés dans le but d'apporter un soutien moral et physique à des millions de personnes victimes de la fibromyalgie et du syndrome de fatigue chronique.

Pour sortir de leur isolement et conserver une qualité de vie plus active, les personnes atteintes de ces maladies invalidantes ont essentiellement besoin du soutien des autres. Joindre les rangs d'un groupe d'entraide est une forme de thérapie indispensable. Cela permet de partager ses expériences avec d'autres membres plus expérimentés qui comprennent mieux les séquelles de la maladie. Fort plus, des relations durables se créent couramment entre des membres de groupes d'entraide.

Certaines associations offrent une approche thérapeutique multidisciplinaire pour assister les sujets qui se sentent «victimisés» par la FM. Par l'intermédiaire de personnes ressources, qui connaissent et comprennent les facteurs physiologiques et psychologiques de la FM, les membres peuvent ainsi apprendre à mieux surmonter les symptômes de la maladie et à développer une attitude positive en participant activement à un programme de thérapie approprié.

Objectifs

En général, les principaux objectifs des groupes d'entraide sont:

1. Offrir un lieu de rencontre afin de permettre aux patients fibromyalgiques et à leurs proches de venir s'exprimer librement avec des pairs souffrant de la même maladie.

2. Proposer des stratégies efficaces pour aider les membres à maîtriser physiquement et psychologiquement les effets nuisibles de la fibromyalgie.

3. Acquérir et échanger avec d'autres groupes d'entraide des informations pertinentes sur la fibromyalgie et ses symptômes concomitants.

4. Tenir informé les membres et les divers médias en leur distribuant régulièrement des bulletins d'information sur la FM et son évolution.

5. Conseiller les membres sur l'efficacité de certains médicaments ou de certaines thérapies alternatives, comme les exercices d'étirement musculaire et autres thérapies dont l'efficacité est connue.

6. Faire connaître aux nouveaux membres les expériences individuelles des participants souffrant de fibromyalgie.

Réunions mensuelles

La plupart des groupes d'entraide organisent leur réunion mensuelle en deux périodes. À l'occasion, un conférencier est invité pour traiter de divers sujets concernant la fibromyalgie.

La première période de la réunion est habituellement consacrée à:

– *la gestion* du groupe;

– *l'information*: aspect social, médical, juridique et recherches scientifiques;

– *l'aspect physique*: rétablissement de la condition physique des membres, gestion d'activités adaptées aux besoins individuels;

- *l'aspect psychologique*: échanges entre les participants sur les différentes expériences de la vie quotidienne et entraide sur le plan émotionnel.

La deuxième période est réservée aux participants par des épisodes de questions et réponses. Après s'être présentés, ils sont invités à témoigner des difficultés qu'ils ont connues au cours du dernier mois. D'autres membres sont alors invités à partager avec cette personne leurs expériences individuelles afin de l'aider à mieux affronter tels problèmes ou telles situations.

Ce genre de communication entre les membres se fait généralement avec candeur et franchise. Une telle thérapie de groupe contribue à faire connaître les effets nuisibles de la maladie et les moyens pour mieux les surmonter. En plus, certains participants y trouvent une forme de soutien non accessible ailleurs. Les groupes d'entraide qui obtiennent le plus de succès sont ceux dont tous les participants se sentent les bienvenus et encouragés à partager leurs sentiments, leurs soucis et leurs craintes, leur style de vie et leur succès.

La plupart des associations de FM encouragent le conjoint des membres à assister aux réunions. Toutefois, si celui-ci se sent débordé quotidiennement par la maladie d'un proche, il peut afficher un manque d'enthousiasme pour s'y engager davantage. Certains conjoints acceptent d'assister à une réunion pour mieux connaître le déroulement des activités et les expériences des participants. Ils admettront par la suite avoir mieux compris la maladie, mais préféreront ne pas renouveler l'expérience.

Par ailleurs, il arrive que certains patients se sentent mal à l'aise dans des thérapies de groupe. Ces participants ne sont pas disposés à partager leurs expériences personnelles avec des personnes qu'ils ne connaissent pas. Ayant apprécié au début le soutien moral et les stratégies offerts par le groupe, il arrive parfois qu'ils ne sentent pas le besoin d'assister à toutes les réunions. Cependant, certains d'entre eux préféreront se regrouper périodiquement au restaurant, par exemple, pour échanger leurs expériences et sortir de leur isolement.

Politiques administratives

Les politiques organisationnelles qui suivent devraient être considérées par les membres administrant un groupe de soutien qui aspire à soutenir les personnes atteintes de fibromyalgie :

- *Président fibromyalgique.* Choisie par l'ensemble de ses pairs, la personne désignée pour diriger un groupe devrait également être atteinte de la FM. En l'occurrence, elle sera plus apte à comprendre les frustrations et les besoins fondamentaux des membres. En éprouvant les mêmes symptômes et les mêmes besoins, la personne à la présidence saura défendre judicieusement les intérêts du groupe en général.

  Pour ces raisons, les associations d'entraide peuvent rencontrer des problèmes de fonctionnement et de perte d'adhésion à cause d'un président qui n'a pas été diagnostiqué fibromyalgique.

  Toutefois, bien informé et connaissant bien la gestion d'une association de FM, le conjoint d'un patient pourrait fort bien diriger le groupe en respectant des critères de gestion établis.

- *Partage des responsabilités.* S'assurer que toutes les fonctions liées à la gestion sont partagées entre divers intervenants responsables. Un vice-président fait généralement partie d'une association d'envergure pour diriger à l'occasion une assemblée ou agir comme porte-parole du groupe.

  En fibromyalgie, nous savons que les réserves d'énergie des patients sont limitées. Faute d'un partage équitable des responsabilités, l'âme dirigeante du groupe risque d'aggraver les effets de sa maladie par un surcroît de travail et de stress et, par conséquent, d'affaiblir la structure administrative du groupe.

- *Soutien médical.* Un grand avantage pour le groupe d'entraide est d'avoir comme associé un médecin bien informé sur la fibromyalgie, ou une infirmière diplômée expérimentée dans les soins aux patients fibromyalgiques.

  Même si ces professionnels ne peuvent être disponibles qu'une ou quelques fois par année pour expliquer les effets et traite-

ments, leur collaboration à titre de conférencier sera néanmoins fort appréciée par les participants.

- *Informations*. Toute réunion d'entraide attire habituellement
  des nouveaux participants qui cherchent à connaître la nature
  de leur maladie. Ainsi, il importe d'avoir en main une quantité
  suffisante de copies d'articles de journaux, de revues et autres
  informations récentes sur la fibromyalgie pour leur en
  distribuer.

- *Nouveaux participants*. Les groupes d'entraide bien organisés
  accueillent avant la réunion chaque nouveau participant en
  lui présentant des informations écrites sur la maladie et en
  expliquant les objectifs et fonctions du groupe. Quelques
  membres qualifiés sont généralement désignés pour accueillir
  personnellement les nouveaux membres afin qu'ils se sentent
  les bienvenus dans le groupe.

- *Accueil*. Pendant la réunion, il importe d'accueillir les nouveaux participants en leur demandant de se nommer et, s'ils
  le désirent, de résumer leurs expériences personnelles face à
  la fibromyalgie. Cette méthode encourage la participation des
  membres, surtout quand le dirigeant du groupe se présente
  de cette manière au début de chaque réunion.

- *Aller et retour libres*. À cause des effets contraignants de la
  fibromyalgie, les participants doivent avoir la liberté de s'absenter lorsque c'est nécessaire, sans toutefois déranger la
  réunion. Certains d'entre eux ont parfois besoin de se lever
  pour se dégourdir et se détendre les muscles.

- *Problèmes et solutions*. Prévoir une période de discussion
  pour permettre aux membres d'expliquer ce qui est efficace
  ou ce qui ne fonctionne pas bien, et de traiter des problèmes
  individuels et de solutions possibles.

- *Confidentialité*. Dès le début, tous les membres devraient êtres
  d'accord pour s'engager à respecter la confidentialité des
  témoignages personnels.

- *Critiques malvenues*. Toute réunion d'entraide s'appuie sur
  le principe d'aider et de respecter les autres. Ainsi, les critiques
  et jugements pernicieux ou péjoratifs sont interdits, tandis

que l'émotion et l'expression créatives sont encouragées. Partager en ne jugeant ni en comparant doit être le centre d'intérêt du groupe.

- *Dépression, suicide.* Chaque groupe d'entraide doit être prêt à réagir de façon convenable lorsqu'une personne assistant à la réunion présente un état dépressif ou un comportement de nature suicidaire. Il est essentiel de ne pas négliger ce « cri du cœur ». L'inviter, si possible, à expliquer sa situation pourrait lui être salutaire – et s'assurer qu'elle puisse retourner à son domicile sans risque.

Certains groupes d'entraide disposent d'un comité formé de membres bénévoles pour, en l'occurrence, s'occuper d'un participant aux prises avec des problèmes personnels. Ils organisent généralement des rencontres avec les intervenants d'organismes médicaux de leur secteur pour savoir comment réagir face à une telle situation.

Dépliants sur la fibromyalgie

Il importe d'imprimer et de distribuer aux nouveaux participants des dépliants résumant la nature de la fibromyalgie et définissant les objectifs du groupe de soutien. Le genre de dépliant le plus utilisé est imprimé sur du papier de format lettre plié en quatre volets de huit pages, soit 9 cm de largeur sur 22 cm de hauteur (3,5 x 8,5 po). La première page, ou la face du dépliant, est réservée pour le nom, l'adresse, le numéro de téléphone, et les autres informations du groupe d'entraide.

Il est préférable de placer le titre FIBROMYALGIE dans le haut de la première page pour qu'il soit bien visible dans les présentoirs. Pour épargner des enveloppes, le dos du dépliant, soit le volet arrière, est parfois exclu de texte pour permettre d'y inscrire l'adresse d'une personne qui désire recevoir de l'information par la poste.

Ces dépliants sont ordinairement distribués aux spécialistes de la santé, aux CLSC, aux autres cliniques professionnelles d'une région. S'assurer, quand c'est possible, que ces dépliants sont placés dans les salles d'attente. Habituellement, les spécialistes de la santé acceptent volontiers de diriger leurs patients vers des groupes d'entraide affichant cette approche professionnelle.

Régulièrement, la télévision, la radio et les journaux régionaux annoncent gratuitement dans leurs rubriques communautaires les réunions des divers groupes sociaux. Il suffit de leur faire parvenir avant chaque réunion un bulletin d'information résumant le nom du groupe, l'adresse, la date et l'objectif principal de la réunion.

Fonder un groupe d'entraide

Si une région est privée d'une association d'entraide et qu'il y a un bon nombre de personnes atteintes de fibromyalgie, il serait alors avantageux de fonder son propre groupe de soutien. Sans formalité, de nouveaux groupes d'entraide se forment en se réunissant dans un restaurant pour partager leurs expériences, offrir un soutien et des informations sur les répercussions de la FM et les moyens à prendre pour atténuer les symptômes. Éventuellement, lorsque le nombre des participants augmente, il convient alors de rendre les réunions plus officielles en fondant une association et en se réunissant mensuellement à un endroit précis.

CONCLUSION

La communication demeure l'élément principal dans le développement d'un groupe d'entraide ou dans la relation d'un proche assumant un soutien affectif et physique à l'endroit d'un patient fibromyalgique. Toutefois, les personnes qui expriment difficilement leurs sentiments doivent tenir compte que la sensibilité et la compassion sont néanmoins essentielles pour aider son conjoint, ou un autre membre de la famille frappé par la maladie, à moins souffrir et à surmonter son affliction avec courage, espoir et dignité.

Un nombre important de personnes fibromyalgiques ont fait le choix de vivre seules. Dans ce cas, joindre les rangs d'un groupe d'entraide offrant un soutien physique et moral peut s'avérer très salutaire pour ces patients désirant mieux connaître leur maladie.

18

Exercices d'assouplissement et thérapies de détente

Les patients fibromyalgiques font face à un dilemme.
Parce que leurs muscles sont tendus et douloureux,
la douleur augmente encore plus quand ils essaient
de faire des exercices.

Mark J. Pellegrino, m.d.

NOUS AVONS EXPLIQUÉ au chapitre 8 (« La douleur chronique ») que l'inactivité physique se traduit souvent par l'hypertension arté-rielle, un excès de mauvais cholestérol et de poids, et surtout par l'affaiblissement du tonus musculaire qui amplifie la douleur. Les patients fibromyalgiques réagissent défavorablement à l'exercice physique. Rappelons qu'en 1992 la Déclaration de Copenhague a inclus l'intolérance à l'exercice parmi la liste des symptômes de la fibromyalgie.

Pour reprendre leur condition physique, les spécialistes suggèrent aux patients fibromyalgiques de pratiquer la marche et, selon leur endurance, de faire des exercices d'assouplissement musculaire légers. Pour ces raisons, et sans risque d'aggraver la douleur muscu-laire, ces exercices et autres thérapies physiques et de détente que nous suggérons dans le présent chapitre sont faciles à faire.

Mais auparavant, examinons les dommages physiques attri-buables à l'inactivité ou à l'immobilisme, puis les bienfaits qu'apporte l'activité physique.

L'inactivité physique

Dans un imposant ouvrage de 300 pages publié récemment par le médecin en chef du Service fédéral de la santé publique aux États-Unis (American Surgeon General, ou ASG), on souligne que l'inactivité physique s'avère une menace sérieuse pour la santé publique.

L'inactivité est désormais qualifiée de facteur de risque au même titre que le tabagisme, le taux élevé de mauvais cholestérol et l'hypertension artérielle. De plus, la sédentarité augmente de 50 % le risque d'un accident cardiaque. Le rapport du ASG signale qu'un exercice modéré qui essouffle un peu augmente le rythme cardiaque. Par exemple, marcher, monter des escaliers et pelleter de la neige lentement, jardiner, laver des vitres sont des exercices modérés.

Bienfaits de l'activité physique

Les spécialistes les plus chevronnés sur la condition physique affirment en effet que l'activité physique constitue un aspect important du bien-être général des personnes. Les bienfaits sont multiples :

1. L'efficacité du système de transport de l'oxygène dans les muscles. Ce facteur est le plus important dans l'établissement des relations entre la condition physique et le bien-être.

2. La force et l'endurance musculaire, lesquelles sont constituées de l'aptitude du muscle à effectuer une activité prolongée, même si l'intensité de l'effort est faible.

3. La capacité de relâchement et de relaxation. Elle permet de lutter efficacement contre les tensions provoquées par le stress.

4. Une meilleure posture. Celle-ci permet une bonne relation entre la colonne vertébrale et le bassin pour éviter les douleurs lombaires ou sciatiques.

Toutefois, l'activité physique doit être évaluée et adaptée selon les capacités de chaque patient. Pour ne pas aggraver les douleurs, il faut avant tout éviter les efforts violents et privilégier un entraînement progressif et régulier.

Pour contrer les douleurs musculaires, la fatigue chronique et les autres troubles physiologiques associés à la fibromyalgie, ainsi que le stress provoqué par le rythme sans cesse accéléré de la vie moderne, il existe heureusement des méthodes thérapeutiques efficaces à la portée de tous les patients fibromyalgiques.

Les thérapies souples élaborées dans ce chapitre ont fait leur marque depuis des siècles. Ces exercices d'assouplissement et de détente sont faciles à exécuter. Selon la capacité physique propre à chaque patient, il s'agit de choisir ceux qui répondent le mieux à ses besoins et au rétablissement de son équilibre physique et psychique.

1. Respiration profonde

2. Relaxation

3. Marche

4. Exercices souples

5. Relaxation musculaire progressive

6. Exercices d'étirement musculaire (illustrés)

7. Aquathérapie

8. Massage

9. Méditation

10. Taï-chi

RESPIRATION PROFONDE

Avant d'entreprendre un régime de conditionnement, il importe de connaître les bienfaits surprenants de la respiration profonde. Les thérapeutes recommandent de répéter cette technique de détente plusieurs fois par jour, particulièrement durant et après des exercices et des activités quotidiennes.

Parce que l'oxygène est l'élément essentiel de la vie de nos cellules, la respiration est une fonction vitale de l'organisme. Dès notre naissance, elle est le premier acte de notre vie et l'expiration en est le dernier. On peut subsister plusieurs jours privé d'eau et de nourriture – mais on ne peut vivre plus d'une minute sans oxygène. Plus que les autres organes, le cœur et le cerveau exigent un riche apport d'oxygène. Pourtant, des millions de personnes confinées dans les usines, les bureaux ou appartements mal aérés souffrent d'un déficit en oxygène à cause de l'accumulation de toxines dans l'air.

Bienfaits de la respiration profonde

Pour remédier à un manque d'oxygène, on a intérêt à s'arrêter quelques minutes de temps à autre pour respirer profondément. En plus d'une meilleure oxygénation du corps et du cerveau, les exercices de respiration profonde aident à :

- purifier l'organisme en filtrant le sang des toxines ;

- relâcher la tension musculaire et réduire la pression artérielle ;

- stimuler l'activité régulière des intestins ;

- dégager la pression du cœur et favoriser l'élasticité de la cage thoracique ;

- tonifier les nerfs, la moelle épinière, les fosses nasales ;

- diminuer les effets du stress en favorisant la relaxation.

Processus de la respiration

Le phénomène de la respiration est beaucoup plus substantiel que simplement inspirer et expirer l'air. Examinons brièvement le mécanisme de la respiration pour mieux connaître ses bienfaits.

Par ses mouvements d'expansion et de réduction, la cage thoracique permet le passage de l'air par les voies respiratoires. Celles-ci se divisent pour alimenter les deux bronches qui rejoignent les poumons gauche et droit, lesquels constituent les organes essentiels de la respiration. L'oxygène de l'air inspiré pénètre dans les alvéoles pulmonaires, puis se diffuse dans les vaisseaux sanguins. Ainsi enrichi en oxygène, le sang est véhiculé des poumons vers la partie gauche du cœur pour être pompé dans le système sanguin vers les différents tissus de l'organisme, incluant ceux des muscles pour lesquels l'apport en oxygène est indispensable au bon fonctionnement.

Toutefois, les tissus organiques et musculaires produisent des déchets (gaz carbonique, eau) qui à leur tour sont éliminés dans le sang. En passant par les veines, le sang rejoint les cavités droites du cœur qui le propulse vers les poumons où s'échappe l'excès du gaz carbonique au moment de l'expiration de l'air.

Ainsi, la quantité d'air renouvelé à chaque inspiration est passablement réduite – de là l'importance de pratiquer régulièrement la respiration profonde par la méthode diaphragmatique, expliquée ci-après.

Respiration diaphragmatique

Parmi les divers types d'exercices de respiration (alternative, diaphragmatique, thoracique, progressive), nous suggérons la méthode diaphragmatique (abdominale). Plus simple et plus efficace que la méthode thoracique, la respiration diaphragmatique permet une meilleure oxygénation en ventilant les bases pulmonaires et en stimulant les organes abdominaux.

Cette thérapie simple protège l'organisme contre l'accumulation de déchets organiques (contribuant à la tension et la fatigue musculaire), le surplus de gaz carbonique dans les poumons et d'acide lactique dans le sang.

TECHNIQUE

1. *Inspiration abdominale.* On inspire à fond par le nez en gonflant l'abdomen puis la cage thoracique en soulevant légèrement les épaules.

2. *Rétention.* On retient l'air dans l'abdomen et les poumons quelques secondes de plus que la durée de l'inspiration.

3. *Expiration.* On expire lentement par la bouche en prenant soin de vider totalement l'abdomen et les poumons et en abaissant lentement les épaules.

Répéter l'exercice cinq à six fois.

La contraction et le relâchement rythmique du diaphragme assure une meilleure respiration. Il suffit de pratiquer cette technique une dizaine de fois chaque jour pour profiter de ses grands bienfaits.

RELAXATION

Le principe de la relaxation a pour objet de réduire la tension musculaire causée par le stress et la fatigue. Cette thérapie exige l'absence complète de tout mouvement en décontractant l'ensemble des muscles. Dans cet état de relâchement total, la plupart des nerfs ne transmettent aucun message. La relaxation contribue ainsi à la détente cérébrale et au tonus musculaire.

Bienfaits de la relaxation

Appuyées par des tests en laboratoire, des expériences cliniques démontrent que lorsque les muscles squelettiques sont bien détendus, les autres muscles (le cœur, les organes digestifs et autres organes) tendent à se relâcher en même temps. Ainsi, et par une commande provenant du cerveau, la sensation douloureuse musculaire peut diminuer.

Parce que la douleur est une émotion maîtrisable, la relaxation induit un relâchement des tensions musculaires. Une première étape de soulagement psychologique de la douleur est de réduire le stress émotionnel qu'elle suscite.

Dans une situation de stress, notre état de fatigue est souvent imperceptible. Or, l'élément essentiel de la relaxation est de nous rendre plus conscient du lien entre le corps et l'esprit. Par exemple, quand le volume d'une musique est trop fort, les muscles des épaules se contractent sans qu'on s'en rende compte, puis ils se détendent quand le volume est diminué. Ainsi, le fait d'être conscient de sa tension musculaire aide à la réduire pour mieux se détendre.

L'indispensable repos

Au cours des crises de douleurs musculaires, de fatigue et de privation de sommeil, même les simples gestes quotidiens sont pénibles. Les efforts exigés pour se lever le matin, se laver, s'habiller et préparer le déjeuner peuvent être épuisants. Il importe donc pendant la journée de discerner les premiers signes de fatigue et de suspendre toute activité pour se reposer. Il est préférable d'entreprendre des tâches qu'on peut exécuter alternativement en position debout et assise.

Pour bien se reposer et détendre ses muscles, un fauteuil du type «lazy boy» convient très bien. Les yeux fermés, il suffit de se remémorer un souvenir agréable en laissant les muscles et le corps se détendre complètement. De telles périodes de repos, pratiquées plusieurs fois par jour, diminuent manifestement la fatigue et la tension corporelle.

Bienfaits de la chaleur

En stimulant la circulation sanguine, la chaleur relaxe le corps, détend les muscles et calme la douleur irradiante des points sensibles de la fibromyalgie et des points déclencheurs du syndrome myo-fascial. Du point de vue thérapeutique, la chaleur demeure l'élément de base pour la détente, particulièrement lorsqu'elle précède les exercices d'étirement.

Appliqué sur les zones douloureuses, un coussin électrique ou un coussin d'avoine préalablement chauffé au four micro-ondes agit en profondeur en décontractant les muscles, notamment ceux des épaules et du cou, et soulage rapidement la douleur.

Une douche chaude prise le matin, en prolongeant le jet d'eau sur chaque région sensible ou douloureuse, relaxe également les muscles. Pour se réchauffer pendant les saisons froides et humides, remplir la baignoire d'eau chaude et se laisser tremper jusqu'au cou.

Un couvre-matelas électrique est préférable à une couverture électrique parce que la chaleur s'élève naturellement. La chaleur montante réchauffe mieux la peau et soulage confortablement les parties douloureuses du corps. En contrepartie, la chaleur d'une couverture électrique, qui s'éloigne du corps, est beaucoup moins efficace.

Autres techniques de relaxation

Quoique les massages et les traitements par la stimulation électrique des muscles (TENS) procurent un soulagement valable, l'amélioration est généralement de courte durée pour les douleurs musculaires accompagnant la fibromyalgie.

Il existe de nombreuses méthodes de relaxation, tant physiques que mentales, la plupart exigeant beaucoup de temps, de concentration et de pratique. Pour plusieurs de ces techniques, comme la visualisation, la relaxation appliquée, la relaxation passive ou le yoga, les personnes qui les suivent sont habituellement guidées par un thérapeute. Ces techniques comportent de nombreuses variantes et sont parfois associées entre elles.

MARCHE

Par sa forte musculature et son exceptionnelle mobilité, le corps humain a été conçu pour de longues marches et d'occasionnelles courses. Cependant, lorsque la douleur et la fatigue nous accablent, toute forme d'activité physique semble irréalisable, incluant la marche. Mais on a découvert récemment que les personnes souffrant de douleurs musculaires pouvaient obtenir des bénéfices durables en pratiquant la marche quotidiennement, ne serait-ce que pour de courtes périodes.

Plusieurs études confirment que la marche constitue l'une des meilleures formes de conditionnement physique pour la majorité des personnes adultes. On inclut dans ce groupe les personnes fibromyalgiques affligées par la douleur musculaire. Selon l'état de santé du patient, la marche ne présente aucun risque. Parce que la marche réduit la tension neuromusculaire, des médecins la prescrivent également pour traiter des problèmes d'ordre émotif.

Les résultats d'une étude faite auprès de 235 hommes et femmes sédentaires, âgés de 35 à 65 ans, ont été publiés récemment dans le journal de l'Association médicale américaine. Ils démontrent que marcher d'un bon pas ou tondre le gazon procure autant d'effets bénéfiques pour la santé cardiaque que de longues séances de gymnastique.

Analysons les données qui suivent afin d'apprécier à sa juste valeur cet exercice fort populaire. Généralement, une dépense physique doit impliquer entre six et huit unités métaboliques pour produire un effet d'entraînement cardiovasculaire des poumons et des vaisseaux sanguins afin d'oxygéner et de nourrir les tissus, principalement ceux des muscles squelettiques. Une unité métabolique, qui correspond à l'énergie nécessaire au maintien en vie de l'être humain, permet de combler la dépense énergétique que nécessite l'ensemble des transformations s'opérant dans le corps.

Parmi les activités physiques requérant six ou sept unités métaboliques, on cite la marche relativement rapide, le badminton, le tennis et le ski nautique. Les activités qui suivent sont évaluées entre sept et huit unités métaboliques : courir à 8 km, faire du vélo à une vitesse de 19 km, nager, skier, patiner, ou danser au rythme de la musique disco.

Ce n'est que récemment qu'on a redécouvert les vertus de la marche. Dans les années 1980, un groupe de médecins demandèrent à plusieurs centaines de personnes de tout âge de parcourir 1,6 km à bonne allure. Ils constatèrent que, dans la plupart des cas, l'accélération de la fréquence cardiovasculaire était suffisante pour qualifier cet exercice comme une pratique importante de conditionnement physique.

Exercice considérablement moins exténuant que le jogging, la marche est maintenant perçue comme un excellent moyen d'améliorer sa capacité aérobique et sa forme physique. Certaines personnes, dont la santé empêche de faire de longs trajets ou de marcher rapidement, bénéficient quand même d'une marche lente et soutenue. Pratiquée régulièrement, la marche peut ajouter des années et de la qualité à la vie.

Programme

Pour profiter des nombreux bienfaits de la marche, elle doit faire partie intégrante de sa vie. Pour atteindre ce but, il suffit de s'initier à un programme structuré permettant une meilleure motivation dans ses habitudes quotidiennes ou hebdomadaires. En tenant compte de ses capacités, il est important de s'entraîner lentement. On recommande aux gens sédentaires de marcher 5 minutes à la fois, puis d'augmenter graduellement jusqu'à ce qu'ils atteignent 15 minutes.

Que nous marchions une fois 30 minutes par semaine ou trois fois 10 minutes, les bienfaits de cet exercice demeurent les mêmes. Du point de vue aérobique, il s'agit de diviser ses séances quotidiennes en quelques sections de 15 minutes à la fois pour obtenir de bons résultats.

Peu importe la vitesse à laquelle on marche, l'important est de se sentir à l'aise. On conseille de porter une chaussure confortable et légère conçue pour la marche. Dans certains milieux de travail, on voit de plus en plus de personnes porter ce type de chaussures, les infirmières, par exemple.

Si un sujet doute de sa capacité physique relativement à la marche, nous lui suggérons de consulter son médecin pour des conseils appropriés.

EXERCICES SOUPLES

Les patients fibromyalgiques désireux de faire de l'exercice pour rétablir leur forme font face à un dilemme. Leurs muscles étant trop tendus, la douleur s'aggrave indubitablement dès qu'ils dépassent leurs limites physiques. En contrepartie, le tonus musculaire s'affaiblit lorsque le corps demeure trop longtemps inactif. Mme Louise Mollinger, physiothérapeute au St. Margaret Memorial Hospital de Pittsburgh explique :

> Nous savons que la sédentarité ne fait qu'empirer les raideurs musculaires et articulaires des patients fibromyalgiques, et que les exercices violents aggravent encore plus la douleur. Combinés aux exercices de respiration profonde, les exercices d'étirement légers permettent effectivement de soulager la tension musculaire. Pour ces raisons, nous croyons qu'un programme équilibré d'exercices simples, de respiration profonde et de repos constitue le meilleur des traitements qui s'offrent à nous.

Mme Deborah A. Barrett, Ph.D., elle-même atteinte de fibromyalgie, ajoute :

> Dans la littérature médicale, le message est très clair à ce sujet. Mais comme dans tous les autres aspects de la fibromyalgie, cela exige de la discipline, de la détermination, de l'espoir et beaucoup de patience. Mais l'effort apporte effectivement des bienfaits lorsqu'on pratique une thérapie d'exercices d'étirement musculaire souples et appropriés à ses propres capacités.
>
> J'ai appris l'importance de travailler avec le corps que j'ai, et non pas avec celui que je voudrais avoir ou que j'avais dans le passé. En fibromyalgie, on ne peut jamais trop exagérer l'aphorisme : *écoute ton corps*. Peu à peu, mon programme d'exercices comportant les étirements et le renforcement des muscles m'apporta une force physique et psycho-

logique qui me permit de réaliser des activités intéressantes que je ne pouvais faire auparavant.

Et même si l'exercice ne guérit ni la douleur musculaire, ni la fatigue, ni les autres symptômes, les experts en fibromyalgie s'accordent pour affirmer que l'endurance musculaire augmente véritablement les capacités corporelles des patients. La pratique d'exercices d'étirement souples, la marche quotidienne et la respiration profonde favorisent en plus l'oxygénation de tous les tissus de l'organisme.

Les muscles: une centrale d'énergie

Toute activité physique repose sur l'énergie musculaire dérivant de la transformation des sucres et, indirectement, des lipides (substances grasses) au sein du tissu musculaire.

Examinons ce phénomène. Quand un même groupe de muscles travaillent longtemps au cours d'un exercice, en levant les bras au-dessus de la tête à chaque seconde, par exemple, les muscles des bras vont rapidement devenir douloureux parce qu'ils auront épuisé leur réserve d'oxygène. Privés d'oxygénation, les muscles pourront continuer de produire de l'énergie, mais l'effort supplémentaire entraînera une accumulation d'acide lactique qui provoquera la contraction musculaire et la douleur.

Le prodigieux système cardiovasculaire

La fonction du cœur est de faire circuler le sang dans toutes les régions du corps. Agissant de la même manière qu'une pompe, le cœur pousse dans les vaisseaux du corps, incluant ceux des muscles, une certaine quantité de sang à chaque battement. Le nombre de battements d'un adulte en situation de repos varie entre 65 et 75 selon le sexe et la condition physique de chaque personne.

De par sa composition, le sang transporte diverses substances essentielles, incluant l'oxygène, les sucres, les sels minéraux et les enzymes. Transportant en plus les déchets destinés à être transformés ou éliminés, le sang constitue le moyen de liaison entre les diverses cellules de l'organisme. Le débit sanguin véhiculé dans toutes les parties du corps, incluant les muscles squelettiques, se mesure en millilitres par minute (ml/min) en valeur absolue, et en pourcentage en valeur relative.

On constate à l'examen du tableau 18.1 que le débit sanguin dans les muscles squelettiques augmente de 26% depuis la valeur au repos à celle de l'exercice d'étirement, soit trois fois plus que dans chacune des autres parties du corps. Ainsi, et même à l'exercice modéré, le débit sanguin dans ces muscles augmente de 50% par rapport au débit sanguin de la valeur au repos.

Tableau 18.1

Distribution du débit sanguin au repos et à l'effort

Partie du corps	Valeur au repos		Exercice d'étirement		Exercice modéré		Exercice intense	
	ml/ min	%	ml/ min	%	ml/ min	%	ml/ min	%
Muscles squelettiques	1 200	21	4 500	47	12 500	71	22 000	88
Rate	1 400	24	1 100	12	600	3	300	1
Reins	1 100	19	900	10	600	3	250	1
Cerveau	750	13	750	8	750	4	750	3
Cœur	250	4	350	4	750	4	1 000	4
Peau	500	9	1 500	15	1 900	12	600	2
Autres parties du corps	600	10	400	4	400	3	100	1
Total	**5 800**	**100**	**9 400**	**100**	**17 500**	**100**	**25 000**	**100**

Ces données expliquent les raisons pour lesquelles les patients fibromyalgiques qui pratiquent des exercices d'étirement adaptés à leur limite physique ressentent un état de bien-être et maintiennent une meilleure santé. Leur force et leur souplesse musculaire se restaurent. Ils en retirent d'importants bénéfices physiologiques et psychologiques en diminuant la tension et l'anxiété.

Les données au tableau 18.1 ne signifient pas que les fibromyalgiques doivent fournir un effort exagéré et à long terme. Au contraire, et selon leurs limites physiques, ils sont encouragés à ne faire que des exercices adaptés à leurs besoins individuels et qui n'exigent pas d'effort.

Devin Starlanyl recommande à ses patients souffrant de fibromyalgie et du syndrome de la douleur myofasciale d'éviter l'immobilité, les exercices à répétition, de nager le crawl ou la brasse, de pratiquer le yoga, de lever poids et haltères. Il n'existe pas de méthode d'exercices bien adaptée pour tout le monde. Toutefois, l'apprentissage d'une méthode souple d'exercices d'étirement musculaire, qui répond aux limites de chaque patient, apportera incontestablement des changements physiologiques et psychologiques appréciables.

Dans la technique du yoga, par exemple, certaines postures sont manifestement insupportables pour les personnes souffrant de douleurs musculaires chroniques ou pour les gens au-dessus de la cinquantaine. C'est pour cette raison que le yoga n'est pas suggéré pour les patients fibromyalgiques dans le présent ouvrage.

Tonus musculaire

Entre une personne qui fait de l'exercice et celle qui n'en fait pas, la démarche de la première est naturellement souple et équilibrée ; mais chez l'autre, les gestes sont raides et irréguliers. Cette différence s'explique par le tonus musculaire qui, en résumé, est le tonus normal du corps dans son état de repos. On le qualifie comme un état de légère tension entretenue par les influx nerveux alors que les muscles sont au repos physiologique.

N'étant pas génératrice de mouvement, cette tension musculaire maintient les positions du corps. Or, le tonus musculaire et la tension nerveuse sont étroitement liés. Sous l'effet d'une réaction nerveuse, par exemple, les muscles se contractent, le tonus musculaire s'en ressent et les mouvements corporels se font en raideur et non en souplesse.

En général, les muscles qui manquent de tonus sont mous. Mais en fibromyalgie, les muscles sont raides parce qu'ils sont anormalement tendus. Deux moyens seulement s'offrent aux patients fibromyalgiques pour régulariser cette anomalie :

1. Obliger les muscles à se contracter en les étirant par des exercices de relaxation musculaire progressive.

2. Contracter au maximum les muscles pour les décontracter en pratiquant des exercices d'étirement musculaire.

Régulièrement pratiqués, ces exercices peuvent susciter en quelques semaines un équilibre plus harmonieux de toutes les parties du corps. Couramment utilisées aux États-Unis pour soigner la douleur musculaire, ces deux thérapies sont expliquées ci-après.

RELAXATION MUSCULAIRE PROGRESSIVE

Instigateur de la relaxation progressive (appelée aussi «lâcher-prise»), le Dr Edmund Jacobson, de l'Université de Chicago, a remarqué que les personnes contractaient leurs muscles lorsqu'elles subissaient des stress. Il décida alors d'utiliser une méthode abrégée de relaxation pour l'enseigner à ses patients et leur permettre de diminuer la douleur tout en réduisant la tension musculaire.

Facile à suivre chez soi, la méthode de relaxation musculaire progressive, utilisée conjointement avec la respiration profonde, est celle que nous proposons. Ne présentant aucun danger, cette technique est recommandée pour les sujets fibromyalgiques éprouvant une mobilité musculaire réduite.

Exercice de relaxation musculaire progressive

Cette méthode est progressive parce qu'il s'agit de contracter et de relaxer un groupe de muscles d'une seule région à la fois avant de reprendre le même exercice dans une autre région. Elle implique la contraction puis le relâchement progressif des muscles à commande volontaire, incluant les biceps des bras et des jambes, triceps, extenseurs des mains et des pieds, fléchisseurs des cuisses et des jambes, muscles de l'abdomen, de la poitrine, de la mâchoire, du cou, des épaules.

La méthode de relaxation musculaire progressive revient dans la plupart des techniques de relaxation. Il s'agit pour le patient de prendre conscience de la détente mentale qu'induisent le relâchement musculaire et la respiration profonde.

Cet exercice se pratique durant environ 15 à 20 minutes, de préférence dans une pièce calme, légèrement éclairée, sans éléments extérieurs dérangeants. Commencer par enlever ses chaussures, ses lunettes, ses bijoux et simplement desserrer ses vêtements.

Suggestion pratique. D'une voix douce et calme, enregistrer sur une cassette l'exercice suivant pour l'utiliser à chaque séance d'exercice.

Le Dr Jacobson conseille de ne jamais contracter plus d'une région musculaire à la fois.

1. S'allonger confortablement et se détendre complètement. Aligner la tête et le cou avec le dos pour permettre d'allonger les bras et d'écarter légèrement les jambes. Il est préférable d'utiliser un oreiller d'une épaisseur convenable pour éviter que la tête tombe vers l'arrière. Fermer les yeux pour mieux se concentrer.

   À chaque mouvement musculaire, respirer profondément, puis garder son souffle quelques secondes avant d'expirer calmement.

2. Serrer le poing droit progressivement en observant la tension – garder le poing serré en sentant la tension dans l'avant-bras en respirant profondément... puis se détendre en expirant.

3. Relâcher les doigts de la main droite en observant le contraste de cette sensation... Maintenant, détendre tout son corps.

4. Une fois de plus, serrer le poing droit – le retenir ainsi puis observer la tension.

5. Maintenant relâcher le poing droit et les doigts – noter la différence.

6. Répéter la technique avec le poing gauche – le serrer graduellement alors que le reste du corps est détendu – serrer le poing de plus en plus et sentir la tension... et se détendre en évaluant encore une fois la différence.

7. Répéter cette technique une fois en serrant le poing gauche progressivement.

8. Maintenant relâcher la tension et se détendre pour un moment – observer la différence.

9. Serrer les poings et les avant-bras simultanément en les contractant de plus en plus – observer les sensations.

10. Relâcher les doigts et sentir la relaxation.

11. Continuer de détendre les mains et les avant-bras – contracter les biceps de plus en plus.

12. Plier maintenant les bras et contracter les biceps de plus en plus – et analyser les sensations de tension.

13. Déplier maintenant les bras – les laisser se détendre et sentir encore une fois la différence. Laisser son corps se détendre.

14. Une fois de plus, contracter les biceps – retenir et observer la tension musculaire.

15. Déplier les bras et se détendre le mieux possible... Observer chaque fois les sensations en contractant et en détendant les muscles.

16. Raidissez maintenant les bras de manière à ressentir une forte tension dans les biceps à l'endos des bras – étirer les bras et sentir la tension... puis se détendre.

17. Replacer les bras dans une position confortable – laisser le corps se détendre à son rythme... Les bras devraient être agréablement lourds à mesure qu'ils se détendent.

18. Raidir les bras une fois encore de manière à sentir la sensation dans les triceps... étirer les bras... sentir cette tension... puis se détendre.

19. Maintenant, se concentrer sur la détente complète des bras en les laissant se détendre confortablement sans aucune tension.

20. Continuer de détendre davantage les bras. Même lorsqu'ils semblent totalement détendus – essayer d'aller encore un peu plus loin en essayant d'atteindre un degré de plus de détente.

Au terme des exercices, la personne ouvre les yeux, s'étire et se sent généralement détendue et régénérée. Pour permettre au corps de reprendre son état normal, se détendre durant 15 minutes.

Après que la technique de la relaxation progressive a été apprise, Jacobson recommande d'adopter un programme de relaxation pour toutes les parties du corps.

EXERCICES D'ÉTIREMENT MUSCULAIRE

L'étirement des muscles est une forme d'exercice pratique qui ne requiert pas d'équipement particulier et que l'on peut faire n'importe quand et n'importe où. En général, les muscles squelettiques se contractent au cours d'activités physiques. Mais parce qu'ils sont anormalement tendus en FM, les muscles sont prédisposés à l'entorse ou la foulure. Pour cette raison, nous devons les étirer pour bien les décontracter.

La discipline et la persévérance sont de loin les meilleurs outils quand il s'agit de suivre une thérapie pour rétablir sa forme physique. Soulignons que toute technique de conditionnement ou d'étirement musculaire peut nécessiter plusieurs semaines d'entraînement avant que l'on puisse profiter de ses bienfaits.

À cause de ses effets sur la phase profonde du sommeil, certains exercices d'étirement ont prouvé leur efficacité quand ils sont faits vers la fin de l'après-midi ou tôt dans la soirée.

Pour une meilleure détente des muscles, il est conseillé de prendre une douche ou un bain chaud avant de commencer ces exercices. Dans les premières séances, ne durant que 10 à 15 minutes, il faut rester attentif à la façon dont le corps réagit à l'effort, et s'arrêter dès qu'une sensation de fatigue et de douleur musculaire apparaît.

Pour obtenir un effet maximal, il faut étirer les muscles lentement en essayant de trouver la région confortable sans les mouvoir brusquement et sans dépasser la limite convenable. Pendant cet exercice, respirer lentement et profondément par le nez en gonflant le ventre, puis se détendre en expirant par la bouche.

Bien exécutée, cette technique soulage la douleur et la raideur du cou, des épaules, des bras, du trapèze, de l'abdomen, du dos, des hanches, des cuisses et des jambes. Les huit exercices d'étirement qui suivent sont recommandés par des spécialistes traitant la fibromyalgie et le syndrome de la douleur myofasciale.

Peu de temps après avoir commencé un programme d'exercices d'étirement, on peut allonger les séances selon ses capacités. On conseille de les répéter deux à trois fois par semaine afin de maintenir le tonus musculaire. Cependant, les avantages acquis seront rapidement perdus si les exercices sont faits irrégulièrement.

Ce qu'il faut savoir

- Pour chaque technique d'exercice d'étirement, l'aptitude de chacun dépend de son âge, de sa condition physique et de la gravité de ses symptômes.

- Peu importe sa condition, toute méthode d'exercices d'étirement modérés augmente éventuellement sa résistance.

- Les muscles douloureux ne se détériorent pas au cours des exercices légers d'étirement.

- Il est conseillé de contrebalancer les périodes d'exercices en diminuant les autres activités.

- La douleur après les exercices a tendance à diminuer de plus en plus.

- Il est préférable de relaxer le corps dans une baignoire d'eau chaude après une séance d'exercices.

- Un massage avec une crème analgésique absorbante soulage la douleur.

- On peut se détendre les muscles en utilisant un coussin chauffant.

- Patience, courage et détermination sont garants de succès et de satisfaction dans les exercices d'étirement musculaire.

Début des exercices

Précaution : En périodes de crises aiguës de douleurs musculaires, les personnes atteintes de fibromyalgie doivent s'abstenir de faire les exercices d'étirement qui suivent pour s'assurer de ne pas aggraver davantage la douleur.

ASSOUPLISSEMENT DES MUSCLES DU COU

Commencer la séance d'exercice en étirant légèrement les muscles du cou (non illustré).

1. Se tenir debout, les jambes légèrement écartées et fléchies. Respirer profondément en laissant tomber la tête vers l'épaule droite, puis vers l'épaule gauche. Ramener la tête à la position normale en expirant lentement.

   Faire ces exercices quatre fois.

2. *Figure 18.1:*[1] Placer la main gauche à l'arrière de la tête et appliquer une pression sur la tête en la penchant vers l'épaule droite. Respirer profondément et tenir cette position durant cinq secondes. Relâcher les muscles en expirant.

Figure 18.1

Répéter trois fois ce même exercice, cette fois avec la main droite sur la tête en la penchant vers l'épaule gauche.

ÉTIREMENTS LATÉRAUX DES ÉPAULES JUSQU'AU BASSIN

Figure 18.2: Se tenir debout, les jambes légèrement écartées et les genoux fléchis.

Lever les bras au-dessus de la tête en joignant les mains et en maintenant les paumes tournées vers l'intérieur.

Étirer les muscles des bras, des épaules et du bassin.

Respirer profondément et tenir cette position durant cinq secondes.

Relâcher les muscles en expirant.

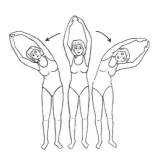

Figure 18.2

---

1. Les figures 18.1 à 18.8 ont été réalisées par Mélanie Giroux, *Gopigraf*, Loretteville, 1999.

MUSCLES DU TRAPÈZE, DES ÉPAULES, DES BRAS

Figure 18.3: Joindre les mains à l'arrière du dos. Étirer les mains vers le cou en penchant la tête légèrement vers l'arrière et en respirant profondément.

Maintenir l'étirement durant cinq secondes. Revenir à la position normale en expirant.

Maintenir l'étirement durant cinq secondes avant de relâcher les muscles.

Revenir à la position normale en expirant.

Figure 18.3

MUSCLES DE LA CUISSE ET DE LA JAMBE

Figure 18.4: Se tenir debout en appuyant la main gauche sur le dos d'une chaise.

Étirer légèrement la jambe droite vers le bassin. Maintenir l'étirement durant cinq secondes en respirant profondément.

Relâcher les muscles et revenir à la position normale en expirant.

Répéter trois fois ce même exercice en alternant de la jambe gauche à la jambe droite.

Figure 18.4

MUSCLES DE L'ABDOMEN, DU BASSIN, DES CUISSES

Figure 18.5: Sur une surface confortable, s'allonger sur le dos, placer un oreiller mince sous la tête.

1. Avec l'aide des deux mains, fléchir le genou droit vers l'abdomen en étirant les muscles et en respirant profondément durant cinq secondes. Puis relâcher la jambe et la replacer lentement en position allongée en expirant.

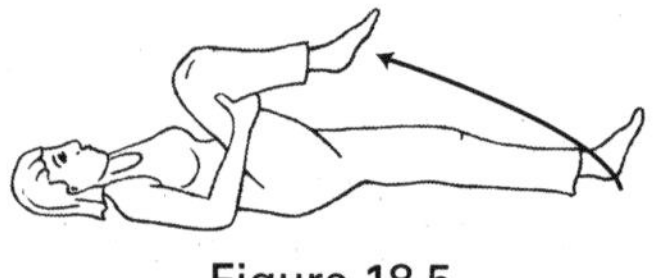

Figure 18.5

2. Répéter ce même exercice, cette fois en fléchissant le genou gauche vers l'abdomen.

3. *Figure 18.6:* Répéter ce même exercice, mais cette fois en fléchissant les deux genoux vers l'abdomen.

Figure 18.6

ÉTIREMENTS DES MUSCLES DU COU

1. *Figure 18.7:* Couché sur le dos, les bras allongés le plus loin possible au-dessus de la tête, étirer le corps de la tête aux pieds durant cinq se-condes en respirant profondément. Relâ-cher en expirant.

Figure 18.7

2. *Figure 18.8:* Les mains placées sous la tête, pencher la tête vers l'avant pour étirer les muscles du cou.

Maintenir cette position durant cinq secondes en respirant profondément. Relâcher en expirant.

Figure 18.8

Exercices physiques à ne pas faire

Divers spécialistes de la douleur signalent que la région cervicale et la région lombaire sont les plus vulnérables de la colonne vertébrale. Plusieurs exercices articulo-musculaires sont fortement déconseillés pour les personnes atteintes de douleurs musculaires chroniques, notamment celles des muscles squelettiques associées à la FM et au SDM.

Totalement opposés aux résultats recherchés, un certain nombre d'exercices d'étirement risquent de provoquer des conséquences physiques nuisibles. Les six illustrations qui suivent comprennent des exercices pouvant être dommageables (figures 18.9 à 18.14).

La règle d'or d'un programme d'exercices d'étirement personna-lisés pour les fibromyalgiques est de modérer les activités physiques durant les crises de douleur. Selon leur seuil de douleur et d'énergie, les personnes inactives depuis une longue période de temps devraient commencer lentement et délicatement. Il leur sera alors plus facile d'augmenter progressivement les exercices.

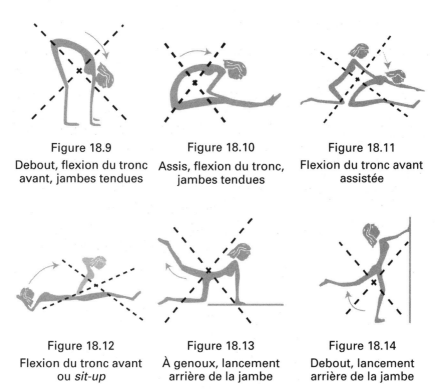

Figure 18.9	Figure 18.10	Figure 18.11
Debout, flexion du tronc avant, jambes tendues	Assis, flexion du tronc, jambes tendues	Flexion du tronc avant assistée

Figure 18.12	Figure 18.13	Figure 18.14
Flexion du tronc avant ou *sit-up*	À genoux, lancement arrière de la jambe	Debout, lancement arrière de la jambe

Source : *Copigraf*, Mélanie Giroux, Loretteville, 1999.

Ces conseils s'appliquent également à la marche : 1/4 km au début, puis 1/2 km durant une ou deux semaines afin de mieux accéder à de plus longues distances.

Compte rendu de ses résultats

Un agenda dans lequel l'on note ses progrès est d'une grande utilité si l'on tient compte de son état de santé (intensité de la douleur, des raideurs, de fatigue, etc.), de la qualité du sommeil, de son pouls, du niveau de stress et des changements climatiques. Il est facile de sombrer dans le découragement lorsqu'on ressent des douleurs intenses et une grande fatigue. Mais le progrès inscrit dans son agenda encouragera le patient fibromyalgique à continuer ses exercices d'étirement musculaire.

AQUATHÉRAPIE

Les propriétés thérapeutiques de l'eau sont de plus en plus utilisées dans les méthodes d'exercices d'assouplissement et de détente. Celles-ci sont désignées sous différents noms : aquathérapie, hydro-thérapie, aquaforme. Les effets de l'apesanteur corporelle sont annihilés durant les séances d'exercices dans des piscines dont l'eau est maintenue à 32 °C (92 °F), soit quelques degrés inférieurs à la température normale du corps.

Les thérapeutes en aquathérapie estiment que l'eau chaude est idéale pour stimuler la circulation, détendre les muscles, soulager la douleur et favoriser la transpiration chez les patients devenus inactifs par la fibromyalgie. Cette technique a recours à des exercices aquatiques en piscine dont l'eau est maintenue à 34 °C.

Claire Mercier, Ph.D., coordonnatrice aquatique d'Adaptavie[2] de Québec se spécialise dans les activités physiques adaptées :

> Produisant des effets bénéfiques, cette forme de thérapie est idéale pour tonifier les tissus musculaires et soulager la douleur chez les personnes souffrant d'une déficience motrice. Le programme est divisé en quatre séances de 10 à 15 minutes.

> Les exercices se pratiquent debout ou assis avec un support flottant. Ne provoquant aucune douleur, les mouvements sont exécutés de façon appropriée et variée pour faire travailler toutes les masses musculaires et le système cardiorespiratoire.

Aqua-aérobie[3], un autre centre d'aquathérapie établi dans la région de Québec, offre des séances d'exercices et d'assouplissement spécialement conçues pour les personnes atteintes de douleurs musculaires comme on retrouve en fibromyalgie et dans le syndrome de la douleur myofasciale. Dirigés par Johanne Audy Leblond, les participants expérimentent les exercices à l'aide d'une variété d'équi-pement, tels que aquaflexes, *power buoys* (haltères adaptables à tous), bâtons, palmes, et autres. Des exercices de Taï-chi aquatique sont également offerts.

---

2. Adaptavie est situé au Centre François-Charon, 525, boulevard Hamel, local F-122, Québec.

3. Aqua-aérobie est établi au Centre Cardinal-Villeneuve, 2975, chemin Saint-Louis, Sainte-Foy.

MASSAGE

Pour vaincre la douleur, la fatigue et la tension, le massage est probablement le plus ancien de tous les traitements thérapeutiques. Une étude récente révèle que cette thérapie améliore le moral des malades et accélère leur convalescence. Le massage comporte effectivement des aspects physiologiques et psychologiques importants. Aussi agréable à donner qu'à recevoir, le massage est en ce sens une thérapie unique. Il est scientifiquement établi que caresser un animal domestique procure une détente et abaisse la tension musculaire. Ce même effet se produit lorsqu'on pratique un massage sur une personne.

Le massage pratiqué au Québec doit son origine au gymnaste suédois Per Henrik Ling, qui, au début du XVIᵉ, mit au point une technique qu'on appelle encore aujourd'hui « le massage suédois ». De nos jours, qu'il soit pratiqué dans des centres spécialisés ou à la maison, ce massage a des bienfaits multiples : activation circulatoire de la zone massée, relaxation musculaire et action réflexe sur le système nerveux de la région. Parce que le pied contient beaucoup de nerfs et peu de muscles, la plante du pied est considérée comme une région propice au massage.

Technique

En accélérant la circulation sanguine, le massage provoque le relâchement et la souplesse des fibres musculaires et favorise la relaxation du corps en générant un effet sédatif. Contribuant à assoupir les tensions nerveuses, il produit des effets de bien-être similaires à certaines formes d'exercice physique. Pour les malades en convalescence ou en phase de douleurs musculaires aiguës et d'engourdissements, comme c'est souvent le cas chez les patients fibromyalgiques, le massage constitue une excellente thérapie qui apporte un bien-être indéniable.

Chaque massothérapeute utilise une technique personnelle. Pour cette raison, les patients fibromyalgiques intéressés auraient avantage à sélectionner un technicien professionnel pour qui les points sensibles de la fibromyalgie et les points déclencheurs du syndrome myofascial sont familiers. Un technicien expérimenté dans cette forme de thérapie sera particulièrement attentif aux douleurs musculaires en pratiquant sur ces régions des pressions plus souples.

N'activant pas la force musculaire, le massage n'est pas un substitut pour l'exercice. Il est contre-indiqué en cas de maladie inflammatoire ou infectieuse. Bien pratiqué, cependant, il cause généralement aucun effet indésirable.

Autres techniques de massage

D'innombrables ouvrages ont été publiés sur les diverses techniques de massage. Les principales méthodes thérapeutiques comprennent les trois suivantes :

- Le *massage* proprement dit se fait avec les mains par l'effleurage, le pétrissage et la pression exercés dans un dessein thérapeutique sur différentes parties du corps. Les frictions localisées constituent à mobiliser différentes couches des tissus du corps, incluant les muscles, les ligaments et les tendons, afin d'apporter une détente totale par la stimulation de la circulation veineuse et lymphatique (de lymphe : liquide organique dont la composition est comparable à celle du plasma sanguin).

  Les *percussions manuelles* consistent à frapper alternativement les tissus avec l'extrémité des doigts pour stimuler les muscles.

  Les *pétrissages profonds* permettent de saisir des masses de tissus et d'appliquer des mouvements de torsion et d'allongement pour décontracter les muscles.

- Le *shiatsu* (ou le *Ki*) est une technique japonaise pratiquée avec les parties de la main, les coudes, les genoux ou les pieds par pression sur des points réflexes d'acupuncture précis afin de toucher l'énergie vitale du corps. Cette thérapie est un mélange de théories orientales classiques dont l'histoire remonte au début de l'acupuncture, il y a quelques 4000 ans. Cette technique dérive de deux forces opposées : le *yin* et le *yang* (voir Acupuncture au chapitre 19 « Médecines alternatives »).

- La *réflexologie* implique des techniques digitales sur des points précis pour masser les points réflexes des pieds et des mains dans le but de relaxer le corps, améliorer la circulation sanguine et débloquer l'influx nerveux. Cette thérapie se fonde sur le principe qu'il existe des zones réflexes sur les pieds et les mains qui correspondent chacune à un organe, une glande ou une structure du corps.

Automassage

Se masser soi-même est le meilleur moyen de découvrir cette thérapie. Lorsque les muscles du cou et des épaules sont raides et douloureux, l'automassage se fait instinctivement quand on se masse les muscles de ces régions.

La technique qui suit est suggérée par les auteurs de *The Book of Massage* (Gaia Books Ltd., 1984).

Il est plus facile de se détendre si l'on respecte l'ordre et les positions qui suivent (en commençant par les pieds pour arriver à la tête) en massant, à l'exception du dos, toutes les parties du corps.

- *Les jambes et les pieds.* Assis sur une surface ferme mais confortable, la jambe gauche allongée vers l'avant, la jambe droite pliée vers le menton – masser le pied, la cheville et le bas de la jambe, l'articulation du genou, puis la cuisse jusqu'à la hanche du membre droit.

  Répéter le massage sur le membre gauche en pliant la jambe droite vers le menton.

- *Les hanches et l'abdomen.* S'étendre sur le côté gauche en relevant les genoux. Masser par un mouvement circulaire le triangle du pubis et la zone fessière en contournant le bassin et l'articulation de la hanche.

  Rouler sur le côté droit et répéter le massage. Puis masser l'abdomen en entier par des mouvements circulaires.

- *Le thorax.* Étendu sur le dos, se masser du plexus solaire (au creux de l'estomac) jusqu'à la clavicule. Étirer les faces latérales du thorax, puis masser entre les côtes en avançant vers l'extérieur à partir de la ligne médiane du thorax.

- *Les bras et les mains.* Étendu sur le dos, masser chaque bras en alternant entre celui de gauche et celui de droite. Masser d'abord chaque main, puis chaque avant-bras, y compris le coude, le bras jusqu'à l'aisselle, puis terminer par l'articulation de l'épaule.

- *Les épaules et le cou.* Étendu sur le dos, masser les faces latérales et postérieures du cou et le haut de la colonne dans la mesure où l'on peut l'atteindre.

- *Le visage et cuir chevelu.* Étendu sur le dos, masser fermement le visage, du front au menton, puis la mâchoire, les oreilles et le cuir chevelu.

Évidemment, cette forme d'automassage présente des inconvénients puisqu'il ne permet pas de rejoindre toutes les parties du corps ni d'obtenir la détente désirée. Toutefois, elle a l'avantage d'atteindre presque toutes les régions musculaires des points sensibles ou des points gâchettes.

Après les exercices d'étirement, expliqués aux pages précédentes, l'automassage améliore la circulation sanguine et permet de rétablir l'équilibre métabolique des muscles et de retrouver le tonus normal.

Massage par un partenaire

L'état d'esprit et l'attitude ont une importance capitale pour le succès d'un massage pratiqué à domicile par un partenaire. Pour le masseur, il importe d'apporter à son partenaire toute son attention et sa considération. Une attitude de détente aide à recevoir l'énergie bienfaisante transmise par le masseur. Cette forme de massage amène un échange d'énergie entre la personne qui donne le massage et celle qui le reçoit.

Il importe de respecter les précautions d'usage dans toute forme de massage :

- Choisir une surface de massage confortable mais ferme ; les matelas trop moelleux ont le désavantage de céder sous la pression.

- Choisir une pièce chauffée et sans courant d'air.

- Beaucoup de personnes apprécient une ambiance musicale relaxante.

- Puisque la lumière vive empêche les yeux de se détendre, il est préférable que l'éclairage soit doux. La lueur d'une bougie est idéale.

- Avant la séance, le masseur se lave les mains; il s'assure que ses ongles sont courts, que ses bagues et sa montre sont enlevées.

- Une huile essentielle facilite le glissement des mains sur la peau.

- Ne pas verser une huile essentielle ou une crème directement sur la peau; la réchauffer en la frottant entre les mains avant de frictionner la peau.

- Se détendre et se concentrer sur le massage. Effleurer d'abord le corps, puis les zones contractées.

- Éviter à tout prix de masser toute personne présentant une maladie de peau infectieuse, un état inflammatoire (thrombose, par exemple), des douleurs aiguës, ou une femme enceinte.

L'ordre de la séquence est variable. En général, le masseur commence par le dos, puis descend progressivement vers les membres inférieurs; après quoi, il massera la face antérieure du corps. Il utilise plus longuement les pétrissages profonds sur les masses musculaires tendues.

MÉDITATION

En Occident, beaucoup de scepticisme persiste à l'égard de la méditation que l'on assimile à des sectes orientales. Mais sans le savoir, nous avons tous expérimenté une forme de méditation couramment appelée «rêvasser» ou «être dans les nuages».

Au cours d'une séance de méditation, les chercheurs ont remarqué sur le tracé électroencéphalographique (EEG) des changements importants dans l'organisme, notamment un ralentissement du rythme cardiaque et respiratoire, une baisse de la consommation d'oxygène et une diminution de la tension artérielle. Ces réactions s'apparentent en quelque sorte à celles du sommeil car le tracé des ondes cérébrales de l'EEG est semblable à celui d'un patient à l'état de veille, l'une des phases du sommeil.

Dans cette phase de méditation qui précède l'endormissement, l'on a remarqué en plus que l'activité musculaire avoisine le zéro sur le tracé EEG. Cette forme exceptionnelle de relaxation entraîne un soulagement de la douleur musculaire et favorise l'endormissement.

La méditation demeure un excellent outil pour maîtriser quotidiennement le stress provoqué par les symptômes liés à la fibromyalgie et les tracas de la vie moderne. Le succès dépend en grande partie de la personnalité et de l'attitude de chacun. Les effets sont bénéfiques, même s'ils varient d'un patient à l'autre.

Pratique de la méditation

Cette technique repose sur deux principes :

- Les niveaux les plus souples de notre pensée sont généralement plus agréables pour notre esprit.

- Notre attention a tendance à se porter sur nos expériences les plus gratifiantes.

Les spécialistes de la méditation recommandent de ne pas boire ni manger pendant la demi-heure qui précède une pratique de méditation, et de se retirer dans un endroit tranquille. Certains adeptes de cette thérapie s'allongent et ferment les yeux, mais il est conseillé de s'asseoir confortablement, les mains reposant sur les genoux, et de garder les yeux ouverts. Cette position facilite la détente tout en restant alerte et vigilant. S'allonger en fermant les yeux peut provoquer l'endormissement.

Il est possible de considérer les premières phases de la méditation comme une forme de relaxation, simplement en redressant le dos sans effort. Dans une attitude de totale détente, on doit se sentir en parfaite stabilité. La méditation permet aux adeptes d'être conscients de leur corps et de leur esprit. Lorsque la méditation se pointe, la pensée se fixe sur un seul élément, telle la respiration profonde et l'expiration simulant, par exemple, une feuille poussé par le vent.

Le Dr Devin Starlanyl, elle-même atteinte de la fibromyalgie et du syndrome de la douleur myofasciale, conseille à ses patients la méthode de méditation suivante :

1. Choisir un endroit calme et relaxant.

2. Il est plus facile de commencer la méditation dans une position confortablement assise sur un fauteuil avec les jambes allongées.

3. Laisser le corps se balancer légèrement d'un bord à l'autre et puis vers l'avant et l'arrière pour trouver le meilleur point d'équilibre.

4. Inspirer l'air par le nez, puis l'expirer par la bouche. Fermer les yeux et «observer» sa respiration. S'assurez d'expirer à partir du ventre qui s'est gonflé par l'air inspiré. En respirant par le nez, la langue devrait toucher le palais de la bouche. Expirer par la bouche pour expulser tout l'air vicié.

5. Il faut explorer mentalement tout son corps, sans le visualiser, mais le sentir avec son esprit. Commencer par la tête en explorant vers le bas jusqu'à la plante des pieds. Laisser les émotions sortir, même les larmes, sans toutefois déranger son état de méditation.

   Quand l'on a fini d'explorer son corps, se concentrer sur ses douleurs et ses problèmes. Être conscient que ses malaises vont s'extirper.

6. Maintenant, laisser échapper de son esprit toutes ses pensées. D'autres pensées vont s'introduire, mais ne pas s'en occuper pour le moment.

   Essayer de laisser son esprit dériver pour quelque temps, à l'intérieur avec l'inspiration, puis à l'extérieur avec l'expiration, comme un dauphin qui plonge dans la mer. Pratiquer l'art d'être présent dans son corps pour quelque temps.

Durant dix minutes et plus, cette forme de méditation est efficace pour récupérer son énergie. Comme toute autre technique, la méditation est un peu difficile au début, mais on s'y familiarise rapidement. Certains adeptes de la méditation écoutent une musique douce enregistrée à cet effet. D'autres préconiseront *Petite musique de nuit* ou les sérénades de Mozart.

Diverses autres méthodes thérapeutiques, appropriées pour les sujets fibromyalgiques, sont expliquées au chapitre 19 «Médecines alternatives».

Taï-chi

Basé sur une série de mouvements lents et continus, le taï-chi est une ancienne technique de gymnastique développée en Chine par les moines taoïstes. Faisant partie des habitudes quotidiennes de millions de Chinois, le taï-chi attire de plus en plus l'attention du corps médical et des professeurs d'éducation physique du monde entier. Cette thérapie orientale a surtout été révélée au public européen et nord-américain à l'occasion de la visite en Chine du président Nixon en 1972. Des séances de taï-chi en plein air avaient alors été télévisées sur les ondes des deux côtés de l'Atlantique.

Les mouvements du taï-chi reposent autant sur ses effets physiologiques que psychologiques. Cette thérapie est fondée sur l'équilibre entre le yin et le yang – deux forces vitales complémentaires de la philosophie chinoise : yin, la douce, souple et paisible force féminine ; yang, la ferme, active et créatrice force masculine. Voir à ce sujet Acupuncture, au chapitre 19 «Médecines alternatives».

Caractérisé par le mouvement extérieur et le calme intérieur, les nombreux mouvements précis du taï-chi contribuent à l'étirement successif de toutes les parties du corps. Son objectif est de faire travailler les muscles pour favoriser la fusion harmonieuse du corps et de l'esprit. Les adeptes considèrent cette technique comme un exercice léger, complet et naturel, ainsi qu'un tranquillisant naturel contre le stress.

Il est difficile de définir précisément le taï-chi. Des auteurs le caractérisent comme une «énergie biophysique engendrée par le rythme respiratoire». Le concept chinois du mot «chi» comporte plusieurs sens : air, vitalité, esprit, souffle, atmosphère et circulation.

Effets bénéfiques

Ne demandant aucun effort et ne causant aucune fatigue, les mouvements lents et souples du taï-chi en font une thérapie physique convenable pour les patients fibromyalgiques, principalement ceux qui éprouvent des problèmes d'engourdissement et de faiblesse musculaire résultant de la sédentarité.

Exécutés simultanément avec la respiration profonde, les mouvements du taï-chi stimulent la circulation sanguine en relâchant la tension musculaire et en diminuant la tension nerveuse. On a constaté que lorsqu'il est intégré à une bonne hygiène de vie, et est exercé sur une base régulière, le taï-chi diminue les effets nocifs d'un grand nombre de symptômes, notamment les troubles du système digestif.

Il existe deux versions des mouvements taï-chi, chacune d'elles se pratique lentement et calmement. La version courte, prenant entre cinq et dix minutes, implique une quarantaine de mouvements sans répétition. Elle se pratique particulièrement chez les débutants ou les personnes mal en point. La version longue comporte plus de 100 mouvements. Une séance dure entre 20 et 40 minutes.

Déroulement d'une séance de taï-chi

Par leur nature, tous les mouvements du taï-chi favorisent la relaxation musculaire et psychique. Le poids du corps glisse harmonieusement d'un membre à l'autre. Les mouvements sont accomplis en suivant des cercles, des courbes ou des spirales, de sorte que la fin de chacun d'eux est le début du mouvement suivant (voir figure 18.15).

Les mouvements qui suivent sont adaptés du *Dictionnaire pratique des médecines douces*, par Serge Mongeau (Éd. Québec Amérique, 1981), et de la revue américaine *Prevention*.

DÉBUT D'UNE SÉANCE DE TAÏ-CHI

N'exercer aucune force sur les mouvements. Au contraire, élever et baisser les bras gracieusement et lentement. Se concentrer sur une relaxation complète.

1. Se tenir debout, détendu, coudes et genoux légèrement fléchis.

2. Lever lentement les bras jusqu'à la hauteur des épaules.

3. Ramener les avant-bras en arrière, par flexion des coudes.

4. Laisser retomber les bras lentement sur les côtés. On est à nouveau dans la position initiale.

PARER DE LA MAIN GAUCHE

Ce mouvement enchaîne immédiatement le précédent. Tous les mouvements sont exécutés lentement. Penser à la fluidité harmonieuse des mouvements.

1. Se tenir debout en portant le poids du corps sur la jambe gauche – faire pivoter le pied droit sur le talon, orteils légèrement relevés vers la droite.

2. Porter à présent le poids du corps sur la jambe droite – la jambe gauche légèrement fléchie et détendue.

Figure 18.15
Exécution des mouvements de taï-chi

1 à 3 :
Le bec de l'oiseau

4 à 7 :
La main joue
du luth

8 et 9 :
Tenir le cercle

10 et 11 :
La cigogne
blanche bat
des ailes

Les 11 mouvements illustrés ci-dessous ne représentent qu'une brève série de la version longue de taï-chi. Elle débute par la posture appelée « le bec de l'oiseau » (1 à 3) et évolue subtilement vers « la main joue du luth » (4 à 7). Un mouvement se fond dans l'autre tandis que la série commencée progresse vers « tenir le cercle » (8 et 9) et « la cigogne blanche bat des ailes » (10 et 11).

Source : *Guide familial des médecines alternatives*, Sélection du Reader's Digest, 1993.

3. Allonger la jambe gauche, le talon effleurant le sol.

4. Reporter le poids du corps sur la jambe gauche et pivoter vers l'avant – pendant que le bras gauche s'élève jusqu'à la poitrine, paume de la main tournée vers l'intérieur, tandis que le bras droit descend lentement sur le côté – enchaîner en pivotant sur la gauche et en exécutant des mouvements identiques pour « parer de la main droite ».

LE SERPENT QUI RAMPE

1. Se tenir debout en portant le poids du corps sur la jambe gauche pendant que la jambe droite est fléchie, le bras gauche replié, la paume de la main tournée vers l'extérieur.

2. Pivoter sur la droite en portant le poids du corps sur la jambe droite – les mouvements des bras et du corps s'enchaînent simultanément.

3. S'accroupir, le bras gauche pendant à la verticale devant la poitrine, le bras droit tendu, le poignet fléchi.

Au moment de l'accroupissement, faire en sorte que la jambe soit détendue et fléchie.

LE COQ D'OR SE TIENT SUR UNE PATTE

Cette posture enchaîne sur « le serpent qui rampe ».

1. De la position accroupie, on porte le poids du corps sur la jambe gauche pendant que le corps se redresse – le bras gauche est légèrement fléchi.

2. Lever le genou gauche au niveau de l'abdomen (arrêter l'élévation du genou dès que l'on ressent une sensation de tension dans la cuisse) – le bras droit s'élève, coude fléchi, décrivant un quart de cercle, pendant que le bras droit retombe lentement sur le côté. Noter la flexion légère du genou gauche.

Pratiqué 10 à 20 minutes quotidiennement, le taï-chi ne présente aucun danger, quel que soit l'âge et l'état de santé du participant. Toutefois, et puisque la précision des mouvements n'est pas facile à acquérir, il ne faut pas être déçu par la lenteur de son apprentissage.

CONCLUSION

Un vieil adage enseigne que si un organe est régulièrement soumis à des stimulations particulières, il se développera normalement et fonctionnera optimalement. Mais si cet organe est partiellement ou totalement privé de stimulation, il manifestera alors de la détérioration.

Par conséquent, en accordant trop peu d'occasions de stimuler l'organisme, une vie sédentaire prolongée risque :

- de réduire considérablement l'efficacité du transport de l'oxygène dans l'organisme ;

- d'affaiblir le rendement de la circulation sanguine ;

- d'accroître un excès de graisse ;

- de diminuer la masse musculaire ;

- de conduire à une décalcification de la masse osseuse ;

- de gêner le fonctionnement normal de la digestion ;

- d'accroître des désordres physiologiques, physiques et psychologiques.

Ainsi, nous ne pouvons dissocier la condition physique d'une personne de sa qualité de vie. Il est donc indispensable d'être outillé pour lutter contre les conséquences néfastes que la fibromyalgie entraîne, y compris la sédentarité. Il faut surveiller nos habitudes de vie, marcher régulièrement, apprendre à maîtriser les techniques efficaces de la respiration profonde, à faire des exercices de relâchement musculaire et de relaxation.

Dans cette perspective, le bien-être qu'apporte une meilleure condition physique contribuera sans aucun doute à l'épanouissement du patient fibromyalgique qui désire ardemment surmonter les effets de sa maladie.

19

Médecines alternatives

*Le malade qui, hier encore, confiait son corps
au médecin comme sa voiture au garagiste,
souhaite aujourd'hui se prendre en charge.*

*Il exprime par là même un besoin de reconnaissance
de son individualité, de son unicité.*

Guide des médecines complémentaires

LES MÉDECINES DITES « ALTERNATIVES » comprennent l'ensemble des méthodes de traitement des maladies se situant en dehors des soins de la médecine traditionnelle. Au début du siècle, plusieurs médecines complémentaires connurent une prospérité remarquable, notamment l'acupuncture, la chiropratique, l'homéopathie et l'ostéopathie. La popularité de ces pratiques fut éclipsée entre 1930 et 1950 avec les succès remportés par la médecine classique, grâce aux vaccins, antibiotiques, diurétiques ou antidépresseurs, et aux progrès réalisés en anesthésie et en chirurgie.

Également appelées « médecines douces » ou « médecines parallèles », les médecines alternatives suscitent depuis quelques décennies un regain d'intérêt chez un grand nombre de personnes à la recherche de thérapies complémentaires. Elles cherchent à rétablir leur

---

Avis : L'information décrite dans le présent chapitre n'est pas un guide d'automédication et ne saurait en aucun cas dispenser le lecteur du recours à un professionnel de la santé, seule autorité compétente pour poser un diagnostic fiable et prescrire un traitement adapté. Les auteurs se sont attardés à vérifier l'exactitude des informations contenues dans les diverses thérapies alternatives, mais ne peuvent être tenus responsables des erreurs ou omissions qui se seraient glissées dans le texte.

santé par des méthodes thérapeutiques humanisées et actives leur offrant un équilibre physique, psychique et émotionnel. Pour ces raisons, certains praticiens orthodoxes ont recours à des méthodes de traitements complémentaires à la médecine traditionnelle, telles que l'acupuncture, l'ostéopathie, la chiropratique, l'homéopathie ou le taï-chi.

Popularité croissante

Depuis quelques années, de plus en plus de gens remettent en cause les capacités de la médecine traditionnelle pour répondre à toutes les affections. C'est ainsi que de nombreuses disciplines ont été redécouvertes. Plus de 250 types de thérapies ont été recensées aux États-Unis en 1982, incluant celles basées sur la relaxation, la détente des muscles et les psychothérapies corporelles.

Certaines approches alternatives sont mieux connues du public et nettement plus populaires que celles de la médecine orthodoxe. Une étude menée en 1992 par le Groupe Multi-Réso, pour le compte du ministère de la Santé, révèle que 45% de la population québécoise a eu recours à des médecines alternatives.

En France, une enquête menée en 1978 indiquait que 34% de la population consultée recourait au moins à une pratique relevant des médecines alternatives. L'intérêt et l'engagement pour ces pratiques parallèles ne se sont jamais démentis, malgré de multiples mises en garde des autorités médicales. En 1985, plus de 50% des Français y avaient recours.

Dans un récent sondage, 80% des Britanniques interrogés disent avoir suivi un traitement parallèle qui, dans 75% des cas, leur avait permis de surmonter la maladie ou d'en guérir. Quand des médecins ne peuvent soulager eux-mêmes leurs patients, ils les recommandent à un confrère ostéopathe ou chiropraticien. Il arrive de nos jours de voir des praticiens orthodoxes qui cherchent à compléter leur formation par une approche alternative en acupuncture ou en hypnose, par exemple.

La Société d'Arthrite invitait au printemps 1997 des représentants des médecines alternatives à participer au Forum national sur l'arthrite tenu à Ottawa. Regroupant quelque 250 professionnels de la santé venant de toutes les régions du pays, cette première rencontre du genre avait pour but, entre autres, de définir l'orientation future de la recherche et des soins.

Hélène Roy, dans *Arthro Express* (automne 1997) écrit :

> Signe des temps que cette volonté de rapprochement entre deux types de pratique qui se sont longtemps confrontés. Certaines médecines alternatives, qu'il serait plus juste d'appeler médecines complémentaires, ont largement prouvé leur efficacité dans le soulagement de nombreuses affections, dont les douleurs reliées au système musculo-squelettique.

Forte compétition

Exerçant une vive compétition, des thérapies alternatives de tous genres se multiplient au rythme des nouvelles formations offertes. Dans son rapport de 1988, la commission Rochon a dénombré 40 thérapies d'usage courant au Québec, impliquant environ 7 000 thérapeutes. Pour sa part, l'Organisation mondiale de la santé a répertorié plus d'une centaine de techniques thérapeutiques différentes.

Les thérapeutes gardent jalousement leur clientèle souvent durement acquise. Micheline Pelletier, acupuncteure, affirme :

> Il y a beaucoup de charlatans, c'est-à-dire des gens sans diplôme, sans association professionnelle, sans assurance responsabilité et qui prétendent pouvoir tout guérir (*Le Soleil*, octobre 1997).

Cependant, les praticiens de médecines alternatives offrent à leur clientèle ce que la médecine conventionnelle est incapable de fournir. Consacrant en moyenne 45 minutes par intervention, ces thérapeutes considèrent que les qualités les plus importantes sont : la compétence, la capacité d'écoute et d'empathie, et l'aptitude à manifester la compassion. De plus, ils estiment prescrire des traitements qui ont un effet placebo surprenant.

Point de vue des adeptes

La maturité sociale a été ébranlée par la complexité croissante et les dangers d'une médecine de plus en plus audacieuse. Le drame de la transfusion sanguine et le sida, l'inquiétude et l'angoisse d'une société causées par des virages ambulatoires incohérents et peu efficaces ont montré que la confiance aveugle en la médecine traditionnelle est révolue. Des citoyens ont appris à prendre le temps pour se donner des moyens de gérer eux-mêmes leur santé avec les meilleures connaissances disponibles. Ce sens critique social se reflète dans l'enquête citée ci-après.

Selon les auteurs du *Guide familial des médecines alternatives*, plusieurs sondages démontrent des opinions concordantes relativement aux thérapies alternatives :

- De 65 % à 70 % des utilisateurs des médecines alternatives les considèrent comme efficaces dans les maladies courantes et les affections chroniques rhumatismales, digestives, allergiques ou nerveuses, alors qu'ils ne sont plus que 9 % quand il s'agit d'affections graves comme les cancers ou les troubles cardiaques.

- 60 % observent qu'elles n'agissent pas immédiatement.

- 40 % estiment qu'il faut se méfier des charlatans.

- De 40 % à 50 % considèrent qu'en général on ne recourt à ces médecines jugées naturelles qu'après échec de la médecine traditionnelle.

- 61 % pensent que seuls les médecins devraient pratiquer ces médecines, et 87 % pensent qu'elles devraient avoir le même statut que la médecine classique (remboursement des frais, enseignement, hôpital, etc.).

L'opposition des médecins à l'égard des médecines alternatives s'appuie sur le principe que le premier élément indispensable au traitement des maladies est un diagnostic précis exigeant des connaissances médicales approfondies. Traiter un symptôme sans en connaître la cause peut être désastreux si l'on n'a pas diagnostiqué la maladie sous-jacente et envisagé ses remèdes et son évolution probable.

Cependant, lorsqu'il s'agit de syndromes dont la cause n'est pas connue, les médecines alternatives peuvent en effet soulager une variété de symptômes que la médecine traditionnelle n'arrive pas à soigner convenablement par des traitements basés que sur des médicaments. C'est le cas, par exemple, de la fatigue chronique et des douleurs musculaires chroniques associées à la fibromyalgie et au syndrome de la douleur myofasciale.

Dans les pages qui suivent, nous élaborons en ordre alphabétique les huit principales thérapies alternatives pratiquées au Canada susceptibles d'apporter du soulagement aux patients fibromyalgiques :

• Acupuncture	• Hypnothérapie
• Biofeedback (réaction biologique)	• Imagerie mentale
• Chiropratique	• Naturopathie
• Homéopathie	• Ostéopathie

ACUPUNCTURE

En Orient, cette thérapie est la discipline la plus connue et la plus appréciée de la médecine traditionnelle chinoise. Connaissant une popularité croissante en Occident, l'acupuncture est aujourd'hui une pratique acceptée par les spécialistes de la santé du monde entier. Elle est avant tout utilisée pour ses effets analgésiques immédiats comme complément à d'autres traitements médicaux. Toute l'action de l'acupuncture vise à prévenir la maladie et à rétablir l'état de santé en prônant la modération en toutes choses, l'harmonie avec la nature et la recherche de l'équilibre.

Selon la philosophie chinoise ancienne, l'Homme et l'Univers sont en étroite relation et obéissent aux mêmes règles. Dans cette conception, le corps humain serait parcouru par des courants énergétiques complémentaires, le yin et le yang, et tout déséquilibre entre les deux entraîne l'apparition de maladies et d'indispositions. Associé à la force féminine, le yin est une énergie négative, calme, passive, représentant l'obscurité, le froid, l'humidité et la dilatation. Le yang, la force masculine, est une énergie positive, chaude, agressive et stimulante représentant la lumière, la sécheresse et la constriction.

Technique

L'acupuncture consiste à introduire des aiguilles en des points précis de la peau d'un sujet pour traiter différentes maladies ou provoquer une anesthésie. Selon la médecine traditionnelle chinoise, le Ki (influx vital de l'énergie) circule dans le corps le long des méridiens qui sont liés les uns avec les autres. Un blocage de l'un de ces méridiens peut être la cause de certaines maladies. La plupart des points importants sont situés sur 14 méridiens portant le nom de l'organe qu'ils représentent, incluant le cœur, les poumons, le gros intestin, l'intestin grêle, les reins, la vésicule biliaire, le foie, la vessie.

On éprouve parfois de la somnolence ou des étourdissements, mais ces sensations disparaissent généralement peu de temps après les traitements. Les séances durent de 15 à 30 minutes. Les acupuncteurs compétents estiment qu'ils peuvent en quelques séances détendre des contractions musculaires résiduelles.

Principe scientifique

L'effet analgésique de l'acupuncture stimule l'endorphine produite par le cerveau. L'aiguille plantée dans le point d'acupuncture d'un patient excite les nombreuses terminaisons nerveuses se trouvant dans le derme, la couche interne de la peau. Cette stimulation se rend à la moelle épinière, puis à l'hypophyse du cerveau. À ce niveau, le sang intervient : l'hypophyse libère ses endorphines dans le sang, et tout l'organisme est alors « analgésié » en bloquant les messages de la douleur.

Pour certains scientifiques occidentaux, l'acupuncture favorise la libération dans le système nerveux central des endorphines sécrétées de façon naturelle par l'organisme. Agissant comme analgésiques, les endorphines sont des substances aussi efficaces que la morphine pour dissiper la douleur. L'acupuncture agirait pareillement en provoquant une forme d'hypnose. L'introduction des aiguilles stimulerait les nerfs périphériques, distrayant ainsi la source de la douleur originelle.

Des recherches scientifiques se multiplient pour comprendre la façon dont les points d'acupuncture sont liés aux nerfs et à la circulation sanguine. En attendant, le mystère reste entier sur l'effet analgésique de l'acupuncture à l'égard des douleurs musculaires et articulaires, et de l'état général de santé des patients.

Efficacité de l'acupuncture

Les adeptes de l'acupuncture estiment qu'elle est au moins aussi efficace et plus sécuritaire que les médicaments pour traiter certaines affections douloureuses telles que l'arthrite, les rhumatismes, le torticolis, le mal de dos, la douleur sciatique (hanche, articulations), les allergies. Elle s'est avérée efficace dans des cas d'insomnie, de fatigue, de stress, de sinusites, de rhinolaryngites, de troubles de digestion.

Elle agirait également dans les cas de toxicomanie, d'anxiété et d'affections consécutives au stress, tels les maux de tête et céphalées de tension. En Chine, elle remplace les anesthésiques chimiques et agit avec un taux d'efficacité de 90 % sur les patients dont l'état ne présente pas de contre-indications. Ainsi, il semblerait que les points d'acupuncture agissent sur le plan psychologique.

Les problèmes de santé sont évalués en relation avec les différentes dimensions de l'individu et son environnement. Bernard Côté, attaché à la Clinique de la douleur de l'Hôpital juif de Montréal, explique :

> Dans ce sens, l'acupuncture est différente de la médecine occidentale qui a tendance à isoler le problème. En médecine orientale, on cherche plutôt à le comprendre dans un contexte global de la santé en général en renforçant l'aspect auto-immune. Il s'agit alors d'une médecine axée sur la prévention.
>
> En théorie, je pourrais dire que les effets analgésiques de l'acupuncture peuvent soulager ou éliminer toutes les douleurs, mais dans la réalité, cette pratique, comme toutes les autres, a ses limites. Quant aux personnes atteintes de déformations articulaires importantes, de douleurs intenses et chroniques, l'acupuncture peut sans doute aider, mais les résultats sont imprévisibles. Certaines personnes réagiront bien ; d'autres, peu. Il n'y a pas de miracle. Chaque cas est particulier. Il faut six à huit traitements pour constater des résultats.

Point de vue des spécialistes

Des spécialistes se tournent vers l'acupuncture pour soigner un mal qui perdure, qui ne répond pas aux traitements traditionnels ou qui exige des interventions plus risquées. Cette thérapie intervient parfois à la suite d'une chirurgie, ou quand il y a des effets indésirables consécutifs à des médicaments puissants pris sur une longue période, notamment les antibiotiques.

Dans son numéro du 17 novembre 1997, *Time* publiait un article intitulé « Acupuncture Works » qui saura intéresser les patients fibromyalgiques. Préalablement, un colloque d'experts avait été organisé par le US National Institute of Health pour faire la lumière sur la controverse entourant l'acupuncture. Après trois jours d'interrogation et d'analyse, l'Institut affirmait « qu'il était temps de prendre l'acupuncture au sérieux ». Le président du colloque, David Ramsay, directeur de l'Université du Maryland, invoquait « qu'il y a un nombre de situations où cette méthode est efficace ». La revue *Time* rapporte :

> Les membres du colloque ont constaté que l'acupuncture était plus efficace que des thérapies conventionnelles dans le traitement des douleurs provenant du système musculaire squelettique, comme on retrouve en fibromyalgie. Il a aussi été jugé que cette option était raisonnable pour le soulagement postopératoire ou la douleur lombaire. Les membres ont aussi reconnu l'acupuncture comme un supplément aux médicaments conventionnels pour traiter entre autres l'asthme et le syndrome du canal carpien.

Point de vue de la médecine traditionnelle

L'acupuncture ne fonctionne pas pour tout le monde. Le corps médical américain refuse toujours de considérer ce type de traitement comme une alternative potentiellement efficace, citant comme raison principale des études qui ne résistent pas à l'analyse scientifique.

Les études menées depuis 20 ans sur l'efficacité de l'acupuncture dans le traitement des maux de dos chroniques comportent des faiblesses méthodiques si bien qu'on ne peut en tirer des conclusions scientifiquement fondées. Cette affirmation est soutenue par le sociologue Patrick Chabot, étudiant au doctorat et chargé de cours à l'Université du Québec, à Montréal, dans une recherche remise au Conseil d'évaluation des technologies de la santé du Québec.

Toutefois, la preuve de l'existence de méridiens n'a encore pas été faite. Quelques rares hôpitaux occidentaux recourent à l'acupuncture pour soulager les douleurs et autres souffrances postopératoires de leurs patients. L'acupuncture est la seule médecine alternative régie par le Collège des médecins. Les traitements d'acupuncture ne sont pas défrayés par la Régie de l'assurance maladie du Québec, mais la plupart des assurances maladie privées remboursent une partie des coûts.

Effets indésirables

Malgré qu'il est rare qu'un vaisseau sanguin ou un organe soit perforé, la transmission d'infection est toujours un risque, particulièrement celle du sida et de l'hépatite virale. Par l'emploi d'aiguilles à usage unique, les acupuncteurs soucieux évitent l'infection en prenant des mesures rigoureuses de stérilisation. Compte tenu que des blessures ont été décrites, certains pays comme la France interdisent l'exercice de l'acupuncture aux non-médecins.

BIOFEEDBACK

Également appelé « rétroaction biologique » ou « rétrocontrôle », le biofeedback est une méthode de relaxation selon laquelle on utilise des informations relatives à une fonction inconsciente de l'organisme pour en acquérir une maîtrise consciente. Des états d'esprit inconscients peuvent être plus sensibles aux fonctions du système nerveux, telles que la pulsation cardiaque, la tension artérielle, le pouls, la digestion, les ondes cérébrales, le tonus musculaire ou l'acidité de l'estomac.

Les thérapeutes estiment qu'un grand nombre de maladies et d'affections liées au stress peuvent être prévenues au cours de la journée par l'utilisation du biofeedback en enseignant au patient cette méthode de relaxation. Ils recourent souvent à cette technique pour prévenir les maux de tête causés par la tension nerveuse ou le stress.

Approche scientifique

La rétroaction biologique est l'un des rares traitements alternatifs qui s'appuie sur un fondement scientifique. Ignorant l'interaction de cette thérapie, on sait cependant qu'elle a une influence sur le système nerveux sympathique. L'appareil électronique muni d'un témoin est considéré par les médecins comme des indications fiables de certaines acidités physiologiques. Utilisé pour fournir des informations, l'instrument n'a aucune action sur le corps. En apprenant à interpréter les réponses sur le témoin électronique, le patient peut apprendre à maîtriser l'angoisse ou l'hypertension artérielle, par exemple.

L'appareil biofeedback s'apparente à l'électroencéphalogramme (EEG) utilisé pour l'enregistrement graphique des ondes cérébrales. Produisant une rétroaction, cet appareil, dont les électrodes sont fixées au front et au cuir chevelu du patient, enregistre l'activité électrique produite par les cellules nerveuses. C'est ainsi que l'on a découvert il y a quelques années une catégorie d'ondes cérébrales irrégulières, nommées alpha, qui s'associent à un état d'esprit à la fois détendu, à la fois alerte. L'onde alpha est pointée du doigt comme l'agent responsable qui perturbe la phase du sommeil profond chez les fibromyalgiques (voir à ce sujet « Les troubles du sommeil » au chapitre 10).

Un autre type de rétroaction, l'électromyogramme (EMG), enregistre les courants électriques liés aux contractions musculaires. Les informations obtenues sur les graphiques de l'EMG servent surtout à la réadaptation des membres handicapés, ou à aider les patients paralysés à retrouver leur mobilité. Les électrodes sont fixées sur la peau recouvrant le muscle à analyser ou à traiter en réactivant les faisceaux nerveux.

On mesure la conductivité électrique de la peau, appelé « galvano-résistance », en utilisant l'EMG comme biofeedback pour détecter les signes de stimulation émotive, d'excitation et de nervosité, afin de traiter un patient souffrant d'un stress excessif, par exemple. Lorsque la conductivité électrique de la peau augmente, le hérissement des poils se relâche, indiquant ainsi un état de détente. En fait, la galvanorésistance de la peau est l'un des mécanismes que mesure un détecteur de mensonges.

L'EMG peut également enregistrer certaines fonctions involontaires de l'organisme : la tension artérielle, le pouls, la température, la sudation, l'acidité de l'estomac. En thérapie biofeedback, le patient ainsi traité est conscient des variations d'amplitude de l'une de ces activités grâce à un indicateur situé sur l'appareil (éclat lumineux, aiguilles oscillant sur un cadran, signal sonore).

Biofeedback et thérapie musculaire

L'EMG est fréquemment utilisé dans cette thérapie pour mesurer le tonus des muscles dans le traitement de divers troubles musculaires, tels que la paralysie musculaire ou l'épilepsie. Les praticiens classent en trois catégories les troubles musculaires traités par la thérapie biofeedback :

- les muscles qui se contractent involontairement et imprévisiblement de façon continuelle ou sporadique ;
- les muscles qui ne se contractent pas alors qu'ils le devraient ;
- les muscles dont les contractions ne sont pas coordonnées avec celles des autres muscles.

Ces trois catégories de troubles musculaires sont identiques aux points sensibles de la fibromyalgie (voir chapitre 2) et aux points déclencheurs du syndrome de la douleur chronique myofasciale (voir chapitre 3).

À l'aide des informations enregistrées par l'EMG sur l'activité des muscles réfractaires, le patient apprend dès le début à rétablir lentement les mouvements et à détendre les muscles en cause. Ensuite, il apprend à décontracter les muscles qui le sont de façon chronique et à contracter ceux qui sont devenus affaiblis par l'immobilité ou par une blessure.

Études scientifiques

Plusieurs études font état de divers degrés d'efficacité dans les traitements alternatifs de certaines maladies utilisant la technique de biofeedback. Celle menée dans les années 1970, auprès de patients qui prenaient des médicaments contre l'hypertension, révéla qu'à l'issu d'un traitement de biofeedback, un patient sur trois était capable de ramener sa pression artérielle à la normale sans le secours de médicaments. Une autre étude, réalisée en Grande-Bretagne, confirme que sur cinq patients souffrant de migraines, quatre étaient à même de soulager leurs douleurs grâce à une thérapie de biofeedback.

Consultations médicales

Pour contrôler les techniques du biofeedback, des cliniques médicales ont recours à certains appareils électromyographiques miniaturisés offrant la possibilité de visualiser l'activité électrique musculaire pendant la contraction. Cette technique complémentaire permet au médecin d'enseigner au patient la manière de décontracter les muscles. On utilise également un fréquencemètre, appareil qui enregistre et affiche la fréquence cardiaque, pour apprendre à la contrôler.

Traitement à domicile

Correctement utilisée, cette thérapie s'est avérée efficace dans le traitement de la fibromyalgie pour soulager la douleur musculaire, réduire le stress et les céphalées de tension. Pour qu'un traitement soit plus efficace, un patient fibromyalgique a avantage à pratiquer chez soi les techniques de biofeedback nouvellement acquises.

Cependant, il est presque impossible de pouvoir soulager certaines tensions musculaires sans l'aide d'un appareil. Mais en disposant d'un témoin électronique, le patient pourra plus facilement contrôler et diminuer la contraction de certains muscles par la technique de la rétroaction biologique. Ainsi, la maîtrise de ses problèmes et le rétablissement de sa santé dépendront de la pratique régulière des exercices.

CHIROPRATIQUE

À bien des égards, la chiropratique se rapproche de l'ostéopathie. Aussi appelée « chiropraxie », cette technique s'appuie sur la théorie selon laquelle la plupart des maladies seraient attribuables à des déplacements vertébraux entraînant une détérioration de la fonction nerveuse. En 1895, cette thérapie est fondée à Davenport, en Iowa, par un épicier d'origine canadienne devenu « guérisseur magnétique » qui invente le mot chiropratique (du grec *Keiros*, mains).

Technique

En théorie, le chiropraticien vise à corriger des déséquilibres et des troubles affectant les articulations, principalement ceux des vertèbres. Par la manipulation, il soigne les problèmes émanant de la colonne vertébrale, incluant le cou, le tronc ou les membres. La technique consiste à exercer avec les mains une pression brève et brusque sur un point précis de la vertèbre dans le but d'éliminer une interférence nerveuse. Une autre étape comporte un massage au cou et à la tête en exerçant des mouvements de rotation afin d'augmenter leur rayon de mouvement.

« La grande majorité des chiropraticiens sont convaincus qu'ils peuvent soigner à peu près n'importe quoi », estime Ronald Slaughter, directeur de la National Association for Chiropractic Medicine. Les chiropraticiens canadiens et américains membres de cette organisme ont renoncé à la terminologie et à la philosophie de la chiropratique moderne et limitent leurs interventions aux maux de dos et d'articulations.

Point de vue de la médecine traditionnelle

La chiropratique a évolué. Selon les rédacteurs Carl Lowe et James W. Nechas du magazine américain *Prevention* :

> Aujourd'hui, bon nombre de chiropraticiens dépassent dans leur pratique le cadre des simples ajustements vertébraux et le soulagement des subluxations mises au point il y a un siècle par Palmer. Ils font appel à plusieurs thérapies connexes (l'acupression, l'hydrothérapie, la thermothérapie, l'aquathérapie) pour traiter toutes sortes de maladies, incluant les troubles gastro-intestinaux, les problèmes respiratoires, voire les problèmes émotifs.

> Bien que la chiropratique soit aujourd'hui considérée comme une méthode de traitement efficace des problèmes ostéo-articulaires, les manipulations sur la colonne vertébrale en chiropratique sont critiquées pour les effets opposés qu'elles peuvent entraîner. Quoique des médecins pensent que certains maux de dos peuvent être soulagés par un chiropraticien, la médecine traditionnelle souligne qu'aucune preuve scientifique ne vient appuyer la théorie de la chiropratique.

> Médecins et spécialistes continuent à s'interroger sur l'absence de fondements scientifiques de la chiropratique. Ils considèrent que cette pratique est inefficace pour traiter les maladies aussi courantes que les troubles cardiovasculaires, le cancer, les maladies infectieuses, le diabète, l'hypertension et les douleurs musculaires associées à la fibromyalgie, aux syndromes myofascial et de fatigue chronique, entre autres.

> Les médecins ne sont pas les seuls à douter. Mais certains chiropraticiens dissidents craignent de perdre leur licence professionnelle s'ils parlent. « Soigner des gens pour des maux non existants et prétendre qu'on va traiter des maladies en augmentant l'énergie du flux nerveux, c'est frauduleux », dit l'un d'eux. (*L'actualité,* avril 1999)

Gestion

La pratique des chiropraticiens est soumise au Code des professions de l'Office des professions du Québec et régie par l'Ordre des chiropraticiens du Québec. La Régie de l'assurance maladie du Québec ne rembourse pas les frais des traitements chiropratiques, mais la plupart des assurances maladie privées déboursent une partie des coûts.

HOMÉOPATHIE

Remontant en 1810, l'homéopathie prit naissance lorsqu'un médecin allemand, Samuel Hahnemann, proposa sa nouvelle méthode de traitement complémentaire aux pratiques médicales traditionnelles de cette période. Il avait conclu que les symptômes étaient le moyen de défense de l'organisme et que des substances capables de reproduire les symptômes d'une maladie quelconque pourraient être utilisées pour provoquer sa guérison.

Se situant dans la lignée des thérapies holistiques[1], l'homéopathie est relativement populaire en Europe. Elle devint plus populaire au Québec sous l'influence de quelques laboratoires homéopathiques européens. Elle a connu de grands succès aux États-Unis avant de céder sa place à la médecine allopathique traditionnelle.

L'homéopathie est une pratique fondée sur la loi des similitudes selon laquelle les substances nocives peuvent être curatives pour combattre la maladie imputable à des substances toxiques. L'homéopathe estime que tout symptôme est une réaction positive de l'organisme qui tente de se défendre contre les agressions pathogènes. Il considère en plus que la personnalité du patient est plus importante que la compréhension de la maladie.

Ainsi, le praticien ne soigne pas les maux de tête persistants, mais plutôt le patient qui présente ce symptôme. Il attribue les vertus de son remède non à un phénomène chimique, mais à des « énergies subtiles » qui simplifieraient les facultés d'autoguérison du corps.

---

1. Du mot « holisme ». Théorie selon laquelle l'homme est un tout indivisible qui ne peut être expliqué par ses différentes composantes (physique, physiologique, psychique) considérées séparément.

Technique

En pratique, l'homéopathie débute par un entretien pleinement méthodique visant la morphologie du patient, son comportement général (tempérament extraverti ou introverti, agitation, colère, etc.), ses désirs et ses aversions dans le but de lui prescrire les remèdes adaptés à sa personnalité.

La durée du traitement dépend autant de la gravité des symptômes que de la réceptivité du patient aux remèdes. La méthode thérapeutique consiste à prescrire à un malade, une substance très fortement diluée et dynamisée qui, selon les homéopathes, peut produire des malaises semblables à ceux que le patient présente.

Cette thérapie vise à restaurer l'équilibre de l'organisme et à augmenter ses capacités de défense contre les maladies. Quelle que soit l'origine du remède homéopathique, la méthode de préparation est la même, que ce soit du venin toxique de serpent ou un extrait d'une plante exotique. Sous une forme infiniment diluée, l'homéopathe estime que les substances ne sont absolument pas dangereuses et conviennent à tous les sujets, sans exception.

Substances homéopathiques

Les homéopathes utilisent des remèdes spécifiques sous une forme de fortes dilutions de substances toxiques naturelles qui, absorbées sous une forme non diluée, produiraient chez une personne en santé les symptômes que présente le malade. Les substances de base servant à la préparation thérapeutique de l'homéopathie proviennent des règnes animal, végétal et minéral. Elles ont la forme de solutions, de granules ou de globules à base de lactose ou de saccharose.

L'étiquette de chaque remède homéopathique indique le nom de la substance d'origine suivi d'un chiffre correspondant au nombre de dilutions pratiquées, et de deux lettres : CH (centésimale hahnemannienne[2]) ou DH (décimale hahnemannienne). Agitant les solutions pour les « potentialiser », les substances sont diluées puis dynamisées (secouées fortement pour les rendre actives) avant de les utiliser aux

---

2. Doctrine de Samuel Hahneman (1755-1843), chimiste et médecin homéopathe allemand.

différentes dilutions. Ainsi, 1 CH signifie qu'une partie de la substance active de la solution 1CH est mélangée à 99 parties de solvant ; une dilution de 2 CH correspond à une partie de la solution 1 CH mélangée à 99 parties de solvant et ainsi de suite. Or, plus la substance de CH est élevée, plus le produit est dilué, de sorte qu'il ne restera à peu près plus rien dans le remède contenant une solution CH12 – ce qui explique leur faible teneur en toxicité.

Point de vue scientifique

Chercheurs, scientifiques et spécialistes de la santé sont plutôt sceptiques à l'égard de l'homéopathie. Santé Canada a étudié en 1996 un projet de réglementation qui permettrait aux fabricants de granules homéopathiques d'afficher les vertus de leurs produits. Pour certains, cela signifie cautionner une théorie délirante et sans aucun fondement, écrit-on dans *Protégez-vous*, juin 1997.

> Avant d'écrire ce dossier, M. Dufort a ingurgité des centaines de granules d'arsenicum album 30 CH, une dilution potentiellement très puissante et dangereuse. Si les granules ont réellement un effet pharmacologique, un excès sera certainement nocif, voire mortel ! – pourtant, notre journaliste semble en pleine forme...

> Si les mécanismes psychologiques induisant l'effet placebo[3] sont encore mal compris, les scientifiques, en revanche, connaissent bien son action. Malgré cela, les médecins du Québec n'ont pas le droit de refiler un placebo au patient sans le prévenir. « C'est pour cela que beaucoup de médecins et de pharmaciens prescrivent des produits homéopathiques à leurs patients, affirme le Dr Louis Latulipe, de l'Hôpital Saint-Sacrement à Québec. Ce n'est pas qu'ils cautionnent cette médecine douce, c'est plutôt le doux moyen qu'ils ont trouvé pour rassurer un patient désirant un médicament dont il n'a pas besoin. »

Moins efficaces que des placebos

Deux études cliniques en double aveugle, relatives à l'homéopathie, ont été menées au Centre hospitalier de l'Université Laval (CHUL)

---

3. PLACEBO (ou double aveugle ou double anonymat) : préparation pharmaceutique neutre (pilules, cachets, potions, etc.) que l'on substitue à un médicament pour contrôler ou susciter les effets psychologiques accompagnant la médication. L'action réelle est présentée sous une forme identique aux médicaments, avec lesquels on les fait alterner à l'insu du malade.

par une équipe mixte composée de médecins et d'un homéopathe. La première, effectuée en 1992 sous la direction du Dr Michel Labrecque, portait sur un remède homéopathique traitant les verrues plantaires. Ce médicament avait la réputation d'obtenir 80% de succès. Parmi les 86 patients traités par l'homéopathie, 20% seulement ont vu disparaître leurs verrues plantaires après 18 semaines. En contrepartie, dans le groupe témoin soigné par le placebo, le taux de guérison s'est élevé à 24%.

Une autre étude mixte du CHUL, dirigée par le Dr Lucie Baillargeon, en 1993, a analysé un autre remède homéopathique, l'Arnica Montana, capable, selon les homéopathes de hâter la coagulation sanguine. Les résultats ont également démontré que le remède homéopathique ne dépassait pas le placebo en efficacité. «Des études comme celles-ci, réalisées par des équipes mixtes, ont tendance à se multiplier dans le monde», rapporte *Protégez-vous* (juin 1997).

Exclusivité des médecins

Au Québec, l'homéopathie n'est pas une orientation reconnue de la médecine officielle. Toutefois, de nombreux praticiens sont des médecins et pharmaciens diplômés qui, après leurs études, ont appris l'homéopathie. À la suite d'un jugement en cour d'appel rendu au printemps 1998, les médecins ont obtenu l'exclusivité de la pratique en homéopathie.

Conséquemment, cette pratique est depuis tombée dans l'illégalité. «Il faut absolument que des deux côtés on fasse l'investigation clinique, croit le Dr Jean Cambar, doyen de l'Université de Bordeaux et chercheur en homéopathie. À ce moment, les règles du jeu seront les mêmes.»

Point de vue de la médecine traditionnelle

La notion homéopathique selon laquelle «plus une substance est diluée, plus elle est efficace» est en général mal acceptée chez les praticiens. Accordant peu de confiance à l'homéopathie, la plupart d'entre eux s'accordent pour dire que les substances utilisées sont tellement diluées qu'elles se révèlent totalement inoffensives.

HYPNOTHÉRAPIE

Les spécialistes en hypnothérapie utilisent une forme de psychothérapie par laquelle ils induisent un état de conscience voisin du sommeil pour tenter d'améliorer certains problèmes de santé de leurs patients. D'après le mot grec *hupnos* (sommeil), l'hypnose fut ainsi appelée par le médecin anglais James Braid qui, en 1843, utilisa cette thérapie pour anesthésier ses malades. C'est en observant les sujets sous hypnose que Sigmund Freud, éminent neurologue et psychiatre autrichien, découvrit l'importance de l'inconscience. À la Société québécoise d'hypnose, on s'entend pour la définir comme un état de conscience altérée.

Principe de l'hypnose

Le principe de base de l'hypnothérapie est fondé sur l'utilisation de suggestions données à une personne en état d'hypnose. Cette thérapie obtient plus de succès auprès des sujets qui comprennent ce que l'hypnotiseur attend d'eux. En revivant, puis en mettant mentalement un terme à des événements passés, les sujets reprennent confiance en eux – une confiance qui simplifie souvent leurs relations avec les autres. Ils affirment connaître des rétrovisions (*flashbacks*), apprécient les rêveries et révèlent une imagination très frappante et captivante (Crawford, 1982).

Le psychologue Jean-Roch Laurence, ex-président de la Société québécoise d'hypnose, résume ainsi l'hypnose :

> Sous l'effet de l'hypnose, la sensation éprouvée par le patient ressemble à celle de l'assoupissement. Toutefois, l'état de transe ne peut être atteint sans le consentement du sujet. L'hypnose augmente la capacité à répondre à des suggestions, c'est-à-dire à des instructions données sans le concours de sa volonté.

Bienfaits de l'hypnose

Popularisée dans les boîtes de nuit et dans les spectacles télévisés, ce n'est que récemment que l'hypnose est devenue un sujet respectable. Elle est parfois utilisée comme anesthésique chez les dentistes, pour des accouchements et même durant certaines interventions chirurgicales. La non-prise de médicaments au cours de l'hypnose, d'une part, et le fait que les doutes à l'égard de la transe hypnotique se sont dissipés, d'autre part, ont permis la reconnaissance de son efficacité. Utilisée en guise de relaxation, elle sert aux psychologues pour enseigner à leurs patients des façons de se détendre, dans des cas d'anxiété, de dépression, de syndrome de personnalités multiples, de maladies psychosomatiques, de phobies.

L'hypnothérapie a traité avec succès des maladies de la peau, des migraines, des ulcères gastriques, des colites. Elle est employée par certains médecins dans le traitement de la douleur chronique, de dysfonctions sexuelles, et d'autres troubles d'angoisse et de stress, incluant les comportements hystériques. Les troubles respiratoires, l'asthme et l'insomnie sont couramment soignés par l'hypnothérapie. Elle est de plus en plus utilisée pour vaincre la dépendance dans les cas de tabagisme et de toxicomanie des patients alcooliques ou drogués.

Si l'hypnose peut soulager, elle ne fait pas de miracles. En fait, l'hypnose ne guérit pas, elle aide à réduire ou à éliminer des symptômes permettant aux personnes d'avoir un rôle plus actif sur leur maladie et leur douleur. Mais ce que l'hypnose provoque surtout, c'est une prise de conscience de la puissance de l'esprit sur le corps (*Santé,* sept. 1991).

Hypnotiseurs

Seules quelques facultés s'y intéressent au Québec. La Société québécoise d'hypnose, à Montréal, regroupant uniquement des spécialistes de la santé, enseigne des techniques d'hypnose aux médecins, dentistes, psychiatres et psychologues. La faculté de médecine dentaire de l'Université de Montréal offre également des cours d'hypnotisme aux dentistes.

Études cliniques

Une expérience effectuée en 1985 dans une unité spécialisée de l'Hôpital Royal du Perkshire, en Grande-Bretagne, permit d'étudier les effets de l'hypnose sur 14 patients souffrant d'acouphène. Tous avaient été résistants à d'autres formes de traitements. Cinq patients firent état d'une amélioration, tandis qu'un seul manifestait des signes d'amélioration perceptible, à savoir une baisse du niveau sonore des interférences (Marks N.J., Onisphorou C., *Clinical Otolaryngology*, 1985, vol. 10).

Sur 41 patients soignés pour des verrues en 1992, au États-Unis, 80% ont pu être guéris par des suggestions directes faites sous hypnose. Le traitement s'est révélé une réussite complète pour les enfants d'âge prépubertaire. La plupart des adultes ont constaté une amélioration de leur état de santé sous l'effet conjugué des séances d'hypnothérapie et de psychothérapie. Trente-quatre patients connurent une guérison totale, 7 ne virent aucune amélioration (*American Journal of Clinical Hypnosis*, 1992, vol. 35).

Contre-indications

Selon le psychologue Jean-Roch Laurence :

> Il est vrai que certains sujets sensibles à l'hypnose peuvent devenir tellement apathiques en état de transe qu'il sera possible de leur faire exécuter des choses en dehors de leur volonté. Il faut donc se montrer prudent dans le choix d'un thérapeute. Quand cette thérapie n'est pas accompagnée de connaissances médicales ou psychologiques, l'hypnose peut être dangereuse.

Autohypnose (autosuggestion)

Chaque adulte peut pratiquer lui-même l'autohypnose pour soulager ses souffrances ou douleurs chroniques et pour améliorer son état général. Aussi appelée «autosuggestion» ou «méthode Coué», du nom du pharmacien et psychothérapeute français Émile Coué (1857-1926) qui la mit au point à la fin du XIXe siècle.

De nos jours, bon nombre de médecins et de psychologues ont une approche plus favorable de la méthode Coué. On a démontré que cette thérapie peut avoir une influence sur le corps et sur l'esprit. En général, l'autohypnose donne des résultats satisfaisants dans les cas d'anxiété, de stress persistants, d'angoisse, de phobies et de dépendance au tabac, à l'alcool, à la nourriture.

L'hypnothérapie doit cependant être enseignée par un spécialiste pour bien saisir les techniques de l'autohypnose afin de l'apprivoiser avec succès. Diverses publications traitent en profondeur des différentes méthodes de l'autohypnose. En fait, la plupart des médecins pratiquant l'hypnose ont pour objectif d'enseigner l'autohypnose à leurs patients. Avec un peu de pratique, chacun de nous peur atteindre un état hypnotique. Une à trois consultations seulement peuvent suffirent pour permettre à un sujet de connaître l'état hypnotique.

Point de vue de la médecine traditionnelle

Même si certains médecins sont eux-mêmes des hypnothérapeutes qualifiés pour pratiquer l'hypnose, un grand nombre de praticiens et psychiatres maintiennent des doutes sur les fondements scientifiques de l'hypnose. Il vaut mieux faire appel à un hypnothérapeute qui est également médecin. C'est une façon d'éviter le risque, par erreur de diagnostic, de voir traiter par l'hypnose des troubles nécessitant d'autres soins *(Guide familial des médecines alternatives)*.

Il n'y a rien à craindre de cette thérapie quand on est traité par un hypnothérapeute agréé. Elle ne doit toutefois pas se substituer à un traitement traditionnel dans les cas d'affections graves. Excepté pour les enfants de moins de 4 ans qui ne peuvent prêter leur concours au praticien, l'hypnothérapie convient généralement aux personnes de tout âge. Si l'on croit certains thérapeutes, l'esprit peut favoriser l'apparition de la maladie ou de sa guérison. Il importe donc de choisir un hypnotiseur avec qui l'on se sent en étroite confiance. Ils affirment qu'il est impossible qu'un patient hypnotisé ne puisse sortir de son état de transe.

IMAGERIE MENTALE

Technique thérapeutique relativement nouvelle, l'imagerie mentale (ou « visualisation ») affiche de nos jours une popularité croissante à cause de ses effets relaxants et antistress. L'origine de cette thérapie remonte à la Grèce antique où elle a exercé une grande influence. En Occident, elle est considérée comme le facteur le plus important dans la guérison de certaines maladies. De nombreuses observations sur des expériences cliniques ont récemment permis d'accumuler des preuves de l'existence d'interactions de l'esprit avec le corps.

L'imagerie mentale est une thérapie naturelle qui se produit régulièrement pendant le cycle de sommeil paradoxal. Ainsi, elle ferait intervenir la volonté pour imaginer des événements heureux. Au cours d'une séance, les patients apprennent à utiliser leur imagination pour faciliter le processus de guérison et renforcer leur attitude positive afin d'améliorer l'image qu'ils ont d'eux-mêmes.

Cette thérapie visuelle n'a rien de révolutionnaire. Elle signifie simplement que l'usage raisonné de l'imagination amène le sujet à faire apparaître des images agréables et positives susceptibles d'améliorer ou de changer certains aspects de la vie quotidienne, particulièrement les situations stressantes. Pour se motiver, des cyclistes, par exemple, s'imaginent franchir la ligne d'arriver loin de leurs concurrents.

Pour faciliter la création d'images mentales, les praticiens utilisent des tableaux représentant, par exemple, des scènes en pleine nature reflétant la vie réelle où figurent des personnes ou des animaux. Les sujets sont invités à examiner l'une d'entre elle durant cinq minutes. Puis, les yeux fermés, il cherche à recréer en détail le tableau.

Effets bénéfiques pour les fibromyalgiques

L'imagerie mentale peut susciter la maîtrise de certaines fonctions organiques qu'on croyait involontaires. Elle comporte une période de relaxation au cours de laquelle le patient imagine un résultat ou objectif recherché. En fibromyalgie, par exemple, le patient peut visualiser les points sensibles ou points déclencheurs du syndrome myofascial qui sont la source de ses douleurs pour se forger le mode de vie qu'il désire.

Cette thérapie relaxante peut en effet aider les défenses naturelles de son corps à diminuer les douleurs musculaires chroniques, à réduire la fatigue et à lutter contre le stress accumulé dans le corps et l'esprit. (Voir ci-après « Expériences médicales chez des patients fibromyalgiques ».)

Utilisée judicieusement, l'imagerie mentale peut être bienfaisante. Les thérapeutes estiment que cette technique est profitable pour un grand nombre de personnes atteintes de maladies organiques et fonctionnelles. Ils affirment qu'elle aide en particulier les patients souffrant de douleurs chroniques, d'asthme, de troubles cardiaques, de phobies. Puisque leur imagination est vive, les enfants sont d'excellents sujets parce qu'il leur paraît facile de créer des images mentales.

Cependant, dans le cas de personnes psychotiques ou souffrant de profonds refoulements, l'autosuggestion n'aura pas nécessairement une action positive.

Expériences médicales

N'étant pas unique dans cette approche thérapeutique, l'Institut de douleur de Chicago (IDC) estime que la méthode d'imagerie mentale fait de plus en plus son chemin dans le monde médical. L'IDC a la responsabilité de fournir des programmes de traitement pour des patients souffrant de douleur chronique.

Dans un bulletin Internet intitulé « Medical Director's Column, Fibromyalgia Treatment » (mai 1997), l'IDC rapporte :

> Combinant l'imagerie mentale avec une thérapie de massage et de traitement médical standard, nous avons obtenu des résultats fort satisfaisants. Les nerfs, les spasmes et douleurs musculaires peuvent ainsi être « rééduqués ». Cette approche a apporté des effets satisfaisants chez des patients souffrant de fibromyalgie.

La fibromyalgie affecte non seulement les muscles et les articulations, mais aussi la vie entière du patient. L'IDC croit que le seul moyen de traiter une maladie aussi complexe est de traiter le patient dans une seule entité, c'est-à-dire patient-fibromyalgie.

Depuis le début des années 1980, le Dr Carl Simonton, oncologue, et Stéphanie Matthews Simonton, radiothérapeute, ont étudié la méthode de l'imagerie mentale sur des groupes de cancéreux. Ils ont depuis constitué un groupe témoin comparable à celui des normes nationales de 12 mois. Selon cette méthode de traitement, il est intéressant de noter que les patients participant à leur étude ont vécu en moyenne deux fois plus longtemps que les patients n'ayant reçu que des traitements médicaux.

Selon le Dr Simonton, directeur du Centre de conseil et recherche sur le cancer à Fort Worth, au Texas (dans *Guérir envers et contre tous* – une traduction de *Getting Well Again*) :

> Comprendre à quel point l'on peut participer à sa bonne santé ou à sa maladie représente pour chacun un premier pas significatif vers le rétablissement. C'est l'étape critique essentielle pour beaucoup de nos patients.

Se rétablir de la fibromyalgie

Rapport d'un cas clinique de l'Institut de Douleur de Chicago

Mme B., âgée de 52 ans, souffre depuis cinq ans de douleurs aux hanches et à la région lombaire. Au début, ses douleurs se sont manifestées alors qu'elle compilait des bases de données sur ordinateur. Elle a alors suivi un programme d'exercice physique, ce qui aggravât ses douleurs. Plus tard, quand elle a fait face à des situations de stress au bureau, elle remarqua que ses douleurs augmentaient. Ses symptômes empiraient quand son patron lui reléguait plus de travail qu'elle ne pouvait accomplir. Sous le poids de ce nouveau stress, la douleur se diffusa un peu partout dans le corps.

Un examen médical à l'IDC révéla que Mme B. était atteinte de fibromyalgie. Le diagnostic indiquait des points sensibles et des douleurs myofasciales sur l'ensemble du corps. Mme B. accepta dès lors de suivre une thérapie en imagerie mentale, ce qui lui apporta un soulagement rapide. En plus des exercices à domicile d'imagerie mentale deux fois par jour, elle se rendait à l'Institut chaque semaine pour suivre une thérapie de ré-entraînement neuromusculaire.

Après huit semaines, les symptômes de la fibromyalgie sont en rémission. L'Institut souligne qu'une partie de sa guérison est attribuable au fait qu'elle a depuis changé de travail. Devenue conseillère en gestion de données de base, cette occupation lui permet d'être moins stressée et d'avoir plus d'emprise sur sa vie.

Pratique de l'imagerie mentale à domicile

Avant de pratiquer l'imagerie mentale chez soi, il est conseillé d'apprendre la technique d'un thérapeute professionnel. En général, les personnes apprennent assez vite, mais certaines prennent plus de temps parce qu'elles ont tendance à traiter l'information sous la forme de sons ou de sensations plutôt que d'images.

Des appareils plus ou moins sophistiqués, utilisés pour le contrôle de l'imagerie mentale, servent à mesurer la fonction des zones corporelles à traiter. Ainsi, le patient peut savoir immédiatement si ses pensées exercent bien l'effet désiré. Bien qu'ils soient moins sensibles que les instruments utilisés en clinique, plusieurs appareils sont maintenant disponibles pour l'utilisation à domicile.

Point de vue de la médecine traditionnelle

Les praticiens estiment que l'imagerie mentale est une méthode acceptable pour réduire le stress et faciliter la relaxation. Son utilisation est encore discutée, notamment pour le cancer, bien que certaines études aient démontré ses bienfaits dans certaines pathologies.

NATUROPATHIE

La naturopathie est un ensemble de pratiques fondées sur une théorie ancienne selon laquelle la force vitale de l'organisme permet de se guérir lui-même par des remèdes de source naturelle. S'inscrivant dans la tradition des médecines holistiques, la naturopathie a recours aux innombrables ressources curatives que la nature met à notre disposition pour se défendre contre les agressions.

Vers la fin du dernier siècle, le père Sebastian Kneipp, moine bavarois, traita avec succès un malade américain, Benedict Lust. Après avoir étudié dans la clinique de Kneipp, Lust revint aux États-Unis et mit au point sa propre forme de naturopathie. Le traitement par l'eau (maintenant appelé « hydrothérapie ») de Kneipp était recommandé aux personnes souffrant de courbatures ou de douleurs musculaires.

Des études indiquent que la naturopathie serait efficace contre certaines maladies dégénératives, comme l'emphysème et l'arthrose. D'après certaines observations, elle aurait des effets curatifs dans les cas d'infections variées, les ulcères, la grippe, les gastro-entérites et les maladies de la peau. Les thérapeutes estiment que la naturopathie peut élucider des cas d'angoisse, de fatigue, de prévention dans les maladies des tissus et des affections touchant les organes, tels que le cœur, les poumons, les reins.

Au cours de la première consultation, pouvant durer une heure, le naturopathe invite le sujet à lui parler de ses problèmes de santé et antécédents médicaux, son mode de vie, ses habitudes alimentaires (nature et quantité des aliments et boissons), la qualité de son sommeil, ses rapports avec la famille et sa vie professionnelle.

Principe

Le naturopathe considère que la maladie a pour cause principale un déséquilibre de l'organisme consécutif à des bactéries, des virus, des allergies ou par une déficience du système immunitaire. Certains troubles de la santé reflètent des manifestations de l'organisme cherchant à se débarrasser de ces substances toxiques. Il estime qu'une bonne santé se maintient à condition d'éviter toute alimentation artificielle (non naturelle) et de respecter une saine hygiène de vie. Un naturopathe recommande généralement à son client de consommer beaucoup de légumes et de fruits frais.

Par diverses méthodes: régime diététique, suppléments alimentaires, oligo-éléments (sels minéraux, etc.), la naturopathie a pour but de renforcer les réactions de défense de l'organisme. Les thérapeutes traitent chaque personne comme un cas unique et prennent en considération tous les facteurs physiques, sociaux, psychologiques et biochimiques. Lorsqu'un malade se présente, le naturopathe tente de trouver la cause sous-jacente et traite ce symptôme avant d'essayer de le supprimer ou de l'alléger. Pour y arriver, il propose avant tout un régime alimentaire basé sur des aliments naturels. Ils préconisent en outre des traitements à base de plantes (phytothérapie).

L'oligothérapie

Se pratiquant généralement par les naturopathes, l'oligothérapie est une technique nouvelle au Québec. Elle s'appuie sur le principe selon lequel un régime alimentaire non équilibré, déficient en protéines et en hydrates de carbone, peut entraîner des carences en substances essentielles.

Les études cliniques du docteur français Ménétrier, qui a consacré toute sa vie à l'avancement de cette technique, sont basées sur 75 000 dossiers. Pour suppléer à des déficiences alimentaires, des laboratoires européens spécialisés en biologie ont mis au point sous forme de granules des «oligoéléments» (du mot grec *oligos* signifiant «petit» ou «micro») extraits de diverses plantes, céréales, algues et de légumes.

Agissant comme catalyseurs dans les réactions métaboliques de l'organisme, les oligoéléments sont constitués de particules d'une trentaine de substances minérales, incluant le manganèse, le zinc, le cobalt, le fluor, le phosphore, le magnésium, le fer, le calcium, le chrome, le nickel, l'argent, l'or, le cuivre, le sélénium.

Plusieurs méthodes analytiques permettent aujourd'hui de connaître les déficits d'un patient en divers oligo-éléments. Pour faciliter le contrôle des traitements, un appareil portatif appelé «testeur énergétique» est utilisé pour aider à établir le bilan énergétique de chaque sujet. Un cadran indique les excès et les insuffisances énergétiques des méridiens.

Point de vue de la médecine traditionnelle

Contrairement à la plupart des autres thérapies alternatives, la naturopathie cherche à déterminer l'état de la force vitale du sujet au lieu d'identifier les symptômes ou la maladie du patient. Le naturopathe ne prétend pas soigner les maladies graves, mais il vise à soulager certains symptômes et à éviter leurs complications.

Lorsque pratiquée par un thérapeute compétent, la naturopathie est inoffensive. La base d'une bonne hygiène de vie, à la fois préventive et curative, est préconisée par les naturopathes. Les personnes âgées peuvent bénéficier de mesures diététiques convenables établies par un naturopathe qualifié.

En guise de prévention, il importe que les sujets informent leur praticien de la prise de tous produits naturels susceptibles de produire une interaction avec leurs médicaments, particulièrement les personnes sensibles aux allergies.

Formation des naturopathes

La plupart des naturopathes pratiquent sous une forme libérale, et certains d'entre eux acquièrent une formation en biothérapie, en réflexologie ou en iridologie. Au Québec, la naturopathie a monté en popularité depuis l'existence du Collège de naturopathie du Québec. La Régie de l'assurance maladie du Québec ne couvre pas les frais des traitements naturopathiques.

OSTÉOPATHIE

L'ostéopathie est une thérapie manipulative qui agit sur les parties structurelles du corps pour accroître la mobilité des différents tissus, soulager la douleur et traiter les problèmes d'ordre mécanique affectant l'architecture du corps. Les ostéopathes traitent généralement les lombalgies, les hernies discales, les névralgies sciatiques, les blessures et le stress. Ils estiment que les diverses causes de ces problèmes sont un obstacle au fonctionnement harmonieux du corps.

Cette forme de thérapie a été développée dans les années 1870 par le chirurgien américain Andrew Taylor Still. On considère en ostéopathie que le bien-être du corps humain est lié au bon fonctionnement de son appareil locomoteur. Selon les techniques de manipulations vertébrales, des tissus mous du corps, des tissus conjonctifs et des muscles, les ostéopathes cherchent à restaurer le fonctionnement harmonieux de la charpente corporelle en éliminant les contractures musculaires qui réduisent la mobilité et l'assouplissement des zones de tension.

Les ostéopathes estiment que le corps humain doit agir comme un organisme unifié, intervenant sur les fonctions de tous les autres mécanismes par le bon état du système musculo-squelettique. Ils utilisent des méthodes de torsion, d'élongation rythmique et des pressions afin de rendre la souplesse aux articulations et aux différents tissus, et d'améliorer la circulation sanguine. Pour remplir pleinement leur fonction, les muscles doivent être parfaitement détendus.

Accompagnées d'un léger craquement, les manipulations sont ordinairement sans douleur. Appliquées durant 20 à 30 minutes avec légèreté, elles peuvent s'avérer efficaces. En général, les sujets estiment que les traitements sont relaxants ; ils constatent une amélioration au bout de trois séances.

Distinction entre ostéopathie, chiropractie et physiothérapie

Malgré leurs similitudes, ces trois thérapies pratiquées manuellement se différencient à plusieurs égards :

- L'*ostéopathe* manipule principalement les tissus mous sur l'ensemble du corps tandis que le *chiropraticien* privilégie les manipulations des vertèbres.

- La *physiothérapie* utilise avant tout des appareils électriques et des traitements de chaleur tandis que l'ostéopathie favorise surtout la manipulation.

- La physiothérapie s'inscrit dans le cadre de la médecine traditionnelle tandis que l'*ostéopathie* et la *chiropractie* sont classées dans la catégorie de la médecine alternative.

- Le *chiropraticien* appuie son diagnostic sur les radiographies tandis que l'ostéopathe n'a recours à celles-ci qu'exceptionnellement.

La fibromyalgie traitée par l'ostéopathie

Comme l'exige la profession qu'elles exercent, Carole Lachance et Carole Leduc, deux ostéopathes montréalaises, ont d'abord acquis une formation médicale et paramédicale – l'une est physiothérapeute, l'autre a obtenu un baccalauréat en thérapie du sport, écrit Hélène Roy (*Arthro Express*, automne 1997).

Les deux jeunes femmes ont suivi une formation de cinq ans au Collège d'ostéopathie de Montréal où elles ont étudié principalement l'anatomie et la physiologie. Rédigée conjointement, leur thèse portait sur « L'effet du traitement ostéopathique de la chaîne relative à la fibromyalgie ».

> Un corps mobile est un corps en santé. Si une région devient moins active, la circulation sanguine est affectée. Ainsi, les échanges nutritifs et l'élimination des toxines seront perturbés, ce qui entraînera des problèmes à long terme puisque tout est lié. En effet, toute perturbation dans un des systèmes corporels influence les fonctions des autres systèmes.

> Pour soulager la douleur, chaque cas est particulier. Chez les patients souffrant de fibromyalgie ou d'arthrite rhumatoïde, par exemple, nous allons tenter de renforcer le système immunitaire et de favoriser une meilleure circulation sanguine. À l'aide de manipulations, nous essayerons d'éliminer les toxines et d'améliorer le processus de digestion.

En ce qui a trait à la fibromyalgie, les deux ostéopathes ont fait une constatation intéressante, rapporte Hélène Roy.

> La majorité des fibromyalgiques que nous avons rencontrés au cours de notre recherche avait une histoire médicale très chargée : nombreuses chirurgies, accidents, maladies de type inflammatoire, notamment des bronchites et des pneumonies. À cause d'une surcharge, nous nous sommes alors demandé si le système nerveux central ne souffrait pas d'une inaptitude à compenser. Il est quand même possible d'agir pour mieux éliminer le plus d'irritants possible, ce qui peut influencer de façon bénéfique le système nerveux.

Risques

À condition qu'elles soient appliquées par un praticien compétent, les thérapies ostéopathiques conviennent à toutes les personnes. Toutefois, l'osthéopathe refusera d'exécuter la moindre manipulation sur un patient présentant une charpente osseuse fragilisée par des pathologies, telles que le cancer osseux, l'ostéoporose ou des fractures.

Même si certains thérapeutes sont médecins, il n'y a pas d'écoles d'ostéopathie au Canada. Quelques médecins ont acquis une formation dans ce domaine, mais il existe encore beaucoup de méfiance, et peu de professionnels de la santé connaissent vraiment cette pratique.

Gestion

Les règlements régissant les activités des ostéopathes varient selon les provinces. Au Québec, les stages et études agréés par l'Association ostéopathique américaine (Committee on post doctorial training of the American Osteopathic Association) sont reconnus par la Corporation professionnelle des médecins du Québec.

La Régie de l'assurance maladie du Québec ne couvre pas les frais des traitements en ostéopathie, mais la plupart des assurances maladie privées remboursent une partie des coûts.

CONCLUSION

Lorsque l'organisme développe une accoutumance ou une résistance aux médicaments, particulièrement les antibiotiques, les médecines alternatives offrent une approche complémentaire aux divers troubles pathogéniques. Au cours des 20 dernières années, plusieurs maladies auto-immunes nouvelles sont apparues sans causes apparentes, dont la fibromyalgie et le syndrome de fatigue chronique, pour ne nommer que celles-ci.

À ce jour, et puisque la médecine traditionnelle n'a pas recours à des traitements spécifiques pour soulager les douleurs musculaires chroniques et la fatigue quasi permanente de ces deux syndromes, les centaines de milliers de patients québécois qui en sont victimes disposent au moins d'un éventail de thérapies alternatives pour soulager leurs souffrances physiques, tels les exercices d'étirement musculaire, l'acupuncture et autres thérapies pour rétablir leur santé.

Ces patients cherchent en plus une approche globalisante pour résoudre par des méthodes actives les déséquilibres émotionnels qu'entraînent ces maladies. La relaxation, la méditation, le massage, le taï-chi, expliqués au chapitre précédent, sont des thérapies qui ont acquis au fil des siècles une popularité indéniable pour détendre et soulager les patients souffrant de certaines maladies auto-immunes, notamment la fibromyalgie.

20

Hygiène alimentaire

La santé, c'est d'abord une alimentation bien conçue basée
sur l'emploi raisonné d'une grande variété d'aliments.
Rien n'est défendu, sauf les abus.

Guide de médecines alternatives

L ES PERSONNES ATTEINTES DE FIBROMYALGIE sont de plus en plus
conscientes de l'importance que revêt l'alimentation. Avant
d'être affligés par cette maladie, la majorité des patients se nour-
rissaient d'aliments variés sans éprouver d'allergies, d'intolérances
alimentaires ni de troubles digestifs. Mais depuis, les troubles du
reflux gastro-œsophagien et de l'intestin irritable leur rappellent
sans cesse qu'ils doivent accorder une plus grande importance à
leur hygiène alimentaire.

Les spécialistes de la nutrition reconnaissent de plus en plus qu'une
alimentation équilibrée, consommée selon les besoins individuels,
améliore hors de tout doute la santé et la qualité de vie de chacun.
Dans le milieu scientifique, on estime que la proportion de protéines,
de matières grasses ou de calories dans l'alimentation peut exercer
une influence sur certaines maladies auto-immunes, y compris la
fibromyalgie, le syndrome de la fatigue chronique, le lupus.

Par ailleurs, les auteurs du *Guide des médecines complémen-*
taires (Céliv, 1997) soulignent l'importance de bien gérer son
alimentation :

Forts d'une longue et riche tradition culinaire, les pays occidentaux
pèchent souvent dans leur alimentation par excès de cholestérol et de

graisses (surtout d'acides gras saturés), de produits de source animale, de sucres raffinés, et d'insuffisance en fibres. Or, ce sont les fruits, les légumes frais, les fibres et les produits maigres qui maintiennent le corps en santé et fournissent la meilleure source d'énergie. Il suffit souvent de modifier ses habitudes alimentaires pour atténuer les douleurs, les maux de tête, les troubles digestifs et autres symptômes pour faire régresser des dysfonctions du système immunitaire.

Alimentation équilibrée

Tous les jours, l'organisme a besoin d'un apport alimentaire composé de protéines, de produits laitiers, de fruits et légumes frais, de glucides complexes et, également, entre 1,5 à 2 litres d'eau. De l'avis des nutritionnistes, un régime équilibré est une composante de divers aliments contenant toutes les substances nutritives indispensables à la croissance et au bon fonctionnement de l'organisme des personnes de tout âge.

Quoique les aliments raffinés, en conserve ou congelés sont de plus en plus populaires, leurs avantages pratiques sont sacrifiés à la valeur nutritive des aliments complets. Il est préférable de consommer avec modération les produits pauvres en calories (miel, sucre, confitures, chocolat, etc.). Pour restreindre les effets du côlon irritable associés à la fibromyalgie, on conseille de réduire les graisses saturées et d'augmenter la consommation des aliments riches en fibres.

Portions alimentaires équilibrées

Pour satisfaire les besoins de l'organisme, le Guide alimentaire canadien propose un nombre plus ou moins grand de portions selon l'âge, l'état physiologique et le niveau d'activité pour chaque groupe d'aliments. Une portion équivaut à environ 100 grammes (3,5 onces). Puisque la cuisson des fruits et des légumes modifie leur valeur nutritive à divers degrés, leurs portions sont indiquées pour les produits crus (tableau 20.1).

Apport nutritionnel recommandé

Au Canada, l'apport nutritionnel recommandé (ANR) est établi par un groupe d'experts en nutrition. Ils tiennent compte des récentes données scientifiques sur les besoins nutritionnels quotidiens en protéines, minéraux, vitamines et autres nutriments essentiels.

Tableau 20.1

Portions alimentaires équilibrées

Nutrition équilibrée	Aliments à privilégier
Fruits et légumes 5 à 10 portions par jour	Choisir de préférence des fruits frais et des légumes vert foncé.
Produits céréaliers 5 à 12 portions par jour	Choisir du pain, de la farine et des céréales à grains entiers ou enrichis.
Produits laitiers 2 à 4 portions par jour (adultes)	Choisir des produits laitiers contenant moins de gras.
Viandes et substituts 2 à 3 portions par jour	Choisir viandes, volailles et poissons plus maigres et des légumineuses.
Autres aliments contenant sucres, épices, boissons, herbes, condiments, grignotines	Choisir huiles d'olive ou de canola; produits allégés en matières grasses. Consommer modérément l'alcool, la caféine, le sucre.

Dans le présent chapitre, les taux quotidiens d'ANR pour les hommes et les femmes, âgés de 25 à 50 ans, sont indiqués en grammes: *g* (gramme), *mg* (milligramme, soit un millième de gramme), *μg* (microgramme, signifiant un millionième de gramme).

LES 10 NUTRIMENTS ESSENTIELS

Il existe une quarantaine de substances nutritives nécessaires, réparties en six grandes catégories: les vitamines, les minéraux, les acides aminés, les glucides, les acides gras et l'eau. De nature omnivore, l'homme peut manger à la fois plantes et viandes pour bien s'alimenter. Quoique les besoins alimentaires varient d'une personne à une autre, l'organisme requiert continuellement des éléments nutritifs de chacun des 10 nutriments essentiels afin de pourvoir aux dépenses énergétiques du corps, assurer sa croissance, entretenir et remplacer ses tissus, et soutenir ses processus physiologiques vitaux.

1. Le bêta-carotène

Syn.: vitamine A. La vitamine A est expliquée en détail dans les pages qui suivent: «Les 13 vitamines essentielles».

Indispensable nutriment antioxydant, le bêta-carotène est transformé dans le foie en vitamine A, élément nécessaire à une vision normale et à une bonne structuration des tissus mous et squelettiques. Le carotène est un pigment jaune orange que l'on trouve dans les carottes, les abricots, les tomates, les poivrons rouges et certaines autres plantes colorées comprenant les légumes à feuilles vertes.

Les feuilles de la famille du chou sont particulièrement riches en bêta-carotène et en vitamine C, en fibres, en fer et en calcium. Les jeunes feuilles de betteraves sont aussi plus nutritives que la racine. Le bêta-carotène est synthétisé au besoin en vitamine A par l'organisme.

• Carottes	• Chou frisé	• Melon, cantaloup
• Pommes de terre douces	• Mangue	• Cresson
• Abricots	• Betterave (feuilles)	• Courge
• Navet (feuilles)	• Épinards	• Poivron rouge ou vert

2. La vitamine C

Syn.: acide ascorbique. La vitamine C est expliquée en détail aux pages 422-423.

3. L'acide folique

Syn.: vitamine B$_9$. L'acide folique est expliqué en détail à la page 421.

L'acide folique (et ses dérivés: folates ou folacines) est ainsi nommé parce qu'il est très abondant dans les feuilles. Présent dans de nombreux aliments, on le trouve à l'état naturel dans les huiles végétales et dans certaines graisses animales.

4. Le calcium

Minéral le plus abondant dans l'organisme, il est essentiel au fonctionnement des cellules, à la contraction musculaire, au rythme cardiaque et à la coagulation sanguine. Sous forme de phosphate de calcium, 99 % de sa totalité est localisé dans les os et les dents. Tout aussi important, le 1 % restant joue un rôle dans la conduction de l'influx nerveux et de la contraction musculaire.

Dans les cas de carence, les symptômes se manifestent par une faiblesse musculaire, des douleurs dorsales, des fractures ou par l'ostéoporose.

L'ANR est de 800 mg par jour chez l'homme et de 700 mg chez la femme. Un grand nombre d'aliments contiennent du calcium. Les sources les plus riches sont :

• Lait et produits laitiers	• Saumon	• Fèves de soya
• Fromage (cheddar surtout)	• Yogourt	• Chou frisé
• Sardines avec arêtes	• Amandes	• Figues
• Haricots blancs ou rouges	• Pissenlit (feuilles)	• Brocoli

5. Le fer

Le fer est essentiel à la formation de l'hémoglobine qui transporte l'oxygène dans le sang. Il entre également dans la constitution de la myoglobine, le pigment qui entrepose l'oxygène dans les muscles. Il fait partie de diverses enzymes et protéines dans l'organisme.

Les symptômes de carence se traduisent par une baisse de résistance aux infections, de la fatigue excessive, une pâleur du teint. Une carence prolongée en fer peut entraîner l'anémie ferriprive.

L'ANR en fer est de 10 mg par jour chez l'adulte.

Une combinaison de viande (ou poisson) et de légumes verts est recommandé par les nutritionnistes. Afin de maximiser son absorption, on recommande aussi de consommer une combinaison de sources de fer provenant à la fois des produits végétaux et animaux.

• Clams (palourdes)	• Légumineuses (fèves, etc.)	• Légumes vert foncé
• Abats (foie, rognons)	• Son d'avoine	• Abricots secs
• Volaille	• Jaune d'œuf	• Bœuf
• Poisson	• Germe de blé	• Céréales complètes

6. *Le potassium*

Agissant simultanément avec le sodium, le magnésium et le chlore, le potassium est le régulateur des fluides de l'organisme. Il intervient dans les contractions musculaires et dans les réactions nerveuses. Il régule la pression sanguine et participe au maintien normal des reins et du rythme cardiaque. Une diminution du taux de potassium se présente généralement à la suite d'une gastro-entérite, de troubles de l'appareil digestif, ou d'une consommation excessive de sucre, de café ou d'alcool.

L'ANR en potassium est d'environ 3 g par jour chez l'adulte.

Une carence en potassium peut entraîner une faiblesse musculaire, l'apathie, la soif. Les troubles cardiaques et respiratoires peuvent survenir dans des cas de carence excessive.

• Bananes	• Légumineuses	• Flétan
• Abricots séchés	• Clams (palourdes)	• Épinards
• Prunes	• Cantaloup	• Betteraves (feuilles)
• Figues séchées	• Céréales complètes	• Pommes de terre

7. *Le zinc*

Après le fer, le zinc est la substance minérale la plus abondante dans l'organisme. Intervenant dans la formation de plusieurs enzymes et dans la digestion, il joue un rôle indispensable à la croissance et dans le fonctionnement du système immunitaire, de la prostate et des organes de reproduction. Il intervient dans l'acuité du goût et de l'odorat.

L'ANR en zinc est de 12 mg par jour chez l'homme et de 9 mg chez la femme.

La carence en zinc est rare. Elle n'affecte en principe que les personnes souffrant de malnutrition ou celles présentant une diminution de l'absorption intestinale du zinc, dont les personnes âgées et les femmes enceintes. Dans ces cas, les symptômes sont la perte du goût et l'affaiblissement de l'immunité.

La plupart des aliments composés de protéines animales, comme le poisson, les fruits de mer, la viande, les jaunes d'œufs et le lait sont de bonnes sources de zinc.

• Huîtres	• Céréales complètes	• Graines de tournesol
• Viande	• Agneau	• Fromage suisse
• Volaille	• Noisettes	• Canard
• Germe de blé	• Dinde (viande brune)	• Foie

8. Les glucides

Appelés également «hydrates de carbone» ou «sucres», quoiqu'ils ne soient pas tous sucrés, les glucides font partie d'un groupe de substances composées de molécules apportant à l'organisme sa principale source d'énergie. Le glucose (résultat final de la digestion des glucides) est le seul aliment des cellules nerveuses. Dans l'alimentation, le rôle principal des glucides consiste à fournir de l'énergie à l'organisme pour lui permettre d'accomplir les réactions chimiques nécessaires au fonctionnement des organes.

L'ANR en glucides est d'environ 275 g par jour chez l'adulte. Une portion de pâte alimentaire en contient 22 g; de riz blanc, 26 g; de pommes de terre, 18 g; de pain entier, 54 g; de biscottes, 74 g; de lentilles, 12,6 g; de haricots verts, 3,6 g; une banane, 21g.

Les aliments riches en hydrates de carbone ont tendance à être faibles en matières grasses. La source naturelle la plus riche en glucides dérive des plantes. Dans un régime alimentaire amaigrissant, les nutritionnistes conseillent de choisir des aliments non raffinés comme les fruits, les légumes, les légumineuses et les céréales complètes.

• Pâtes alimentaires	• Pain et dérivés	• Avoine, blé, riz
• Riz blanc ou brun	• Pommes de terre	• Haricots verts
• Produits céréaliers	• Lentilles	• Sucres concentrés (miel,
• Pâtisserie	• Fruits	mélasse, confitures, etc.)

9. Les fibres

Les effets bénéfiques des fibres alimentaires sont nombreux. Outre qu'elles préviennent la constipation, les fibres contribuent à abaisser le taux du cholestérol sanguin et participent à la prévention et le contrôle de diverses affections du gros intestin, dont le cancer et le côlon irritable, la diverticulose colique, les hémorroïdes.

Même si les effets bénéfiques des fibres sont reconnus, notre alimentation est beaucoup moins riche en fibres que celle de nos parents et grands-parents. De nos jours, on consomme davantage d'aliments raffinés et beaucoup moins de fruits, de légumes et de féculents (haricots, pois, lentilles), de céréales complètes.

Selon la Société canadienne du cancer, l'ANR en fibres pour les adultes devrait atteindre au moins 30 g par jour. Lorsqu'on consomme régulièrement des crudités, des légumes cuits, des salades et des fruits, on obtient sans difficulté l'apport nutritionnel de fibres recommandé par le Guide alimentaire canadien. Une portion de céréales All Bran contient 29 g; de pruneaux, 16 g; d'amandes, 15 g; d'abricots secs, 13, 7 g, tandis qu'une banane ou une pomme n'en contient que 2 g.

Pour un meilleur fonctionnement digestif, on recommande de boire beaucoup d'eau, d'augmenter graduellement les aliments riches en fibres et de diminuer les gras et les sucres. Les produits alimentaires les plus riches en fibres sont:

• Céréales de son All Bran	• Céréales complètes	• Flocons de maïs
• Pruneaux	• Pain complet	• Brocoli cuit
• Amandes	• Petits pois	• Haricots verts
• Abricots secs	• Noix	• Épinards

10. Les protéines

Constituants essentiels de tous les organismes vivants, les protéines sont composées d'acides aminés qui renferment les quatre éléments suivants: le carbone, l'oxygène, l'hydrogène et l'azote. Comme principales composantes des tissus musculaires, les protéines sont indispensables aux nombreuses fonctions vitales de l'organisme. Ainsi, elles sont essentielles à la production des enzymes, des hormones, des chromosomes et des matériaux de structure (muscles, cartilages, peau, ongles, cheveux).

Les protéines des aliments sont fragmentées dans le tube digestif en acides aminés, lesquels sont ensuite absorbés dans le sang, puis dans les cellules, et transformés en nouvelles protéines dans l'organisme. Elles maintiennent l'acidité (pH), la pression sanguine, le taux de sucre dans le sang et le métabolisme.

L'ANR en protéines est de l'ordre de 63 g chez l'homme et de 50 g chez la femme. On recommande de ne pas en consommer en trop grande quantité. Les protéines excédentaires sont converties par le foie en glucose et autres produits.

Les aliments suivants sont les plus riches en protéines:

• Fèves de soya séchées	• Fruits de mer	• Yogourt
• Bœuf	• Légumineuses (pois, etc.)	• Lait de soya
• Volaille	• Germe de blé	• Produits laitiers
• Œuf	• Tofu	• Pain de blé entier

LES MINÉRAUX

Le corps humain contient plus de 60 minéraux, mais une vingtaine seulement sont considérés comme essentiels. Les plus importants sont le calcium, le fer, le potassium et le zinc, le chlore, le magnésium, le phosphore, le sodium, le soufre, le sélénium, le chrome, le cuivre, le fluor, l'iode, le manganèse.

Les minéraux jouent un rôle capital dans le maintien des fonctions nerveuses, la régulation du tonus musculaire, la composition des fluides corporels, la formation du sang et des os. De même que les vitamines, les minéraux fonctionnent comme des coenzymes qui permettent à l'organisme de remplir ses fonctions, incluant la production d'énergie, la croissance et la guérison.

Tous les éléments minéraux indispensables doivent provenir de l'alimentation. La capacité de l'organisme de les absorber peut dépendre de plusieurs facteurs. Par exemple, la vitamine D contribue à l'assimilation du calcium, les aliments qui apportent de la vitamine C aident l'organisme à absorber le fer. À l'inverse, des composants comme le tanin ou le phytate peuvent empêcher l'absorption du calcium, du fer et du zinc (voir tableau 20.2).

Pour maintenir sa santé, il faut donc les consommer en juste quantité. Si les apports alimentaires en minéraux sont trop faibles, l'organisme doit en prélever dans ses réserves, soit dans les muscles, le foie ou même les os. Des déficits plus ou moins marqués en différents minéraux sont de nos jours encore courants. Depuis quelques années, ces déficiences attirent l'attention des scientifiques cherchant

Tableau 20.2

Sources et carences en minéraux

Principaux minéraux	Principales sources alimentaires	Symptômes de carence
Calcium	Lait, produits laitiers, légumes, agrumes, saumon, sardines	Faiblesse musculaire, douleurs dorsales, ostéoporose
Chlore	Sel de table	Rare
Magnésium	Légumes verts, noix, céréales complètes, légumineuses	Apathie, fatigue, crampes, tétanie, convulsions
Phosphore	Lait, fromage, légumes, fruits, poissons, céréales complètes	Peut être causée par la prise prolongée d'antiacides
Potassium	Céréales complètes, fruits frais et secs, légumineuses	Apathie, confusion, troubles cardiaques et respiratoires
Sodium	Sel de table, fromage, pain, condiments, charcuterie	Rare, mais peut causer des crampes, chute de pression
Chrome	Levure de bière, germe de blé, céréales complètes, foie	Baisse de la tolérance au glucose
Cuivre	Foie, huîtres, crustacés, noix et graines, cacao	Rare. Peut entraîner l'anémie et la baisse de l'immunité
Fer	Abats (foie), viande, légumes vert foncé, abricots secs	Fatigue excessive, baisse de résistance aux infections
Fluor	Eau fluorée, café, thé, fruits de mer, légumes frais, céréales	Carie dentaire
Iode	Sel de table, algues, poissons d'eau salée	Goitre, apathie, retard mental, baisse de la fertilité
Manganèse	Noix et graines, légumineuses, céréales, ail complet	Rare
Sélénium	Viande, poissons, légumes, ail, fruits de mer, champignons	Anémie, douleurs et faiblesses musculaires, arthrose
Soufre	Viande, lait, fromage, ail, chou, poireau, radis, navet	Pas de carence connue
Zinc	Huîtres, viande, volaille, germe de blé, céréales, noix	Perte du goût, affaiblissement de l'immunité

Source : *Adapté de Aliments santé, aliments danger*, Sélection du Reader's Digest, 1997.

des liens avec les maladies chroniques auto-immunes, comme les syndromes de la fibromyalgie et de la fatigue chronique, les maladies cardiovasculaires, l'ostéoporose, le cancer.

Contrairement aux vitamines, les minéraux contenus dans la chaîne alimentaire sont indestructibles. Dans les aliments cuits dans l'eau, cependant, une partie des minéraux peuvent se dissoudre ou se perdre durant la transformation de certains nutriments, tel le blé raffiné en farine.

Puisque les minéraux sont principalement stockés dans les os et les tissus musculaires, il est possible de développer une toxicité minérale quand des mégadoses sont consommées. Pour cette raison, les suppléments minéraux devraient être ingérés en quantité équilibrée. Autrement, ils seront inefficaces et pourront même être nocifs.

Supplément en magnésium

L'un des plus importants minéraux du corps humain, le magnésium, intervient dans tout l'organisme. Il est nécessaire à la synthèse protéique, à l'assimilation des lipides (acides gras), il stimule l'immunité et participe à l'influx nerveux.

Cependant, diverses études révèlent que le magnésium est déficient chez les patients fibromyalgiques. Des analyses cliniques montrent une carence importante de cette substance minérale essentielle dans le sang et les tissus musculaires (voir Déficience en magnésium, au chapitre 4, «Anomalies biochimiques et physiologiques»).

Les signes d'une insuffisance en magnésium se présentent par une fatigue inhabituelle, des douleurs musculaires, des crampes, des troubles de sommeil, une digestion lente, l'apathie, le stress, l'anxiété.

Comme il est présent dans une grande variété d'aliments, un régime équilibré suffit généralement pour fournir un apport convenable en magnésium. Les principales sources alimentaires sont les légumes verts, les noix et les graines, les céréales complètes, les poissons d'eau salée et les fruits de mer. Certains fruits, comme les figues, les avocats, les raisins secs et les bananes sont également riches en magnésium.

En fibromyalgie cependant, l'ANR en magnésium, soit 200 à 250 mg par jour, est difficile à atteindre. Voici ce qu'en dit le Dr Jacob Teitelbaum, chercheur et spécialiste américain dans le traitement de la fibromyalgie :

> Puisqu'il est difficile pour mes patients d'absorber des quantités adéquates de magnésium, je crois que l'utilisation en supplément de ce minéral est important. Mais le type de supplément est aussi très important. De nouvelles formes, comme le magnésium-aspartame et le magnésium-chlorite, sont généralement bien absorbées et tolérées. Pour éviter la diarrhée, je leur recommande de commencer par prendre 250 mg par jour, puis d'augmenter graduellement la dose jusqu'au seuil de tolérance sans dépasser la dose maximale de 500 mg. Cette dose de magnésium est sans danger aussi longtemps que les reins fonctionnent normalement.

LES VITAMINES

Substances organiques essentielles à la croissance et au bon fonctionnement de l'organisme, les vitamines constituent un groupe de composés chimiques complexes. À l'exception des vitamines D et K, que l'organisme ne peut synthétiser, les autres vitamines doivent être obtenues uniquement par l'alimentation ou, dans le cas de carence, par suppléments vitaminiques. Bien que des quantités minimes de vitamines soient requises pour remplir leurs fonctions, elles sont néanmoins indispensables.

Chacune des 13 vitamines remplit une fonction précise. Une quelconque affection ou maladie peut survenir quand l'une d'elles est déficiente ou mal absorbée dans l'organisme. Elles s'associent aux autres éléments de la chaîne alimentaire (protéines, glucides et lipides) pour assurer l'équilibre et le bon fonctionnement des tissus et organes. Par exemple, la vitamine C favorise l'assimilation du fer et du calcium.

Les 13 vitamines essentielles

Elles se classent en deux groupes : vitamines liposolubles (solubles dans les graisses) et vitamines hydrosolubles (solubles dans l'eau).

- *Liposolubles.* Regroupant les vitamines A, D, E et K, elles sont solubles dans les lipides (corps gras). Absorbées par l'intestin, elles circulent dans le sang pour être entreposées dans les tissus ou organes riches en graisses, surtout le foie. Elles sont, en général, éliminées dans les urines.

- *Hydrosolubles*. Solubles dans l'eau, elles regroupent les vitamines B_1, B_2, B_3, B_5, B_6, B_8, B_9, B_{12} et C. Ne séjournant dans l'organisme que durant de courtes périodes, elles sont excrétées dans les urines quand la quantité absorbée dépasse les besoins.

Pour chacune des vitamines décrites ci-après, les taux quotidiens d'ANR pour les hommes et les femmes, âgés de 25 à 50 ans, sont indiqués en unités µg (microgramme : un millionième de gramme), et en mg (milligramme : un millième de gramme). Le contenu de certains comprimés vitaminiques est souvent indiqué en UI (Unité internationale) ou IU (*International Unit*).

Vitamine A

Syn. : *rétinol* (pour les aliments d'origine animale) ; bêta-carotène (pour les aliments d'origine végétale). La vitamine A est indispensable à la croissance, au développement des cellules, au métabolisme des hormones stéroïdes, au système immunitaire, à la vision et à la solidité des os et des dents. Elle protège contre les infections les muqueuses des poumons, des voies digestives et des voies urinaires.

Pouvant neutraliser les radicaux libres, le bêta-carotène possède des propriétés antioxydantes importantes. L'organisme synthétise au besoin le bêta-carotène en vitamine A.

Voir *Bêta-carotène* aux pages précédentes : « Les 10 nutriments essentiels ».

Source   Foie, huile de foie de morue, matières grasses du lait et des fromages, œufs, beurre, légumes verts, carottes, abricots, poivron, melon.

ANR   Hommes : 1000 µg ; femmes : 800 µg, dont au moins 60 % en bêta-carotène.

Carence   Sensibilité aux infections, sinusites et autres troubles respiratoires, trouble de la vision, sécheresse oculaire et cutanée, perte d'appétit, dessèchement de la peau, insomnie, fatigue. Une carence peut être consécutive à une malabsorption intestinale de la vitamine A.

Excès Le rétinol peut être toxique à l'organisme, surtout le foie. Le bêta-carotène pris en grande quantité n'est pas toxique.

Vitamine D

Syn. : calciférol. Indispensable à l'assimilation du calcium et du phosphore, le calciférol est essentiel dans la formation des os et des dents. Liposoluble, la vitamine D peut être entreposée dans le foie, le tissu adipeux et les muscles.

Source Lait enrichi, poisson gras (saumon, thon), foie, jaune d'œuf, beurre, fromage ; 250 ml de lait enrichi équivaut à 45 % de l'ANR.

ANR Adultes : 2,5 µg. L'exposition au soleil durant 15 minutes trois fois par semaine suffit pour fournir à l'organisme ses besoins en vitamine D.

Carence Anémie pernicieuse, décalcification osseuse, douleurs musculaires. Peut se produire chez des personnes souffrant d'une malabsorption digestive chronique ou d'une hyperthyroïdie.

Excès Des mégadoses peuvent être toxiques par l'accumulation de dépôts anormaux de calcium dans les tissus mous, dans les parois des vaisseaux sanguins et dans les reins.

Vitamine E

Syn. : tocophérol. Liposoluble, elle est un antioxydant important dans la prévention des troubles cardiovasculaires. La vitamine E est indispensable à la stabilisation des membranes cellulaires et au maintien de l'activité de certaines enzymes. Jouant un rôle majeur dans l'organisme, elle est également nécessaire à la formation des globules rouges. Elle protège les poumons et autres tissus contre les polluants.

Source Huiles végétales (maïs, soja, olive, tournesol), germe de blé, céréales, légumes verts, poisson gras, amandes, noisettes, jaune d'œuf.

ANR   Hommes: 9 mg; femmes: 6 mg.

Carence Peut survenir chez les sujets souffrant d'une malabsorption digestive ou d'une maladie du foie. L'anémie hémolytique conduit à une destruction des globules rouges et à la détérioration du système nerveux.

Excès   Plutôt rare. Une consommation excessive et prolongée peut causer des douleurs abdominales, des maux de tête, des nausées, des vomissements.

Vitamine K

Syn.: phylloquinones (de source végétale), ménaquinones (produite par une bactérie dans l'intestin). Vitamine liposoluble jouant un rôle indispensable dans la formation de glycoprotéines intervenant dans la coagulation sanguine. La vitamine K intervient dans des phénomènes biologiques, comme le métabolisme des protéines et la fixation du calcium. Environ 80% de la vitamine K provient des bactéries de la flore intestinale, tandis que 20% provient de l'alimentation.

Source   Légumes verts (chou, épinards, cresson, asperges), huiles végétales, jaune d'œuf, fromage, porc, foie, céréales entières, avoine, fèves de soya.

ANR   Hommes: 80 µg; femmes: 65 µg. La combinaison d'un régime équilibré et de l'activité bactérienne de l'intestin fournit habituellement un apport suffisant.

Carence Très rare. Une déficience peut se traduire par des hémorragies internes pouvant provoquer une anémie, des saignements du nez, des gencives. Un traitement prolongé aux antibiotiques risque de détruire la flore intestinale. Une carence peut aussi se produire en cas de malabsorption des graisses durant l'utilisation prolongée d'antibiotiques.

Excès   La vitamine K ne devient toxique qu'à des doses supérieures à 50 l'ANR. Peut être consécutive à un surdosage de médicaments.

Vitamine B_1

Syn. : thiamine. Hydrosoluble, la vitamine B_1 participe à la transformation des glucides, des matières grasses et de l'alcool en énergie. Elle contribue à la transmission de l'influx nerveux et permet d'éviter l'accumulation des déchets toxiques. Sensible à l'action de la chaleur, la vitamine B_1 peut perdre 60% de sa teneur initiale en thiamine.

Source Germe de blé, riz brun, levure de bière, céréales et pain complets, noix, pâtes alimentaires, foie, rognons, poisson, porc, volaille, légumineuses, fruits secs, pistaches, prunes, fèves de soya, produits laitiers.

ANR Hommes : 1,1 mg ; femmes : 0,8 mg.

Carence Perte d'appétit et de poids, enflure des membres, faiblesse musculaire, troubles neurologiques, digestifs et psychiques, béribéri (maladie du système nerveux). L'alcoolisme et les diarrhées peuvent entraîner des manifestations de carence.

Excès Pas de symptôme connu. La vitamine B_1 est éliminée par les reins en cas d'excès.

Vitamine B_2

Syn. : ryboflavine. Vitamine hydrosoluble, elle intervient dans les réactions qui libèrent l'énergie nécessaire aux cellules. La riboflavine est nécessaire à la formation des globules rouges et des anticorps. Également nécessaire au métabolisme des vitamines B_3 et B_6, elle est indispensable dans la transformation des aliments en énergie. Puisque la capacité du métabolisme d'emmagasiner la riboflavine est faible, un apport quotidien est donc important. Elle est souvent prescrite dans le traitement des crampes musculaires répétitives.

Source Foie, viande, volaille, œufs, champignons, céréales entières, pain enrichi, levure de bière, poisson, lait et produits laitiers (surtout les fromages à pâte molle), légumes frais, légumineuses.

ANR Hommes : 1,4 mg ; femmes : 1 mg.

Carence   Une carence en vitamine B_2 est habituellement liée à une malabsorption digestive, un apport alimentaire insuffisant ou à une consommation excessive d'alcool.

Excès   Pas de toxicité connue. Un excès de riboflavine est éliminé dans les urines qui deviennent jaune vif.

Vitamine B_3

Syn.: *niacine* (acide nicotinique), *vitamine PP*. Vitamine hydrosoluble jouant un rôle dans la formation de deux coenzymes participant à la production d'énergie dans les cellules. Nécessaire à la formation de neurotransmetteurs, la niacine contribue au bon fonctionnement du tube digestif. La vitamine B_3 est déficiente en fibromyalgie.

Une partie des besoins en vitamine B_3 est fournie par le tryptophane, acide aminé que l'organisme transforme en niacine. Contenant beaucoup de tryptophane, les œufs, le lait et le fromage sont cependant pauvres en niacine, mais ces aliments permettent d'en éviter les carences.

Source   Viande, volaille, foie, poisson, arachides, céréales et pain entiers, légumineuses, pommes de terre, levure de bière.

ANR   Hommes: 19 mg; femmes: 14 mg.

Carence   Fatigue, perte d'appétit, troubles digestifs, éruptions cutanées (surtout après une exposition au soleil). Plutôt rare, une carence est généralement liée à une malabsorption digestive. Elle peut résulter d'interactions médicamenteuses ou d'apports alimentaires insuffisants.

Excès   La prise de fortes doses de vitamine B_3 est fortement contre-indiquée en cas d'ulcères gastroduénal ou de diabète.

Vitamine B_5

Syn.: *acide pantothénique.* Vitamine hydrosoluble, elle fait partie d'une coenzyme qui permet à l'organisme de transformer les produits nutritifs en énergie. La vitamine B_5 intervient dans la synthèse des acides gras et du cholestérol. Elle favorise l'activité cellulaire au niveau des muqueuses, du cuir chevelu et de la peau.

Source   Produits d'origine animale et végétale : foie, cœur, rognons, poisson, œufs, lait écrémé, levure de bière, germe de blé, céréales et pain complets, fruits secs, noisettes.

ANR   Hommes et femmes : 4 à 7 mg.

Carence   Anémie, troubles digestifs, douleurs aux extrémités, ulcérations cutanées, dermatite.

Excès   Symptômes inconnus.

Vitamine B$_6$

Syn. : pyridoxine. En plus de la pyridoxine, la vitamine B$_6$ regroupe deux autres substances apparentées : la pyridoxamine et le pyridoxal. La vitamine B$_6$ intervient dans le métabolisme des protéines, des graisses, des glucides et dans la synthèse de certains neurotransmetteurs, ainsi que dans les réactions immunitaires. Elle joue un rôle important dans plusieurs réactions chimiques des protéines. La vitamine B$_6$ participe au maintien normal des fonctions du cerveau et participe à la formation des globules rouges.

Source   Présente dans beaucoup d'aliments riches en protéines : foie, volaille, porc, poisson et fruits de mer, levure, pommes de terre, céréales et pain entiers, germe de blé, haricots secs, œufs, lait, fromage, noix.

ANR   Hommes : 2 mg ; femmes : 1,6 mg.

Carence   De rares carences peuvent s'observer en cas d'apport alimentaire insuffisant et de malabsorption digestive se traduisant par un amaigrissement, des troubles neurologiques, de l'anémie, des convulsions, des maux de tête.

Excès   Il est conseillé de ne pas dépasser les doses d'ANR. Un excès peut provoquer des troubles du système nerveux se manifestant par un engourdissement des extrémités et une fatigue.

Vitamine B$_8$

Syn.: biotine. Elle intervient dans la dégradation des acides gras, du glucose et de certains acides aminés, dans la synthèse des acides gras et dans le métabolisme énergétique des nutriments. Elle aide à soulager la douleur musculaire.

Source   Particulièrement riche dans le foie et les rognons, elle est présente en faible quantité dans la plupart des aliments. Sources supplémentaires : arachides, pain entier, fromage et produits laitiers, œufs, champignons, légumineuses, ananas, pamplemousse.

ANR   Adultes : 30 à 100 µg par jour.

Carence   De rares carences peuvent s'observer en cas de régimes alimentaires très pauvres en végétaux frais, ou de troubles d'absorption digestive. Certains symptômes peuvent apparaître : douleurs musculaires, insomnie, anémie, dépression, perte de l'appétit, nausée.

Excès   Aucun symptôme connu.

Vitamine B$_9$

Syn.: acide folique ou *folates* (substances dérivées de l'acide folique). Elle agit avec la vitamine B$_{12}$ pour produire le matériel génétique de l'ADN (acide désoxyribonucléique) et de l'ANR. La vitamine B$_9$ joue un rôle essentiel dans l'activité de diverses enzymes. Possédant un pouvoir antioxydant, elle contribue à la production de la noradrénaline et de la carnitine (substance importante dans la contraction musculaire). La vitamine B$_9$ joue un rôle essentiel dans le développement du système nerveux.

Source   Levure, foie, épinards, brocoli, chou, persil, champignons, salade verte, fruits frais, noix, haricots, pois, germe de blé.

ANR   Hommes : 230 µg ; femmes : 185 µg.

Carence   Anémie, fatigue, perte de l'appétit, troubles psychiques.

Excès   Non toxique en cas d'excès.

Vitamine B$_{12}$

Syn.: cobalamine. Essentielle dans la croissance et la division des cellules ainsi qu'à la formation des globules rouges. La vitamine hydrosoluble B$_{12}$ participe à la synthèse de certains acides gras et de certains acides aminés. Elle contribue au bon fonctionnement du système digestif. La vitamine B$_{12}$ est parfois utilisée à fortes doses comme analgésique.

Source   Parce qu'elle n'est présente en majeure partie que dans les aliments de source animale, notamment le foie, on conseille aux végétariens de prendre des suppléments en vitamine B$_{12}$. Autres sources : rognons, volaille, œufs, bœuf, poisson gras, fruits de mer, fromage, beurre et autres produits laitiers.

ANR   Adultes : une dose quotidienne de 1 µg seulement est suffisante.

Carence   Commune chez les personnes âgées ou les patients souffrant de troubles digestifs. Une carence peut résulter d'apports alimentaires insuffisants ou de malabsorption digestive. Le foie qui entrepose la vitamine B$_{12}$ peut cacher un trouble de l'absorption digestive pendant quelques années. Symptômes : fatigue générale, perte de l'appétit, constipation, anémie, perte de mémoire.

Excès   Les symptômes sont inconnus.

Vitamine C

Syn: acide ascorbique. Important facteur d'oxydoréduction cellulaire, la vitamine C est présente dans tous les tissus de l'organisme. Elle joue un rôle essentiel dans le métabolisme du glucose, de certains acides aminés, dans la résistance des parois vasculaires, dans la production de certains neurotransmetteurs et des hormones surrénales. Elle favorise la cicatrisation des plaies et l'assimilation du fer et du calcium d'origine végétale. La vitamine C est vitale pour la croissance et le maintien des os, des dents, des gencives, des ligaments et des vaisseaux sanguins.

Source   Les fruits et les légumes frais constituent ses principales sources alimentaires : citrons et oranges, pommes de terre, chou, poivron, agrumes, cresson, fraises, cantaloup, kiwi.

ANR   Adultes : 40 mg par jour.

Carence   Peut survenir par l'utilisation de contraceptifs oraux, par l'inhalation constante de monoxyde de carbone ou de fumée de tabac, ou quand l'alimentation est pauvre en fruits et légumes frais. Symptômes : douleurs musculaires, faiblesse, fatigue, courbatures, saignement de nez. Une carence grave peut provoquer le scorbut, des hémorragies internes, l'anémie et le risque de mort subite par crise cardiaque.

Excès   Des doses quotidiennes supérieures à 1 g peuvent se traduire par des crampes d'estomac, une diarrhée, des nausées. Des calculs rénaux peuvent se développer. Il n'a pas été prouvé que la prise d'une grande quantité de vitamine C apportait un effet protecteur contre la grippe.

Suppléments vitaminiques

Jane Brody rapporte dans sa rubrique sur la santé (*Time*, 10 novembre, 1997) :

> Plus que jamais conscients de leur santé, les Américains consomment de fortes doses de vitamines et minéraux pour compenser une multitude de péchés diététiques. Il y a peu d'évidence que les suppléments vitaminiques et minéraux soient bénéfiques pour la plupart des gens. En effet, les consommateurs se portent volontaires pour une vaste expérience assujettie à aucune réglementation.

L'avertissement de Mme Brody arrive en plein milieu d'une explosion vitaminique. Entre 35 % et 40 % d'Américains adultes prennent des suppléments vitaminiques. Ils ont en plus augmenté le dosage entre 10 à 100 fois les niveaux recommandés. Elle souligne qu'il existe très peu d'évidences scientifiques sur les vitamines pour appuyer les prétentions ambitieuses avancées par les fabricants.

Des études indiquent que les personnes âgées qui ont consommé de la vitamine E pendant 20 ans bénéficient d'une meilleure immunité que les autres. Une autre étude suggère qu'une personne en santé, variant son alimentation contenant les substances nutritives essentielles, n'a pas besoin de suppléments vitaminiques. Ces produits ne peuvent remplacer une alimentation saine mais, inversement, ils peuvent compenser pour une nourriture pauvre en valeurs nutritives, ou pour des troubles de malabsorption digestive de certains aliments.

Danger des mégadoses

Les mégadoses de suppléments vitaminiques liposolubles, en particulier les vitamines A, D, E et K qui ont besoin de graisses pour être absorbées, sont beaucoup plus dangereuses que les mégadoses de vitamines hydrosolubles (B ou C). S'accumulant dans les tissus mous, notamment le foie, les vitamines liposolubles peuvent en effet conduire à une toxicité menant à la mort. À l'opposé, il est à peu près impossible d'atteindre un niveau vitaminique dangereux quand nous absorbons suffisamment de vitamines dans un régime alimentaire équilibré.

L'EAU, SUBSTANCE PRÉCIEUSE

À l'exception de l'oxygène, l'eau est l'une des substances les plus essentielles à la vie. Bien qu'elle ne contienne ni nutriment ni calorie, l'eau est vitale et nous ne pourrions survivre longtemps sans elle. Sauf pour l'émail des dents et le tissu osseux, l'eau est la substance la plus importante et la plus abondante de tous les tissus de l'organisme. Elle constitue environ 60% des cellules, 75% du tissu musculaire et 92% du plasma sanguin.

Propriétés de l'eau

Le processus des cellules et le bon fonctionnement des organes dépendent de l'eau. L'eau constitue un lubrifiant de première importance dans diverses régions du corps. Elle est un constituant principal de la salive, des sécrétions, des muqueuses et d'autres lubrifiants, des articulations, des os, des ligaments et des tendons. L'eau est nécessaire pour véhiculer les aliments dans les intestins, éliminer les déchets et prévenir la constipation. Par la transpiration, l'eau évaporée apporte avec elle de grandes quantités de chaleur et constitue ainsi un excellent mécanisme pour réguler la température du corps.

Le corps obtient des aliments consommés 85% à 90% de l'eau dont il a besoin. Pour obtenir le reste et assurer l'équilibre hydrique, il faut généralement au moins 1,5 à 2 litres de boisson (eau, jus, boissons gazeuses) tous les jours dans l'organisme. Lorsqu'une quantité excessive d'une substance se dissout dans le sang – en particulier les médicaments, le sucre et le sel –, elle doit être excrétée par les reins. Pour qu'ils remplissent cette fonction, une quantité suffisante d'eau est essentielle pour faciliter l'élimination des toxines et éviter une concentration excessive des urines.

Carence en eau

Un manque d'eau dans l'organisme entraîne une diminution du volume sanguin et de la production salivaire. Cette carence déclenche des processus hormonaux et chimiques. Les reins, qui retiennent l'eau pour la retourner au système sanguin, rendent l'urine plus concentrée, ce qui peut entraîner des calculs rénaux et vésicaux. De là l'importance de boire une quantité suffisante d'eau. Puisque la soif diminue avec l'âge, les personnes âgées doivent donc faire un effort pour boire régulièrement – même quand elles n'ont pas soif.

Eau contaminée

Au Canada, les infections transmises par l'eau potable sont assez rares car les installations sanitaires et d'évacuation des eaux usées sont soumises à des normes rigoureuses. Les gens sont plus sujets à être contaminés par les micro-organismes contenus dans l'eau.

Au Québec, des milliers de personnes sont affligées par des troubles intestinaux plus ou moins graves provoqués par une eau contaminée. Les services de santé publiques multiplient les plaintes chaque année concernant les puits de surface ou les eaux prises directement dans les rivières transportant les déchets chimiques industriels et résidus de pesticides et de purin qui proviennent des fermes agricoles.

Prévention

Toute eau, sujette à être infectée par les bactéries, germes et virus, doit être stérilisée avant d'être bue. Il s'agit de la faire bouillir cinq minutes pour éliminer les micro-organismes infectieux. Utilisés selon les directives, des filtres sont nécessaires pour éliminer les particules en suspension dans lesquelles les micro-organismes infectieux pourraient survivre à une stérilisation.

Filtres à eau

Non conçus pour purifier l'eau, des filtres sont de plus en plus utilisés par les consommateurs pour débarrasser l'eau des résidus indésirables et lui enlever le goût de chlore. Les filtres au carbone, comme les cartouches des pichets filtrants (Brita, etc.), éliminent le carbone de calcium, le plomb, le cadmium et d'autres substances qui donnent à l'eau un goût désagréable.

Les filtres doivent être changés régulièrement, suivant les instructions du fabricant, afin d'empêcher que les substances polluantes se libèrent dans l'eau.

RÉGIMES VÉGÉTARIENS

De nos jours, les effets bénéfiques d'un régime végétarien résultent d'une abondance de produits végétaux dans les marchés d'alimentation. Même s'ils sont plus pauvres en protéines, en calories, en graisses saturées et en sucres raffinés, les légumes sont davantage riches en fibres, en substances antioxydantes et en potassium. Il est donc important d'évaluer les avantages et les inconvénients des régimes végétariens.

Les avantages

Une étude menée en France sur 11 000 personnes durant 12 ans révèle que les végétariens présentent une tension artérielle, un taux de cholestérol et un poids relativement plus bas que les personnes du groupe témoin. Ils souffrent moins de troubles digestifs et de constipation. On a observé en outre chez eux que les cas de calculs biliaires, d'obésité et même de cancer sont plus rares.

Selon les auteurs de *Aliments santé, aliments danger* (Sélection du Reader's Digest, 1997) :

Les végétariens ont généralement un mode vie plus sain que la moyenne des gens. Ils éliminent différents facteurs de risque comme le tabac et les excès d'alcool. Leurs repas sont essentiellement constitués de légumes frais, de céréales, de légumineuses, de fruits frais ou secs, de noix et de graines.

Principaux régimes végétariens

- *Végétarisme.* Exclusion de la viande et de tout composé de viande. Ne présente pas de contre-indication quand il est bien constitué.

- *Végétalisme.* Suppression de tous les produits d'origine animale en retranchant les produits laitiers, les œufs et le poisson. Risque de carence en protéines, en calcium, en fer, en zinc et en vitamine B_{12}.

- *Lactovégétarien.* Élimination des produits de la viande et de ses composés, du poisson et des œufs. Risque de carence en fer, en zinc et en vitamine B_{12}.

- *Macrobiotique.* Alimentation essentiellement à base de céréales. Régime pauvre en protéines, en calcium, en fer, en zinc et en vitamines A, B_{12} et D.

Les risques

Le fait de bannir la viande de son régime alimentaire ne suffit pas pour améliorer sa santé. Les nutritionnistes signalent que les personnes qui ont choisi de devenir végétariens se retrouvent avec des carences alimentaires importantes. Ils devraient porter une attention particulière aux éléments nutritifs suivants : protéines, vitamines B_{12}, calcium, fer et zinc. Pour que les protéines d'origine végétale soient plus riches en acides aminés, il faut les combiner entre elles pour avoir un substitut de la viande.

Le principal risque des régimes végétariens est une carence en acides aminés essentiels. Les protéines des céréales sont déficitaires en lysine, celles des légumineuses, du soya, des noix, des graines et des levures sont pauvres en méthionine. Et même si de bonnes combinaisons de céréales, de noix, de légumes et de fruits compensent certains déséquilibres, on atteint rarement un équilibre alimentaire parfait (voir le tableau 20.2 à la page 412).

On relève fréquemment chez les végétariens une insuffisance en protéines, en fer, en calcium, en zinc et en vitamine B_{12} que l'on trouve dans les viandes seulement. Par conséquent, tout repas végétarien devrait être composé de sources complémentaires de fer, de calcium, de zinc, d'acides aminés et de vitamines B_{12}.

À cet égard, les principes de base qui suivent sont recommandés :

- Combiner les œufs ou les produits laitiers avec des protéines végétales.

- Combiner les légumineuses (pois, fèves, haricots) avec des céréales (riz, blé, maïs), des noix et des graines (sésame, tournesol ou noix de cajou, amandes).

CARENCES ALIMENTAIRES

Bien que la majorité des personnes en Occident soient suralimentées, des études scientifiques démontrent cependant qu'un nombre significatif d'entre elles souffrent de malnutrition. La qualité nutritive sacrifiée à la quantité en serait la raison principale.

Toutes les carences alimentaires menacent de perturber les fonctions organiques et de provoquer des troubles digestifs, des signes de fatigue et la perte de poids. En fait, ce n'est pas l'alimentation proprement dite qui contribue à certaines maladies ou les prévient, mais plutôt les substances contenues dans les aliments.

Tous les éléments minéraux indispensables à l'organisme doivent être fournis par l'alimentation. Mais si une carence alimentaire se prolonge, elle peut entraîner une dysfonction organique ou un ralentissement du métabolisme. De récentes études pointent vers une malabsorption digestive chez les patients fibromyalgiques. Dans ce cas, des quantités variables de substances nutritives, de vitamines ou de sels minéraux, particulièrement le magnésium, ne seraient pas absorbées dans l'organisme.

Or, si une carence alimentaire ne peut produire l'énergie nécessaire, l'organisme dépouillera les muscles de nutriments essentiels – ce qui risque de provoquer des douleurs et des spasmes musculaires. En contrepartie, et à l'exception d'excès par abus de suppléments, l'excédent en minéraux est généralement excrété par l'organisme.

Les spécialistes en science médicale reconnaissent l'importance des régimes alimentaires dans le traitement du diabète, des troubles cardiovasculaires, de la goutte et de l'ostéoporose. Ils savent également que certains aliments déclenchent des éruptions cutanées, des crises d'asthme et des réactions pulmonaires, et, notamment, des allergies.

ALLERGIES ALIMENTAIRES

On estime qu'environ 60 % de la population sont allergiques à un ou plusieurs aliments. Mais en fibromyalgie, ce pourcentage augmente beaucoup si l'on tient compte que la majorité des patients souffrent du syndrome de l'intestin irritable et du reflux gastro-œsophagien (voir ces titres au chapitre 11, « Symptômes concomitants à la fibromyalgie »). Un seul aliment allergisant peut affecter presque tout l'organisme et déclencher des crises d'asthme, d'urticaire ou d'autres troubles non moins dramatiques et dangereux.

Les réactions allergiques d'origine alimentaire apparaissent lorsque les anticorps du système immunitaire éprouvent une réaction symptomatique répétée à un aliment, à un ingrédient ou à des additifs alimentaires. Quelle que soit sa nature, une allergie ou intolérance alimentaire peut se déclencher chez les personnes de tout âge.

Des intolérances alimentaires se présentent souvent par un picotement dans la gorge, une toux irritante ou des éternuements, des crises d'asthme, des nausées, des maux de tête, des maux d'estomac, des crampes, des vomissements, des diarrhées, des crises d'urticaire. Les aliments les plus allergisants sont décrits au tableau 20.3.

On trouve également des allergènes alimentaires dans les fraises, le gluten (blé et autres céréales), la levure, les graisses animales, les oignons, les agrumes, les champignons, les colorants artificiels, le chocolat. Les réactions alimentaires peuvent aussi résulter de substances invisibles comme l'huile de maïs ou une trace de beurre d'arachide sur un couteau. Des diététiciens croient qu'une déficience de certaines enzymes serait responsable des réactions chez des personnes.

Tableau 20.3

Aliments les plus allergisants

Aliments	Aliments à risque	Symptômes
Œufs	Blanc d'œuf, pâtisseries, crêpes, crème glacée, meringues, brioches, pâtes aux œufs ; sauces et pâtés commerciaux	Éruption cutanée, troubles digestifs, ballonnements ; asthme et eczéma
Poisson	Tous les poissons frais et en conserve, fumés ou surgelés, œufs de poisson (caviar) ; les préparations qui en contiennent (paella, pizza, soupe, salades composées, etc.)	Migraines, nausées, troubles digestifs, éruption cutanée
Produits laitiers	Lait, fromage frais, desserts au lait et à la crème, crème glacée, certains fromages et toutes les préparations qui en contiennent	Constipation, diarrhée, flatulence ; migraine causée par certains fromages
Noix	Beurre et noix d'arachide, noix de cajou ; préparations en contenant (biscuits, pâtisseries, crème glacée)	Éruption cutanée, asthme, eczéma ; rares cas mortels par choc anaphylactique
Fruits de mer	Coquillages (palourdes, huîtres, moules, pétoncles, etc.), crustacés (homard, crevettes, crabe, etc.)	Troubles digestifs persistants, ballonnements ; migraines, nausées
Fruits et légumes	Céleri, fruits exotiques (kiwi, papaye, banane, avocat), fraises, oranges, tomates, raisins, etc.	Démangeaisons, éruption cutanée, maux de tête, indigestion, asthme, eczéma
Additifs	Préparations et boissons contenant des colorants de synthèse, ou des agents de conservation tels que les sulfites ou l'acide benzoïque et ses dérivés	Éruption cutanée, asthme, troubles digestifs
Gluten	Produits contenant du blé, de l'orge, du seigle ou de l'avoine ; aliments dérivés de ces céréales	Migraines, fatigue, douleurs abdominales ; insomnie ; vomissements

Source : Adapté de *Aliments santé, aliments danger*, Sélection du Reader's Digest, 1997.

Trouver les coupables

Repérer un allergène alimentaire n'est pas une tâche simple. Les diététistes suggèrent de procéder en supprimant un à la fois les aliments que l'on soupçonne jusqu'à disparition des symptômes. Si, après quelques semaines, les symptômes persistent, on pourra alors éliminer, par exemple, les fruits et limiter le régime à deux sortes de viande. Et si cette mesure ne suffit pas, le choix des aliments deviendra de plus en plus restreint.

Les nutritionnistes suggèrent d'adopter un régime équilibré et varié constitué d'aliments peu allergisants tels que :

- les légumes cuits (sauf les tomates, le céleri, les épinards), la laitue crue ;
- tous les fruits cuits, les fruits crus : pommes, poires, pêches, raisins ;
- œufs en très petite quantité ;
- produits laitiers en petite quantité, fromage blanc ;
- féculents (pain, pâtes, céréales) ;
- boisson : eau, thé, café léger ;
- riz complet, pain en quantité modérée et bien cuit.

Prévention

Toute allergie à des aliments, comme les œufs, le lait, les noix ou le gluten des céréales, oblige les personnes qui risquent de réagir à vérifier le contenu des ingrédients de la plupart des produits alimentaires. En général, les personnes qui pensent souffrir d'allergies alimentaires découvrent assez facilement les aliments allergisants. Quand les réactions sont bénignes, les allergies alimentaires disparaissent ordinairement avec le temps.

Les diététiciens conseillent aux gens souffrant d'allergies mineures de consommer de temps à autre de petites quantités d'aliments allergisants pour vérifier si leurs malaises se reproduisent ou non. Mais dans les cas d'allergies alimentaires graves, appelées «chocs anaphylactiques», il faut avoir recours immédiatement à des soins médicaux d'urgence. Une telle réaction allergique peut entraîner des troubles extrêmement graves, voire mortels.

INTOLÉRANCES ALIMENTAIRES

Les spécialistes de la diététique confondent parfois les intolérances aux aliments avec les allergies alimentaires parce que leurs symptômes (maux d'estomac, diarrhée, etc.) sont à peu près semblables.

- *Allergie alimentaire.* Les malaises sont alors attribuables au système de défense de l'organisme luttant contre une substance étrangère.

- *Intolérance alimentaire.* Les symptômes peuvent se manifester par une carence d'enzymes dans le mécanisme digestif ou par l'incapacité de l'intestin d'absorber les substances alimentaires.

Quand des malaises apparaissent avec la consommation d'un aliment alors que les tests d'allergie sont négatifs, il est tout probable que ce soit une intolérance alimentaire. Celle-ci peut également être consécutive à un trouble biochimique héréditaire.

Intolérance au lactose

L'intolérance alimentaire la plus courante est l'incapacité à digérer le lactose, un sucre que l'on trouve dans le lait et les produits laitiers. Le lactase est une enzyme du tube digestif qui active la digestion d'un sucre appelé «lactose», une composante du lait maternel, du lait de vache et de chèvre.

Présente à la naissance, l'activité enzymatique de la lactase continue sa production. Cependant, sa sécrétion diminue progressivement après le sevrage. Mais à mesure qu'elles prennent de l'âge, certaines personnes n'ayant jamais eu de problème à digérer le lait ordinaire éprouvent soudainement des symptômes d'intolérance. Subséquemment, le lactose n'est plus entièrement digéré dans leur intestin. Ainsi, les enzymes non absorbées fermentent et provoquent des effets désagréables à divers degrés: douleurs et crampes abdominales, ballonnements, flatulences, diarrhées.

Toutefois, une intolérance au lait non fermenté qui survient temporairement n'est pas nécessairement liée à une incapacité définitive du lactose dans le tube digestif. Pour déterminer son degré de tolérance, il s'agit d'exclure au début tous les aliments qui en contiennent. La réintroduction graduelle en petite quantité de lait ordinaire et de produits laitiers suffit habituellement à stimuler la sécrétion des enzymes.

Les personnes allergiques au lactose doivent éviter la poudre de lait, les matières sèches ou les solides du lait et le lactosérum. Elles peuvent manger cependant un peu de crème glacée et divers produits laitiers fermentés comme le yogourt, le fromage cottage, etc., puisqu'une grande partie du sucre du lait que ces produits contenaient avant leur fermentation a été transformée en acide lactique. Pour ces mêmes raisons, le beurre et les fromages vieillis et durs ne contiennent qu'une faible quantité de lactose.

Compléments de lactase

Différentes préparations commerciales faciles à utiliser sont offertes pour suppléer à une carence en lactase.

- *Lait hydrolysé.* Commercialisé sous le nom de « Lacteeze » et « Lact-Aid », ces laits ne contiennent qu'une minime quantité de lactose. Ils sont en vente dans la plupart des supermarchés. Ce lait dont le lactose est hydrolysé a un goût plus sucré que le lait ordinaire.

  Distribués en pharmacie, les comprimés de Lact-Aid en poudre permettent de consommer les aliments contenant du lactose sans subir les inconvénients provoqués par les malaises gastro-intestinaux. En visite chez des amis ou au restaurant, il s'agit de les avoir à la portée de la main pour en ajouter au lait.

- *Boisson de soya* (Vitasoy, Edensoy, Nutrisoy, etc.). Disponible dans certains supermarchés et commerces de suppléments alimentaires, les boissons de soya sont de plus en plus populaires pour remplacer le lait. Bien que les fabricants affichent leur produit comme un substitut du lait dans les céréales, les soupes, les desserts, les deux produits sont difficiles à comparer sur le plan nutritionnel. Toutefois, les boissons de soya enrichies, qui fournissent autant de calcium, de vitamines A et B_{12} que le lait, réduisent l'écart entre les deux aliments.

Intolérance au gluten

Donnant à la pâte son caractère gluant et élastique, le gluten est l'une des protéines du blé et d'autres céréales (orge, seigle et avoine) qui se distingue par une malabsorption digestive. L'intolérance au gluten peut provoquer des altérations à la muqueuse de l'intestin grêle et entraîner de nombreux troubles de malabsorption, comme dans la maladie cœliaque, laquelle provoque des crampes abdominales, des gaz intestinaux, de la diarrhée, de la malnutrition et de l'amaigrissement.

Variant en intensité, les symptômes vont des diarrhées bénignes à des troubles très graves s'ils ne sont pas soignés. Certaines personnes intolérantes au gluten ne peuvent absolument pas consommer des aliments qui en contiennent, tandis que d'autres sont capables de manger une ou deux tranches de pain par jour.

Selon les auteurs de *Mangez mieux, vivez mieux* (Sélection du Reader's Digest, 1983) :

> Malheureusement, les graines des céréales interdites entrent dans la composition de toutes sortes d'aliments. Et puisque les fabricants de produits alimentaires ne sont pas tenus d'inclure le gluten dans les listes d'ingrédients, les personnes qui le tolèrent mal doivent apprendre à se méfier d'un grand nombre de produits. Cependant, certaines d'entre elles font leur pain en utilisant de la farine de blé sans gluten. D'autres remplacent la farine de blé par de la farine de soya.

L'intolérance au gluten se traite à l'aide d'un régime éliminant tous les grains, sauf le maïs et le riz pauvres en gluten. Seules les farines et les fécules à base de maïs, de riz, de soya, de pommes de terre et de manioc (tapioca) sont permises.

INTERACTION MÉDICAMENTEUSE

Les patients fibromyalgiques éprouvent couramment des troubles digestifs attribuables au syndrome de l'intestin irritable. À ce sujet, Lucie Asselin, diététicienne et nutritionniste à l'Hôpital général de Toronto écrivait récemment :

> Ce problème s'aggrave souvent quand les médicaments empêchent les malades de tolérer la nourriture, particulièrement les anti-inflammatoires non stéroïdiens qui ont tendance à irriter l'estomac. Ces médica-

ments empêchent l'absorption ou l'utilisation de nombreux nutriments essentiels. À cause de leur acidité, les sujets s'abstiennent de manger certains aliments riches en nutriments essentiels, comme des tomates, des fruits ou des jus de fruits.

SUPPLÉMENTS NATURELS

Au sujet des suppléments naturels, Lucie Asselin rapporte :

> Si le patient est incapable de s'alimenter convenablement selon le minimum recommandé par le Guide canadien de l'alimentation, nous lui conseillons sans hésiter de prendre des suppléments naturels en fonction des médicaments pris ou des aliments qu'il a exclus de son régime. C'est dans ce but qu'on effectue un test alimentaire. On tient compte de l'interaction des médicaments et des aliments, et on essaie d'orienter davantage le malade vers une saine alimentation, parce c'est de là qu'il en tire son équilibre alimentaire. On évite ainsi de déséquilibrer son organisme et de détériorer ses différentes fonctions.

À la suite de longues études sur les carences alimentaires menées au Indiana University Medical Center, le Dr James F. Balch et sa collègue Phyllis A. Balch signalent que des troubles de malabsorption alimentaire sont communs chez les personnes atteintes de fibromyalgie. Pour cette raison, ces spécialistes en nutrition suggèrent à ces patients de consommer des doses plus fortes de suppléments alimentaires essentiels (voir le tableau 20.4).

Réglementation des produits naturels

Les suppléments alimentaires sont régis par la section des aliments de la loi fédérale sur les aliments et les drogues. Cependant, le président de l'Association canadienne de l'industrie des médicaments en vente libre, David Skinner, estime que le gouvernement fédéral fait preuve d'un laxisme en matière de contrôle sur les produits naturels. Skinner s'exprime parmi d'autres membres de l'industrie qui ont fait état de leurs craintes concernant la contamination, l'étiquetage nébuleux, le contrôle de la qualité des produits, des interactions possibles des vitamines, minéraux, suppléments et autres produits.

Le Food and Drug Administration des États-Unis a récemment avisé les consommateurs de produits naturels de ne pas utiliser de

Tableau 20.4

Suppléments alimentaires essentiels suggérés
aux patients fibromyalgiques

Supplément	Dosage suggéré	Commentaires
Coenzyme Q$_{10}$	75 mg par jour	Améliore l'oxygénation des tissus, rehausse l'efficacité du système immunitaire, protège le cœur.
Acidophilus (Kyo-Dophilus)	Tel qu'indiqué par le fabricant.	Remplace les bactéries inoffensives détruites par le candida. Utiliser un régime exempt de produits laitiers.
Lécithine	Tel qu'indiqué par le fabriquant; prendre au repas.	Accentue l'énergie, rehausse l'immunité, favorise les fonctions cérébrales, améliore la circulation.
Acide malique et magnésium	Tel qu'indiqué par le fabricant.	Participe à la production énergique de nombreuses cellules, incluant celles des muscles.
Manganèse	5 mg par jour; prendre le calcium séparément.	Influence le débit métabolique par son rôle dans l'axe hypotalamique-thyroïdal.
Enzymes protéolytiques	Tel qu'indiqué par le fabricant; 6 fois par jour, entre les repas et au coucher.	Améliore l'absorption des aliments, spécialement les protéines nécessaires à la restauration des tissus.
Vitamine A et **Vitamine E**	2000 µg par jour durant 1 mois, puis réduire à 1000 µg. 15 mg par jour durant 1 mois, puis diminuer à 10 mg par jour.	Puissants charognards protégeant les cellules; améliore les fonctions immunitaires. Utiliser une solution émulsifiante pour faciliter l'assimilation.
Vitamines C avec Bioflavonoïdes	50 mg par jour	Contient un puissant effet antiviral; augmente le niveau d'énergie.
Complexe d'acides aminés	Tel qu'indiqué par le fabricant.	Fournit les protéines essentielles restaurant les tissus musculaires. Utiliser une formule contenant tous les acides aminés essentiels.

Tableau 20.4 (suite)

Supplément	Dosage suggéré	Commentaires
Calcium **et** **Magnésium** **(aspartame)**	1 000 mg par jour 250 mg par jour	Nécessaire pour s'équilibrer avec le magnésium. Nécessaire pour le bon fonctionnement des muscles, y compris le cœur. Déficience commune en FM.
Ail (Kyolic) **plus** **Kyo-Green** (Wakunaga)	2 capsules par jour au repas Tel qu'indiqué par le fabricant.	Accroît les fonctions immunitaires et l'énergie. Élimine les parasites. Améliore la digestion et nettoie le sang.
Complexe **multivitaminique** **et minéraux**	Tel qu'indiqué par le fabricant.	Tous ces suppléments sont essentiels à l'équilibre alimentaire.

Source: *Prescription for Nutritional Healing*, 2ᵉ édition, James F. Balch, M.D., Phyllis A. Balch, c.n.c. (Avery Pub. Group, 1997).

suppléments contenant de l'éphédrine (alcaloïde extrait d'un arbuste du genre *ephedra* servant à décongestionner les voies respiratoires) et de la caféine. La combinaison de deux substances peut causer des réactions contraires telle une crise cardiaque ou d'hépatite.

Des diététistes conseillent de conserver un régime alimentaire équilibré et de se méfier des prétendues «vertus miraculeuses» de nombreux produits naturels transformés.

Les prétentions des fournisseurs de produits naturels sont-elles légitimes? Voici ce qu'en pense le Dʳ Mark J. Pellegrino, directeur médical dans un service de réadaptation à Canton, en Ohio, et lui-même fibromyalgique:

J'encourage mes patients à avoir l'esprit ouvert concernant leur approche nutritive. Avant d'essayer un nouveau supplément alimentaire, il importe de s'assurer qu'il est produit par un manufacturier réputé appuyant les valeurs et références sur l'étiquetage, et qu'il ne présente aucun risque d'effets contraires importants. Quand un tel produit est expérimenté, je suggère à mes patients d'analyser leur état de douleur et de raideur musculaire, ainsi que leur énergie corporelle et la qualité de leur sommeil afin d'en mesurer l'efficacité. S'il n'y a pas de différence après un mois, ce produit n'améliorera probablement pas leur état. Mais si des effets bénéfiques sont ressentis, comme une diminution de la douleur et un accroissement marqué de vitalité, ce supplément pourra alors être pris pour un autre mois et réévalué. Normalement, un mois suffit pour faire l'expérience d'un produit naturel.

Par ailleurs, les auteurs de *Prescription for Nutritional Healing* (voir tableau 20.4) indiquent que les troubles d'absorption alimentaire sont fréquents en fibromyalgie. Ils estiment que des doses plus fortes qu'indiquées sont parfois nécessaires pour certains suppléments nutritifs. Il est préférable d'utiliser des vitamines et autres produits sublinguaux (fondant sous la langue), expliquent-ils, parce qu'ils sont plus facilement absorbés que les comprimés.

Nouvelle réglementation

Une révision en profondeur de la réglementation concernant la vente des produits naturels au Canada a récemment été annoncée par le gouvernement fédéral. Dorénavant, les suppléments alimentaires seront classés soit comme des aliments, soit comme des médicaments. À titre d'aliments, on ne pourra leur attribuer des propriétés curatives. Et s'ils sont considérés comme des médicaments, ils devront passer par les mêmes processus d'évaluation que les produits pharmaceutiques.

Une catégorie distincte serait créée pour les vitamines, les minéraux, les remèdes à base d'herbes, les produits homéopathiques et les médicaments naturels. «Les Canadiens doivent être libres de choisir à partir d'une gamme de produits naturels, mais nous devons nous assurer qu'ils pourront choisir en toute sécurité», a déclaré le ministre de la Santé, Allan Rock. (*Le Soleil*, 27 mars 1999)

CONSEILS PERTINENTS

- Très bien mastiquer les aliments et manger lentement.

- Commencer la journée par un déjeuner riche en valeurs nutritives.

- Pour une meilleure digestion, il est préférable de manger quotidiennement quatre à cinq repas légers pour fournir à l'organisme une source constante de protéines et d'hydrates de carbone.

- Opter pour une diète contenant 50% d'aliments crus (légumes, fruits, grains entiers, noix non grillées) et de jus de fruits frais.

- Ne pas abuser du sucre. Un surplus de sucre, dans toutes ses formes, incluant le fructose, le miel, les sodas, les desserts, accroît la fatigue, intensifie les douleurs musculaires et perturbe le sommeil.

- Saler modérément. Éviter la charcuterie (riche en sel), certaines eaux minérales riches en sodium.

- Choisir les poissons d'eau salée (saumon, morue, truite de mer, thon, etc.) qui ont une teneur en toxines minime par rapport aux poissons d'eau douce.

- Boire en mangeant risque de diluer les sucs digestifs et de provoquer des troubles de digestion.

- Boire beaucoup de liquide entre les repas pour aider l'organisme à se libérer des toxines (environ 1,5 à 2 litres d'eau tous les jours, soit un verre toutes les trois heures).

- Limiter sa consommation de poivrons verts, d'aubergines, de tomates et de pommes de terre blanches (particulièrement celles présentant des taches vertes sur la pelure). Ces aliments contiennent de la solanine, une substance toxique qui interfère avec les enzymes des muscles pouvant causer des douleurs et des malaises.

- Limiter les viandes, les produits laitiers et les autres aliments riches en matières grasses saturées. Ces aliments augmentent le niveau de mauvais cholestérol.

- Limiter sa consommation d'alcool ; pour l'adulte, l'équivalent de 0,3 à 0,5 litre par jour est un maximum.

- Éviter les dérivés du blé, notamment le son et la crème de blé, qui ont tendance à irriter le colon et à provoquer des allergies.

- Consommer davantage des fibres alimentaires. Possédant une action régulatrice sur la glycémie et le taux de cholestérol, elles inhibent la constipation.

- Prendre quotidiennement du yogourt ou du képhir pour prévenir la prolifération de la candidose relativement commune en fibromyalgie.

CONCLUSION

Nous nous sommes appliqués à démontrer dans ce chapitre que bien se nourrir est l'une des fonctions vitales de l'être humain. L'équilibre des nutriments essentiels que sollicite notre organisme pour son fonctionnement optimal a été traité en profondeur.

Toutefois, adopter des habitudes d'hygiène alimentaire ne doit pas être une tâche ardue pour les patients atteints de fibromyalgie. Il n'est pas nécessaire de se priver des aliments qu'on aime ni de calculer les calories et valeurs nutritives de tout ce qu'on mange. Il suffit de choisir chaque jour des aliments bien variés, équilibrés, faciles à trouver et recommandés par le Guide alimentaire canadien (disponible gratuitement dans les CLSC). Les portions de ces groupes nutritifs essentiels sont expliquées au début du chapitre.

Pour vivre en meilleure santé, il importe donc de se rappeler que les substances nutritives essentielles sont des éléments indispensables qui permettent à l'organisme de remplir toutes ses fonctions, de fournir l'énergie à l'ensemble des muscles et de combattre les infections, de réparer les tissus.

Inversement, si l'on consomme des aliments dont les substances nutritives sont couramment déficientes, certaines régions de l'organisme risquent de subir indubitablement des troubles graves et, dans le cas des patients fibromyalgiques, d'amplifier encore plus les multiples symptômes caractérisant leur syndrome chronique.

Glossaire

Le glossaire explique les principaux termes techniques que l'on rencontre dans le présent ouvrage et donne la description des mots utilisés dans un sens spécifique. Quoique certains termes soient peu familiers au lecteur, d'autres prennent un sens particulier pour éclaircir la complexité anatomique et physiologique de la fibromyalgie. Les termes en italique renvoient à d'autres termes analogues du glossaire.

A

AAS (acide acétylsalicylique) – Groupes de médicaments possédant des propriétés analgésiques et anti-inflammatoires en inhibant la production de certains composés chimiques comme les prostaglandines, qui causent l'enflure et la douleur dans les *tissus*. Voir *Analgésiques*.

Acide aminé – Constituant important des *protéines* qui renferme une fonction acide et une fonction amine. Les dix acides aminés essentiels, qui ne peuvent être synthétisés par le corps humain, doivent donc être pris dans l'alimentation. Voir *Nutriments essentiels*.

Acide gras – Principal constituant des *lipides*. Avec les *glucides*, les acides gras constituent une source d'énergie primordiale pour l'organisme.

Acouphène – Perception auditive se distinguant par un bourdonnement, sifflement, tintement ou par un grésillement.

ACTH – Voir *Hormone corticotrope hypophysaire*.

Actine – *Protéine* contractile qui entre dans la constitution des *myofilaments* fins d'une *fibre musculaire*.

ADN – Syn.: acide désoxyribonucléique. Grosse *molécule* complexe se présentant sous la forme d'une double chaîne spiralée formée de trois composantes: sucre (désoxyribose), phosphate et base azotée. Les ADN constituent les chromosomes et leurs différents segments forment les gènes, supports de caractères héréditaires.

Adrénaline – Syn.: épinéphrine. Hormone sécrétée par les *glandes surré-nales* jouant un rôle primordial dans le fonctionnement du *système nerveux sympathique*. Elle prépare l'organisme à réagir en cas d'urgence en accélérant le rythme cardiaque et respiratoire.

Aigu – Sensation intense et pénétrante. Se dit d'une maladie ou d'un symp-tôme qui survient brusquement et évolue rapidement.

Algie – Suffixe désignant la douleur.

Allergène – Substance animale, végétale ou chimique capable de déclencher une réaction d'hypersensibilité allergique. Voir *Antihistaminique*.

Allergie – Syn.: *hypersensibilité*. Réaction inappropriée ou exagérée du *système immunitaire*.

Allergie alimentaire – Réaction exagérée à certains nutriments, notamment le lactase, le *gluten*, les œufs, les additifs. Cette forme d'allergie se rencontre le plus souvent chez les personnes souffrant déjà d'autres formes d'allergies.

Allopathie – Médecine « traditionnelle » ou « classique » pratiquée par un médecin diplômé.

Alpha – Voir *Onde alpha*.

Analgésique – Syn.: antalgique. Médicament possédant des propriétés sédatives pour soulager la douleur. Les analgésiques *narcotiques*, comme la *morphine*, modifient la perception de la douleur au niveau du cerveau.

Anaphylaxie – Voir *Choc anaphylactique*.

Anatomie – Étude scientifique de la structure et de la forme des êtres humains ainsi que les rapports entre leurs différents organes.

Anémie – Diminution dans le sang du pigment porteur d'oxygène, l'hémo-globine, dont la concentration baisse sous la normale.

Angéite – Syn.: vascularite. Inflammation de la paroi des vaisseaux san-guins. On distingue les angéites artérielles (thromboangéite oblitérante, artérite temporale, périartérie noueuse) et les angéites cutanées (purpura)

Anorexie – Trouble caractérisé par la perte de l'appétit.

ANR – Voir *Apport nutritionnel recommandé*.

Anticorps – *Protéine* fabriquée par certaines cellules pour neutraliser, empêcher de se multiplier ou détruire un *antigène*. À la suite d'un dérèglement du *système immunitaire*, des anticorps peuvent se retourner contre les *cellules* de l'organisme qui les produit.

Antidépresseur – Médicament prescrit dans le traitement d'états dépressifs ou pour soulager certaines *douleurs musculaires chroniques*.

Antigène – Substance étrangère à l'organisme susceptible de déclencher une réaction immunitaire en provoquant la formation d'*anticorps*. Les *virus*, les *bactéries*, les parasites et les *cellules* altérées de l'organisme sont des antigènes.

Antihistaminique – Médicament conçu pour traiter les symptômes associés aux réactions allergiques. Certains antihistaminiques sont utilisés dans le traitement des *troubles du sommeil*, du mal des transports et d'autres affections non allergiques.

Antispasmodique – Médicament capable de diminuer les *spasmes, contractions* anormales des *muscles*.

Anxyolytique – Syn. : tranquillisant. Les anxiolytiques sont utilisés pour soulager la nervosité persistante et la tension engendrée par le *stress* ou d'autres problèmes psychologiques.

Apophyse – Partie saillante d'un os (ex. : genou, coude, épaule).

Apport nutritionnel recommandé (ANR) – Quantité moyenne d'éléments nutritifs essentiels à l'organisme recommandé par le Guide alimentaire canadien. Voir *Nutriments essentiels*.

Aquathérapie – Méthode d'exercices d'assouplissement et de détente pratiquée dans des piscines dont l'eau est relativement chaude dans le but de tonifier les *tissus musculaires* et soulager la douleur chez les personnes devenues inactives par la maladie.

ARN – Syn. : acide ribonucléique. Macromolécule présente dans toutes les *cellules*. Elles assurent la synthèse des *protéines* conformément au code génétique prévu par l'*ADN*.

Artère – Vaisseau véhiculant le sang du cœur vers les *tissus*.

Asthénie – État de faiblesse générale caractérisé par une diminution du pouvoir fonctionnel de l'organisme ne disparaissant pas avec le repos.

Ataxie – Trouble de la coordination des mouvements lié à un défaut de coordination des muscles. Manque de précision dans les mouvements corporels.

Atonie – Diminution de l'élasticité du tonus musculaire. Voir *Hypotonie*.

ATP – Acide adénosine triphosphate. Principale source d'énergie, cette substance intervient dans le *métabolisme* cellulaire et la *contraction* musculaire.

Atrophie – Diminution de volume d'une partie du corps (*tissu, muscle, organe*) liée à un trouble fonctionnel.

Auto-immune – Voir *Maladie auto-immune.*

Axone – Ramification d'un *neurone* qui transmet l'*influx nerveux* à d'autres neurones.

B

Bactérie – Micro-organisme unicellulaire, de formes très variées, visible seulement au microscope. Les bactéries n'appartiennent ni au règne animal, ni au règne végétal. Certaines ont un effet bénéfique sur l'organisme, comme celles qui vivent dans l'*intestin* en contribuant à la digestion. D'autres, de nature *pathogène*, sont à l'origine de nombreuses affections.

Benzodiazépines – Groupe de médicaments *hypnosédatifs* prescrits pour détendre les muscles, soulager les symptômes de l'anxiété et favoriser le sommeil.

Bêta-carotène – L'une des dix substances nutritives essentielles à l'organisme. Transformé dans le foie en vitamine A, le bêta-carotène est nécessaire à la bonne structuration du tissu musculaire. Voir *Nutriments essentiels; Carence alimentaire.*

Bilatéral – Qui se rapporte aux deux côtés du corps.

Biochimie – Partie de la chimie qui étudie ou traite de la chimie des êtres vivants.

Biofeedback – Syn.: rétroaction biologique. Technique de relaxation selon laquelle on utilise des informations relatives à une fonction inconsciente de l'organisme pour acquérir une maîtrise consciente.

Biopsie – Prélèvement d'un fragment de *tissu* (muscle, foie, hanche…) en vue de le soumettre à un examen microscopique.

Bourse séreuse – Sac limité par une membrane *synoviale* articulaire destinée à faciliter le glissement d'un muscle, d'un *tendon* ou de la peau sur un os. Voir *Bursite.*

Bulbe rachidien – Partie inférieure de l'*encéphale* constituant un centre nerveux extrêmement important. Il contient les *faisceaux* formés de nerfs *moteurs* qui transmettent les commandes du *cerveau* vers la *moelle épinière.*

Bursite – Inflammation d'une *bourse séreuse.*

C

Calcification musculaire – Resserrement du *fascia* chez les patients atteints de la *douleur myofasciale*. Cette anomalie se présente par l'épaississement et la diminution de l'élasticité du *tissu musculaire*.

Calcinose – Dépôts de sel de *calcium* généralisés dans l'organisme (*muscles*, *tissu* cellulaire sous-cutané, *viscères*). On l'observe notamment dans l'*hypervitaminose*.

Calcium – Élément chimique indispensable à la solidité osseuse et au fonctionnement des *cellules* musculaires et nerveuses.

Canal carpien (syndrome du) – Sensation d'engourdissement douloureuse et de fourmillement dans le poignet et dans la main. Il est provoqué par la compression du nerf médian dans le canal carpien.

Canal rachidien – Syn. : canal vertébral. Cavité à l'intérieur de la colonne vertébrale, contenant la *moelle épinière*.

Carence – Absence ou insuffisance dans l'organisme d'un ou de plusieurs éléments indispensables à son équilibre ou à son développement. Voir *Déficience biochimique*.

Carence alimentaire – Syn. : malnutrition. Se dit de produits alimentaires qui sont très pauvres en nutriments essentiels. Voir *Hypophagie*, *Inanition*.

Cartilage – *Tissu conjonctif* que l'on trouve en petite quantité chez l'adulte, notamment au niveau des surfaces osseuses de certaines articulations et dans des réseaux de *fibres* collagènes du *tissu conjonctif*.

Cartilage thyroïdien – Le plus gros *cartilage* impair du *larynx* constitué de deux lames dont la réunion sur la ligne médiane forme une saillie appelée «pomme d'Adam».

Cellule – Unité structurale fonctionnelle fondamentale de tous les *organismes* vivants.

Cellule nerveuse – Voir *Neurone*.

Céphalée – Douleur persistante et intense (siégeant à l'extérieur de l'*encéphale*) provenant des méninges. Voir *Céphalée de tension*.

Céphalée de tension – Forme de céphalée particulièrement douloureuse provoquée par une *contracture* des muscles de la face, du cou et du cuir chevelu, souvent à la suite d'un *stress* extrême ou d'une situation désagréable. Voir *Migraine*.

Cerveau – Partie la plus volumineuse de l'*encéphale*, comprenant deux hémisphères : droit et gauche. Voir *Encéphale*.

Chiropractie – Syn. : chiropraxie. Méthode thérapeutique s'appuyant sur la manipulation de la colonne vertébrale.

Choc anaphylactique – Réaction allergique *aiguë*, parfois mortelle, au cours de laquelle d'importantes quantités d'*histamines* sont libérées, provoquant enflures et troubles respiratoires.

Cholestérol – Substance grasse (stérol) présente dans les *tissus* et liquides (notamment la bile) de l'organisme. Son origine est mixte : alimentaire (*exogène*) et *synthèse* dans le foie (*endogène*). Voir *Hypercholestérolémie*.

Chronique – Se dit d'une maladie ou d'un symptôme d'évolution lente qui se prolonge ou s'installe définitivement.

Clavicule – Os en forme de S très allongé, situé au niveau de l'épaule.

Clinique – Dans le processus diagnostique, le terme clinique concerne l'information recueillie par l'interrogatoire et l'examen direct du patient par le médecin.

Cognitif (processus) – Opérations mentales qui interviennent dans la perception, la mémoire et le traitement de l'information. Voir *Perte de cognition*.

Côlon – Partie de l'*intestin*, commençant à la fin de l'intestin grêle et se terminant au rectum.

Côlon irritable (syndrome du) – Syn. : colopathie spasmodique. Affection digestive se caractérisant par des douleurs abdominales et des troubles du transit : constipation, diarrhée, ou les deux en alternance.

Conjonctif – Qui unit diverses parties de l'organisme. Voir *Tissu conjonctif*.

Contractilité – Propriété d'une *fibre musculaire* de se raccourcir, de s'épaissir ou de se contracter.

Contraction – Syn. : constriction, resserrement. Raccourcissement avec augmentation de l'épaisseur de la *fibre musculaire* (succédant à la *décontraction*). Modification dans la forme de certains *tissus* sous l'influence d'excitations nerveuses. Voir *Tonus*.

Contracture – *Contraction* prolongée et involontaire d'un ou de plusieurs *muscles*.

Cortex cérébral – Partie extérieure la plus développée du cerveau. Il constitue le siège de la plupart des fonctions cérébrales les plus complexes (parole, vision, pensée…).

Corticostéroïdes – Syn. : stéroïdes, corticoïdes, cortisone. Famille de médicaments produits à partir d'hormones corticostéroïdes naturelles sécrétées par les *glandes corticosurrénales* ou de synthèse. La *cortisone* fait partie des corticostéroïdes synthétisés.

Cortisol – Le cortisol fait partie des 11 oxycorticostéroïdes, très proche de la cortisone et beaucoup plus actif qu'elle. On la considère comme la véritable *hormone* sécrétée par la *glande corticosurrénale.*

Crampe – Contraction douloureuse involontaire et transitoire d'un muscle ou d'un groupe musculaire.

Cutané – Relatif à la peau. Voir *Dermatite.*

Cystite – Inflammation de la vessie.

Cytokine – Petites *protéines* constituées d'*acides aminés.* Jouant un rôle médiateur, elles permettent à certaines cellules de communiquer entre elles.

D

Débilitant – Se dit d'un état, d'une maladie *chronique* démoralisante.

Déclencheur – Terme utilisé pour désigner le *stimulus* qui met brusquement en action un mouvement instinctif. Voir *Point déclencheur.*

Décontraction – Relâchement du muscle (succédant à la *contraction*).

Déficience biochimique – Anormalités importantes discernées dans le liquide cérébrospinal et les échantillons sanguins des sujets atteints de la fibromyalgie : *tryptophane, sérotonine, mélatonine, magnésium, adrénaline* et certaines *vitamines.*

Déficience immunitaire – Ensemble des troubles caractérisés par une insuffisance des moyens de défense du *système immunitaire* contre les infections, pouvant être causés par les micro-organismes (*microbes, bactéries, virus*).

Déglutition – Syn. : avaler. Acte par lequel le bol alimentaire passe de la bouche dans l'*œsophage*, puis dans l'estomac.

Delta – Voir *Onde delta.*

Dentrite – Prolongement d'un *neurone* conduisant un *influx nerveux* au corps cellulaire.

Dépendance – État résultant de l'absorption répétée ou continuelle de certains médicaments ou d'une substance toxique (tabac, alcool, haschisch, héroïne…).

Dépresseur – Médicament qui combat les états dépressifs. Voir *Antidépresseur.*

Dépression – Perturbation de l'affectivité ou de l'humeur caractérisée par la tristesse, l'abattement, une baisse de la motivation.

Déprime – Abattement moral temporaire. État passager de *dépression* psychologique.

Dermatite – Irritation *cutanée* d'un contact allergique ou chimique (médicament, teintures, détergents, parfums...).

Diagnostic – Acte par lequel le médecin discerne la nature pathologique et la cause d'une maladie ou d'un *symptôme*.

Diaphragme – Cloison musculo-tendineuse séparant les cavités thoraciques et abdominales. Le diaphragme est le principal muscle respiratoire.

Diverticule – Cavité pathologique qui se forme dans la paroi d'un organe, notamment dans le *côlon*. Voir *Diverticulite*.

Diverticulite – Inflammation d'un ou de plusieurs *diverticules* (petites hernies) du *côlon* pouvant donner lieu à un abcès ou une péritonite.

DJA – Dose journalière admissible prescrite par un médecin.

Dopamine – *Neurotransmetteur* (*adrénaline*, *noradrénaline*) jouant dans le *cerveau* un rôle fondamental pour le contrôle de la *motricité*.

Double contrôle – Voir *Placebo*.

Douleur aiguë – Voir *Aigu*.

Douleur crâniofaciale – Se présentant sur les deux côtés du visage, ces douleurs se présentent le long du *nerf trijumeau*.

Douleur chronique – Voir *Chronique, Douleur musculaire chronique*.

Douleur diffuse – Douleur musculaire qui irradie dans une région éloignée de son point d'origine, telle que la douleur musculaire associée à la fibromyalgie et au syndrome de la douleur myofasciale.

Douleur irradiante – Syn.: *douleur diffuse*. Douleur intense provoquée par des *points déclencheurs* alternant dans diverses régions musculaire du corps.

Douleur musculaire chronique – L'un des trois symptômes primaires caractérisant la fibromyalgie. Elle se distingue par 18 *points sensibles* répartis dans des régions précises. Dans le cas du *syndrome de la douleur myofasciale*, la douleur chronique se manifeste par des *points déclencheurs* dans l'ensemble des parties musculaires du corps.

Douleur myofasciale – Voir *Syndrome de la douleur myofasciale*.

Dysménorrhée – Menstruation difficile et douloureuse.

Dyspepsie – Digestion difficile quelle qu'en soit la cause. Elle se caractérise par des douleurs abdominales, une sensation de lourdeur et une lenteur de la digestion.

Dystrophie musculaire – Affaiblissement progressif d'un muscle. *Myopathie* caractérisée par la dégénérescence des *cellules* musculaires, aboutissant généralement à l'*atrophie*.

E

EEG – Voir *Électroencéphalogramme*.

Effet placebo – Voir *Placebo*.

Effet domino – Succession de réactions pathologiques en chaîne provoquées par divers *symptômes*.

Effet indésirable – Syn. : effets secondaires. Anomalie biologique survenant occasionnellement après la consommation d'un médicament utilisé à des doses normales. Les conséquences imprévisibles peuvent provoquer des réactions nocives.

Élasticité – Propriété que possède un *muscle* de reprendre sa forme normale après avoir été contracté ou relâché. Voir *Tonus*.

Électrocardiogramme (ECG) – Tracé graphique enregistrant les variations électriques qui accompagnent les contractions cardiaques.

Électroencéphalogramme (EEG) – Enregistrement graphique des variations électriques cérébrales à l'aide d'électrodes attachés au cuir chevelu. Les manifestations électriques enregistrent l'activité mentale, les cycles du sommeil ou certaines affections cérébrales (épilepsie, tumeurs, troubles circulatoires, traumatismes).

Électromyogramme (EMG) – Courbes graphiques qui enregistrent les courants électriques accompagnant les contractions musculaires.

Encéphale – Partie du *système nerveux central*, constitué du *tronc cérébral*, du cervelet et du *cerveau*, lesquels assurent le contrôle de l'ensemble de l'*organisme*.

Encéphalomyélite myalgique – Voir *Syndrome de la fatigue chronique*.

Endogène – Qui se produit dans l'organisme (opposé à *exogène*). Substance ayant les propriétés des *antigènes*, produite dans l'organisme à la faveur de divers processus infectieux.

Endomysium – Membrane *conjonctive* enveloppant chaque *fibre musculaire striée*. Voir *Épimysium*.

Endorphine – L'une des trois grandes familles d'*hormones* qui possède des propriétés *analgésiques* semblables à celles de la *morphine*. Les deux autres sont l'encéphaline et les dynorphines. L'endorphine est sécrétée par l'*hypophyse* du cerveau.

Enzyme – *Protéine* essentielle à l'organisme qui accélère les réactions biochimiques se produisant dans l'organisme. Présentes dans la salive, le *pancréas* et l'intestin grêle, les enzymes jouent un rôle essentiel dans la digestion.

Épicondylite – Syn. : *tennis elbow*. Inflammation douloureuse des tendons s'insérant sur l'épicondyle (partie externe du coude) pouvant survenir à la suite du surmenage de l'avant-bras ou par des *points déclencheurs* des nombreux muscles de l'avant-bras.

Épidémie – Accroissement considérable du nombre de cas d'une maladie dans une population donnée.

Épidémiologie – Science qui étudie la *prévalence*, la distribution et les facteurs déterminants des maladies humaines dans des populations déterminées.

Épimysium – Enveloppe de *tissu conjonctif* fibreux entourant les muscles. L'épimysium est le prolongement du *fascia profond*. Voir *Endomysium*.

Épithélium – Voir *Tissu épithélial*.

Étiologie – Étude des causes des maladies.

Excitabilité – Faculté des *muscles* et des *nerfs* d'entrer en action en se contractant ou en se relâchant sous l'influence d'un excitant physiologique. Propriété des *cellules nerveuses* de réagir aux *stimulus* et de les convertir en *influx nerveux*.

Exogène – Qui prend naissance à l'extérieur de l'organisme (opposé à *endogène*).

Extensibilité – Propriété d'un muscle extenseur de s'étirer en agissant sur le *tendon*, lequel exerce une traction sur un os pour activer la mobilité d'un membre ou d'un organe.

F

Faisceau – Bouquet de *fibres musculaires*, de *fibres nerveuses* ou tendineuses réunies et séparées par du *tissu conjonctif*.

Fascia – Large bande de *tissu conjonctif* fibreux situé autour des muscles et autres organes.

Fascia profond – Membrane formée de *tissu conjonctif* dense qui tapisse la paroi interne du corps et des membres. Il a pour double rôle de maintenir les muscles ensemble, et de les séparer en unités fonctionnelles. Le fascia profond permet le libre mouvement des muscles, le passage des *nerfs* et des vaisseaux sanguins.

Fatigue chronique – Elle se caractérise par une fatigue générale sans cause apparente. Voir *Syndrome de la fatigue chronique*.

Fibre – Élément filamenteux constituant les *tissus*.

Fibre adrénergique – *Fibre nerveuse* qui, lorsqu'elle est stimulée, libère de l'*adrénaline* et de la *noradrénaline* à une synapse (lieu de connexion de deux *neurones*).

Fibre alimentaire – Partie non digestible des plantes dites fibreuses dont fait partie la cellulose, la pectine, la dextrine, la lignine, l'hémicellulose, les gommes. Les êtres humains ne possèdent pas les *enzymes* leur permettant de digérer ces substances.

Fibre intrafusale – Fuseau de *fibres musculaires* squelettiques spécialisées, partiellement entourées d'une capsule de *tissu conjonctif* remplie de *lymphe*. Les *fibres* intrafusales forment les *fuseaux neuromusculaires*.

Fibre musculaire – L'intérieur d'un muscle est formé de milliers de *cellules* longues et cylindriques allongées appelées *fibres musculaires*. Chacune d'elles est composée d'éléments contractiles, formant l'élément essentiel du *muscle*. Voir *Myosine*.

Fibre nerveuse – Elle désigne tout le prolongement du corps cellulaire. Dans un *nerf* coexistent deux sortes de *fibres* : les fibres motrices qui mènent des informations vers les organes et les *tissus*, et les fibres sensitives qui transportent des informations vers le *système nerveux central*. Voir *Fibre adrénergique*.

Fibrobrouillard (de l'anglais *fibrofog*). État de confusion qui se présente parfois des patients fibromyalgiques. Ce phénomène se caractérise par un état pathologique dans lequel les fonctions de la vie semblent suspendues. Le fibrobrouillard s'accompagne par des troubles de concentration et d'une fatigue intellectuelle. Voir *Perte de cognition*.

Fibrosite – Terme qui a longtemps désigné erronément la fibromyalgie. Inflammation d'origine rhumatismale du tissu fibreux articulaire et périarticulaire, provoquant des douleurs et parfois une réaction du tissus.

Fuseau neuromusculaire – *Récepteurs* encapsulés au sein du *muscle squelettique*, constitués de *cellules nerveuses* (*neurones*) et de terminaisons nerveuses. Les fuseaux neuromusculaires contiennent de trois à dix *fibres musculaires* appelées « *fibres intrafusales* ». *Comme récepteurs*, les fibres neuromusculaires sont responsables de réguler la *tonicité* des *muscles squelettique*. Voir *Tonus*.

G

Ganglion – Petite masse de *tissu* arrondie formant un renflement situé sur le trajet d'un vaisseau lymphatique ou d'un *nerf*.

Gastroentérite – Inflammation de l'estomac et de l'*intestin* provoquant des troubles digestifs aigus. Elle est souvent d'origine infectieuse, virale ou bactérienne. Voir *Syndrome de l'intestin irritable*.

Glande – Organe constitué de *cellules* épithéliales dont la fonction est de produire des sécrétions.

Glande corticosurrénale – Partie extérieure d'une *glande surrénale*.

Glande endocrine – Glande à sécrétion interne dont les *hormones* sont déversées directement dans le sang (*hypophyse, thyroïde, cortico-surrénale, médullosurrénale*). Voir *Système endocrinien*.

Glande lacrymale – Glande située dans la partie supérieure des orbites des yeux qui sécrète les larmes. Voir *Syndrome de Sjögren*.

Glande médullosurrénale – Portion centrale des *glandes surrénales* sécrétant les catécholamines (*adrénaline, noradraline*) à partir de leur précurseur, la *dopamine*.

Glande salivaire – Glande déversant la salive dans des canaux se jetant dans la cavité buccale. Voir *Syndrome de Sjögren*.

Glande surrénale – *Glande endocrine* située sur le sommet des deux reins. La glande médullosurrénale secrète l'*adrénaline* et la *noradrénaline;* la glande *corticosurrénale* sécrète les minéralcorticoïdes, les *gluco-corticoïdes* et les *hormones androgènes*.

Glande thyroïde – *Glande endocrine* située à la base de la face antérieure du cou. Elle est responsable de la *synthèse* et de la sécrétion des *hormones thyroïdiennes* sous le contrôle de l'*hypophyse*. La thyroïde peut augmenter de volume et former un *goitre* comprenant un ou plusieurs nodules. Voir *Thyroïdite*.

Glucide – Syn.: sucre. Composé organique contenant du carbone, de l'hydrogène et de l'oxygène, d'origine essentiellement végétale. Avec les *protéines* et les *lipides*, les glucides constituent les trois principaux nutriments de la chaîne alimentaire. Voir *Nutriments essentiels*.

Glucocorticostéroïde – *Hormone stéroïde* sécrétée par les *glandes surrénales*.

Glucose – Sucre simple, appelé aussi dextrose, véhiculé dans le sang et utilisé directement par l'organisme comme source d'énergie. Toutes les *cellules* vivantes s'en servent pour la formation d'*ATP*.

Gluten – L'une des protéines du blé et d'autres céréales (avoine, orge, seigle). Le gluten donne à la pâte son caractère collant et élastique. Voir *Allergie alimentaire*.

Goitre – *Hypertrophie* thyroïdienne diffuse et bénigne. Voir *Glande thyroïde*.

H

Handicap – Diminution marquée des fonctions physiques ou mentales. Conséquences socioprofessionnelles résultant d'une déficience ou d'une incapacité. Voir *Incapacité de travail*.

HDL – Voir *Lipoprotéines*.

Hépatite – Terme générique donné aux affections inflammatoires du foie.

Hépatite A – Inflammation du foie liée à une infection virale (virus A) et, indirectement, par une réaction immunitaire. La contamination se fait par voie digestive, par l'eau, par la consommation de fruits de mer, par les matières fécales.

Hépatite B – Inflammation du foie liée à une infection virale (virus B) et, indirectement, par une réaction immunitaire. Le mode da transmission est sanguin (lors de transfusion) et sexuel.

Hépatite C – Inflammation du foie liée à une infection virale (virus C) et, indirectement, par une réaction immunitaire. Le mode de transmission est sanguin (lors de transfusion) et sexuel.

Histamine – *Molécule* présente dans la plupart des *tissus*. Elle fait partie des défenses immunitaires de l'organisme. L'histamine provoque une vasodilatation et une plus grande perméabilité des vaisseaux sanguins, la *contraction* des muscles des voies respiratoires et du tube digestif. Voir *Antihistaminique*.

Histologie – Science qui étudie la structure microscopique des *tissus*.

Homéopathie – Pratique de *médecine alternative* qui consiste à traiter les sujets en leur administrant des doses infimes et dynamisées de substances susceptibles de produire des *symptômes* semblables à ceux qu'ils présentent.

Hormone – Substance chimique produite dans un organe et transportée par la circulation sanguine dans un autre organe ou un *tissu* dont elle excite ou inhibe le développement et le fonctionnement. Les hormones régissent de nombreuses fonctions corporelles, en particulier le *métabolisme* des *cellules*, la croissance, le développement sexuel, les réactions de l'organisme au *stress* ou à la maladie. Les *glandes* qui sécrètent ces hormones forment le *système endocrinien*.

Hormone androgène – Hormone *stéroïde* qui stimule le développement des caractères sexuels mâles et de la masse musculaire.

Hormone corticotrope hypophysaire (ACTH) – Syn. : corticostimuline. Sécrétée par l'*hypophyse*, elle stimule le cortex surrénal pour libérer diverses *hormones corticostéroïdes*.

Hormones corticostéroïdes – Syn. : hormones corticoïdes. Sécrétées par les *glandes surrénales*, ce groupe d'hormones gèrent l'utilisation des aliments par le corps et l'élimination des sels et de l'eau dans l'urine.

Hormones thyroïdiennes – Trois principales hormones sont sécrétées par les glandes thyroïdes : la thyroxine (T_4), la tri-iodothyronine (T_3) et la calcitonine. La sécrétion de T_4 et de T_3 est régie par un mécanisme de rétroactivation hormonale géré par l'*hypophyse* et l'*hypothalamus*. Voir *Thyroïdite.*

Hyper – Préfixe qui exprime l'excès, un niveau trop élevé. Opposé à *Hypo.*

Hyperacidité – Acidité excessive dans l'organisme.

Hypercalcémie – Taux de calcium anormalement élevé dans le sang.

Hypercholestérolémie – Augmentation anormale du taux de *cholestérol* dans le sang.

Hypercorticisme – Ensemble des troubles provoqués par une sécrétion trop abondante de la *glande corticosurrénale*. L'hypercorticisme peut être causé par un traitement prolongé des médicaments corticostéroïdes. Dans le cas d'usage prolongé de ces médicaments, l'organisme cesse de produire ses propres hormones cortiscostéroïdes.

Hyperglycémie – Augmentation du taux de glucose dans le sang.

Hypersensibilité – Syn. : allergie. Réaction à un *antigène* provoquant des changements pathologiques.

Hyperthyroïdie – Hyperactivité de la *glande thyroïde* entraînant une surproduction d'*hormones thyroïdiennes*. Voir *Thyroïdite.*

Hypertonie – Augmentation de l'excitabilité de la *tonicité* musculaire ou nerveuse. Voir *Tonus.*

Hypertrophie – Taux élevé du volume d'un *tissu* en l'absence de division cellulaire.

Hypervitaminose – Excédent d'une ou de plusieurs *vitamines*.

Hypnose – État d'engourdissement ou d'abolition de la volonté, voisin du sommeil, provoqué par des thérapies de suggestions. Voir *Hypnothérapie.*

Hypnosédatif – Médicament utilisé pour le traitement de l'*insomnie* et d'autres *troubles du sommeil*, ainsi que pour modérer l'activité du *système nerveux central*.

Hypnothérapie – L'hypnotiseur utilise cette forme de thérapie par laquelle il induit à son patient un état de conscience voisin du sommeil dans le but de réduire certains problèmes de santé. Sous l'effet de l'hypnose, la sensation éprouvée par la patient ressemble à celle de l'assoupissement.

Hypnotique – Médicament prescrit pour améliorer le sommeil. Voir *Hypnosédatif.*

Hypnotiques naturels – Groupe de substances naturelles (*mélatonine, tryptophane*, etc.) favorisant le sommeil.

Hypo – Préfixe qui exprime la diminution, l'insuffisance. S'oppose à *Hyper.*

Hypocholestérolémiant – Médicament visant à diminuer le taux de *cholestérol* dans le sang. Voir *Hypercholestérolémie.*

Hypocondriaque – Se dit d'un sujet qui est inquiet en permanence pour sa santé, se croyant atteint d'une maladie affectant les organes situés dans les hypocondres (foie, estomac).

Hypoglycémie – Diminution de la quantité de *glucose* dans le sang.

Hypophagie – Consommation insuffisante d'aliments. Voir *Carence alimentaire.*

Hypophyse – *Glande endocrine* majeure de la taille d'un pois située à la base du *cerveau.* Elle est sous la dépendance de l'*hypothalamus* (située immédiatement au-dessus de l'hypophyse). Elle exerce une action régulatrice sur de nombreuses *glandes endocrines.*

Hypothalamus – Structure très importante située entre le *tronc cérébral* et le *thalamus.* L'hypothalamus contrôle les émotions et le comportement motivé (boire, manger, activités sexuelles).

Hypothyroïdie – Activité réduite de la *glande thyroïde* se traduisant par une insuffisance *d'hormones thyroïdiennes.* La plupart des cas d'hypothyroïdie sont liés à la fabrication d'anticorps contre la glande thyroïde avec réduction de la production d'hormones thyroïdiennes. Voir *Thyroïdite.*

Hypotonie – Diminution de l'*excitabilité* nerveuse ou de la *tonicité* musculaire. Voir *Tonus.*

I

Imagerie mentale – Pratique thérapeutique relativement nouvelle signifiant que l'usage raisonné de l'imagination amène le sujet à faire apparaître des images agréables et positives susceptibles de soulager la douleur et d'atténuer certains aspects négatifs, notamment les situations de stress extrême.

Immunité – Ensemble des mécanismes de défense d'un organisme contre les éléments qui lui sont étrangers, notamment les agents infectieux : *bactéries, virus* ou parasites. Voir *Système immunitaire*.

IMAO – Voir *Inhibiteur de la monoamine-oxidase*.

Immunologie – Branche de la science médicale qui traite des réactions de l'organisme aux *antigènes*.

Inanition – État de maigreur et de carence extrême attribuable à des privations alimentaires importantes et prolongées. Voir *Hypophagie, Carence alimentaire*.

Incapacité de travail – Impossibilité d'exercer une activité professionnelle à la suite d'une maladie ou d'un accident. L'incapacité de travail peut être temporaire ou permanente. Le degré d'incapacité est extrêmement variable, allant d'une infirmité motrice légère, par exemple, à une immobilité complète. Voir *Handicap*.

Inférieur – Loin de la tête ou vers les parties bases du corps.

Influx nerveux – Série de phénomènes assurant la transmission de l'*excitabilité* dans les éléments nerveux. Voir *Neurotransmetteur*.

Inhibiteur de la monoamine-oxydase (IMAO) – Catégorie d'*antidépresseurs* utilisés dans le traitement de la *dépression* en freinant l'action d'une *enzyme* (la monoamine-oxydase).

Innervation – Phénomène par lequel les *influx nerveux* stimulent la *contraction* d'un muscle ou d'un groupe de muscles.

Insertion – Point d'attache d'un muscle à l'os dont il assure la mobilité.

Insomnie – État caractérisé par une difficulté de s'endormir et de dormir profondément. Voir *Troubles du sommeil*.

Insuline – *Hormone* sécrétée par le *pancréas*, entraînant la diminution du taux de sucre dans le sang. En cas de diabète sucré, le taux de sucre dans le sang augmente (*hyperglycémie*) puisque l'organisme ne produit pas assez d'insuline.

Interaction médicamenteuse – Voir *Effet indésirable*.

Interféron – Ainsi nommé à cause de l'interférence virale. Très petite glycoprotéine produite rapidement dans une cellule infectée par un virus pour inhiber sa multiplication. Tous les interférons stimulent l'activité des cellules tueuses naturelles (voir *Cytokine*).

Intestin – Partie du tube digestif comprise entre l'estomac et l'anus. Voir *Syndrome de l'intestin irritable*.

Intolérance alimentaire – Elle peut se présenter par une carence d'*enzymes* dans le processus digestif ou par l'incapacité de l'intestin d'absorber les substances essentielles dans l'alimentation. Les *symptômes* sont à peu près semblables à celles des *allergies alimentaires* : maux d'estomac, diarrhée, etc. Voir *Gastroentérite*.

L

Laryngite – Syn. : mal de gorge. Inflammation aiguë ou chronique du *larynx*.

Larynx – Organe situé à l'extrémité supérieure de la trachée. Par son rôle de vibrateur, il constitue l'organe vocal principal.

Lipide – Substance organique essentielle constituée de carbone, d'hydrogène et d'oxygène. L'organisme se procure des lipides à partir des aliments mais peut aussi les *synthétiser* par la transformation des *glucides*. Voir *Triglycéride*.

Lipoprotéine (LDL) – *Molécule* (constituée par l'association de *protéines* et de *lipides*) véhiculant les *lipides* insolubles dans le sang (*cholestérol, triglycérides*).

Lombosciatique – *Molécule* (constituée par l'association de *protéines* et de *lipides*) véhiculant les *lipides* insolubles dans le sang (*cholestérol, triglycérides*).

Lymphe – Liquide organique translucide, d'une composition comparable à celle du plasma sanguin, jouant un rôle important dans le *système immunitair*e.

Lysine – *Acide aminé* indispensable à la croissance que l'on trouve dans l'alimentation. Voir *Nutriments essentiels*.

M

Macroélément – Minéral dont l'organisme a besoin en quantité importante, tel que le *calcium*, le *potassium* et le *sodium*.

Magnésium – Sel minéral essentiel à la *contraction* musculaire et à la transmission de *l'influx nerveux*. En fibromyalgie, le niveau de magnésium dans le sang et les *tissus* des patients est déficient. Voir *Déficience biochimique*.

Maladie auto-immune – Maladie caractérisée par une agression de l'organisme par son propre *système immunitaire*. Comme en fibromyalgie, le traitement de la plupart des maladies auto-immunes ne peut agir que sur les *symptômes*.

Maladie de Raynaud – Ce symptôme associé à la fibromyalgie se caractérise par une affection des vaisseaux sanguins dans la main et parfois dans le pied. La maladie de Raynaud se distingue par une *contraction* brutale des petites *artères* irriguant les doigts et les orteils, surtout lorsque le sujet est exposé au froid.

Maladie immunitaire – Maladie relative à une perturbation des moyens de défense naturels de l'organisme. Le *système immunitaire* peut être déficient (voir *Carence*), ou réagir de façon excessive (voir *Hypersensibilité*), ou déréglé par une agression de son propre organisme. Voir *Maladie auto-immune*.

Maladie psychosomatique – Maladie caractérisée par la transformation d'un trouble psychologique en un trouble *somatique* (organique). Elle peut affecter tous les appareils de l'organisme : système digestif (ulcères, colites), *système endocrinien (hyperthyroïdie*, diabète), système cardiovasculaire, système respiratoire, la peau (eczéma).

Malignité – Terme relatif aux maladies qui évoluent de façon anormale et qui provoquent la plupart des *maladies auto-immunes*.

Mandibule – Os de la mâchoire inférieure. Voir *Nerf mandibulaire*.

Maux de tête – Ce symptôme se classe en trois catégories distinctes : *céphalée, céphalée de tension, migraine*.

Médecine alternative – Syn. : médecine douce, médecine complémentaire, médecine parallèle, médecine holistique, médecine chinoise. La médecine alternative recouvre tous les systèmes thérapeutiques fondés sur une analyse des maladies et sur leur traitement en appliquant des pratiques qui traitent le sujet dans son ensemble (corps et esprit), et ce de façon incompatible avec la médecine traditionnelle.

Médiateur chimique – Voir *Neurotransmetteur*.

Mélatonine – Hormone, dérivée de la *sérotonine*, sécrétée dans le tissu cérébral par l'*épiphyse* du *cerveau*, dont le niveau varie selon la lumière ambiante. Voir *Déficience biochimique*.

Membrane – Enveloppe de *tissu* mince et flexible qui limite un noyau cellulaire, un organe, une partie d'un *organe*, ou qui tapisse une cavité du corps.

Membre inférieur – Articulé avec les muscles du bassin, il est composé de la cuisse, de la jambe et du pied, lesquels sont articulés respectivement par le genou et la cheville.

Membre supérieur – Articulé avec les muscles du *thorax*, le membre supérieur est composé de l'épaule, du bras, de l'avant-bras et de la main, lesquels sont articulés respectivement par le coude et le poignet.

Mémoire à court terme – Voir *Perte de cognition.*

Métabolisme – Terme recouvrant l'ensemble des processus chimiques et physiochimiques qui s'accomplissent dans les tissus de l'organisme destinée à subvenir à ses besoins en nutrition, en énergie, et pour formation, l'entretien, la réparation des *tissus* et à l'élaboration de substances essentielles (*hormones, enzymes, anticorps*).

Métabolisme basal – Quantité de chaleur corporelle exprimée en calories, produite en une heure lorsque le sujet est au repos complet.

Microbe – Micro-organisme unicellulaire pathogène (*bactérie*, germe, *virus*).

Microfilament – Fibrille cytoplasmique comprenant les unités contractiles des *cellules musculaires* assurant le soutien, la forme et le mouvement des cellules non musculaires.

Miction – Émission d'urine en provenance de la vessie.

Migraine – Désignant un mal de tête intense, la migraine se manifeste par des troubles visuels et digestifs, des nausées, une faiblesse musculaire, des étourdissements, de la confusion. Le stress intense peut provoquer une crise de migraine. Voir *Céphalée de tension.*

Minéraux essentiels – Des 60 minéraux contenus dans l'organisme, 22 seulement sont indispensables. Voir *Nutriments essentiels.*

Moelle épinière – Prolongement de l'*encéphale* qui s'étend du *bulbe rachidien* aux dernières *vertèbres* lombaires et qui est contenu dans le *canal rachidien.* Les informations sensitives parviennent à la moelle épinière par les racines postérieures des *nerfs.*

Molécule – La plus petite quantité d'une substance pouvant exister de façon libre et maintenir ses propriétés caractéristiques. Presque toutes les molécules sont constituées d'un nombre très variable d'atomes reliés entre eux. Une molécule d'anhydride carbonique, par exemple, comprend un atome de carbone relié à deux atomes d'oxygène.

Morbidité (de morbide) – Somme des maladies qui ont frappé un sujet ou un groupe de sujets dans un temps donné.

Morphine – Médicament extrait de l'*opium*, prescrit pour calmer certaines douleurs intenses et soutenues en agissant comme *analgésique* sur le *système nerveux central*. La codéine et l'héroïne en sont des dérivés. Voir *Opiacé*.

Moteur – Syn.: locomoteur. Terme utilisé pour désigner tout ce qui se rapporte aux mouvements provoqués par des muscles ou des nerfs. Le mot « moteur » s'applique généralement aux *fibres nerveuses* qui stimulent les muscles pour les contracter.

Motilité – Mouvement produit par des groupes musculaires voisins des muscles paralysés et destinés à remédier en partie à l'inaction de ces muscles.

Motricité – Propriété que possèdent les centres nerveux de provoquer la *contraction* musculaire.

Mouvements périodiques des jambes – Mouvements convulsifs des membres, principalement les jambes, qui se répètent durant la nuit au cours du sommeil et qui empêchent souvent le dormeur d'obtenir un repos adéquat. Voir *Troubles du sommeil*.

Muqueuse – Membrane tapissant certaines cavités du corps dont l'humidification est assurée par la production du mucus recouvrant les conduits ou les cavités du tube digestif, des systèmes respiratoire, urinaire et génital, l'intérieur de la cavité de l'œil, des sinus, de la bouche.

Muscle – Organe doué de la propriété de se contracter et de se décontracter, provoquant des mouvements volontaires ou involontaires. On distingue les *muscles lisses*, les *muscles squelettiques* (striés) et le muscle myocarde (muscle strié du cœur).

Muscle lisse – Syn.: muscle blanc. Les muscles lisses sont présents dans la paroi des nombreux organes (utérus, intestin, bronches, vésicule, vaisseaux sanguins, etc.). Leur *contraction* involontaire ou autonome est assurée par le *système nerveux autonome*.

Muscle pyramidal – Voir *Sciatique*.

Muscle squelettique – Syn.: muscle strié. Organe très complexe assurant la contraction volontaire sous le contrôle du *système nerveux périphérique*. Composé de *fibres musculaires* connectées à une terminaison nerveuse qui reçoit les commandements en provenance du *cerveau*, il est enveloppé et soutenu par du *tissu conjonctif* appelé *«fascia»* ou *«épimysium»*, attaché à l'os par un *tendon* ou une aponévrose.

Myalgie – Terme signifiant «*douleur musculaire*». *Symptôme* majeur, la myalgie est courante dans les *maladies auto-immunes* ou virales. Elle caractérise la fibromyalgie et le *syndrome de la douleur myofasciale*.

Myasthénie – Maladie neurologique caractérisée par un affaiblissement et une fatigue musculaire. Les muscles des yeux, de la gorge, du visage et des membres sont le plus souvent touchés.

Myocarde – Muscle du cœur assurant la circulation sanguine par sa *contractilité* ventriculaire (systole) et son relâchement ventriculaire (diastole).

Myoclonie – *Contractions* musculaires brusques involontaires, se répétant à des intervalles variables, semblables aux secousses provoquées par le choc électrique. La myoclonie affecte une partie d'un muscle, un muscle entier ou un groupe musculaire.

Myofibrille – Filament mince, long et contractile, traversant longitudinalement la cellule musculaire, composé principalement de *myofilaments* épais (*myosine*) et de *myofilaments* fins (*actine*). Dans le *muscle squelettique*, les myofibrilles sont formées d'unités contractiles ou *sarcomères*.

Myofilament – Élément constitutif d'une *myofibrille*, formé d'*actine* et de *myosine* dont le glissement provoque la *contraction* de la cellule musculaire.

Myopathie – Nom générique donné à un grand nombre d'affections du système musculaire.

Myorelaxant – Voir *Relaxant musculaire*.

Myosine – *Protéine* de poids moléculaire très élevé, appartenant au groupe des globulines et présente dans le *tissu musculaire*. Complexe formé par l'association d'une autre *protéine* musculaire, l'*actine*. La myosine donne au muscle sa *contractilité*. Voir *Actine*.

Myosite – Inflammation du *tissu musculaire*.

Myotonie – Trouble du *tonus* musculaire caractérisé par la lenteur et la difficulté de la *décontraction* au cours des mouvements volontaires. Après une contraction normale, le muscle ne parvient pas à se décontracter et à reprendre l'état normal de relâchement (*tonus*).

N

Narcolepsie – Trouble pathologique caractérisé par un besoin irrésistible de sommeil survenant par accès dans la journée.

Narcotique – Substance chimique ou médicamenteuse qui produit un relâchement des muscles, un assoupissement et une diminution de la sensibilité. Voir *Analgésique, Hypnotique, Opiacé.*

Naturopathie – Pratique de médecine alternative dans laquelle les naturopathes estiment que la maladie est attribuable à l'accumulation de déchets toxiques dans le corps. Elle consiste à renforcer les réactions de défense de l'organisme par diverses mesures d'hygiène alimentaire en mettant l'accent sur les substances nutritives essentielles.

Nécrose – Destruction d'une *cellule* ou d'un groupe de cellules, consécutive à une maladie ou à un *traumatisme physique.*

Nerf – Cordon cylindrique blanchâtre constitué de *fibres nerveuses*, qui sont elles-mêmes des prolongements filamenteux (*axones* ou *dentrites*) d'un ensemble de *cellules nerveuses* (*neurones*). Voir *Système nerveux; Fibre nerveuse, Fuseau neuromusculaire.*

Nerf auditif – Branche cochléaire et vestibulaire conduisant les *influx nerveux* reliés à l'audition. La lésion de la branche cochléaire entraîne souvent l'*acouphène* ou la surdité. La lésion de la branche vestibulaire provoque parfois le vertige ou l'*ataxie.*

Nerf crânien – Provenant du *tronc cérébral,* les nerfs crâniens se divisent en trois branches (ophtalmique, maxillaire, mandibulaire). Il existe 12 paires de nerfs crâniens émergeant directement de l'*acéphale*, à l'opposé des 31 paires de *nerfs rachidiens* reliés à la *moelle épinière.* Certains nerfs crâniens transmettent des informations sensorielles provenant de divers organes vers l'*encéphale.*

Nerf facial – Prenant naissance dans le *tronc cérébral*, le nerf facial se divise en plusieurs branches pour innerver l'oreille, la langue, les glandes salivaires et les muscles de la face, du cou et du front. Il transmet aussi les sensations du goût et commande les muscles de l'expression du visage.

Nerf mandibulaire – Relatif à la *mandibule*, il constitue la branche terminale du *nerf trijumeau, moteur* pour la mastication.

Nerf optique – Il est constitué d'un million de *fibres nerveuses* qui transmettent l'*influx nerveux* de la rétine de l'œil au *cerveau.* Pour sa part, le nerf pathétique innerve le muscle grand oblique de l'œil dont la *contraction* permet sa rotation vers l'extérieur ou le bas.

Nerf rachidien – Il fait partie des 31 paires de nerfs qui prennent naissance dans la *moelle épinière* à partir des racines postérieure et antérieure.

Nerf radial – Émergeant du plexus brachial (assurant la totalité de l'innervation des membres supérieurs de la région scapulaire), le nerf radial innerve les muscles de la face postérieure du bras et de l'avant-bras.

Nerf sciatique – Principal nerf du *membre inférieur*, il commande les articulations de la hanche, des nombreux muscles du bassin, de la cuisse et de la totalité des muscles de la jambe et du pied. Il constitue le plus long et le plus volumineux nerf du corps humain. Voir *Sciatique*.

Nerf trijumeau – Nerf sensitif de la face, le nerf trijumeau contrôle la production de la salive et des larmes. Il est le *moteur* pour la mastication en innervant le muscle masséter. Voir *Nerf crânien*.

Neurasthénie – Terme désuet qui signifiait un état extrême de fatigabilité physique et d'épuisement psychique. Voir *Syndrome de fatigue chronique*.

Neurofibrille – Un des fils très fins qui forment un réseau complexe dans le cytoplasme d'un corps cellulaire et les prolongements d'un *neurone* (cellule nerveuse).

Neurologie – Branche de la médecine qui étudie l'*anatomie*, la *physiologie* et la *pathologie* du *système nerveux*. Traitement des maladies du système nerveux.

Neurone moteur – *Neurone* qui conduit les *influx nerveux* depuis l'*encéphale* et la *moelle épinière* jusqu'aux *muscles*, aux *glandes*, et vers le *système nerveux central*.

Neurone – *Cellule nerveuse* comprenant un corps cellulaire, des *dentrites* et un *axone*.

Neurone sensoriel – *Cellules nerveuses* qui transmettent les messages au *cerveau* ou à la *moelle épinière* à partir des *récepteurs sensitifs*.

Neurorécepteur – *Récepteur* situé à la surface d'une *cellule*, essentiellement nerveuse mais aussi musculaire, et intervenant dans le fonctionnement du *système nerveux*.

Neurotransmetteur – Syn. : neuromédiateur. Variété de *molécules* synthétisées dans les terminaisons axonales (de *axone* : prolongement de la *cellule nerveuse*). Jouant un rôle de messagers chimiques, les neurotransmetteurs sont libérés en réaction à un potentiel d'action par les *cellules nerveuses*.

Neurovégétatif – Syn. : parasympathique. Ensemble des structures nerveuses qui contrôlent les grandes fonctions involontaires : circulation, sécrétion, excrétion, etc.

Névralgie – Symptôme caractérisé par des douleurs spontanées ou continues ressenties sur le trajet d'un nerf. Voir *Douleur crânofaciale*, *Sciatique*.

Névralgie faciale – Syn. : névralgie migraineuse périodique. Douleur siégeant dans la région du *nerf trijumeau*. Voir *Douleur crânofaciale*.

Névrite – Lésion inflammatoire d'un ou de plusieurs *nerfs* siégeant dans des régions distinctes. Une névrite se manifeste par une faiblesse musculaire, une douleur intense, des fourmillements. Voir *Sciatique*.

Nocicepteur – *Récepteur sensitif* qui capte les excitations douloureuses.

Noradrénaline – *Hormone* sécrétée par la *glande surrénale* et certaines terminaisons nerveuses du *système nerveux central*. Tout comme l'*adrénaline*, elle augmente la tension artérielle, les *glucides* et les *lipides* dans le *métabolisme*.

Nutriments essentiels – Substances nutritives indispensables à l'organisme pour pourvoir aux dépenses énergétiques du corps, assurer sa croissance, remplacer ses tissus et soutenir ses processus physiologiques vitaux. Elles se divisent en cinq catégories : les vitamines, les sels minéraux, les acides aminés, les acides gras essentiels et l'eau. Voir *Apport nutritionnel recommandé*.

O

Œsophage – Segment du tube digestif reliant le *pharynx* à l'estomac.

Omoplate – Syn. : *scapula*. Os plat et rectangulaire situé à la face postérieure de l'épaule.

Onde alpha – Succession d'oscillations lentes sur le tracé *électroencéphalogramme* (EEG) d'une fréquence de 8 à 12 cycles par seconde, correspondant au rythme normal de base de l'adulte éveillé, au repos sensoriel, les yeux fermés. Voir *Troubles du sommeil*.

Onde bêta – Oscillations rapides d'une fréquence de 15 à 20 cycles par seconde. C'est le rythme normal de l'adulte au repos, les yeux fermés.

Onde delta – Succession d'oscillations très lentes (fréquence 1/2 à 3 cycles/seconde) sur le tracé EEG, correspondant au rythme normal de la phase du sommeil profond chez l'adulte. Voir *Troubles du sommeil*.

Onde thêta – Aspect pathologique de l'EEG caractérisé par une succession d'oscillations qui se succèdent au rythme d'environ 4 à 7 cycles par seconde. C'est le rythme normal de l'adulte en état de somnolence qui amène le sujet de l'état de veille aux cycles lents et profonds du sommeil qui vont suivre. Voir *Troubles du sommeil*.

Opiacé – Substance chimique dérivée de l'*opium* et utilisée en médecine principalement comme *analgésique*. L'opiacé agit directement sur le *système nerveux central*.

Opium – Substance extraite du pavot somnifère (*Papaver somniferum*) doté d'une action *analgésique*. Ses dérivés sont la codéine et la *morphine*.

Organe – Partie du corps d'un être vivant remplissant une fonction déterminée.

Organisme – Ensemble des *organes* du corps humain qui constituent un être vivant.

Ostéopathie – Thérapie manuelle de la *médecine alternative* fondée sur la manipulation anatomique (*muscles squelettiques, tissus* mous) pour rétablir la mobilité articulaire et soulager la *douleur musculaire*.

Ostéoporose – Affection liée à l'âge, caractérisée par une diminution de la masse osseuse et une augmentation de la vulnérabilité aux fractures.

P

Palliatif – Qui atténue les symptômes d'une maladie sans agir sur sa cause.

Paralysie du sommeil – Sensation angoissante éprouvée lorsqu'un sujet est éveillé, mais qu'il est incapable de bouger, survenant généralement au cours de la phase de l'éveil.

Paresthésie – Sensation anormale ressentie sur la peau, non douloureuse mais désagréable, qui se manifeste par des picotements, une raideur de la peau, un engourdissement.

Pathogène – Susceptible de provoquer une maladie, en particulier un germe capable de causer une infection.

Pathogénique – Éruption causée par l'introduction dans l'organisme d'une substance alimentaire ou médicamenteuse nuisible.

Pathologie – Science du domaine médical qui étudie les aspects des maladies et les effets qu'elles provoquent. Elle examine notamment les causes, les *symptômes*, les lésions ainsi que l'évolution et les complications éventuelles.

Pectoral – Relatif à la poitrine et au *thorax*.

Périmysium – Gaine conjonctive séparant les différents *faisceaux* d'un *muscle strié*. Voir *Muscle squelettique, Endomysium, Épimysium*.

Périphérique – Situé dans les régions externes du corps ou d'un *organe*.

Perte de cognition – Phénomène se caractérisant par une perte à court terme du processus physique de la mémoire et de la concentration. L'oubli se présente comme une défaillance de la mémoire portant sur des connaissances acquises. Ne pas avoir à l'esprit ce qui devrait tenir l'attention en éveil est un exemple de la perte de concentration. Voir *Fibrobrouillard*.

Pharmacopsychologie – Syn. : psychopharmacologie. Étude des médicaments qui modifient l'activité mentale et de leurs effets.

Pharynx – Syn. : gorge. Conduit musculaire et membraneux allant de la bouche à l'entrée de l'œsophage. Les muscles du pharynx propulsent aliments et liquides pendant la *déglutition*.

Physiologie – Étude des fonctions des organismes vivants : *tissus, cellules, organes.*

Physiopathologie – Étude des mécanismes modifiant les fonctions organiques (respiration, circulation sanguine, digestion…).

Placebo – Syn. : double contrôle. Substance neutre que l'on substitue à un médicament pour contrôler ou susciter des effets psychologiques (effet placebo). La recherche médicale emploie souvent les placebos pour expérimenter les nouveaux médicaments.

Plasma – Partie liquide du sang qui entre dans la composition de certains *tissus*, dont les globules blancs et rouges. Le plasma véhicule les *protéines*, le *glucose*, les *vitamines*, les *anticorps*.

Point déclencheur – Syn. : point gâchette. Douleur chronique des muscles squelettiques s'irradiant inégalement dans l'ensemble des régions musculaires. Les points déclencheurs caractérisent le *syndrome de la douleur myofasciale*.

Point sensible – Point douloureux situé dans des régions musculaires. Le diagnostic de la fibromyalgie repose sur 18 points sensibles dans des sites précis du corps. Voir *Douleur diffuse, Douleur musculaire chronique*.

Polype – Tumeur le plus souvent bénigne qui se développe sur les *muqueuses* des cavités naturelles de l'organisme. Les polypes siègent de préférence dans le tube digestif (*côlon, estomac*, rectum) sur la muqueuse utérine, dans le nez et dans le *larynx*.

Portillon (théorie du) – Hypothèse selon laquelle la sensation de la douleur ne dépendrait pas seulement de l'activation des *récepteurs* de la douleur, mais exigerait en plus l'action d'un mécanisme nerveux de la *moelle épinière* appelé «portillon», lequel laisserait passer les sensations douloureuses au *cerveau*.

Potassium – L'une des dix substances nutritives les plus essentielles, le potassium agit simultanément sur d'autres substances importantes : le *sodium*, la *magnésium* et le chlore. Une carence en potassium peut entraîner la faiblesse musculaire, la fatigue, le vertige. Voir *Nutriments essentiels; Carence alimentaire*.

Presbytie – Syn. : presbyopie. Diminution progressive du pouvoir accommodatif de l'œil, donc de la possibilité de mise au point sur des objets rapprochés. Le pouvoir accommodatif diminue avec l'âge pour devenir à peu près nul vers l'âge de 65 ans.

Prévalence – Nombre de cas de maladies ou de personnes malades dans une population déterminée. Voir *Épidémiologie*.

Prolactine – *Hormone* polypeptidique provenant de *l'hypophyse*. Après l'accouchement, elle déclenche la sécrétion lactée et maintient l'arrêt des règles.

Prostatite – Infection génito-urinaire aiguë ou *chronique* de la prostate touchant plus fréquemment les hommes entre 30 et 40 ans.

Protéine – Composé organique essentiel de tous les organismes vivants. Les protéines sont formées de longues chaînes d'*acides aminés* contenant du carbone, de l'hydrogène, de l'oxygène, de l'azote. Voir *Nutriments essentiels*.

Pyramidal – Voir *Sciatique*.

R

Raideurs matinales – Raideurs généralisées se présentant surtout le matin au réveil. Ce symptôme se distingue par une limitation des mouvements musculaires et articulaires.

Récepteur – *Organe, tissu* ou *cellule* influencé par une substance élaborée dans un point du corps plus ou moins éloigné. Par exemple, les vésicules séminales, la prostate, le pénis sont les récepteurs des *hormones* mâles.

Récepteur sensitif – Terminaison nerveuse captant les excitations que les fibres sensitives transmettent vers la *moelle épinière*. Voir *Fibre nerveuse*.

Réflexe myotatique – Réflexe provoqué par un étirement soudain d'un muscle et se terminant par sa *contraction*.

Reflux œsophagien – Syn. : reflux gastrique, reflux gastro-œsophagien. Ce symptôme se distingue par une régurgitation du contenu acide de l'estomac, provoquant une sensation de brûlure, qui survient après les repas.

Réguler – Assurer le processus normal des fonctions de l'*organisme*.

Relaxant musculaire – Médicament qui agit sur le *système nerveux central* en freinant la transmission de l'*influx nerveux* aux *muscles* afin de les détendre et de soulager les *crampes* et les *douleurs musculaires*.

Rétroaction biologique – Voir *Biofeedback*.

Rhumatisme musculaire de poitrine – Syn. : myalgie épidémique, *crampe passagère* du *diaphragme*. Elle débute brusquement par des douleurs très vives à la base du *thorax*. Elle est causée par le virus Coxsakie.

Rythme cardien – Cycle biologique de périodes actives et non actives se produisant dans un *organisme*. Le rythme cardien est déterminé par des mécanismes internes qui se répètent environ toutes les 24 heures.

S

Sarcolemme – Membrane de la *fibre musculaire*, notamment de la fibre des *muscles squelettiques*.

Sarcomère – Unité fonctionnelle contractile de la fibrille musculaire striée, représentée par le segment compris entre deux stries. Voir *Myofibrille*

Scanographie – Voir *Tomodensitométrie*.

Scapula – Terme médical de l'*omoplate*, l'os de l'épaule.

Sciatique – Inflammation douloureuse irradiant le long du *nerf sciatique* et de ses ramifications. En fibromyalgie, l'origine de la douleur *sciatique* provient généralement des *points déclencheurs* du muscle pyramidal (situé dans la région fessière du bassin) en irritant le *nerf sciatique* adjacent. Gênant la position assise, ce type de douleur (dont la sensation se compare à une brûlure) se diffuse le long des membres inférieurs jusque dans les pieds. Voir *Nerf sciatique*.

Sclérose – Durcissement des *tissus*, accompagné d'une perte d'*élasticité*.

Sédatif – Syn. : somnifère, *anxiolytique*. Médicament qui modère l'activité du *système nerveux central*. Les *antihistaminiques* et les *antidépresseurs* produisent également un effet sédatif. Voir *Hypnosédatifs*.

Sels minéraux – Éléments chimiques essentiels dans le régime alimentaire pour le maintien de la santé de l'organisme. Les plus importants sont le *potassium*, le *calcium* et le *magnésium*. Le fer, le zinc et le cuivre sont également nécessaires, mais en quantités minimes. Voir *Nutriments essentiels*.

Sérotonine – *Neurotransmetteur* dérivé du *tryptophane* (*acide aminé*). La sérotonine est élaborée par certaines *cellules* de l'intestin et du *tissu cérébral*. Voir *Déficience biochimique*.

Signe – Manifestation objective (du médecin) d'une maladie. Voir *Symptôme*.

Sodium – Élément chimique qui appartient, comme le *potassium*, à la famille des éléments alcalins dont il possède le caractère extrêmement oxydable. Le plus abondant est le chlorure de sodium qui constitue le sel de cuisine.

Somatique – Qui concerne le corps (opposé à psychique). Qui est purement organique ou qui provient de causes physiques.

Somatomédine (SM) – Polypeptide de composition proche de la pro-insuline. La somatomédine est le médiateur qui permet à l'*hormone* de développer son action anabolisante et phosphocalcique ; elle stimule la synthèse de l'*ADN*, de l'*ARN* et du collagène.

Sommeil paradoxal – L'une des quatre phases du sommeil se distinguant par des mouvements symétriques des yeux et des paupières.

Somnifère – Voir *Hypnosédatif.*

Spasme – Contraction involontaire d'un muscle ou d'un groupe de muscles, pouvant être douloureuse.

Statine – Terme générique désignant tout médicament inhibant une *enzyme* spécifique et utilisé comme *hypocholestérolémiant.*

Sternum – Os plat et allongé situé à la partie antérieure et médiane du *thorax*, s'articulant avec les sept premières côtes et, par son segment supérieur, avec les deux *clavicules.*

Stéroïde – *Hormone* sécrétée par les *glandes corticosurrénales* et génitales.

Stimuline – Nom générique d'un ensemble d'*hormones* sécrétées par l'*hypophyse* et qui excitent l'activité des autres *glandes endocrines* ou de divers *tissus*, notamment le *tissu musculaire.*

Stimulus – Tout ce qui provoque l'excitation. Énergie physique ou chimique qui agit sur un *récepteur sensoriel* capable de déclencher un mécanisme nerveux ou musculaire.

Stress – Terme utilisé couramment pour désigner un état réactionnel de l'organisme à une agression brusque ou intense, à un *traumatisme* ou à une violence physique ou psychologique (conflits intérieurs, deuils, divorce…). Dans à une situation de stress, l'organisme réagit en augmentant la production de certaines *hormones* (*cortisol, adrénaline*).

Substance P – Enzyme polypeptidique présente dans les *tissus*, surtout du *système nerveux central* et du tube digestif. Un niveau relativement élevé de cette enzyme a été décelé dans le sang des personnes atteintes de la fibromyalgie.

Supérieur – En direction de la tête ou vers la partie la plus haute.

Sursaut hypnagogique – *Contraction* soudaine de certains muscles, notamment les muscles des membres inférieurs, survenant durant le sommeil.

Surrénale – Voir *Glandes surrénales.*

Symptôme – Toute manifestation perceptible ou observable liée à une affection ou à une maladie. Les symptômes « subjectifs » sont perçus par le malade ; les symptômes « objectifs » sont déterminés par le médecin.

Symptômes concomitants – Ensemble de symptômes accompagnant la fibromyalgie.

Syndrome –Association d'un groupe de symptômes, signes ou anomalies qui se présentent selon un modèle caractéristique d'une maladie se produisant en même temps et dont on ne connaît pas les causes spécifiques.

Syndrome du canal carpien – Voir *Canal carpien (syndrome du)*.

Syndrome de fatigue chronique – Syn. : encéphalomyélite myalgique, neuromyasthénie postinfectieuse, maladie des *yuppies*. Maladie d'étiologie inconnue caractérisée par une grande fatigue, par une faiblesse musculaire importante et par des *douleurs musculaires*. Les symptômes physiologiques s'apparentent de près à ceux de la fibromyalgie.

Syndrome de la douleur myofasciale – Voir *Douleur myofasciale*.

Syndrome de l'intestin irritable – L'un des *symptômes* concomitants de la fibromyalgie. Siège de diverses affections, l'intestin est sujet à des anomalies variées : germes, parasites, tumeurs, insuffisance d'apport sanguin et de nombreux autres troubles : colites spasmodiques, douleurs abdominales, diarrhée et constipation. Voir *Dyspepsie*.

Syndrome de malabsorption – Trouble de l'absorption intestinale des nutriments (notamment les *glucides*, les *lipides*, les *protéines*) associé à une atteinte de la paroi intestinale. Cette forme de maladie peut entraîner un amaigrissement, des œdèmes aux *membres inférieurs*, une *anémie*, des troubles du *métabolisme*.

Syndrome de Sjögren – Syn. : syndrome sec, syndrome siccatif. Affection se traduisant par une sécheresse oculaire (irritation, larmoiement excessif ou absence de larmes) et par une sécheresse de la bouche.

Syndrome du trapèze – Douleur de la nuque causée par une *contracture* des muscles du *trapèze* et des muscles voisins. Elle est la conséquence des douleurs cervico-dorsales chez les sujets qui travaillent la tête penchée en avant.

Syndrome prémenstruel – Ensemble des troubles physiques et psychologiques survenant avant et pendant la menstruation. Ses causes, mal élucidées, seraient de nature hormonale.

Synergie – Association de plusieurs organes, de plusieurs muscles, pour l'accomplissement d'une fonction ou d'un mouvement.

Synoviale – Membrane qui tapisse l'intérieur des articulations mobiles. Elle contient et produit un liquide lubrifiant, appelé synovie, qui facilite le glissement des surfaces articulaires lors des mouvements.

Synthèse – Se dit des médicaments produits artificiellement par synthèse chimique.

Synthétique – Tout ce qui est produit artificiellement par *synthèse* chimique.

Synthétiser – Processus par lequel des substances complexes sont créées à partir de leurs composants. Dans la synthèse des *protéines*, par exemple, les *acides aminés* obtenus par leur décomposition sont transportés par le sang dans les organes où ils servent à former de nouvelles *protéines*.

Système endocrinien – Ensemble des *glandes* sécrétant des *hormones* qui règlent le *métabolisme*, la croissance, le développement et la fonction sexuelle. Ce système comprend diverses *glandes* libératrices d'*hormones* stimulantes (ou *stimulines*) sécrétées dans le *cerveau* par l'*hypothalamus*. Ses principales glandes sont : les *corticosurrénales,* l'*hypophyse*, la *thyroïde* et les parathyroïdes, le pancréas, les testicules, les ovaires.

Système immunitaire – Ensemble des *cellules* et des *protéines* qui agissent pour protéger l'organisme contre des micro-organismes infectieux, tels que les *microbes*, les *bactéries*, les *virus*, les champignons.

Système limbique – Ensemble des structures cérébrales situées dans la région médiane et profonde du *cerveau*. Il joue un rôle majeur dans la mémoire et les émotions.

Système lymphatique – Ensemble des ganglions et des vaisseaux lymphatiques (voir *Lymphe*) qui participent à la défense immunitaire de l'organisme.

Système nerveux – Ensemble des centres nerveux et des nerfs assurant la commande et la coordination des *viscères* de l'appareil locomoteur, la réception des messages sensoriels et les fonctions psychiques et intellectuelles. Sur la plan anatomique, le système nerveux se divise en deux ensembles distincts : le *système nerveux central* et le *système nerveux périphérique*.

Système nerveux autonome – Syn. : système neurovégétatif, système végétatif. Ensemble des éléments nerveux (*neurones moteurs*) qui transmettent l'*influx nerveux* du *système nerveux central* aux *muscles lisses*, au muscle cardiaque et aux *glandes* pour assurer le fonctionnement vital de base de l'organisme (respiration, circulation, digestion, excrétion). Le système nerveux autonome est divisé en *système nerveux sympathique* et *système nerveux parasympathique*.

Système nerveux central – Ensemble composé de l'*encéphale* (*cerveau*, cervelet, *tronc cérébral*), protégé par le crâne et la *moelle épinière*. Les *nerfs* qui le prolongent forment le *système nerveux périphérique*. Le rôle du système nerveux central consiste à recevoir les sensations venant d'organes tels que les yeux, les oreilles et d'autres *récepteurs* sensoriels du corps.

Système nerveux parasympathique – Syn. : système parasympathique. L'une des deux divisions du *système nerveux autonome*, dont les *fibres nerveuses* prennent leur origine dans les parties crâniennes et sacrées de la *moelle épinière*. Il contrôle les activités involontaires des *organes*, *glandes*, vaisseaux sanguins conjointement à l'autre partie du *système nerveux autonome* : le *système nerveux sympathique*. Le système parasympathique est responsable de l'accélération de la fréquence cardiaque, de la réduction du diamètre des artères et du ralentissement de la fonction digestive.

Système nerveux périphérique – Syn. : système nerveux *somatique*. Prolongement du *système nerveux central*, le système nerveux périphérique met l'organisme en communication avec l'extérieur. Il comprend l'ensemble des *nerfs* qui vont vers les *muscles*, la surface du corps, les *organes* internes et les *glandes*. Ainsi, le système nerveux périphérique commande les mouvements et la position du corps. Il permet de percevoir par la peau diverses sensations (chaleur, douleur, toucher).

Système nerveux sympathique – Division du *système nerveux autonome*, il se caractérise par deux chaînes de *ganglions* disposées de chaque côté de la *moelle épinière* et dont les *fibres nerveuses* prennent leur origine dans les parties thoraciques et lombaires de la *moelle épinière*. Le système sympathique a pour fonction de diminuer la fréquence cardiaque, la dilatation des *artères* et l'activation de la digestion.

T

Tachycardie – Accélération de la fréquence cardiaque ou de la fréquence du pouls.

Taï-chi – Gymnastique chinoise basée sur une série de mouvements lents et continus.

Technique TENS – (de l'anglais *transcutaneous electrical neuro-stimulation*). Traitement thérapeutique par stimulations électriques transcutanées susceptibles de soulager la douleur musculaire.

Tendinite – Syn. ténosite. Inflammation d'un *tendon*, provoquée habituellement par un traumatisme ou un étirement brusque. Elle se présente comme une douleur pendant les mouvements et au repos, et par une limitation de la mobilité du membre affecté.

Tendon – Cordon fibreux blanc, composé de *tissu conjonctif* dense, disposé de façon régulière, qui attache le muscle à l'os.

Tension – État mental et physique associé au *stress* ou à l'anxiété. Cette forme de tension peut provoquer des maux de tête, une douleur musculaire, l'irritabilité et la nervosité. Voir *Céphalée de tension*.

Testostérone – *Hormone* sexuelle mâle (*androgène*) sécrétée dans les testicules et en faible quantité dans les ovaires. Elle joue un rôle important dans le développement sexuel et favorise la croissance des os et des muscles chez l'homme et les femmes.

Thalamus – Les deux gros noyaux sensitifs de substance grise situés dans le ventricule cérébral, jouant un rôle de relais pour les voies sensitives. On considère le thalamus comme constituant la partie centrale du *cerveau*.

Thérapie – Méthode thérapeutique de conditionnement et de déconditionnement utilisée dans le traitement de certaines pratiques des *médecines alternatives*, y compris *l'acupuncture*, la relaxation musculaire progressive, le *taï-chi*...

Thermothérapie – Traitement thérapeutique utilisant l'application de la chaleur. Voir *Aquathérapie*.

Thorax – Partie supérieure du *tronc*, reliée au cou et aux *membres supérieurs*, séparée de l'abdomen par le *diaphragme*. Le squelette de sa paroi est formé des vertèbres thoraciques, du *sternum*, et des côtes.

Thyroïde – Voir *Glande thyroïde*.

Thyroïdite – Terme médical désignant l'inflammation de la *glande thyroïde*. Elle apparaît sous diverses formes, dont la plus courante est la thyroïdite de Ashimoto, une *maladie auto-immune* provoquant une *hypothyroïdie*. Dans le cas d'une thyroïdite de Riedel, des dépôts de *tissus* fibreux denses se forment dans la *glande* et les *tissus* avoisinants.

Tic – Mouvement convulsif involontaire produit par la contraction spasmodique d'un muscle ou de plusieurs muscles de la face, des épaules et des bras, y compris les battements des paupières.

Tissu – Groupement de *cellules* identiques fonctionnant ensemble pour effectuer une tâche particulière. Il existe quatre types de tissus fondamentaux : épithélial, conjonctif, musculaire et le *tissu nerveux*.

Tissu conjonctif – Le plus abondant tissu de l'organisme, il a pour fonction de protéger, de soutenir et de relier les *organes*. Il assure le remplissage des interstices entre les autres tissus et la nutrition de ceux-ci. Il comprend le *cartilage*, le tissu vasculaire sanguin et le tissu osseux.

Tissu épithélial – Le tissu épithélial (de *épithélium*) assure le revêtement de la surface et des cavités internes de l'organisme. Il tapisse en plus les vaisseaux sanguins, la couche superficielle de la peau et des organes creux.

Tissu musculaire – *Tissu* spécialisé dans la contraction en réaction aux *influx nerveux*, à son *extensibilité*, son *élasticité* et à son *excitabilité*.

Tissu nerveux – Il amorce et transmet les *influx nerveux* qui coordonnent les activités corporelles.

Tomodensitométrie – Syn. : tomographie axiale, scanographie. Technique diagnostique combinant l'utilisation de l'informatique et des rayons X donnant des images transversales claires et détaillées des *tissus* examinés.

Tonicité – État particulier de tension permanente et involontaire des *tissus* vivants, particulièrement du *tissu musculaire* sous la dépendance du *système nerveux central* et *périphérique*. Le degré de tonicité d'un muscle squelettique est réglé par des *récepteurs* (appelés «*fuseaux neuromusculaires*») situés dans le muscle. Voir *Tonus*.

Tonus – Légère *contraction* musculaire, soutenue et permanente qui s'oppose à une force d'extension dans laquelle se trouve normalement les *muscles squelettiques* et certains centres nerveux. Dans un muscle, certaines *fibres musculaires* sont contractées alors que d'autres sont au repos.

Torticolis – Contracture parfois douloureuse des muscles du cou, limitant les mouvements de rotation de la tête.

Toxémie – Empoisonnement sanguin causé par la présence de substances toxiques dans le sang que l'organisme ne peut éliminer.

Toxine – Substance toxique produite par des micro-organismes capables de provoquer une maladie.

Trachée – Conduit aérien qui relie le *larynx* avec les bronches et sert au passage de l'air. La trachée est située en avant de l'*œsophage*.

Tranquillisant – Syn. : *analgésique, anxiolytique, sédatif*. Médicament utilisé contre l'anxiété et la tension nerveuse.

Trapèze – Large muscle triangulaire du dos, tendu de la ligne médiane à la *clavicule* et la *scapula* (omoplate). Innervé (voir *Innervation*) par le nerf accessoire, il est élévateur et adducteur de l'épaule. Voir *Syndrome du trapèze*.

Traumatisme physique – Ensemble des troubles physiques et des lésions d'un tissu d'un organe ou d'une partie du corps provoqués accidentellement par un agent extérieur.

Traumatisme psychique – Ensemble des troubles psychiques ou psychosomatiques provoqués accidentellement par un agent extérieur du sujet (agression, violence verbale, catastrophe, choc émotionnel, stress intense prolongé…).

TRH – Syn. : facteur déclenchant la sécrétion de thyréostimuline (de l'anglais *thyrotropin releasing hormone*). Test consistant à comparer la fixation thyroïdienne de l'iode radioactif, en cas de myxœdème, avant et après injection de thyréostimuline.

Tricyclique – *Antidépresseur* prescrit dans les traitements de dépression profonde. Ce médicament a pour effet de bloquer la recapture des *neurotransmetteurs* lorsque les neurones les libèrent.

Triglycéride – Forme sous laquelle les *acides gras* de source alimentaire sont stockés dans l'organisme. Au cours de la digestion, les triglycérides des aliments sont décomposés puis absorbés dans les *cellules* de la paroi intestinale.

Tronc – Partie centrale du corps à laquelle sont attachés le cou, les membres inférieurs et les *membres supérieurs*. Le tronc est composé du *thorax*, de l'abdomen et du bassin.

Tronc cérébral – Partie intracrânienne du *système nerveux central* (*encéphale*) formant la transition entre le *cerveau* et la *moelle épinière*.

Troubles du sommeil – Les troubles chroniques du sommeil caractérisant la fibromyalgie se distinguent par des perturbations de la durée ou de la qualité du sommeil lent et profond. Voir *Onde alpha*, *Onde delta*, *Onde thêta*.

Tryptophane – Un des acides aminés indispensables à l'organisme qui est déficient en fibromyalgie.

Tube digestif – Canal continu parcourant la cavité ventrale, s'étendant de la bouche à l'anus.

U

Urétrite – Inflammation de l'urètre d'origine infectieuse. L'urètre est le conduit allant du col de la vessie au méat urétral qui permet l'écoulement de l'urine et, chez l'homme, le passage des spermes.

V

Vascularisation – Ensemble des vaisseaux sanguins irriguant une région du corps, un *organe* ou un *tissu*.

Vasoconstricteur – Médicament qui diminue les vaisseaux sanguins en provoquant la *contraction* de leurs *fibres musculaires*.

Vasodilatateur – Médicament qui augmente le calibre des vaisseaux sanguins.

Végétarisme – Régime alimentaire qui exclut la viande, le poisson et parfois tous les produits d'origine animale.

Veine – Vaisseau qui assure le retour du sang des organes et tissus vers le cœur.

Vertèbre – Élément osseux de la colonne vertébrale. Dans le corps humain, il existe 7 vertèbres cervicales, 12 v thoraciques, 5 v lombaires, 5 v sacrées, le sacrum, et 4 ou 5 vertèbres coccygiennes (du coccyx).

Vertige – Trouble cérébral (erreur de sensation) sous l'influence duquel le sujet croit que sa propre personne ou les objets environnants sont animés d'un mouvement giratoire ou oscillatoire.

Vésicule thyroïdienne – Syn. : follicule thyroïdien. Sac sphérique formant le parenchyme de la thyroïde, composé de *cellules* folliculaires qui produisent la thyroxine (T_4), la tri-iodothyronine (T_3) et des cellules parafolliculaires qui produisent la calcitonine. Voir *Glande thyroïde*.

Vessie irritable – *Contractions* intermittentes et incontrôlables des *muscles* de la paroi vésicale. Ce symptôme peut entraîner une incontinence urinaire.

VIH – Syn. : HIV, sida. Virus de l'immunodéficience humaine. Voir *Maladie immunitaire*.

Virus – Invisibles au microscope, les virus sont les plus petits agents infectieux que l'on connaisse. Ils sont à l'origine de nombreuses maladies. La seule activité des virus consiste à envahir les cellules d'autres organismes qu'ils utilisent pour se multiplier eux-mêmes. Voir *Micro-organismes*.

Viscères – Ensemble des organes situés à l'intérieur des cavités du corps (crâne, thorax, abdomen).

Vitamination – Addition de *vitamines* aux aliments.

Vitamines – Substances organiques existant en très petite quantité dans certaines matières nutritives. Puisque l'organisme est incapable de fabriquer la plupart des vitamines qui lui sont nécessaires, c'est l'alimentation qui doit les lui fournir. Au nombre de 13, elles se divisent en deux groupes : *hydrosolubles* et *liposolubles*. Voir *Nutriments essentiels*.

VLDL – Voir *Lipoprotéine*.

Bibliographie

ANDRÉ, R. *Positive solitude – a practical program for mastering loneliness and achieving self-fulfillment*. Harper Collins Publishers, New York, 1991.

ASSOCIATION MÉDICALE CANADIENNE. *Encyclopédie médicale de la famille*. Sélection du Reader's Digest, Montréal, 1993.

ATKINSON, R.L., ATKINSON, R.C., SMITH, E.E. et E.R. HILGARD. *Introduction à la psychologie*, 2ᵉ édition. Éditions Études Vivantes, Laval, 1987.

AUZOU, P. *Le grand atlas de l'anatomie*. Éditions Philippe Auzou, Paris, 1997.

BACH, G.R. et L. TORBET. *Manifester son affection*. Actualisation/Le Jour, Éditeur, Montréal, 1984.

BALCH, J.F. et P.A. BALCH. *Prescription for nutritional healing*. Avery Publishing Group, New York, 1997.

BALINT, M. *Le médecin, son malade et la maladie*. Petite Bibliothèque Payot, Paris, 1978.

BARRETT, D.A. *Fibromyalgia: improving through fitness*. Internet, 27 septembre 1997.

BÉLANGER, A. et Jean-Sébastien MARSAN. *L'annuaire du Québec branché. 10 000 sites en français au Québec*. Éditions MultiMondes, Sainte-Foy, et Netgraphe inc., Montréal, 1999.

BELCOURT, M. « La fibromyalgie ». *Santé-Médecine,* octobre 1995.

BELLEFEUILLE, J. « Êtes-vous au bord de la crise de nerfs ? ». *Femme Plus*, avril 1991.

BENNETT, R.M. « Reviews of the fibromyalgia literature ». *Oregon Health Sciences*, Internet, 3 janvier 1997.

BESSON, J.-M. *La douleur*. Éditions Odile Jacob, Paris, 1992.

BISSONNETTE, J. « La fibromyalgie devant les tribunaux ». *Écho-Fibro*, Le Gardeur, hiver 1996.

BIZE, R. et P. GOGUELIN. *Dictionnaire des médecines douces*. Centre d'Étude et de Promotion de la lecture, Paris, 1968.

BLONDIN, R. *Le bonheur possible*. Éditions de l'Homme, Montréal, 1983.

BOISVERT, J.-M et M. BEAUDRY. *S'affirmer et communiquer*. Éditions de l'Homme, Montréal, 1979.

BOLLES, E.B. *Le syndrome de la fatigue chronique*. Éditions de l'Homme, Montréal, 1991.

BONNEAU, S. « Fatigue chronique, la bête noire des chercheurs ». *Ressources Santé*, octobre 1998.

BORDE, V. « Quand le travail et le stress perturbent la santé mentale ». *Le Soleil*, 3 septembre 1995.

BORREL, M. et M. RONALD. *La condition physique et le bien-être*. Éditions du Pellican, Québec, 1990.

BOUCHARD, C. et J. BRUNELLE. *En mouvement*. Département d'éducation physique, Université Laval, Québec, 1974.

BOUCHARD, C., LANDRY, F., BRUNELLE, J. et P. GODBOUT. *La condition physique et le bien-être*. Département d'éducation physique, Université Laval, Éditions du Pélican, Québec, 1974.

BOUCHER MULLEN, P. *Prescriptions drugs* (Consumer's Guide). Publications International, Lincolnwood, Il., 1991.

BOUREAU, F. *Contrôlez votre douleur*. Éditions Payot, Paris, 1991.

BOUREAU, F. *et al. Le cerveau, le sommeil et la douleur chronique*. Internet, 11 septembre 1997.

BRADFORD, N. *et al. Le guide des médecines complémentaires*. Céliv, Paris, 1997.

BRAULT, Y. *La fibromyalgie – où en est-on ?* Hôpital de l'Enfant-Jésus, Québec, automne 1993.

BRODIE, J.E. « Placebo ou véritable alternative ». *Le Soleil*, 8 février 1998.

CALDWELL, J.P. *Le sommeil – ses troubles et ses remèdes*. Guy Saint-Jean Éditeur, Laval, 1997.

CARETTE, S. « La fibromyalgie dans les années 1990 : où en sommes-nous ? ». *Le Clinicien*, juin 1992.

CARO, X. « Le système immunitaire et la fibromyalgie ». *Echo-Fibro*, Le Gardeur, hiver 1993.

CHABOT, D. *La sagesse du plaisir*. Éditions Québecor, 1992.

CHALMERS, A. « Fibromyalgia patients : how to get them going again ». *Medecine North America*, mai 1993.

CHALOUH, M. *La fibromyalgie : un mal bien réel*. Société d'Arthrite, mars 1989.

CHALOUH, M. *La théorie du portillon: une perception multidimensionnelle de la douleur.* Société d'Arthrite, mars 1990.

CHALOUH, M. *Les cliniques de la douleur: un dernier recours.* Société d'Arthrite, mars 1990.

CHALVIN, D. *Faire face aux stress de la vie quotidienne.* Éditions E S F, Paris, 1982.

CHAMBERS, M. « Que choisir: antidouleurs ou AINS ? ». *Arthro-Express*, hiver 1996.

CHAMBERS, M. « Combattre la sécheresse de la bouche ». *Arthro-Express*, été 1997.

CHAMPAGNE, A.-L. « Employé brisé ? Appelez le réparateur ! » *Le Soleil*, février 1999.

CHARTRAND, L. « Boissons de soya : quels avantages ? » *Protégez-vous,* mars 1999.

CHEVALIER, R. « Je me relaxe, tu te relaxes, relaxons-nous ! » *Santé*, avril 1995.

CHEVALIER, R. « Même léger, l'exercice fait beaucoup d'effort ! » *Santé*, février 1998.

COMTOIS, R. « La fatigue chronique : mythe ou réalité ». *Union médicale du Canada*, janvier-février 1991.

COUDRON, L. *Stress – comment l'apprivoiser.* Flammarion, Paris, collection J'ai lu, 1992.

COWLEY, G. *Fatigué… ou malade ?* Sélection du Reader's Digest, Montréal, août 1991.

CUSSON, L. « Les ravages du stress ». *Santé*, février 1998.

CYR, J. « Une place pour chaque aliment ». *Le Soleil*, 9 mars 1998.

CYR, J. « Devenir végétarien ne s'improvise pas ». *Le Soleil*, 3 septembre, 1995.

CYR, J. « Manger cru, c'est bien meilleur pour la santé ! » *Le Soleil*, 26 avril 1998.

DEGLIN, J.H. et A.H. VALLERAND. *Guide des médicaments.* Éditions du Renouveau Pédagogique, Montréal, 1995.

DEGLIN J. HOPFER et A.H. Vallerand. *Guide des médicaments.* Éditions du Renouveau Pédagogique, Montréal, 1996.

DELISLE, I. *La visite et le soin des malades.* Novalis, Université Saint-Paul, Ottawa, 1989.

DELISLE, I. LAPIERRE. *À l'écoute de sa vie – concept santé*. Guérin Éditeur, Montréal, 1997.

DONOGHUE, P.J. et M.E. SIEGEL. *Sick and tired of feeling sick and tired*. W.W. Norton & Company, New York, 1994.

DUCLOS, G. «Les secrets du sommeil». *L'actualité*, 15 avril 1997.

DUFORT, J.-R. «Homéopathie : le plus gros mensonge du siècle». *Protégez-vous*, juin 1997.

DUNKIN, M.A. *Fibromyalgia : out of the closet*. Internet, 29 mai 1997.

ÉDIGER, B. *Vous et la fibromyalgie*. LRH Publications, Toronto, 1996.

ÉMOND, S. «Tout en douceur : les médecines alternatives s'apprivoisent». *Le Soleil*, Québec, 12 octobre 1997.

ESTÈVE, C. et M. ZAFFRAN. *Le grand atlas de l'anatomie*. Éditions Philippe Auzou, Paris, 1997.

FAELTEN, S. *Les maux de tête – comment les guérir*. Édition Inédit, Ottawa, 1983.

FAELTEN, S. et les rédacteurs de *Prévention*. *Les allergies*. Québec Agenda, Beauceville, 1987.

FEELY, R.A. «Are you tired of being always tired». *RHEMA Medical Associates*, 9 décembre 1997.

FINLEY, G. *Vaincre l'ennemi en soi*. Le jour, Éditeur, Montréal, 1996.

FLUCHAIRE, P. *L'insomnie c'est fini*. Éditions Artulen, Paris, 1990.

FRANSEN, J. et J. RUSSELL. *The fibromyalgia help book*. Smith House Press, St. Paul (MN), 1996.

FRICTON, J.R. *Myofascial pain and fibromyalgia*. Raven Press, 1990.

FRUDENBERGER, H.J. *Anxiété – le mal du 20ᵉ siècle*. Horizon/Edicompo Inc., Ottawa, 1984.

GAGNÉ, R. *L'homme sain ou malade*. Éditions Intermonde, Montréal, 1967.

GAGNON, B. *Fatigue chronique, vos papiers*. Société d'Arthrite, juin 1991.

GALTIER-BOISSIÈRE. *Larousse médical illustré*. Larousse, Paris, 1989.

GARNIER, E. «La chronothérapie : la thérapie de l'heure». *L'actualité*, 1997.

GARNIER, M., DELAMARE, V., DELAMARE, J. et T. DELAMARE. *Dictionnaire des termes de médecine – Le Garnier Delamare*, 24ᵉ édition. Éditions Maléoine, Paris, 1995.

GERECZ-SIMON, E. *et al.* «New criteria for the classification of fibromyalgia». *Canadian Journal of Diagnosis*, février 1991.

GOLDENBERG, D.L. *Fibromyalgia*. Internet, 29 mai 1997.

GOLDENBERG, D.L. *et al.* « A controlled study of a stress reduction, cognitive behavioral treatment program in fibromyalgia ». *Journal of Musculoskeletal Pain*, 2(2): 53-66, 1994.

GOLDSTEIN, J.A. et MENA, I. « Regional cerebral blood flow by spect in chronic fatigue syndrome with and without fibromyalgia syndrome ». *Arthritis and Rheumatology*, 1993.

GOLDSTEIN, Jay A. *The neuropharmacology of chronic fatigue*. FFIDS Chronicle Physicians' Forum, automne 1993.

GORMAN, C. « St. Bernard's Worth. Vitamin overload ? ». *Time*, 10 novembre 1997.

GREENWALD, J. « Herbal healing ». *Time*, 23 novembre 1998.

SANTÉ ET BIEN-ÊTRE SOCIAL CANADA. *Guide alimentaire canadien*. Réimpression 1994.

HAMILTON, J. « Pour en finir avec l'insomnie ». *Le Bel Âge*, janvier 1993.

HARRIS, T.A. *D'accord avec soi et les autres*. Épi Éditeur, Paris, 1973.

HICKS, J.E. *General approaches to the rehabilitation of chronic fatigue*. Haworth's Press, New York, 1995.

HORTON, J.E. *Fibomyalgia is not a mental illness*. Missouri Arthritis, Internet, 30 mai 1997.

HYDE, B.M. *L'encéphalomyélite myalgique (syndrome de fatigue chronique), une perspective historique*. Nightingale Research Foundation, Ottawa, 1990.

HYDE, B.M., GOLDSTEIN, J. et P. LEVINE. *The clinical and scientific basis of myalgic encephalomyelitis {chronic fatigue syndrome}*. Nightingale Research Foundation, Ottawa, 1992.

IRELAND, L.J. *Healing baths*. Fibromyalgia Management Association, Minneapolis (MN), avril-mai 1997.

JACOBSON, E. *Savoir relaxer pour combattre le stress*. Éditions de l'Homme, Montréal, 1980.

JAGOT, P.-C. et P. OUDINOT. *L'insomnie vaincue*. Éditions Dangles, Paris, 1974.

JANOV, A. *Le nouveau cri primal – revivre et vaincre sa souffrance*. Édipresse, Montréal, 1992.

JOBIN, C. « Faire face à la maladie ». *Lumière*, septembre 1998.

KLEINMAN, A. *The illness narratives – suffering, healing and the human condition*. Basic Books Inc., New York, 1988.

KLIMAS, N.G. et PATARCA, R. *Disability and chronic fatigue syndromes: clinical, legal and patient perspectives.* Fibromyalgia Management Association, Minneapolis (MN), 1998.

KOBRIN PITZELE, S. *We are not alone – learning to live with chronic illness.* Workman Publishing, New York, 1986.

KOUSMINE, C. *Sauvez votre corps.* Éditions Robert Lafont, Paris, 1987.

LABORIT, H. *Éloge de la fuite.* Éditions Robert Lafont, Paris, 1976.

LABRÈCHE, S. « Le stress coûte 20 milliards par année à l'économie canadienne ». *Le Soleil*, Québec, 3 octobre 1998.

LACROIX, M.-J. « La dépression : oui, on peut s'en sortir ». *Le Bel Âge*, mars 1993.

LAMARCHE-HACHÉ, F. et C. LAURIN. « Controverses consécutives aux lignes directrices du Collège des médecins du Québec ». *Echo-Fibro*, Le Gardeur, automne 1996.

LAROUSSE-BORDAS (équipe rédactionnelle). *Petit Larousse de la médecine.* Larousse-Bordas, Paris, 1997.

LEMONICK, L. *et al. Le massage.* Robert Lafont, Paris, 1985.

LIDELL, L., THOMAS, S., BERESFORD-COOKE, C. et A. PORTER. *Le massage.* Robert Lafont, Paris, 1985.

LONDON, W. *Principles of health.* London Research, Brattleboro (VT), 1995.

LOWE, J.C. *Thyroid status of 38 patients, implications for the etiology of fibromyalgia.* Fibromyalgia Research Institute Foundation, Minneapolis (MN), 1997.

LOWE, C. et J.W. NECHAS. *Encyclopédie complète des thérapies naturelles.* Rédacteurs de *Prévention*, Édicomp, Ottawa, 1984.

LYON, J. *101 trucs pour vaincre l'insomnie.* Hachette, Paris, 1974.

MACFARLANE, J.J. « Sommeil et fibromyalgie ». *Journal de la Société canadienne de rhumatologie*, décembre 1994.

MANIGUET, X. *Les énergies du stress.* Robert Lafont, Paris, 1994.

MANIGUET, X. *Survivre. Comment vaincre le stress en milieu hostile.* Albin Michel, Paris, 1994.

MARDEN, O. SWETT. *La joie de vivre – ou comment découvrir le secret du bonheur.* Éditions Raffin, Saint-Léonard, 1982.

MARGEN, S. et les éditeurs de *Wellness Letter. The wellness encyclopedia of food and nutrition* (Univ. of California, Berkeley). Random House Inc., 1992.

MARIN, J.-P. *Comment vaincre le découragement*. Promotions Mondiales/ Éditions LN inc., Drummondville, 1992.

MASI, A.T. « Management of fibromyalgia syndrome ». *Journal of Musculo-skeletal Medecine*, août 1994.

MATSEN III, F. *Fibromyalgia*. University of Washington, Seattle, 1997.

McCAIN, G.A. « Fibromyosite ». *Étude clinique*, vol. 38, n° 2, fév. 1983.

MELZACK, R. et P. WALL. *Le défi de la douleur*. Édition Stanké, Montréal, 1992.

MONBOURQUETTE, J. *Aimer, perdre et grandir*. Éditions du Richelieu, Saint-Jean-du-Richelieu, 1983.

MONETTE, S. *Dictionnaire encyclopédique des aliments*. Québec Amérique, Montréal, 1989.

MONGEAU, S. *et al. Dictionnaire des médecines douces*. Québec Amérique, Montréal, 1980.

MONGEAU, S. et M.-C. ROY. *Nouveau dictionnaire des médicaments*. Québec Amérique, Montréal, 1988.

MORIN, C. *Vaincre les ennemis du sommeil*. Éditions de l'Homme, Montréal, 1997.

MURRAY, T.J. *Chronic Pain Study*. Workers' Compensation Board of Nova Scotia, 1997.

NASH, J.M. *A physician's guide to fibromylgia syndrome*. Internet, février 1997.

NYE, David A. « St. John's Worth : Nature's Prozac ? ». *Time*, 22 septembre 1997.

NYE, D.A. *Fibromyalgia: a physician's guide for patients*. Electronic Business Guides, Internet, 29 mai 1997.

NYE, D.A. *Fibromyalgia: successful management of symptoms*. Internet, 29 mai 1997.

O'NEIL, N. et G. O'NEIL. *Changer votre vie – changer de vitesse*. Éditions Sélect, Montréal, 1977.

OUDINOT, P. et PAUL-C. GAGOT. *L'insomnie vaincue*. Éditions Dangles, Paris, 1967.

PAQUET, J.-C. « La douleur traitée à la source ». *Le Soleil*, Québec, septembre 1994.

PAQUET, J.-C. « Les causes inconnues de la fibromyalgie ». *Châtelaine*, septembre 1994.

PARZIALE, J.R. et J.J. CHEN. « Fibromyalgie ». *Le Soleil*, Québec, septembre 1994.

PELLEGRINO, M.J. *The fibromyalgia survivor*. Anadem Publishing Inc., Columbus (OH), 1995.

PELLEGRINO, M.J. *Fibromyalgia–managing the pain*. Anadem Publishing Inc., Columbus (OH), 1997.

PELLEGRINO, M.J. *The fibromyalgia supporter*. Anadem Publishing Inc., Columbus (OH), 1997.

PELLEGRINO, M.J. *A sunnier tomorrow*. Anadem Publishing Inc., Columbus (OH), 1998.

PELLETIER, K.R. *Le pouvoir de se guérir ou de s'autodétruire*. Éditions Québec Amérique, Montréal, 1984.

PERREAULT, D. « La fibromyalgie : une maladie encore bien peu connue ». *La Presse*, Montréal, 12 décembre 1995.

PHANEUF, D. *Le syndrome de la fatigue chronique*. Internet, 29 mai 1997.

PHANEUF, D. « Une mystérieuse maladie dont on commence à cerner les mécanismes spécifiques ». *La Presse*, Montréal, 7 mars 1993.

PILLEMER, S.R. *The fibromyalgia syndrome, current research and future directions*. Haworth Medical Press Inc., Binghampton (NY), 1994.

PILLEMER, S.R. *The Neuroscience of Endocrinology of Fibromyalgia*. The Haworth Medical Press, Binghampton (NY), 1994.

PLAMONDON, I. « Le millepertuis, la plante du bonheur ». *Protégez-vous*, août 1998.

POWELL, T. *Libérez-vous du stress*. Sélection du Reader's Digest, Montréal, 1998.

QAIYUMI, S. « La pompe contre la douleur ». *Le Soleil*, Québec, 22 mars 1993.

RATHUS, S.A. *Psychologie générale*, 2ᵉ édition. Éditions Études vivantes, Montréal, 1991.

READER'S DIGEST (équipe rédactionnelle). *Mangez mieux et vivez mieux*. Sélection du Reader's Digest, Montréal, 1983.

READER'S DIGEST (équipe rédactionnelle). *Nouveau guide pratique des médicaments*. Association médicale canadienne, Sélection du Reader's Digest, Montréal, 1996.

READER'S DIGEST (équipe rédactionnelle). *Secrets et vertus des plantes médicinales*. Sélection du Reader's Digest, Montréal, 1997.

READER'S DIGEST (équipe rédactionnelle). *Aliments santé–aliments danger*. Sélection du Reader's Digest, Montréal, 1997.

READER'S DIGEST (équipe rédactionnelle). *Vaincre la douleur*. Sélection du Reader's Digest, Montréal, 1999.

REGINSTER, H. « La douleur chronique, un combat de longue haleine ». *Le Bel Âge*, avril 1996.

RICHAUDEAU, F. *L'équilibre du corps et de la pensée*. Centre d'Étude et de Promotion de la Lecture, Paris, 1968.

RIVEST, I. *Prozac au secours des jeunes dépressifs*. Agence Science-Presse, 1998.

ROMANO, T.J. « Trauma and fibromyalgia ». *West Virginia Medical Journal*. Internet, novembre 1993.

ROMANO, T.J. *Valid complaints or malingering? Clinical experiences with post-traumatic fibromyalgia*. Internet, octobre 1996.

ROWAN, R. « Docteur, je suis fatigué d'être fatigué ». *Le Bel Âge*, juin 1995.

ROY, H. *Le calme après la tempête : la douleur soulagée*. Société d'Arthrite, juin 1990.

RUBINSTEIN, H. *Vivre sans fatigue*. Éditions Payot, Paris, 1992.

SABOURIN, G. « L'insaisissable fatigue chronique ». *Santé*, juin 1993.

SABOURIN, G. « L'assurance invalidité en 8 questions ». *Protégez-vous*, septembre 1999

ST. AMAND, P.R. *The use of uricosuric drugs in fibromyalgia*. Doctors' Support Research CFIDS, Internet, 3 janvier 1997.

ST. AMAND, P.R. *Fibromyalgia : guaifenesin treatment*. Internet, 5 mai 1997.

SARRAZIN, M. *L'assurance invalidité, comment vous protéger contre votre compagnie d'assurances*. Michelle Sarrazin, Oka, 1995.

SCHWOB, M. *101 réponses sur les migraines et les maux de tête*. Éditions Québecor, Montréal, 1983.

SCHWOB, M. *La douleur*. Dominos/Flammarion, Paris, 1994.

SCHWOB, M. et D. REDUREAU. *101 conseils pour vaincre la douleur*. Hachette, Paris, 1983.

SELYE, H. *Du rêve à la découverte*. Éditions La Presse, Montréal, 1973.

SELYE, H. *Stress sans détresse*. Éditions La Presse, Montréal, 1974.

SHAW, A.L. « Fibromyalgia and myofascial pain ». *Advanced Pain Care*. mai 1997.

SIMON, G., H.M. SILVERMAN *et al. The Pill Book*, 4ᵉ édition. Bantam Books, Toronto, 1990.

SIMONEAU, J. «Comment trouver un bon médecin». *Santé – Mieux-être*, novembre 1996.

SIMONEAU, J. «L'image du stress». *Santé*, avril 1994.

SIMONTON, C., SIMONTON MATTHEWS, S. et J. CREIGHTON. *Guérir envers et contre tout*. Desclée de Brouwer, Paris, 1982.

SIRIM (Société Internationale de Recherche Interdisciplinaire sur la Maladie). *Alors survient la maladie*. Empirika/Boréal Express, Saint-Laurent, 1984.

STAEHLE, J. *Les oligo-éléments*. Éditions N.B.S. inc., Piedmont, 1989.

STARENKYJ, D.J. *Mon «petit» docteur*. Publications Orion, Richmond, 1985.

STARLANYL, D. *What your surgeon should know*. Internet, 5 octobre 1996.

STARLANYL, D. *Fibromyalgie: a guide for relatives and companions*. Internet, 29 mai 1996.

STARLANYL, D. *What your neurologist should know*. Internet, 6 octobre 1996.

STARLANYL, D. et M.E. COPELAND. *Fibromyalgia & chronic myofascial pain syndrome, a survival manual*. New Harbinger Publications, Oakland (CA), 1996.

TELLIER, J. «Grosse fatigue». *Femme Plus*, mars 1995.

TEITELBAUM, J. *New ways to treat an underactive thyroid*. Fibromyalgia Management Association, avril 1998.

TEITELBAUM, J. *Our body's energizers: magnesium and malic acid*. Fibromyalgia Managing Association, février 1998.

THIBODEAU, C. «N'essayez surtout pas de dormir». *Femme Plus*, mars 1995.

THIBODEAU, C. «Re-la-xer! Quel est votre niveau de stress?. *Le Soleil*, Québec, 7 octobre 1998.

THIBODEAU, C. «Suppléments alimentaires: en prendre ou pas?». *Le Soleil*, Québec, 7 octobre 1998.

THIBODEAU, «C. Bougez! Un peu d'exercice, c'est déjà beaucoup!». *Le Soleil*, Québec, 14 octobre 1998.

THIBODEAU, R. *Dites-moi, docteur*. Éditions de l'Homme, Montréal, 1996.

THIBODEAU, R. «Comprendre et résoudre le stress». *Lumière*, février 1998.

THIERNO, D. «Le sommeil: une étrange machine». *Le Soleil*, Québec 9 septembre 1997.

THOMPSON, D. « Acupuncture works ». *Time*, 17 novembre 1997.

THORSON, K. *Fibromyalgia syndrome and chronic fatigue syndrome in young people.* Health Information Network, Bakersfield (CA), 1994.

TILLER, Liller. *Fibromyalgia, a wolf in sheep's clothing.* Internet, 29 mai 1997.

TORTORA, G.J. et N.P. ANAGNOSTAKOS. *Principes d'anatomie et de physiologie*, 5ᵉ édition. Centre Éducatif et Culturel Inc., Montréal, 1988.

TRAVEL, J.G. et D.G. SIMONS. *Myofascial pain and dysfunction : the trigger point manual*, vol. I, *The Lower Body.* William & Wilkins, Baltimore (MD), 1983.

TRAVEL, J.G. et D.G. SIMONS. *Myofascial pain and dysfunction : the trigger point manual, vol. II, the upper body.* William & Wilkins, Baltimore (MD), 1992.

TURENNE, M. « Comment gérer son stress professionnel ». *Le Soleil*, Québec, 3 octobre 1998.

VADEBONCŒUR, R. « Les syndromes myofasciaux », 1ʳᵉ partie. *Le clinicien*, avril 1993.

VADEBONCŒUR, R. « Les syndromes myofasciaux », 2ᵉ partie. *Le clinicien*, mai 1993.

VAN AERDE, J. « Chronic fatigue, doctor as patient ». *Medical Post*, 3 septembre 1991.

VILLEDIEU, Y. « La fin de la douleur ». *Le clinicien*, mai 1993.

VOISARD, A.-M. « La douleur sous-estimée ». *Le Soleil*, Québec, 9 janvier 1999.

VOISARD, A.-M. « Gare aux analgésiques ». *Le Soleil*, Québec, 15 janvier 1999.

VOISARD, A.-M. « La douleur, une alliée à écouter ». *Le Soleil*, Québec, 11 janvier 1999.

WAYLONIS, G.W. *Fibromyalgia : a perspective for patients.* Internet, 13 février 1997.

WEST, W.G. *Comment vaincre le stress.* Québecor, Montréal, 1982.

WHITTOM, E. « La migraine : un casse-tête interminable ». *Le Soleil,* Québec, 29 juin 1997.

WILLIAMSON, M. « Fibromyalgie : 101 conseils ». *L'actualité*, août 1996.

WILSON, R.R. *Pas de panique – pour vaincre vos attaques d'anxiété.* Éditions de l'Homme, Montréal, 1993.

WOLFE, F. et I.J. RUSSELL. « Carences de magnésium et de sérotonine en fibromyalgie ». *Fibromyalgia Network*, mars 1992.

YUNUS, M.B. *Psychological status in fibromyalgia and associated syndrome*. Internet, 29 mai 1997.

YUNUS, M.B. *Chronic fatigue and fibromyalgia syndrome*. Internet, 30 mai 1997.

Carnet d'adresses

Les adresses regroupées ci-après ne sont fournies qu'à titre indicatif. Ces listes ne sont pas exhaustives puisqu'il n'existe pas à ce jour de recensement complet des divers sites électroniques d'Internet, des centres antidouleur ou des associations de fibromyalgie et du syndrome de fatigue chronique. Ainsi, elles ne sauraient engager en aucune façon la responsabilité des auteurs ou de l'éditeur.

ADRESSES ÉLECTRONIQUES

Association de la fibromyalgie du Québec
http://Gomer.MLink.NET/~fibro
Informations sur les adresses, références et services.

Bottin Internet des sites en français
http://www.guide-internet.com/bottin.htm
7500 sites commentés par les éditeurs du Guide Internet.

Centre de recherche en droit public
http://www.droit.umontréal.ca/
Informations juridiques en droit québécois et canadien, dont les revues Thémis *et* CyberNews.

CLSC et CHSLD du Québec
http://clsc-chsld qc.ca/
Documents d'aide à l'intervention dans les domaines social, santé, communautaire, ainsi que les adresses et téléphones des CLSC et CHSLD du Québec.

Commission de la santé et de la sécurité du travail au Québec (CSST)
http://www.csst.qc.ca/
Organisme ayant pour mission la prévention des accidents du travail et des maladies professionnelles, etc.

Diététique en action
http://www.opdq.org/frame_dea.html
Publiée trois fois l'an, cette revue se spécialise en nutrition.

Douleur chronique
http://2.rpa.net/~lrandall/index.html
(Chronic Pain, CFS, FMS). Réseau de ressources médicales, y compris des informations sur la douleur chronique associée à la fibromyalgie et au syndrome de la fatigue chronique.

Éditions Encre Verte
http://pages.infinit.net/encverte/
Périodique de la revue Encre Verte *traitant de la santé naturelle.*

Fibromyalgie : outils de recherche
http://infoseek.go.comTitles?col=
WW&lk= french&sv=IS&qt=
fibromyalgia
*Réseau de sites d'information sur
la fibromyalgie, la douleur
myofasciale et le syndrome de la
fatigue chronique.*

Flash Santé
http://www.hc-sc.gc.ca/flash/
*Revue électronique de Santé Canada
explorant le domaine de la santé.*

FM Fibromyalgia Management Association
fmfma/@ix.netcom.com
*Bulletin d'information publié six fois
par année sur la fibromyalgie et
le syndrome de la fatigue chronique.*

Francité
http://www.francite.com/
*Outil de recherche francophone
intégrant la catégorie santé :
médecine et maladie.*

Guide de l'internaute
http://www.logique.com/internaute99/
index.html
*Guide d'initiation à Internet rédigé
par Danny J. Sohier.*

Guide d'initiation à la recherche sur Internet
http://www.bibl.ulaval.ca/vitrine/giri
*Site permettant d'apprendre
à chercher des informations sur
Internet.*

Juridex
http://juriste.gouv. qc.ca/
*Sous l'égide de l'Éditeur officiel
du Québec, accès à toute
la documentation juridique d'intérêt
général.*

Juriscom.net
http://www.total.net/~archa
*Site offrant l'accès aux ressources
juridiques : sites internationaux,
bibliothèques, revues, éditeurs et
autres pages de renseignements utiles.*

Ministère de la Justice du Québec
http://www.justice.gouv.qc.ca/
*Présentation des services
à la population.*

Ministère de la Santé et des Services sociaux
http://www.msss.gouv.qc.ca/
*Renseignements sur les activités
du réseau de la santé.*

Office des personnes handicapées
http://www.ophq.gouv.qc.ca/
*Organisme coordonnant des services
offerts aux personnes handicapées
du Québec.*

Outils de recherches sur le web
Répertoires :
La Toile : www.toile.qc.ca
Lokace : www.lokace.com
Carefour.net : www.carefour.net/
Trouvez : www.trouvez.com
Francité : www.lokace.com
Nomade : www.nomade.fr
Yahoo! : www.francite.com

Moteurs de recherche :
AltaVista : www.altavista.com
La Toile : www.toile.qc.ca/outils
Yahoo! : www.yahoo.fr
Go2Net : www.go2net.com/search.htlm
Inference Find : www.infind.com
Copernic : www.copernic.com
Ask Jeeves : www.aj.com/
NorthernLight : www.northernlight.com/
SaveySearch : www.savvysearch.com
Voilà : www.voila.fr

Pain Institute of Chicago
http://medhip.netusa.net/www/piic.
3.htm
*Bulletin médical sur le traitement
de divers symptômes, y compris
la douleur chronique associée à
la fibromyalgie et au syndrome
de la fatigue chronique.*

Régie des rentes du Québec
http://www.rrq.gouv.qc.ca/
*Régime d'assurance invalidité visant
à assurer aux travailleurs, ainsi qu'à
leurs proches, une protection
financière de base en cas d'invalidité,
à la retraite ou lors du décès.*

Régie du logement
http://www.rdl.gouv.qc.ca/
*Organisme chargé d'encadrer
les relations entre locataires
et propriétaires.*

Santé Canada en direct
http://www.hc-sc.gc.ca/français/
*Nouveau moteur de recherche sur
les services et les ressources externes
du ministère Santé Canada: aliments
et nutrition, assurance médicaments,
maladies, médicaments, produits de
santé naturels, etc.*

Service juridique
http://www.juriste.gouv.qc.ca/
*Service offert par l'Éditeur officiel
du Québec donnant accès à la
documentation juridique d'intérêt.*

Soins infirmiers
http://www3.sympatico.ca/f.simoneau/
soins.htm
*Liens en soins infirmiers français
ou anglais.*

Urgenet
http://www.urgenet.qc.ca/
*Site francophone sur la médecine
d'urgence.*

Yahoo! France
http://www.yahoo.fr/Santé/
Dietetiqueetnutrition/
*Site francophone sur la diététique
et la nutrition, y compris
la contribution des aliments
manipulés génétiquement.*

CLINIQUES ANTIDOULEURS

**CHUL (Centre hospitalier
de l'Université Laval)**
2705, boul. Laurier
Sainte-Foy (Québec)
G1V 4G2
Tél.: (418) 654-2707

Centre hospitalier Hôtel-Dieu de Lévis
143, rue Wolfe
Lévis (Québec)
G6V 3Z1
Tél.: (418) 835-7121, poste 3432

**CHUM (Centre hospitalier
universitaire de Montréal)**
CAMPUS HÔTEL-DIEU
3840, rue Saint-Urbain
Montréal (Québec)
H2W 1T8
Tél.: (514) 843-2611, poste 4240

**CHUM (Centre hospitalier
universitaire de Montréal)**
CAMPUS NOTRE-DAME
1560, rue Sherbrooke Est
Montréal (Québec)
H2L 4M1
Tél.: (514) 282-6000, poste 7247

Hôpital général de Montréal
1650, avenue des Cèdres
Montréal (Québec)
H3G 1A4
Tél.: (514) 937-6011

Centre hospitalier Rouyn-Noranda
4, 9ᵉ Rue
Rouyn-Noranda (Québec)
J9X 2B2
Tél.: (819) 764-5131, poste 6245

**Centre hospitalier régional
de Trois-Rivières**
Pavillon Saint Joseph
731, rue Sainte-Julie
Trois-Rivières (Québec)
G9A 1Y1
Tél.: (819) 379-8112, poste 4029

Cité de la Santé
1755, boul. René-Laennec
Laval (Québec)
H7M 3L9
Tél.: (450) 668-1010, poste 2952

**CUSE (Centre universitaire
de l'Estrie)**
3001, 12ᵉ Avenue Nord
Fleurimont (Québec)
J1H 5N4
Tél.: (819) 346-1110, poste 1-4629

Hôpital général Juif
3755, ch. de la Côte Sainte-Catherine
Montréal (Québec)
H3T 1E2
Tél.: (514) 350-5119

Hôpital Royal Victoria
687, avenue des Pins Ouest
Montréal (Québec)
H3A 1A1
Tél.: (514) 846-1430

ASSOCIATIONS DE FIBROMYALGIE AU CANADA

Association de FM du Québec
333, boul. Lacombe, bureau 208
Le Gardeur (Québec)
J5Z 1N2
Tél./Téléc.: (514) 582-3075

**Atlantic Regional Conference on
fibromyalgia**
P.O. Box 22008, Landsdowne P.O.
Saint John (Nouveau-Brunswick)
E2K 4T7

Ontario Fibromyalgie Association
250 Bloor Street East, Suite 901
Toronto (Ontario)
M4W 3P2
Tél.: (416) 967-1414

**Northern Ontario Fibromyalgia
Network**
720 Downland Street
Toronto (Ontario)
P3A 5T3

**Fibromyalgia Support Group
of Winnipeg Inc.**
825 Sherbrook Street
Winnipeg (Manitoba)
R3A 1M5
Tél.: (204) 772-6979

**Fibromyalgia Association of
Saskatchewan**
Box 7525
Saskatoon (Saskatchewan)
S7K 4L4

**Fibromyalgia Association of British
Columbia**
Box 15455
Vancouver (Colombie-Britannique)
V6B 5B2
Tél.: (604) 739-3905

ASSOCIATIONS RÉGIONALES DE FIBROMYALGIE AU QUÉBEC

Région 06: Montréal
10515, boul. Perras
Rivière-des-Prairies (Québec)
H1C 1X8
Tél.: (514) 494-4591

Région 13: Laval
2491, rue de l'Ombrette
Sainte-Rose, Laval (Québec)
H7L 4H9
Tél.: (514) 628-1090

Région 03: Québec
215, rue des Peupliers Ouest
Québec (Québec)
G1L 1H8
Tél.: (418) 621-9180

Région 04: Mauricie
160, rue Dieppe
Cap-de-la-Madeleine (Québec)
G8T 7Z1
Tél.: (819) 379-7226

Région 08: Abitibi-Témiscamingue
467, 1re Rue Est
Chazel (Québec)
J0Z 1N0
Tél.: (819) 333-6568

Région 01: Bas-du-fleuve
707, rue du Versant
Rimouski (Québec)
G5L 8C4
Tél.: (418) 724-8974

Région 12: Chaudière-Appalaches
79, rue Champagnat
Lévis (Québec)
G6V 2B3
Tél.: (418) 837-0353

Région 05: Estrie
842, 7e Avenue Sud
Sherbrooke (Québec)
J1G 3E2
Tél.: (819) 566-1067

Région 09: Côte-Nord
2247, rue Laflèche
Baie-Comeau (Québec)
G5S 1E2
Tél.: (418) 589-4801

Région 07: Outaouais
207, avenue de la Colline
Aylmer (Québec)
J9J 1L6
Tél.: (819) 643-3970

Région 02: Lac-Saint-Jean
3923, rue du Cap
Jonquière (Québec)
G7X 2Y3
Tél.: (418) 542-2201

CENTRES DE RECHERCHES EN FIBROMYALGIE AU CANADA

London Psychiatric Hospital
850 Highbury Avenue
P.O. Box 2532
London (Ontario)
N6A H1

Toronto Western Hospital
399 Bathurst Street
Toronto (Ontario)
M5T 2S8

University of Calgary
3330 Hospital Drive NW
Calgary (Alberta)
T2N 4N1

ASSOCIATION DU SYNDROME DE LA FATIGUE CHRONIQUE

Association de l'encéphalomyélite myalgique du Québec (AQEM)
2100, rue Marlowe
Montréal (Québec)
H4A 3L5

CENTRES DE RECHERCHES EN FIBROMYALGIE AUX ÉTATS-UNIS

The University of Alabama
Laurence Bradley, Ph.D.
Birmingham
UAB Station
Birmingham, AL 35294

Northbridge Medical Plaza
Xavier Caro, MD
18350 Roscoe Blvd. #418
Northridge, CA 91325

University of Illinois
Muhammad Yunus, MD
P.O. Box 1649
Peoria, IL 61656

Boston University School of Medicine
Robert W. Simms, MD
71 East Concord Street
Boston, MA 02118

University of Michigan at Ann Arbor
Leslie J. Crofford, MD
1500 East Medical Center Drive
Ann Arbor, MI 48109-0358

University of Missouri School of Medicine
Susan P. Buckelew, Ph.D.
501 Rusk Rehabilitation Center
One Hospital Drive
Columbia, MO 65212

New York Medical College
Arthur Weinstein, MD
Vosburgh Pavillion
Valhalla, NY 10595

Presbyterian Hospital Pain Therapy Center
Glen McCain, MD
1521 East 3rd Street
Charlotte, NC 28204

Ohio State University
George Waylonis, MD
Columbus, OH 43210

University of Texas Health Science Center
I. Jon Russell, MD, Ph.D.
San Antonio, TX 78284-7874

Georgetown University Hospital
Daniel J. Clauw, MD
3800 Reservoir Road-GL 020
Washington, DC 20007

National Institute of Health
Stanley Pillemer, MD
Building 45, Room MCS 6500
45, Center Drive MCS 6500
Bethesda, MD 20892

Newton-Wellesley Hospital
Don Goldenberg, MD
2014 Washington Street
Newton, MA 02162

Index

Table des matières

Liste des figures

Liste des tableaux